D0295290

SI PRÈS DU PARADIS

Susan Isaacs

Si près du paradis

TRADUIT DE L'AMÉRICAIN
PAR
AGNÈS GATTEGNO

UNE ÉDITION SPÉCIALE DE LAFFONT CANADA LTÉE,
EN ACCORD AVEC LES ÉDITIONS STOCK

Titre original :

ALMOST PARADISE
Harper & Row, New York

Tous droits réservés pour tous pays.
© 1984 Susan Isaacs.
© 1984, Éditions Stock pour la traduction française.

A mes enfants,
Andrew et Betzy Abramowitz,
avec tout mon amour.

Tous les personnages de ce roman sont inventés et ne s'inspirent d'aucune personne vivante. Les événements et les héros sont purement imaginaires.

Prologue

Pour tenter de récupérer son mari, Jane Cobleigh s'était embarquée sur un Concorde de la British Airways dont la vitesse dépassait celle du son. Vers la fin du vol, elle réussit à regarder par le hublot. Londres la Grise lui apparut, évanescente sous la brume d'une vague de chaleur estivale.

Elle arriva à l'hôtel peu après le moment où Nicholas, rentrant du studio, regagnait la maison qu'il avait louée en ville. « Bonsoir Madame », dit l'employé de la réception, guindé dans son uniforme. Il devait avoir chaud ; son col, trop serré, compressait son cou, rouge et gonflé.

Jane réprima le « Salut » de son Ohio natal. « Bonsoir », dit-elle.

« Nous sommes très heureux de vous accueillir, madame Cobleigh. » De toute évidence, il se délectait à prononcer ce nom si célèbre. Ses intonations étaient mélodieuses et si typiquement britanniques qu'elle s'attendait presque à le voir s'avancer pour réciter un sonnet : « *Lorsque quarante hivers auront assailli ton front, / Et auront creusé de profonds sillons dans l'éclat de ta beauté...* »

Mais il ne déclama pas Shakespeare, il dit simplement :

« Vous réglez par chèque ou carte de crédit ?

— Carte de crédit, répondit-elle.

— Parfait », répliqua-t-il.

Qu'aurait-il répondu si elle avait dit le contraire ?

Son visage s'empourpra, comme pour s'assortir à l'écarlate de son nez. Sans doute ne pouvait-on déprécier l'allure princière du hall, dans le plus pur style classique, par une installation aussi grossière que l'air conditionné. Au milieu de tout ce marbre et ces dorures, l'employé ne déparait pas, avec sa chemise amidonnée, son gilet épais et sa jaquette de laine. Il n'allait sans doute pas tarder à défaillir, et elle aussi. Il n'en fut rien. Il s'approcha tranquillement du concierge pour lui présenter la clé de Jane : tout ce rituel paraissait remonter au temps de la Grande Charte.

Lorsqu'elle se retrouva enfin dans sa chambre fraîche, elle pensa qu'elle avait dû donner un trop gros pourboire au concierge, car il s'était incliné devant elle comme si elle avait débarqué en Angleterre pour revendiquer, et à juste titre, son droit au trône. Elle ne se souvenait plus de la valeur exacte d'un billet de cinq livres. Elle était trop épuisée pour réfléchir.

Après son bain, elle dut admettre que la fatigue n'était pas seule en cause. C'étaient surtout les nerfs. La femme délaissée du plus célèbre acteur du monde n'aurait jamais dû débarquer à Londres à l'improviste. Salut ! Ma liaison est finie. Elle n'a jamais signifié grand-chose, d'ailleurs. Et la tienne ? Tu la laisses tomber ? Que cherche un homme de quarante ans auprès d'une fille de vingt-quatre, dont certains disent qu'elle a une chevelure flamboyante flottant au vent et un visage délicat de porcelaine, comme une poupée de luxe ?

Jane, dirait-il. Il serait absolument désolé pour elle.

Mais alors, pourquoi tous ces coups de téléphone ? Tu avais l'air si... j'étais sûre que...

Jane, je suis navré. Je pensais que, pour les filles, cela rendrait les choses plus faciles si nous avions des rapports plus cordiaux, toi et moi. Je voulais seulement être... amical, disons. Je suis vraiment désolé que tu aies mal interprété mes appels. Tu sais, j'aime Pamela. Je te l'ai déjà dit voici deux ans...

Ses nerfs craquent. Non, ce n'est pas cela. Plutôt un sentiment de terreur, d'humiliation. Voilà, elle était là, prête à se rendre complètement ridicule ; elle avait traversé l'Atlantique comme une idiote. Que pourrait-elle lui dire ? Salut ! J'ai attrapé un vol pour Londres, bien que je n'aie jamais pris l'avion de ma vie ! J'ai pensé faire un saut pour voir comment tu allais.

Et si Pamela était là ? Tous ceux qui les avaient vus ensemble disaient qu'elle s'accrochait toujours à lui, lui tenant la main, posant la tête sur son épaule. Ce devait être une naine, pensait Jane. Mais non, voyons ! Plutôt petite et... adorable. J'ai l'air de King Kong à côté d'elle.

Que dirait-elle ? Elle n'avait rien préparé. Nick, nous devons parler. Nick, je t'aime toujours. Tu ne peux pas imaginer combien je t'aime...

Lui aussi l'avait aimée. Juste après leur mariage, les parents de Nick lui avaient coupé les vivres, à la grande surprise de leur fils, qui considérait leurs subsides comme inépuisables. La famille

Cobleigh était médusée et peinée de le voir abandonner ses études de droit pour se lancer sur les planches. Ainsi, brutalement et pour la première fois de sa vie, Nicholas ne voguait plus sur les eaux paisibles qui bercent le destin de la haute société.

Un matin, dans le logement sans eau chaude qu'ils occupaient désormais dans la 46ᵉ Rue Ouest, Jane l'avait surpris dans la cuisine, fasciné par les cafards qui circulaient sur l'égouttoir à côté de l'évier. Elle fut frappée par son expression de dégoût, d'humiliation. La vie de Nicholas avait toujours été si facile jusqu'au jour où elle l'avait séduit et convaincu de devenir comédien, l'entraînant ainsi dans la pauvreté.

Elle s'était approchée de lui et lui avait dit : Ecoute Nick, je suis désolée. C'est tellement minable et nous sommes si fauchés et...

Elle s'était interrompue. Nul doute que, dans les sphères où Nicholas avait vu le jour, l'attendrissement sur soi-même était considéré comme un sentiment réservé au peuple. Si elle poursuivait son propos, il risquait de regretter son mariage et, whaouh ! de claquer la porte derrière lui et de courir à toutes jambes vers les quartiers chics pour retrouver Park Avenue. Mais il l'avait prise dans ses bras et lui avait dit : Ne t'en fais pas. On s'en sortira. Regarde-nous. On pourrait être les héros d'une pièce pour un festival d'été : un jeune couple, follement amoureux, aussi pauvre que des grenouilles de bénitiers. Les romances comme la nôtre finissent toujours bien. C'est vrai, non ? Allez, souris ! Souris avant que je me fasse mordre par ces cafards avec mes pieds nus, et que cela ne finisse en mélodrame... moi, mourant de la peste bubonique, et toi, recroquevillée dans ton châle. Et elle avait souri. Bien, avait-il dit. Maintenant, dis-moi que tu m'aimes. Je t'aime, Nick.

Je t'aime, Nick. Voilà ce qu'elle lui dirait. Et ensuite, ce serait à lui de décider.

Quels que soient les problèmes d'un couple, un homme ne peut rester dix-neuf ans avec sa femme sans lui être attaché. Et, après tout ce temps passé ensemble, il ne peut oublier qu'ils étaient amoureux autrefois.

Il n'était donc pas étonnant qu'au moment où Jane finit par s'endormir dans son hôtel londonien, Nicholas Cobleigh, installé à moins de deux kilomètres de là, rêvât de sa femme. Juste avant l'aube, dans le lit à baldaquin trop élégant d'une maison meublée dans un style trop chichi, il se réveilla en pensant à Jane, la Jane d'autrefois. Tout son rêve ne lui revenait pas, il se rappelait juste un événement qui était resté gravé dans sa mémoire : le premier dîner de Jane avec ses parents.

C'était juste après la cérémonie de remise des diplômes à Brown University. Dans la Flagstaff Room du Sheraton-Biltmore à Providence, Jane, avec son teint mat et sa grosse tresse noire qui lui arrivait à la taille, tranchait parmi les huit représentants de la famille Cobleigh, au teint clair, aux cheveux lumineux et habillés par un grand faiseur : elle avait l'air d'une immigrante. Sa robe verte, un peu trop moulante, choquait parmi les soies beiges et les tweeds havane. Jane examinait l'artichaut que le père de Nicholas avait commandé pour elle. Elle était affreusement mal à l'aise et cette situation si troublante l'intimidait tant qu'elle n'arrivait pas à soulever sa fourchette.

Nicholas retourna son oreiller ; l'autre côté était plus frais. Son rêve s'était arrêté là, mais il se souvenait que Jane avait gardé la tête baissée, puis ses yeux avaient erré sur l'assistance, quêtant une indication sur le mode d'emploi de cette chose, posée sur son assiette. Elle s'était décidée à tirer sur une feuille. L'artichaut avait glissé sur la sauce vinaigrette et aurait atterri sur ses genoux si elle ne s'en était pas saisi de la main gauche pour le rattraper au vol.

Nicholas se rappelait qu'il avait espéré que Jane placerait une de ses remarques spirituelles et bien à propos, mais elle était demeurée silencieuse et il avait compris à quel point la vue de ces huit New-Yorkais, si sophistiqués à ses yeux, la paralysait. Il aurait voulu lui prendre la main, la presser tendrement pour lui faire comprendre qu'elle s'en tirait à merveille. Mais elle était assise entre son père et son frère Tom.

Quel dommage qu'elle ait eu les yeux baissés : ils étaient superbes. Il aurait tant voulu que sa famille admirât ses prunelles bleu foncé, veloutées comme des pensées. Bien plus belles que les siennes, dont on faisait pourtant tout un plat.

Aujourd'hui même, son maquilleur lui avait dit : « Oh ! Mon Dieu, monsieur Cobleigh, vous avez les yeux rouges. » Nicholas avait soupiré, mais il avait compris l'allusion. Les fameuses prunelles gris-vert de Nicholas Cobleigh, célèbres dans le monde entier, étaient un des atouts de Guillaume le Conquérant, le film de trente-cinq millions de dollars que tournait Nicholas.

Et voilà que ses yeux seraient encore rougis. Il n'avait pas bien dormi, Jane le préoccupait toujours. S'il ne rêvait pas d'elle, il se réveillait au milieu de la nuit et ne pouvait en détacher ses pensées. Elle était là, devant lui, grande et élancée. Il ne pouvait la chasser de son esprit.

Il retournait son oreiller du côté frais, mais cela n'y changeait rien. Il s'appliquait à respirer profondément. Rien n'y faisait. Il essayait alors de se mettre au milieu du lit, mais sans résultat. Pourtant il persista : il se frotta contre le dos de Pamela, l'entoura de son bras et caressa sa poitrine menue.

Nicholas finit par se dégager, sortit du lit, descendit sur la pointe des pieds dans la bibliothèque et décrocha le combiné.

Il ne savait absolument pas pourquoi il continuait à appeler Jane ni ce qu'il lui dirait cette fois-ci. Il était gêné de lui téléphoner trois ou quatre fois par semaine au milieu de la nuit, en cherchant des prétextes à propos des filles. Pourrais-tu m'envoyer une photocopie des diplômes de Vicky ? As-tu contacté le médecin du camp pour l'oreille infectée de Liz ? Jane savait bien que l'aube se levait à peine sur Londres à cette heure-là.

Une nuit, il avait décidé de lui parler pour voir sa réaction. Il pensait dire : je crois qu'il est temps de contacter nos avocats. Je ne peux faire attendre Pamela éternellement. Il allait aviser. Si Jane paraissait indifférente, il n'aurait qu'à en finir une fois pour toutes. Mais à peine avait-il entendu son « Salut » si familier, avec son accent de Cincinnati, qu'il en avait eu la gorge nouée et avait juste pu dire : « Le comptable m'a signalé que tu ne lui avais *toujours* pas adressé l'imprimé W 2. Le délai qu'on nous a laissé expire le 15 de ce mois. » Elle avait dit : « D'accord, je vais m'en occuper. Au fait, comment ça marche Guillaume ? » Et il lui avait parlé pendant près d'une heure.

Il composa le numéro de l'appartement de New York et celui de la maison dans le Connecticut. Chaque fois, il réveilla les gardiens. Madame Cobleigh n'était pas attendue. Madame Cobleigh était partie en vacances. Un message, Monsieur ? Non, pas de message, merci, avait-il répondu aux deux gardiens. Je la rappellerai un autre jour.

Il raccrocha le téléphone et remonta se coucher. Pamela se pelotonna contre lui et les mèches de ses cheveux chatouillèrent sa bouche et son nez. Nicholas les balaya et ferma les yeux.

Où sa femme pouvait-elle être partie ? Il se rappela son rêve et la robe verte chatoyante qui la moulait trop. Puis il se demanda quelle impression ça lui ferait de la revoir.

Ils ne pouvaient imaginer, ni l'un ni l'autre, dans quelles circonstances ils allaient se retrouver. Cela arriva aux environs de midi le lendemain, par une journée caniculaire de juillet 1980. Il faisait si chaud ce jour-là que trois figurants s'étaient évanouis dans le carcan de leurs armures ; et, à la cantine, vu que nous étions en Angleterre, il n'y avait plus un seul glaçon dès dix heures et demie du matin. Ce jour-là, donc, Jane Heissenhuber Cobleigh, vêtue d'une robe de lin crème, descendit d'une Daimler grise en face des studios Blackheath, en lançant « Nick, Nick » à l'adresse du passager d'une autre limousine qui s'apprêtait à quitter les studios, puis elle s'élança sur la chaussée encombrée et fut heurtée par une MG bleue conduite par le batteur d'un obscur groupe de rock qui, pour la première fois depuis trois semaines, était dessaoulé et impeccable.

Cet accident était-il lié à quelque phénomène cosmique ou tout simplement au hasard ? Ni Jane ni Nicholas n'étaient du genre à s'appesantir sur de telles questions. Les choses arrivaient, voilà tout. Tant d'événements avaient déjà bousculé leurs vies qu'ils étaient peu enclins à croire en un avenir clairement défini ou prévisible.

Mais ils n'auraient jamais pu imaginer une chose de ce genre... et pour cause.

PREMIÈRE PARTIE

Jane

1

Nous recevons à l'instant une dépêche de
l'agence Reuter nous signalant que Jane Cobleigh
a été heurtée par une voiture en traversant une rue
de la proche banlieue londonienne. Son mari, le
célèbre acteur Nicholas Cobleigh, s'est refusé à
tout commentaire...

Extrait du bulletin d'information
de la N.B.C. de ce jour.

La mère de Jane aurait sauté sur une telle occasion de parler
aux journalistes. Elle aurait défait deux autres boutons de son
chemisier puis, après un coup de langue humide sur ses lèvres,
elle aurait démarré sans ambages en murmurant : « Salut les
gars. » Tout cela bien sûr, à l'époque où elle était dans le
spectacle, avant de jouer les femmes au foyer, les bigotes et les
ouvreuses de boîtes de conserve. Avant de devenir madame
Richard Heissenhuber.

Lorsqu'elle était danseuse de music-hall, elle s'appelait Sally
Tompkins. Elle était aussi comédienne. En 1926, dans un sketch
de *Belle de Broadway*, elle avait six lignes qui se terminaient par :
« Eh bien, monsieur Prescott, vous pouvez prendre *cela* et *cela* » ;
elle ponctuait chaque *cela* d'un mouvement provocant de son
opulente poitrine. Et sa sortie de scène était toujours saluée par
des sifflets et des applaudissements. Monsieur Norton, le directeur, remarqua qu'elle avait un grand talent de comique, bien
qu'il ait été le premier à reconnaître qu'elle pourrait aussi tenir
d'autres emplois. Mais, par la suite, il lui susurra qu'avec une
telle paire de nichons, personne ne lui ferait jamais jouer lady

Macbeth. Quelque temps après, il lui fit remarquer que son nom de Sally Tompkins ne collait pas à son genre de physique. Cela ressemblait trop à Mademoiselle Tout le Monde alors qu'elle avait un physique très typé. Puisqu'elle était à moitié espagnole — c'est exact, non ? — , pourquoi ne pas choisir quelque chose comme Lola Torrez ou, voyons, un pseudonyme court dans le genre de Bonita ou Caramba. Mais que pouvait-elle faire, lui dit-elle, puisque Sally Tompkins c'était son vrai nom ?

Ce n'était pas vrai. En réalité, elle s'appelait Sarah Taubman et était née en 1906 de père inconnu dans les bas quartiers de l'East Side à New York.

Sa mère, la grand-mère de Jane, Rivka Taubman, était une jeune fille grassouillette et rêveuse. A quatorze ans, elle était si myope qu'elle ne pouvait ni bâtir ni faire les finitions des chemises qui étaient le gagne-pain de ses parents ; elle arrivait tout juste coudre les boutons. Elle mettait le tissu tout près de ses yeux et cousait les boutons l'un après l'autre pendant des heures, et ce qu'on pouvait prendre pour des taches de rousseur n'étaient que les égratignures que l'aiguille lui laissait sur le nez.

Par un soir d'avril, l'hiver humide et froid se termina enfin. Il faisait trop sombre pour coudre. Elle quitta le petit deux-pièces et dégringola les cinq étages pour s'asseoir sur le perron ; elle respira l'air printanier où ne flottait pas cette odeur d'oignons bouillis comme dans l'immeuble. Elle souriait gentiment. De jolies boucles brunes encadraient son visage rond et pâle et le garçon qui était venu s'asseoir près d'elle n'était autre qu'un apprêteur du nom de Yussel — Joseph — Weinberg, qui habitait au coin de la rue. A seize ans, il avait la carrure d'un vrai Américain, comme un joueur de base-ball ou un policier. Il leva la tête vers elle et elle s'aperçut qu'il était d'une beauté ténébreuse.

« Bonjour, jolie fille », dit-il. Il parlait parfaitement l'anglais et ils bavardèrent un moment, puis elle le revit quelques jours plus tard et plusieurs fois par la suite. Un soir, il lui dit : « Viens avec moi », et elle le suivit. Ils entrèrent dans le hall de l'immeuble voisin et il l'entraîna derrière les escaliers. « Je ne vois rien », dit-elle, mais il la fit taire. Puis il l'embrassa et, avant qu'elle pût refuser, il se mit à la caresser partout. Elle sentait que ce n'était pas une très bonne idée, mais il devint furieux lorsqu'elle le repoussa. Alors elle le laissa faire. Dès qu'elle remonta chez elle, sa mère la houspilla parce qu'elle avait oublié de livrer le travail à monsieur Marcus. « Imbécile, hurlait la mère ; aveugle et stupide ! » A trente-quatre ans, sa mère était complètement édentée.

Elle rejoignait souvent Yussel dans l'ombre humide sous les escaliers, là où les gens jetaient quelquefois leurs ordures et elle priait pour que les rats ne se glissent pas sous sa jupe. L'initiative vint de Yussel et non des rats. Il souleva sa jupe, descendit son panty et la troussa tous les soirs. Comme de bien entendu, elle tomba enceinte.

Sa mère le devina avant elle. Son père la frappa et faillit l'étrangler et sa mère l'emmena de force voir une femme dans Revington Street, qui avait quatre longs poils au menton et qui lui fit boire un breuvage chaud qui sentait l'urine. Pourtant, elle garda le bébé. Alors, ses parents la frappèrent avec un marqueur à ourlets jusqu'à ce qu'elle leur dise le nom de Yussel. Entre-temps, elle n'était plus venue au rendez-vous sous les escaliers depuis deux nuits et Yussel, pas fou, avait compris que la fête était finie. Il s'était sauvé de chez lui et avait été engagé comme ouvreur au cinéma le Belzer dans la 28e Rue ; mais, par la suite, il dut quitter la ville car trois mois plus tard il avait engrossé Pearl Belzer, la fille du patron.

Deux semaines avant son quinzième anniversaire, Rivka Taub-man accoucha sur la table de cuisine de sa mère. Le bébé n'était pas mort-né, comme ses grands-parents l'avaient tant espéré. C'était une ravissante petite fille bien robuste et Rivka l'appela Sarah.

Mais ses parents ne lui permirent pas de garder son bébé. Sa mère avait entendu parler du Rose Stern Hoffman Home, où l'on se chargeait de faire adopter les bébés juifs, et lorsque la petite fille eut huit jours, le père de Rivka enveloppa Sarah dans une chute de tissu, frappa sa fille à la mâchoire pour qu'elle cessât de hurler et traversa toute la ville jusqu'à l'Upper West Side. Sur la porte, il trouva un panneau indiquant que la Rose Stern Hoffman Home était fermée jusqu'au 15 février pour rénovation. Et, comme il ne savait pas lire l'anglais, il revint avec le bébé dans les bras.

Contrairement à sa mère, Sarah avait l'esprit vif et une excellente vue. A l'âge de six ans, bien qu'elle ne pût le formuler en paroles, elle savait qu'il existait deux types de gens dans les taudis : ceux qui gardaient l'espoir et les autres, comme sa famille. A l'occasion, elle rendait visite à d'autres fillettes et voyait les parents qui les câlinaient, leur tapotaient la joue, gavant les jeunes bouches de bonbons et confiant des livres à de petites mains potelées. Ces parents-là savaient que leurs enfants auraient une vie meilleure que la leur. Sa famille n'avait pas ce genre d'ambition. Sarah était la honte de la famille. Tout espoir s'était éteint dès le moment de sa conception.

Elle partageait le lit de sa mère, mais Rivka ne la câlinait jamais ; pourtant, de temps en temps, elle lui souriait et tous les jours elle nattait les cheveux noirs et brillants de Sarah en une longue tresse nouée par un biais de ruban. Mais c'était la seule marque d'affection qu'elle lui témoignait.

A neuf ans, Sarah comprit qu'elle n'était pas condamnée à jamais. C'était elle le chef de la bande d'enfants du quartier ; ils admiraient fort sa façon de siffler et de jouer à la marelle. Ses professeurs, étonnées par sa vivacité d'esprit, l'aimaient beaucoup et l'encourageaient à lire et à corriger ses erreurs de prononciation. « Ce mot se prononce " chanson " et non " chanzon ", Sarah. » Madame Pierce l'emmena à la bibliothèque et lui dit qu'un jour elle pourrait devenir la fierté de sa famille. Mademoiselle Mac Nulty la gardait après la classe ; elle lui permettait de corriger les devoirs des autres élèves et d'effacer le tableau. Elle parlait du lycée à Sarah et évoquait même l'université. Avant de la quitter pour l'après-midi, mademoiselle Mac Nulty allait se laver les mains. Sarah en profitait pour trottiner à travers la classe vide et ouvrir la porte du placard où sa maîtresse accrochait son manteau à col de fourrure, puis elle s'emparait prestement de quelque menue monnaie dans le sac de son institutrice. Elle commença par gaspiller ces pièces en achetant du réglisse ou des pickles aigres-doux, puis découvrit très vite le vaudeville.

Sarah mit de côté l'argent dérobé à mademoiselle Mac Nulty pour s'offrir une place au Goldfard-Buckingham. Pour dix *cents*, elle assista à une grosse farce bouffe qui ne lui plut guère. Si quelqu'un lui avait prédit : « Sarah, crois-moi ou non, mais un jour tu auras une fille et elle épousera un homme qui deviendra une star connue dans le monde entier », elle aurait répondu : « La belle affaire. » Son monde, c'était le théâtre. Après le film, le Goldfarb-Buckingham présentait le plus récent — ou le plus chevrotant — des vaudevilles. Sarah se pencha sur son fauteuil de bois. Ludwig et Schuller se produisaient dans leur numéro stupide. « Hé, chtupide, qu'est-que qui fume ainchi au-dechus de votre cou ? — Ch'est point une bouilloire, ch'est ma têêête ! » Sarah partit d'un énorme et bruyant *hoo-hoo-hoo*, chose qu'elle ne faisait jamais chez elle. Et ses pieds imitaient les mouvements de Brian O'Brien, le danseur le plus mince du monde, pendant qu'il évoluait avec légèreté sur la scène. Elle sentait qu'elle pourrait danser. Elle évoluerait là-haut dans une robe rouge à volants et des chaussures noires ; glissades, saluts et entrechats la mèneraient jusqu'à la gloire.

Mais ses préférées, c'étaient les chanteuses Doris La Flor et

Marie Heckman, ainsi que Leona Welles. Elle s'était entichée de Leona Welles, et chantait « My Heart is a Rose » aussi bien qu'elle. Elle roucoulait « Comme le bouton de rose effleuré de rosée ». Sa voix de soprano était plus fluette et moins élégante que celle de Leona, mais Sarah ne s'en rendait pas compte. Elle palpitait du désir de chanter, persuadée que, dès qu'elle ouvrait la bouche, la magie opérait. Elle avait dix ans lorsque la caissière l'entendit chanter quelques mesures de « My Son, My Son » et dit : « Très bien, petite. » Sarah prit cela pour un présage : elle allait devenir une star.

Elle ne s'en ouvrit à personne. Son professeur, mademoiselle Driscoll, émit l'idée qu'elle pourrait entrer dans l'enseignement. Sarah dit : « Oh! Rien ne me plairait davantage », et mademoiselle Driscoll autorisa Sarah à aider les enfants les moins doués à apprendre à lire. Après la classe, Sarah lui disait en souriant : « Merci mille fois de me permettre de vous aider, mademoiselle Driscoll », et son professeur lui répondait : « Tout le plaisir est pour moi », puis elle corrigeait les *ch* de Sarah qu'elle prononçait en sifflant.

Ce parrainage donna de bons résultats. En 1920, à quatorze ans, Sarah abandonna les bas quartiers de l'East End et ses problèmes d'accent. L'année avait mal commencé. La vue déjà déficiente de Rivka n'avait pas résisté à des années de travail, les yeux rivés au tissu, et Sarah fut contrainte de quitter l'école pour remplacer sa mère, au sein de la famille, dans son rôle de couseuse de boutons. L'atmosphère renfermée du foyer, suintant de graisses domestiques, était plutôt chargée : sa mère avait le même âge que Sarah lorsqu'elle s'était trouvée enceinte, et la famille épiait mère et fille à leur travail avec un désespoir et une hostilité inexorables. Elle était devenue une ravissante jeune fille, avec des cheveux superbes et des yeux étincelants. Elle tenait uniquement de son père son teint mat et velouté, d'un brun très doux nuancé d'un or tout oriental.

Elle était encore petite, mais n'avait plus rien d'une enfant. Sa poitrine prit, très vite, de telles proportions que sa blouse de travail risquait de lâcher aux coutures. Ses hanches s'arrondissaient sous une taille délicate, et ses jambes, encore raides, commençaient à se galber aux mollets et aux cuisses. Son grand-père détournait les yeux lorsque ce rameau en fleur se déplaçait dans l'appartement. Sa grand-mère avait dû le remarquer, car elle devint plus hargneuse avec Sarah, lui faisant des remarques sur son travail de couture, singeant sa façon de chanter et poussant des *la-la-la* puis ricanant : « Oh! Pardonnez-moi, mademoiselle Lillian Russel », lorsque Sarah pleurait. Une nuit qu'elles étaient couchées Rivka se mit à pleurer, mais elle repoussa les avances de sa fille qui voulait la consoler. « Laisse-moi tranquille », dit-elle à Sarah.

C'est ainsi que, deux jours après, par une chaleur d'août si accablante que les fruits pourrissaient dès midi dans les voitures à bras, Sarah parcourut péniblement les six kilomètres qui la séparaient d'Abramowitz's Rooming House et, avant de s'évanouir dans ses bras, annonça à Nat Fields qu'elle allait l'épouser.

Elle avait rencontré Nat quatre mois plus tôt alors qu'elle attendait devant l'entrée des artistes de l'Heritage Theater, espérant apercevoir sa dernière idole, la chanteuse Marie Minette. Mais, à sa place, parut Nat Fields, un jeune chanteur noir qui sortit nonchalamment, sans aucun maquillage. « Sonnez, trompettes », dit-il, et il cligna de l'œil.

« Excusez-moi, dit Sarah en lui tournant le dos. Vous devez vous tromper d'adresse. »

Nat devait sûrement préférer la vue en façade, car il fit le tour de la jeune fille, posa un genou à terre et fredonna : « Même si le parfum suave du magnolia se fane, j'irai bientôt revoir maman. »

« Vous êtes... » Sarah resta sans voix.

« Nat Fields, en personne. » Il se redressa et se présenta à elle du haut de son mètre soixante-sept. « Et à qui ai-je l'honneur ?

— Qui ? Moi ?

— A qui d'autre que vous, charmante dame ?

— Oh! dit Sarah Taubman. Je m'appelle Sally Tompkins. »

Elle s'arrangea pour voir Nat plusieurs fois par semaine. Il eut ainsi l'occasion de la présenter à Paulie, le régisseur, comme sa petite amie, ce qui lui permit de rentrer au théâtre à sa guise. Elle assistait aux répétitions de tous les nouveaux spectacles, absolument à tous, même au numéro de dressage de serpents. De temps en temps, Nat venait s'asseoir près d'elle et il profitait à pleines mains des glorieux avantages de ce corps de quatorze ans qui en paraissait dix-huit. Mais il ne la possédait pas entièrement. « Je vous en prie, Nat », disait-elle alors. De lui opposer elle-même ce refus emplissait ses beaux yeux noirs de tristesse. Lui, naturellement, tomba amoureux d'elle.

Ils firent un mariage civil à l'hôtel de ville. Sally dit qu'elle avait perdu son extrait de naissance et en emprunta un à une danseuse acrobatique ; l'employé leur délivra un certificat au nom de Nathan Finkelstein (ce qui était le vrai nom de Nat) et de Hannah May Essmuller. Pendant leur nuit de noces, Sally prouva à Nat que sa virginité n'était pas du chiqué. Il en fut comblé de béatitude.

Sally était son porte-bonheur. Deux mois après leur mariage, Nat auditionna devant messieurs Bixby et Putzel des tournées lyriques Bixby. Deux semaines après cette audition, ils partirent pour Stroudsburg, Pennsylvanie. C'était la première fois que Sally quittait l'île de Manhattan.

Leur mariage dura trois ans. Sally avait eu le temps de voir cinquante-trois villes dans dix-neuf Etats, elle s'était fait avorter une fois et avait fait ses débuts au théâtre. Cela s'était produit à Wilmington, dans la plus pure tradition du spectacle. La soliste Mina Hawthorne, vedette romantique, était accompagnée par un chœur de dix chanteuses. Deux d'entre elles avaient attrapé la grippe — l'une devait en mourir — et une autre avait décampé avec une fripouille qui prétendait être un Du Pont. Désespéré, le directeur du théâtre s'arrachait les cheveux et se lamentait lorsque Sally se fit entendre en un geste dramatique. « Je connais les enchaînements, monsieur Prosnitz. » Nat et Louis Prosnitz la regardèrent, incrédules, mais elle se rua sur le plateau, fourra sa robe dans ses jarretières pour mettre en valeur ses jambes brunes et galbées, puis dansa et chanta a cappella le chœur de « *Don't Tease Me, I'm Just a Co-ed* ».

Dans leur chambre, où Sally, assise sur le lit, tenait un costume de satin vert à la Kelly, Nat s'emporta : « Tu ne pourras jamais y arriver », hurlait-il. Elle était en train de découdre des pinces de poitrine et marmonna une réponse que Nat ne comprit pas car elle avait la bouche pleine d'épingles. « Quoi, quoi ? Mais parle, pour l'amour du ciel ! »

Elle se leva brusquement et répandit les épingles à ses pieds. « Je dis que j'en ai marre de rester sur mon cul à te regarder faire cinq représentations par jour pendant que moi je me tourne les pouces. C'est la chance de ma vie.

— Tu es folle. Depuis quand as-tu du talent ? Maintenant, écoute-moi bien, Sally, nous partons pour Baltimore demain soir. »

Nat partit seul à Baltimore. Sally lui jura qu'elle viendrait le rejoindre à Trenton deux semaines après, mais elle ne tint pas sa promesse.

Dix ans plus tard, ils se retrouvèrent nez à nez dans Chicago mais, à cette époque-là, leur mariage n'était plus qu'un vague souvenir dans leurs mémoires. Nat avait abandonné son style « Noir traditionnel » pour le smoking et les duos romantiques qu'il chantait avec sa femme, Edna Jones. Ils s'étaient surnommés Giovanni et Flora, et c'étaient des artistes de seconde zone.

Tout comme Sally. L'année précédente, en 1932, elle faisait partie de la troupe Louisa Whyte et ses Golden Girls. En débarquant à Saint Louis, elles avaient appris que le théâtre où elles devaient se produire s'était effondré la nuit précédente. Louisa et les trois autres filles avaient assez d'argent pour se rendre à Wichita ; mais pas Sally. Elle ne possédait que quatorze dollars et une valise remplie de robes bleu lavande et de deux perruques blondes.

Sally s'était retrouvée isolée et sans le sou dans cette ville inconnue au moment de la Grande Dépression. Dans la Red Bud Rooming House où elle logeait, elle s'était étendue sur son lit tout cabossé, roulée dans une couverture de laine qui la grattait ; elle frissonnait de froid et ses orteils gelés lui faisaient mal. Un vent humide et glacial soufflait du Mississippi et s'infiltrait sous les couvertures. Depuis la veille, elle n'avait avalé qu'une orange et un verre d'eau. Pour la première fois, Sally éprouva quelques regrets.

A vingt-six ans, elle avait suffisamment l'expérience du métier pour savoir qu'elle ne retournerait jamais à Ludlow Street dans une Packard conduite par un chauffeur. Elle en avait rêvé si souvent : la grosse voiture noire glissant presque sans bruit à travers le Lower East Side, les enfants courant derrière et criant de leurs voix perçantes : « C'est Sally Tompkins ! C'est Sally Tompkins ! » et ses grands-parents passant leurs têtes à la fenêtre — mais non, de là-haut ils n'auraient pas pu la voir —, ils seraient rentrés chez eux, des harengs dans leur filet, auraient jeté un coup d'œil vers la voiture et, apercevant la star, l'auraient reconnue. Elle, prenant des poignées de billets de cent dollars, les leur aurait jetés au visage puis, avec beaucoup de grâce et sous le regard attentif de la foule, elle serait montée au cinquième étage pour emmener sa mère et l'installer dans un superbe appartement.

Mais Sally était réaliste. Dans un métier où les girls les mieux payées ressemblaient à des amazones, elle ne mesurait qu'un mètre quarante-huit. Sa voix manquait de brio. Elle dansait bien, lançait haut la jambe et paradait crânement, mais il y avait au moins cinq mille femmes en Amérique qui dansaient mieux qu'elle. Elle avait trois atouts : un esprit prompt et deux superbes nichons.

Sally quitta son lit. Personne n'avait besoin d'une girl pour les chœurs à Saint Louis. Mais madame Barrows, la propriétaire du Red Bud, lui déclara : « Mon trésor, vous avez deux chances de vous en sortir. Non, trois. La première, c'est de trouver un balourd et de l'épouser. La deuxième, de vous allonger, mais pas sous mon toit, je ne veux pas de cela au Red Bud. La troisième, au fait, c'est quoi la troisième ? Ah oui. Allez voir monsieur Reeves au Gayety. Bien sûr, il fait de la revue, mais apparemment ça ne se bouscule pas au portillon. Ne le prenez pas mal, ma chérie. Il y a des tas de filles dans votre cas en ce moment. Les temps sont difficiles. »

C'est ainsi que Sally suivit la pente douloureuse qui mène du vaudeville à la revue, comme des centaines d'obscures comédiennes. Ce n'était pas un spectacle pour les familles, mais au moins elle en vivait. Et elle eut enfin son propre numéro.

« Mesdames et Messieurs, le Gayety Theater — ou le Republique ou le Royal ou le Mayfair — a l'honneur de vous présenter, venant de sa lointaine Espagne ensoleillée, la señorita Rosita Carita ! »

L'orchestre — et dans certains théâtres, tout juste un piano — attaquait un flamenco endiablé tandis que Sally s'avançait jusqu'au milieu de la scène, le port altier : elle avait des talons hauts, une jupe de flamenco à volants et un boléro rouge et noir garni de sequins. La musique scandait *Da-Da-DA, da-da-DA*, et Sally, les épaules frissonnantes, suivait son rythme enfiévré. *DA-DA-DA* — elle dansait le shimmy avec tant de ferveur qu'elle en perdait ses peignes et que ses tresses brunes tombaient en cascade sur ses épaules. Le tempo s'accélérait. Esclave de la musique, Sally vibrait et se cambrait, sauvage, abandonnée. Et, juste au moment où son extase était à son comble, sa poitrine s'échappait de la modestie brodée de son boléro : la moitié de la salle délirait.

C'était là le problème. Sally était si petite qu'elle paraissait un peu étrange, presque difforme des loges et du balcon. « Des tétons sur des jambes », comme essaya de lui expliquer un directeur de théâtre. Elle ne pourrait jamais faire salle comble, c'est pourquoi elle ne serait jamais le clou du spectacle. Mais elle s'acharna et suivit mademoiselle Lydia et ses Elegants, ou Irène LaPointe dans les salles de revue à travers tout le pays.

La camaraderie des vieux jours du vaudeville manquait à Sally : après la dernière représentation, les acteurs et leur famille s'entassaient dans une des loges et buvaient de la bière en commérant et s'éloignaient du groupe pour parler en aparté ou faire des confidences. Ces gens-là s'intéressaient à son père, le capitaine Tompkins, disparu en mer, à sa mère, la belle Dolorès, danseuse espagnole au destin tragique. Sally s'était inventé une vie si émouvante que les hommes avec qui elle sortait lui demandaient souvent d'autres détails avant de l'emmener au lit. Mais ceux qu'elle rencontrait dans les tournées de revue n'étaient pas intéressés par son histoire. Il leur importait peu de savoir comment Sally Inez Alicia Tompkins, en dépit de son passé étonnamment exotique, était devenue une vraie Américaine, ni comment on lui avait offert une bourse au Vassar College, ni comment sa brillante mère lui avait enseigné la danse. Ces hommes-là voulaient seulement peloter ses nichons et la sauter.

En 1936, elle avait trente ans et pensa qu'elle avait enfin trouvé le bonheur. Une des vedettes du spectacle, une grande rouquine large d'épaules qui s'appelait Katy Swift, invita Sally dans la chambre qu'elle occupait à la pension de Port Huron, Michigan, sous prétexte de préparer du *fudge*. Pendant que le plat chauffait, elle embrassa Sally sur les lèvres. Sally fut interloquée, mais ne voulut pas en faire toute une histoire et laissa Katy glisser sa langue dans sa bouche. Très rapidement, elle réalisa que Katy en voulait beaucoup plus. Elles devinrent amantes. Katy la tenait serrée contre elle toutes les nuits, lui labourait les cuisses et lui murmurait qu'elle ne la laisserait jamais s'en aller. Pourtant, leur amour ne dura pas éternellement. Huit mois plus tard, à Bristol, Tennessee, Sally ouvrit la porte de leur chambre d'hôtel et découvrit Katy au lit avec Rimba, la Fille de la Jungle, une femme poilue à la voix perçante dont Katy et elle s'étaient souvent moquées.

En 1939, Sally se sentit fatiguée et vieillie. Sa peau mate était lisse, son corps superbe et souple grâce aux six représentations journalières de shimmy; cependant, à trente-trois ans, elle sentait qu'elle ne pourrait pas continuer longtemps ce métier. Ses bras et ses épaules lui faisaient mal presque en permanence et elle souffrait de maux de tête à force de la secouer pour libérer ses peignes en dansant.

Ces migraines lui transperçaient la tête comme des couteaux, et la reprenaient deux ou trois fois par semaine. En arrivant à Cincinnati, elle demanda donc au batteur l'adresse d'un médecin. Assise dans le salon d'attente du Dr Neumann, elle s'éventait avec un exemplaire périmé de *Life*, et ce fut là qu'en levant la tête elle regarda droit dans les yeux celui qui allait devenir son mari, Richard Heissenhuber.

2

VOIX D'HOMME : Nous essayons de recueillir quelques renseignements de Monsieur Richard Heissenhuber sur l'état de santé de sa fille, Jane Cobleigh, de Cincinnati. Son état est-il sérieux, voire inquiétant, comme on l'a prétendu ? Jusqu'à présent, nous n'avons pu obtenir aucun commentaire de Monsieur Heissenhuber, de son domicile à Edgemont. Mais voici Sandra Saperstein qui arrive au studio. Sandra, vous avez fréquenté la Woodward High School avec une jeune fille qui s'appelait alors Jane Heissenhuber. Parlez-nous un peu d'elle.

VOIX DE FEMME : Merci, Ken. Jane Heissenhuber. Woodward, Promotion 57. Sans doute savait-elle déjà que le spectacle lui ferait signe...

W.C.K.Y. — Informations radiophoniques.

Richard pensa que la femme qui était assise en face de lui était la plus belle créature qu'il eût jamais rencontrée. Belle n'était pas le mot juste, puisque depuis son entrée à l'université, il était avec Patsy Dickens et chacun s'accordait à reconnaître, tout comme lui, que Patsy était ravissante. Et c'était vrai. Patsy avait d'immenses yeux bleus, des cheveux blonds et soyeux et un rire argentin très communicatif. Tout ce qu'un homme pouvait désirer, Patsy l'avait : elle était fine mouche, jolie et d'un naturel heureux.

Mais cette femme avait quelque chose de plus, elle était fascinante. Sa chevelure de jais et ses yeux sombres semblaient comme aspirer la lumière de la salle d'attente, de sorte que tout paraissait terne en dehors de son propre rayonnement, si exoti-

que. Il pensa que sa peau avait la couleur ambrée du miel et il
s'imaginait déjà l'embrassant dans le cou, submergé par la
douceur de ce miel. Il s'aperçut qu'elle avait la peau douce et non
grenue comme la plupart des gens qui ont le teint mat. Il se mit à
rêver à ce miel, à sa douceur humide, et cela lui rappela un livre
qu'il avait lu, qu'un copain de l'université de Cincinnati avait
passé à tout le monde, où l'on expliquait à quoi ressemblait une
femme de ce côté-là et l'une des expressions du livre pour cela
était « pot de miel ».

Richard baissa la tête pour cacher le rouge qui lui montait aux
joues. Il avait tort de penser à cette femme de cette façon-là. Elle
paraissait vraiment sérieuse. Ses cheveux tirés et noués en
chignon comme une maîtresse d'école dégageaient sa figure. Il
leva un instant les yeux : elle l'attirait tant qu'il ne put s'en
empêcher. Elle le regarda droit dans les yeux, puis elle sourit. Il
était nerveux mais lui rendit son sourire, tout en priant que
l'assistante du Dr Neumann ne vienne pas le chercher — il se
sentait tellement gêné. Il n'arrivait pas à se maîtriser, comme un
gamin de quinze ans. Ne sachant comment s'en sortir, il regarda
sa montre. Il était presque onze heures.

La peau blanche de son poignet le ramena à son teint couleur
de miel. On pouvait en profiter largement, car sa robe avait un
profond décolleté, laissant deviner la naissance de deux magnifiques seins — il en était retourné dans sa chair en y pensant — et
la vallée ombragée qui les séparait. Mais elle n'était pas du genre
facile, il en était sûr à cause de sa coiffure et de son sourire
amical qui n'avait rien du sourire engageant d'une fille de rien.

« Monsieur Heissenhuber. » L'assistante l'invita à entrer dans
le cabinet. Richard se leva et, comme il ne voulait pas que cette
femme s'aperçût du trouble où il était, il sourit de nouveau à
l'autre patiente. Il ne se décidait pas à entrer dans le cabinet. Une
fois debout, il avait pu profiter largement du décolleté et, bien
qu'il supposât qu'elle portait un soutien-gorge, il n'avait pu
l'apercevoir. Il n'avait vu que deux voluptueux, magnifiques et
fermes... Durant les six derniers mois, une fois décidée la date de
leur mariage, il était descendu plus bas que le cou avec Patsy.
Mais ceux de Patsy finissaient là où les siens ne faisaient que
commencer. Il s'assit sur la table d'examen, tandis que le
Dr Neumann cherchait de l'acide pour brûler les verrues qu'il
avait à la main et se demanda si elle portait un de ces petits
soutiens-gorge qui couvrent tout juste le bout des seins, comme
on en voit sur les cartes postales françaises. Lorsqu'il baissa les
yeux, il s'aperçut que ses mains étaient lovées dans son giron

comme si elles les caressaient déjà. Il en fut affreusement gêné. Mais il n'avait jamais désiré palper une chose à ce point.

Sally souriait. Ce garçon devait avoir un machin de la taille d'une batte de base-ball. Mais ce n'était plus un gamin. On était début juin, un samedi matin, pourtant il portait un complet et une cravate ; il avait l'air d'un citoyen sérieux, pas comme ces racoleurs qui traînaient autour des théâtres de revue pour peloter une fille et la sauter. Ce garçon — ce type — devait approcher de la trentaine. Il avait de l'allure, ses cheveux châtain clair étaient si impeccablement coiffés qu'on pouvait y deviner la trace du peigne. Un visage d'homme, à la mâchoire carrée et à la bouche impressionnante, du genre grande et charnue, mais il n'avait pas les lèvres humides. En jouant bien, Sally pensait qu'il pourrait lui offrir un vrai repas, d'entrée de jeu.

Il n'en revenait pas de ce qu'il faisait. Il retourna dans la salle d'attente, lui sourit, puis lui dit : « Je pense que vous allez me trouver très direct, mais voudriez-vous déjeuner avec moi ? » Tout en parlant, il eut un instant de panique : si elle était étrangère, si elle allait lui rire au nez ou lui lancer à haute voix quelques paroles qui flairaient l'ail ? Mais non, elle répondit d'une voix charmante, dans un murmure : « Je suis sûre que cela me plairait beaucoup. »

Puis l'assistante appela « Mademoiselle Tompkins » et elle se leva. « Vous m'attendez ? » demanda-t-elle. Tout ce que Richard put faire, ce fut un hochement de tête, il était trop subjugué. Elle était menue, une toute petite chose. Mais une phrase qu'il avait lue quelque part lui revint en mémoire : « Elle est femme jusqu'au bout des ongles. » Elle l'effleura en passant devant lui pour entrer dans le cabinet du médecin et il s'effondra sur son siège. Il savait qu'il avait tort, mais ne pouvait détacher ses pensées de ses volumineux... il voulait les toucher... il aurait parié qu'ils étaient chauds... et il aurait bien aimé penser à autre chose. Mais Richard Heissenhuber avait besoin de se raccrocher à quelque chose. C'était un homme solitaire, il n'avait pas de vrais amis et fort peu de distractions. La vérité, c'est qu'une fois sorti de l'enfance il n'avait jamais vraiment profité de la vie.

La maison de ses parents, où il habitait toujours, n'était certes pas d'une folle gaieté. Anna et Carl Heissenhuber n'avaient

aucun humour. Ils s'étaient découvert des points d'intérêt
communs plutôt qu'ils n'étaient tombés amoureux l'un de
l'autre. Ils détestaient tous deux leur milieu d'origine : issus de
famille nombreuse, de confession luthérienne, où l'on parlait
encore l'allemand, où l'on célébrait le 1er mai et la Pentecôte par
des réjouissances accompagnées de platées de saucisses et de
pichets de bière mousseuse, ils fuyaient la *gemütlichkeit* avenante
de leur parenté tapageuse et encombrante. Ils ne supportaient
pas l'accordéon et détestaient le vin. Leur seule passion était la
douceur. Ils voulaient être des Américains à part entière.

De sorte qu'après la célébration de leur mariage dans un
temple presbytérien, ils quittèrent le quartier allemand « de
l'autre côté du Rhin » de Cincinnati pour s'installer à Walnut
Hills, au voisinage des grands arbres et des maisons victoriennes
habitées par les familles Smith, Johnson et Turner. Ils vivaient
dans une petite maison plus propre que la plupart des hôpitaux à
cette époque, qui convenait parfaitement à une famille de leur
niveau : il semblait que, dès la porte d'entrée, un panneau
invisible indiquait qu'il s'agissait de la résidence de la banque
Teller. L'ensemble était d'un gris si discret qu'il passait complètement inaperçu. Les Heissenhuber ne fumaient ni ne buvaient et
ne manifestaient jamais leurs sentiments de façon excessive.
(Bien entendu, ils n'apprirent jamais que Margaret Smith avait
dit à Bessie Johnson qu'Anna était plus triste qu'une eau de
vaisselle ni que Tom Turner les surnommait les « Imbéciles
heureux ».)

Lorsque l'Amérique entra en guerre en 1917, Carl fut le
premier de son quartier à essayer de s'engager ; bien qu'il fût
reconnu inapte en raison d'une sévère myopie, les Heissenhuber
eurent le plaisir de constater qu'ils avaient gagné l'estime de
leurs voisins. Pendant toute la durée des hostilités, ils se
sentirent mal à l'aise une seule fois, par la faute de ce vieux fou de
monsieur Phillips qui, sans réfléchir, les avait traités de
« Boches ».

Richard était le fils unique de ces deux inflexibles Américains.
C'était un enfant modèle : il comprit très jeune et parfaitement
que tout comportement pouvant attirer l'attention sur lui était
mal vu. La vie se devait de ressembler à la banque où travaillait
son père : silencieuse et un brin glaciale.

Il était plus heureux chez ses grands-parents. Les parents de
Carl, sévèrement typés, avaient eu la courtoisie de mourir avant
la naissance de Richard. Mais les parents d'Anna, les Reinhardt,
avaient salué l'arrivée de ce garçon avec des « *Ach* » et des

« *Liebe Kind* » accompagnés d'étreintes chaleureuses. Il allait les voir tous les samedis.

Mais c'était la période de Noël qui le rendait le plus heureux. Dès le matin, la cuisine embaumait d'odeurs appétissantes. Richard s'asseyait près de sa grand-mère pour l'aider à rouler la pâte des *Pfeffernuss* qui se transformait en boulettes entre ses paumes remplies de farine et elle regardait ostensiblement d'un autre côté pour lui permettre d'en chiper quelques bouchées.

Plus tard dans la soirée, gavés d'oie et lourds de *Honigkuchen*, ses cousins et lui emboîtaient le pas à son grand-père dans les escaliers en chantant « O Tannenbaum » et « Stille Nacht » de leurs voix aiguës et cristallines. Richard était bouleversé par cette musique, il croyait entendre un ange qui chantait avec eux à l'arrière-plan. Arrivé en haut des marches, son grand-père ouvrait doucement la porte du *Weihnachtstube*, la pièce de Noël, qui paraissait tout d'abord sombre et vide ; puis il allumait les lumières et Richard contemplait un spectacle qui lui semblait miraculeux : la pièce était pleine de cadeaux aux emballages étincelants et les paquets enrubannés d'or, d'argent ou de rouge aussi fastueux que les présents des rois mages.

Mais lorsque Richard eut huit ans, Carl et Anna décidèrent de célébrer Noël à la maison. Les fêtes chez les Reinhardt, c'était trop. Ils se jetaient un coup d'œil complice en disant cela. Oui, trop : trop de bruit, trop de plats. D'ailleurs Richard était toujours dérangé le lendemain, n'est-ce pas ?

Désormais ils eurent un vrai Noël américain à la maison. Une seule étoile garnissait le haut de l'arbre, Anna servait de la dinde plutôt que de l'oie grasse et personne n'avait mal à l'estomac le lendemain.

Richard se rendait compte qu'il n'était pas dans le coup. Il sentait que ses condisciples le trouvaient trop sérieux. Mais, pendant un certain temps, il avait espéré s'intégrer pour faire la fierté de ses parents. Au cours de sa première année à l'université de Cincinnati, il avait été branché sur le meilleur club d'étudiants du campus fréquenté par des jeunes gens aisés. Mais après cette année d'initiation pleine de promesses, il en resta bien peu pour se soucier de lui. On avait découvert que son père n'était pas banquier comme on l'avait supposé, mais caissier, et il fut traité avec une courtoisie blessante. Malgré cela, il s'accrochait à la lisière de la vie du club, car il sentait à quel point il avait soif de distractions et de vie mondaine.

Au début, il crut que Patsy Dickens serait la solution. Elle avait été très liée avec le président de son club et chacun reconnaissait qu'elle était l'une des filles les plus en vogue du campus de l'université de Cincinnati. En tout cas, l'une des plus jolies. Et elle s'était entichée de Richard. Après deux entrevues, l'une autour d'une bière où il fut question de savoir si l'économie domestique était une unité de valeur de premier ordre, l'autre purement fortuite à la bibliothèque, elle rendit au président l'insigne qu'il lui avait confié. Cette attitude mit Richard dans le plus grand embarras, mais l'étudiant avec qui il faisait équipe dans le club avait été charmant et lui avait serré la main en disant : « Je crois que le meilleur a gagné. »

Patsy était donc avec lui et il lui remit son insigne. Il était stupéfait de l'adoration qu'elle lui portait. Elle disait : « Richard, vous êtes vraiment le plus beau garçon que j'ai jamais rencontré. Je le pense vraiment. Comme un Cary Grant de Harvard. Je vous le jure, je le pense sincèrement. Sauf que vous n'êtes plus un gamin. Je crois que c'est cela qui m'a le plus attiré en vous, vous savez. Vous êtes un homme, un vrai. Vous êtes si sérieux, si réfléchi. Et vous me respectez. Vous ne pouvez pas savoir combien c'est important pour moi. Oh! Richard, je suis la fille la plus veinarde de tout l'Ohio. »

Au début, ses parents le félicitèrent de son choix judicieux. Après tout, le père de Patsy avait un poste de direction chez Procter & Gamble et il était membre de l'un des clubs les plus élégants de la ville. Et sa mère, dont Patsy tenait son charme pétillant, était une « Fille de la Révolution américaine ».

Lorsqu'ils furent fiancés, les Dickens convièrent les Heissenhuber à dîner pour fêter l'événement. Ces derniers n'avaient jamais pénétré dans une aussi belle demeure. Une bonne, en robe noire et tablier blanc, servait à table. Mais, bizarrement, quelque chose clochait : les Dickens étaient trop démonstratifs; leur engouement pour Richard, qu'ils manifestaient avec trop d'enthousiasme, laissait planer des doutes dans l'esprit de Carl et d'Anna. Un Ken Dickens pouvait s'offrir un Carl Heissenhuber et le jeter au rebut à sa guise. Quelque chose ne collait pas dans cette histoire. Richard ne le sentait-il donc pas ?

« Tu es sûr que sa réputation est irréprochable ? » demandèrent-ils à leur fils. « Tu es certain que son père *dirige* les Household Abrasives ? » Bien sûr, on ne pouvait rien reprocher à Patsy, dirent-ils. C'était une fille pétulante qui pourrait être la femme idéale pour un homme d'affaires. Mais, dans le monde de la banque où évoluerait bientôt Richard, une femme moins expansive conviendrait peut-être mieux.

Bien qu'il fût parvenu à un poste clé à la Queen City Trust, Carl Heissenhuber était toujours caissier, mais Richard, qui était sorti de l'université de Cincinnati avec mention, était désormais en possession du parchemin qui allait lui permettre de gravir tous les échelons jusqu'au faîte du pouvoir. Pourtant cette ascension serait semée d'embûches et il suffirait d'une remarque inconsidérée lancée par cette tête de linotte pour briser sa carrière avant même qu'il ait atteint la moitié du parcours.

« Mais c'est une fille merveilleuse et d'excellente famille, insistait Richard.

— Eh bien, si tu es content, nous le sommes aussi », disait Anna.

Cependant Richard commençait aussi à s'interroger et, à son grand étonnement, il se confia ouvertement à Sally Tompkins lorsqu'il se retrouva assis à côté d'elle. Il lui expliquait : « Ce n'est pas que je n'aime pas Patsy, mais elle s'efforce toujours de me faire plaisir... et même de devancer tous mes désirs. » Il avait inconsciemment insisté sur le mot « tous », mais il se reprit rapidement : « N'allez surtout pas penser que je veux dire *tout*. » Il sentit qu'il se mettait à rougir et fut bien aise de la lumière tamisée du restaurant. « Je ne lui demanderai jamais de faire *ça*.

— Bien sûr que non », dit Sally. Elle prit son verre d'eau, pinça les lèvres et en but une petite gorgée. « Vous avez trop le respect de vous-même pour cela. »

Richard approuva. Sally était d'une sensibilité étonnante. Ils ne se connaissaient que depuis vingt minutes et, déjà, elle le comprenait mieux que personne. Cette femme était une énigme : elle appréhendait les problèmes comme un homme et pourtant elle était femme jusqu'au bout des ongles. « Vous devez penser que je suis égoïste à parler ainsi de mes problèmes personnels.

— Vous savez bien que non, Richard. » Il le savait en effet. Il sentait confusément que Sally pouvait lire en lui. Elle posa sa main sur son bras. « Vous êtes un homme très bien. Je peux vous l'assurer. »

Il haussa les épaules et fixa son assiette où la montagne de pommes de terre en salade avait la forme d'un mamelon. La chaleur qui irradiait de sa main était telle qu'elle pénétrait son veston et sa chemise. Puis il sentit sa jambe, qui ne touchait pas réellement la sienne, mais qui en était dangereusement proche. Il savait que le propriétaire du restaurant Kautz avait cru lui faire plaisir en les installant l'un à côté de l'autre dans l'un des petits boxes, mais c'était plus qu'il n'en pouvait supporter. Il aurait juré qu'il pouvait sentir les contours de sa cuisse à travers sa robe.

Sally se tourna pour le regarder et le bout de son sein frôla son bras. « Sans doute le fait que je sois comédienne me rend-il, disons, réceptive aux problèmes d'autrui. » Elle lui adressa un

petit sourire d'encouragement et il en demeura si étourdi de
désir qu'il faillit en perdre l'équilibre. « Mais un homme de votre
trempe ne devrait pas s'inquiéter de Patsy, à moins qu'il n'ait
quelque raison de le faire. Quelque chose ne marche pas, et je
pense que vous en êtes conscient, mais vous êtes trop gentleman
pour vouloir vous l'avouer. » Elle se renversa contre le dossier et
croqua un petit morceau de son club sandwich. Une lamelle de
couenne s'en échappa et vint atterrir dans son décolleté. Il n'osa
rien dire.

Sally n'arrivait pas à comprendre ce type. Il était là, bel
homme viril, élancé et bien bâti, avec une classe folle comme le
duc de Windsor, et il parlait comme un bébé du jardin d'enfants.
Cette Patsy avait tout l'air d'un cadeau empoisonné. Et ses père
et mère devaient être un beau couple d'emmerdeurs. Qui aurait
pu croire qu'un type pareil, avec des diplômes en poche et un
poste important dans une banque, et qui portait un complet
même le samedi, se conduirait ainsi avec elle ? Non seulement il
en pinçait pour elle, mais il buvait littéralement chacune de ses
paroles comme s'il avait affaire à mademoiselle· Fontaine de
sagesse 1939. Quelque chose ne tournait pas rond chez ce type. Il
semblait comme d'un autre monde, presque le même et pourtant
différent, et il errait sans but, un peu perdu. Elle avait de la
sympathie pour lui.
   Sa visite chez le médecin et son déjeuner avec Richard lui avait
fait manquer trois représentations. Quand elle rentra au Royal,
le directeur l'attrapa par l'épaule. Elle observa sa main dont les
ongles trop longs étaient noirs de saleté. Elle lui lança : « Bas les
pattes, monsieur Boyd » et il répondit : « Ecoutez-moi bien,
madame Nichon. Si vous ratez encore une seule représentation,
vous pourrez aller jouer votre numéro minable ailleurs et vendre
votre camelote dans des bastringues. »

Anna avait dit à Richard que les femmes, enfin les femmes
bien, ne portaient pas de noir avant trente ans. Et, pourtant,
Sally remontait Race Street moulée dans une robe noire. Pas
assez collante pour être vulgaire mais, tandis qu'elle se rapprochait, il apercevait le léger renflement de son estomac et la forme
de ses hanches. Sans être très décolletée comme celle du matin,
cette robe était presque plus sexy, car ses seins semblaient bien
séparés, mais ils étaient trop écrasés et se débattaient contre le
tissu noir très strict de la robe. Il aurait presque pu croire que le

coton, trop tendu, allait se déchirer d'un coup et que ses deux énormes seins allaient jaillir librement dans l'air tiède et printanier.

Il avait appelé Patsy pour la prévenir qu'il ne pourrait se rendre à la fête du Joyeux Mois de Mai organisée par le Country Club des Cinq Chênes. Il était vraiment désolé, mais il avait terriblement mal à la gorge.

Tout ce qu'il désirait en réalité, c'était passer encore quelque temps assis aux côtés de Sally Tompkins mais, en l'apercevant avec ses cheveux brillants retenus par deux peignes de style espagnol, il eut envie de danser. Il voulait aller dans un endroit où l'on jouait beaucoup de fox-trots pour tenir Sally dans ses bras et la serrer très fort contre lui.

Sally savait reconnaître la culture. Elle jeta donc par-dessus bord le vieux capitaine et parla avec sympathie de son père, Reginald Tompkins, acteur qui avait étudié Shakespeare à Oxford, mais qui n'avait pas vraiment réussi. « Il s'est retrouvé à jouer des rôles de composition », lui expliqua-t-elle.

« Mais pourquoi ? », demanda Richard. Ils étaient assis sur une couverture dans un parc qui dominait Cincinnati d'une des plus hautes collines.

« Eh bien, il aimait tant ma mère. Je veux dire qu'il faisait constamment des aller et retour entre Londres et Madrid. Et, bien que ma mère fût danseuse, ses parents étaient typiquement espagnols, c'est-à-dire *très* stricts. Il passa donc des années à la courtiser au lieu de faire des tournées en province. Vous savez, c'est à force de jouer Hamlet dans des villes de quatre sous que vous arrivez à entrer à l'Old Vic Theater. Mais père n'acceptait que des rôles secondaires par-ci, par-là, pour être libre d'aller en Espagne.

— Comment ont-ils fini par se marier ?

— Il a enlevé maman et ils se sont enfuis à New York. » Sally retira délicatement ses escarpins et caressa le gazon frais et humide de la plante des pieds. « Je suppose que je n'ai pas un... disons un passé très normal pour les gens d'ici en Ohio.

— Pas du tout, répliqua Richard.

— Je sais que vous êtes simplement poli. Mais, franchement, nous ne sommes pas la famille moyenne type. Nous marchons aux sentiments. Je veux dire, c'est cela qui fait de nous des acteurs nés. » Elle laissa échapper un léger soupir.

« Sally, dit Richard en se penchant vers elle, qu'est-ce qui ne va pas ?

— Rien, non vraiment rien.

— Parlez-moi, je vous en prie. Je vous ai tant parlé de moi. Ne pensez-vous pas que vous pouvez me faire confiance ?

— Oh ! Richard, murmura-t-elle des larmes dans la voix. Je suis si lasse de la scène. Je sais — elle fourragea dans son sac pour trouver un mouchoir — je sais que je suis une bonne comédienne, mais je ne serai jamais une vedette. Croyez-moi, c'est la vérité. J'ai vingt-six ans et j'ai roulé ma bosse depuis mes dix-huit ans, à la mort de mes parents. Je suis tellement, tellement lasse.

— Sally. » Il soupira et la prit dans ses bras. « Oh ! Sally. » Elle était si chaude, si ferme et son parfum semblait émaner de quelque somptueuse fleur de la jungle, douce et poivrée comme elle. « Sally, je vous aime. »

Elle abandonna ses boléros à sequins et ses jupes de flamenco au Royal. Elle quitta la maison meublée Montgomery, renommée dans le monde du burlesque, et s'installa à l'hostellerie Knauer pour jeunes femmes. Elle avait soixante-sept dollars en poche, une maigre garde-robe qui ne convenait pas du tout pour la décente Cincinnati et un bracelet en or de quatorze carats que lui avait offert un admirateur de Schenectady à la fin d'un long week-end. Elle rompit toute relation avec les gens liés à son ancien gagne-pain. Elle prenait de gros risques. Mais elle allait jouer cette partie de poker contre un amateur et elle le savait.

Il rompit ses fiançailles. Sally avait prêché la patience, pour s'assurer que leur amour pourrait vaincre l'épreuve du temps, mais il s'était contenté de sourire en secouant la tête. Il était décidé. Pour la première fois, il se sentait vivre pleinement. A son bureau, à la banque, il respirait l'odeur si forte, un peu entêtante, de l'encre utilisée pour les actes en double expédition. Il voyait la vie tout autrement. Au lieu de s'absorber dans la lecture du *Cincinnati Enquirer* tous les matins, il observait les chevilles, les bras, les poitrines et les nuques qui se trouvaient à sa portée tandis que le bus cahotait vers le centre ville. Il se mit à regarder les femmes qui lui rendirent son regard. Il se rendit enfin compte qu'il était vraiment beau. Et désirable. Les femmes lui souriaient et le frôlaient lorsqu'elles descendaient de l'autobus. Des femmes charmantes. Et jolies. Mais aucune ne valaient Sally.

A dire vrai, elle n'aurait vu aucun inconvénient à se donner à lui. Et pour cause : il avait de magnifiques yeux bleus, de longs cils bien plantés et des épaules de taureau. Et il se mourait d'amour pour elle, littéralement.

Quelquefois, il la désirait tant qu'elle voyait ses yeux se voiler de larmes. La solution de facilité était à sa portée. Au lieu de repousser sa main baladeuse en lui disant : « Richard, je vous en prie », elle aurait pu le laisser en tâter à la sauvette, car elle savait que c'était là son but. Sentir cette pression brutale, après tout ce temps d'attente, la tentait assez. Mais plus il la suppliait d'accepter, plus il lui était facile de refuser. Car c'était cela qu'il recherchait. Il voulait une femme qui ne soit pas facile, une femme qui serait à lui seul, une femme respectable. Et Sally n'était pas Patsy.

« Richard, non.

— Je vous en prie, juste sur le bout. Je vous jure, Sally...

— Je ne peux pas. Ne comprenez-vous pas ? Si je vous laisse prendre des libertés, je pourrais aussi bien faire n'importe quoi.

— Sally, juste une minute.

— Non ! »

Deux soirs plus tard, Richard Heissenhuber, qui ne la connaissait que depuis trois semaines, demanda Sally Tompkins en mariage.

Chacun était à la torture, mais la visite resta courtoise. « Encore un peu de thé, Sally ? » demanda Anna Heissenhuber en se penchant vers sa théière à fleurs, qui aurait fait l'admiration de n'importe quel amateur de porcelaine, puisque c'était du Wedgwood, mais cette... cette créature devait tout ignorer de ce sujet. Elle ne savait rien de rien en matière de finesse, de décence ou même de politesse. Elle avait mis trois sucres dans son thé, puis l'avait tourné comme on mélange du ciment, enfin, elle avait laissé la cuillère dans sa tasse en buvant. Anna jeta un coup d'œil à Carl, qui se contenait à grand-peine, mais que pouvait-il faire hormis regarder fixement Sally ?

« Non, merci, plus de thé, mamy Heissenhuber. »

Et Richard. Richard, assis là tout sourire et le regard béat, comme si cette souillon était une Vanderbilt. Avec son teint mat et luisant, et son rouge à lèvres trop voyant qui barbouillait ses dents, et cette robe... une tenue de crémière ridicule et si moulante que ça sortait de partout. Et Richard qui la regardait comme si c'était la petite Marie Soleil et non ce qu'elle était, une catin, une Jézabel qui allait l'entraîner dans sa propre fange.

Anna prit l'assiette de gâteaux secs et la tendit à son mari. Ses lèvres étaient aussi blanches que sa peau. « Carl ? » Il secoua la tête. Il paraissait aussi mal à l'aise qu'elle. Anna repoussa l'assiette sur le côté, vers la traînée, sans quitter Carl des yeux. Elle lui marmonna quelque chose en allemand, dans cette langue qu'elle ne parlait plus depuis qu'elle s'était sauvée de chez ses parents. Son mari acquiesça d'un signe de tête.

Cette visite n'était pas le meilleur moment de sa vie, Sally s'efforçait donc de n'y plus penser, mais elle avait vécu quatorze ans dans Ludlow Street. Et, lorsqu'on habite Ludlow Street, on parle le yiddish, et quand on comprend le yiddish, on comprend aussi l'allemand et on sait que cette chienne nazie vient de vous traiter de clocharde. Mais, bien entendu, elle se garda de montrer qu'elle avait compris. Eh bien, qu'elle aille se faire voir, cette vieille chouette avec son vieux con de mari. Sally se pencha en avant pour déposer sa tasse, et le vieil homme se rinça l'œil devant la plus belle paire de nichons qu'il avait jamais vus ; il en était tout secoué. Mais Sally se tourna vers sa future belle-mère, tout sourire : « Puis-je visiter la maison, mamy Heissenhuber ? J'aimerais tant connaître le foyer où Richard a grandi. »

Carl se demandait : « Mais pourquoi lui ? » Au-dehors, la lumière s'adoucissait, virant au rose, annonçant le crépuscule ; cependant, dans la maison il faisait noir et ténébreux comme en enfer. « Pourquoi Richard ? Nous n'avons pas de fortune. Elle a dû s'en rendre compte.
— Mais il a de l'ambition, dit Anna. Il pourra obtenir un poste élevé à la banque. Vice-président, par exemple. Pourtant, les traînées ne sont pas sensibles à l'ambition.
— Peut-être a-t-il raison, dit Carl. Peut-être est-elle seulement un peu trop voyante. Comme une actrice.
— Une actrice, mon œil. Une catin, voilà ce qu'elle est. Vous l'avez vu aussi bien que moi. " Où sont vos parents ? " Morts. " N'avez-vous pas d'autre famille ? " Si, en Angleterre. " Oh ! Et où cela en Angleterre ? " Et, vous l'avez vue, vous avez vu ce qu'elle a fait. Elle a regardé le plafond, comme si elle allait y trouver la réponse, mais il n'y avait rien d'écrit et elle ne savait pas quoi dire, alors elle a baissé la tête et cligné des yeux et dit Londres. Elle a souri de son espèce de sourire et dit : " Oh ! Mamy Heissenhuber, il y a des tas de Tompkins à Londres. Mais, bien sûr, avec la guerre qui s'annonce ils ne pourront pas venir ici pour le mariage. Ils vont tant me manquer. Surtout tante Marie. " » Anna contempla son mari. « Mais pourquoi Richard ? Pourquoi notre fils ? Cela est absurde. »

« Acceptez-vous de prendre cet homme pour époux devant la loi, de l'aimer, de l'honorer et de le chérir jusqu'à ce que la mort vous sépare ? » Sally dit oui et leva la tête pour contempler les yeux éblouis de Richard. Elle savait qu'il était du tonnerre, ce petit chapeau blanc garni d'une plume d'autruche de près d'un mètre de long. Ainsi couronnée, elle n'avait d'yeux que pour Richard, bien qu'elle sentît le regard de l'employé de l'hôtel de ville qui la trouvait à croquer, parée comme une poupée de ce chapeau hors de prix et de son fourreau en tissu léger. Cette tenue de mariage lui allait à ravir, car elle était d'un blanc immaculé mais suffisamment moulante pour mettre en valeur les avantages dont Richard allait profiter. Sans pour autant faire mauvais genre. Et Richard avait remarqué que le contraste entre sa robe blanche et son teint mat était digne d'une poésie.

Il disait souvent des choses très romantiques. Il avait aussi des gestes romantiques, comme la nuit où il lui avait offert un œillet rose enveloppé dans un billet de cinquante dollars. Lorsqu'elle en resta bouche bée, il lui dit : « Je sais que vous n'avez pas vos parents pour vous offrir une robe de mariage, alors laissez-moi le faire pour eux, s'il vous plaît. Je veux être votre famille, Sally. »

Il lui avait su gré de souhaiter un mariage civil. Lorsque sa mère lui avait demandé, les dents serrées et du bout des lèvres, si elle désirait rencontrer leur pasteur, le Dr Babcock, Sally avait répondu : « Je suis désolée, mamy Heissenhuber. Je ne peux vraiment pas envisager un mariage presbytérien. J'ai été élevée dans le culte épiscopalien et je ne me sentirais pas du tout à l'aise. » Sally avait dû voir ses yeux la toiser d'un air à vous glacer sur place car elle avait ajouté : « J'espère sincèrement que je ne vous ai pas offensée en disant cela. »

Ses parents refusaient de reconnaître la profondeur d'esprit et la gentillesse de Sally. Ils se braquaient sur ses tenues, son maquillage ou la façon dont elle croisait les jambes. Ils ne supportaient pas l'idée que c'était une *artiste*. Il n'avait jamais vu ses parents ainsi, injustes et si étroits d'esprit. Chaque fois qu'il prenait sa défense, leur rage éclatait et se répandait dans la maison.

Pour la première fois de sa vie, Richard s'insurgea contre ses parents et il fut soulagé de ne pas faire un mariage religieux, ce qui l'aurait obligé à demander à son père d'être son témoin.

Il n'avait aucun ami pour tenir ce rôle. Il avait songé à son directeur à la banque, monsieur Forsyth, ou à un condisciple de l'université, Bill Beidemaier, qu'il rencontrait quelquefois dans l'autobus le matin, puis il avait pensé à leur réponse : « Oui, avec plaisir, Richard », ou encore : « Bien sûr, tout l'honneur est pour

moi. » Mais il savait qu'ils auraient vite senti qu'aucun lien
d'amitié ne les rapprochait et se seraient exécutés avec résignation et mépris. Il n'avait jamais été du genre expansif et il fut
atterré lorsque Sally lui demanda : « Mon chéri, quand me
donnerez-vous l'occasion de rencontrer vos copains et les filles de
votre entourage ? » Elle semblait convaincue qu'il était la coque-
luche de Cincinnati ; il ne savait comment lui dire que personne
ne lui avait proposé de déjeuner dehors au bout d'une semaine à
la banque.

Mais, en se penchant pour embrasser sa jeune épouse, il
comprit que sa chance avait tourné. La vie serait meilleure à
partir de maintenant.

Ils s'installèrent dans une suite pour lune de miel au Hoosier
House, à French Lick, Indiana. Dès que Sally Heissenhuber
émergea de la salle de bains, le teint embrasé par la pudeur — ou
le fard — ce fut une somptueuse nuit de noces. Ses cheveux, d'un
bleu sombre sous la lumière tamisée de la lampe de chevet,
étaient répandus sur ses épaules. A travers le tissu transparent de
sa chemise de nuit, Richard aperçut les bouts de seins roses de
son opulente poitrine et la toison sombre entre ses cuisses.

Il se débarrassa de son pyjama à rayures bleues et blanches
aussi vite que ses mains tremblantes le lui permettaient. Sally
émit un « Oh ! Mes amis » à peine audible. Après toutes ces
années de comédiens à peau flasque, de trompettistes mal lavés
et de patrons de revue plus blancs que les draps, elle se retrouvait
dans les bras d'un grand jeune homme fort qui ne lui criait pas
« Baise-moi, poupée », mais « Je t'aime » et « Tu es si belle »
tout en la caressant inlassablement comme pour fixer ses formes.

« Oh ! Richard.

— Oh ! Sally. »

Pour elle, ce fut encore meilleur qu'elle ne l'aurait cru. Bien
qu'il la caressât trop timidement, comme s'il pelotait la statue de
la Liberté, il semblait beaucoup l'apprécier. Il laissait échapper
des cris rauques de plaisir. Son corps était chaud et sentait bon.
Elle redoutait de ne pouvoir jouer correctement la scène de la
vierge effarouchée, mais sa peur fut apaisée lorsqu'il essaya de la
pénétrer. Elle tressaillit et marmonna « Oooh », puis gémit
« Ooooh », et il cria « Je suis désolé, Sally », mais il ne s'arrêta
pas car il était déjà allé trop loin. Si elle n'avait pas dû rester
vigilante, faisant mine de se contracter de douleur, elle aurait
souri de plaisir en sentant ce grand type superbe qui s'enfonçait
en elle de plus en plus profondément. Elle y était arrivée : son

propre mari la dominait de sa virilité tout en gémissant « Sally, Sally » et c'était un vrai mâle ; elle voyait saillir les muscles de ses épaules. Et c'était un diplômé de l'université. Un jeune cadre de banque.

Pour lui, ce fut une nuit bénie comme il l'avait rêvée. Voilà qu'enfin, enfin, il pouvait toucher chaque parcelle de son corps et il s'en régalait. On aurait dit une déesse aux formes parfaites et, lorsqu'il la caressait, elle réagissait à merveille. Et, comme elle réagissait intuitivement à ses avances, il sentait qu'avec des précautions, de la gentillesse et de la patience, elle apprendrait à aimer cela. A adorer cela, à adorer cela, priait-il, lorsqu'il réussit enfin à la déflorer. Pour la première fois de sa vie, il se sentait le maître du monde.

La béatitude dura quatre jours, le bonheur trois semaines et la satisfaction un mois et demi. Leurs illusions s'envolèrent assez lentement pour qu'ils n'en ressentent aucune perte. Au sixième jour de leur lune de miel, Sally commença à comprendre que la timidité attirante de Richard était moins le masque d'une âme sensible que le faux-fuyant d'une personnalité que d'aucuns appelleraient constipée.

Ils étaient encore en voyage de noces que Richard épiait les coups d'œil que les jeunes mariés jetaient sur le corps de Sally. Les premiers jours de leur mariage, il considéra cette attitude comme un hommage à sa beauté et une confirmation de son bon goût. Il avait l'impression que ces hommes lui tiraient leur chapeau en disant : Quel sacré veinard tu es, Richard. Tu dois être un type terrible pour avoir conquis cette dame-là. Mais certains regards se firent plus sournois et d'autres ressemblaient à des sarcasmes.

« Tu devrais peut-être te couvrir un peu. Mets un châle, par exemple. » Il fit cette remarque avant le dîner de leur septième et dernière nuit de lune de miel. Elle portait une robe pourpre à vous couper le souffle avec une grande broche en forme de marguerite au bas d'un profond décolleté en V.

« Oh ! Richard, tu es adorable.

— Sally, je parle sérieusement, les autres femmes ne portent pas de robes aussi décolletées et la clientèle est très conservatrice ici. » Elle chercha sa main et la guida vers la naissance de ses seins et ils arrivèrent à table avec une demi-heure de retard.

Le samedi, ils rentrèrent à Cincinnati et s'installèrent dans un appartement de trois pièces au second étage d'une maison en bois peinte en blanc et sans cachet, qui n'était qu'à vingt minutes du centre. Le dimanche, au moment de partir rendre visite à Carl et Anna, Richard suggéra à Sally d'enlever son vernis à ongles. Il était marron. Couleur qui convenait pour une voiture, mais saisissante au bout des doigts ; or il souhaitait que cette visite à ses parents se déroule le plus calmement possible. Sally pointa son index vers lui et suivit la forme de son pénis, son ongle marron traçant autour des cercles de plus en plus larges. Ils eurent une demi-heure de retard et le jambon d'Anna présenta des marbrures aux endroits où il s'était desséché.

Au bout de deux mois de mariage, Sally comprit que Richard etait un fiasco sur le plan social. Elle qui n'avait rêvé que de réceptions pour sa vie de femme mariée : elle s'était imaginé tenant un plateau d'argent garni d'olives fourrées au fromage qu'elle aurait présentées à ses hôtes, de jeunes couples dans le vent. « Une olive, Biff ? — Eh bien, merci Sally, je crois que je vais me laisser tenter. » Mais Richard n'avait aucun couple ami qu'il pût inviter chez lui ; la seule invitation qu'ils reçurent émanait de ses cousins qui n'étaient absolument pas intégrés et ils eurent droit à une soirée quasiment silencieuse.

Richard aussi était déçu. Petit à petit, il dut s'avouer que sa passion pour les maquillages outrés, les robes aguichantes et les parfums capiteux n'avait rien à voir avec son ancien métier de comédienne ; cela était directement lié à son mauvais goût et à son désir irrésistible d'exciter les hommes. Il avait rêvé — lui aussi — d'entrer à l'Opera Zoo, Sally à son bras, gagnant leurs places avec désinvolture, tandis que la fine fleur de Cincinnati lui aurait adressé des saluts admiratifs pour son goût raffiné des jolies femmes et sa passion évidente pour les arts. Rêve envolé.

Ils ne parlaient jamais de leurs désillusions. Pendant très longtemps même, ils pensèrent qu'ils étaient amoureux puisqu'ils faisaient souvent l'amour. Tous les soirs, après le dîner généralement composé d'une viande grillée « surprise » découverte dans un magazine féminin, Sally allait laver la vaisselle et la rangeait tandis que Richard lisait les pages sportives pour pouvoir échanger quelques mots au bureau le lendemain. Puis elle allait dans leur chambre, sans un mot, se passait une crème sur les mains, et il la suivait. Ils se déshabillaient en silence sans un sourire et se couchaient ; pendant une demi-heure, ils s'étreignaient et se caressaient ; puis ils passaient à une activité plus intense pendant le quart d'heure suivant et Sally se mettait dans la position qui convenait à Richard. Il s'inspirait, en secret, d'un manuel sur le mariage qu'il cachait dans une boîte à chaussures tout en haut d'un placard. Enfin, ils se souhaitaient « Bonsoir » courtoisement et s'endormaient.

Sally commençait à se fatiguer. Elle était enceinte. Cela s'était produit dès le cinquième jour de leur lune de miel — elle n'aurait jamais pensé que cela lui arriverait si vite — et elle grossissait imperceptiblement.

Elle avait déjà eu plus de cinquante amants mais, en dehors de son avortement au moment où elle était mariée à Nat, elle n'était jamais tombée enceinte, bien qu'elle n'ait pas toujours pris de précautions. Elle avait craint d'avoir ramassé une de ces sales maladies qui fichent en l'air le ventre d'une femme et la rendent stérile. Mais elle espérait encore. Elle avait trente-trois ans, bien que Richard crût qu'elle en avait vingt-six — son âge avoué —, et, comme elle en convenait toute seule, elle ne rajeunissait pas. Un gros ventre était la plus belle assurance-mariage qu'une fille pouvait s'offrir. Et ce serait peut-être très amusant d'avoir cette petite chose près de soi toute la journée. Quelque chose à faire. Elle s'ennuyait à mourir.

Elle ne s'était fait aucune amie. Toutes les jeunes femmes du voisinage étaient très fières d'être originaires de Cincinnati et elles refusaient froidement toute invitation à venir prendre un café et une friandise. Elle essaya de les attendrir en admirant leurs épagneuls ou leurs enfants, ou en leur demandant conseil pour éviter les nausées matinales. Mais elles se moquaient d'elle et Sally s'en rendait bien compte.

Elle savait qu'elle ne serait acceptée dans le cercle des buveuses de café que si elle changeait d'allure pour leur ressembler, c'est-à-dire si elle supprimait son maquillage et portait des talons plats. Mais elle préférait rester isolée, espérant qu'après la naissance du bébé, Richard et elle déménageraient dans un quartier plus agréable, où elle pourrait rencontrer des femmes plus vivantes et moins guindées.

En attendant, les jours s'écoulaient tristement. Habituée au rythme de six représentations par jour, elle n'arrivait pas à remplir ses journées avec quelques plats à laver, un essuie-meubles et un batteur à tapis. Elle devait se distraire toute seule. Pour la première fois depuis près de vingt ans, elle se remit à lire et en fut ravie; toutefois, cela ne durait guère plus de vingt minutes ou une demi-heure. Elle écoutait la radio, mais les speakers avaient tous la même voix que son beau-père, des voix graves avec l'accent typique de Cincinnati : « Banjour, meudames. Au troisième top, il sera exactement... » et elle fermait la radio.

Après le sixième mois, lorsque son ventre devint plus gros que sa poitrine, Richard cessa de la désirer. La seule façon de l'avoir était de se réveiller avant lui, ce qui arrivait rarement, et de

plonger la main sous la ceinture de son pyjama. Avant qu'il ait eu
le temps de reprendre ses esprits pour trouver une excuse, il était
déjà allé trop loin pour faire marche arrière. Les autres fois, il
refusait en disant que cela pourrait faire mal au bébé. Mais elle
savait bien que la vraie raison, c'est qu'il trouvait son état
répugnant.

Au début du neuvième mois, cela lui parut très secondaire. Elle
souffrait du dos. Ses bouts de seins viraient du rose au brun le
plus vilain. Elle était si éreintée qu'elle retournait se coucher dès
que Richard partait pour la banque et mettait la sonnerie du
réveil sur quatre heures et demie, une heure avant qu'il ne rentre.
Pendant ce dernier mois de grossesse, Richard en était arrivé à ne
même plus pouvoir lui parler. Il avait épousé une brillante
artiste, expansive et pleine de charme, et il se retrouvait, tout
juste neuf mois plus tard, partageant sa vie avec une vache. Et
elle se plaignait : « Oh ! Mon dos. » Ou bien : « Oh ! Mes pieds. »
« Oh ! Je n'ai pas pu préparer le dîner, je peux à peine tenir
debout. » Et ses sempiternels : « Oh ! Richard, pourquoi n'in-
vites-tu pas quelqu'un ? Quelqu'un de la banque ? On s'ennuie
tellement ici. »

Sally perdit les eaux sur le divan bleu d'Anna Heissenhuber
par un dimanche enneigé de mars. « Hé ! Oh ! » fut tout ce qu'elle
dit en sentant s'écouler le flot tiède du liquide amniotique à
travers ses sous-vêtements. Elle était restée assise assez longtemps et la tache fut indélébile. Elle tendit son bras vers Richard
et gazouilla : « Le rideau se lève.

— Que dis-tu ? demanda-t-il.

— Allons à l'hôpital », répliqua-t-elle.

Quatorze heures plus tard, le Dr Neumann, dans le salon
duquel ils s'étaient rencontrés, accoucha Sally d'une petite fille
qui pesait trois kilos cinq.

« C'est une fille », annonça l'infirmière à Richard. Il acquiesça
en la remerciant. Lorsqu'elle revint dix minutes plus tard pour
lui montrer le bébé, il était déjà loin : il achetait des cigares dans
un drugstore pour les offrir à la banque. Puis il passa chez ses
parents pour prendre un bain et se raser avant d'aller à son
bureau.

« C'est une fille, dit l'infirmière à Sally qui se réveillait tout
juste de son anesthésie.

— ... la voir », marmonna Sally. Elle avait la bouche sèche et
une langue grosse, semblait-il, comme une banane.

L'infirmière prit le paquet enveloppé de rose et le pencha vers
le lit. Sally n'avait pas vu beaucoup de nouveau-nés et elle la
trouva superbe. Le bébé avait la même peau d'or sombre que

Sally et ses yeux étaient d'un bleu profond comme ceux de Richard. La frayeur de Sally à l'idée que le bébé risquait d'hériter du nez proverbial des Taubman ne s'était pas concrétisée. Son nez était petit, bien que tourné vers la gauche au moment de la délivrance.

« C'est quelque chose, ça ! lança Sally. Absolument magnifique.

— Comment s'appelle-t-elle ? » demanda l'infirmière.

Sally savait que Richard voulait un nom qui plaise à ses parents. Elle regarda son bébé, très occupé à faire des mouvements de succion avec sa bouche, ses joues rondes si douces qu'on avait envie de l'embrasser et dit : « Jane. »

Jane Anna Heissenhuber fut baptisée dans une petite église presbytérienne tout près de l'appartement de ses parents. Le pasteur, le Dr Plum, dit qu'il n'avait jamais vu de bébé aussi mignon et aussi joli. A Noël de la même année, la jeune Madame Heissenhuber était devenue l'un des piliers de l'église.

Sally éplucha trois cents pintes de fruits pour le festival de la Fraise. Et elle accepta la présidence du sous-comité de la Société des missions pour les livres d'occasion — avec de sérieuses responsabilités.

Ce qu'elle avait refusé de faire pour son mari, Sally le fit pour son enfant : elle enleva son vernis marron et entretint ses ongles soigneusement car Jane aimait saisir l'index de Sally et le mettre dans sa bouche. Jane était assise dans sa voiture, regardant autour d'elle, et paraissait s'ennuyer : Sally abandonna donc son rouge à lèvres voyant et ses talons cubains et, très vite, fut invitée à se joindre aux longues promenades des autres voisines poussant leurs voitures d'enfants.

En dépit des remarques aimables du Dr Plum, Jane était un bébé tout à fait ordinaire. Mais Sally s'obstinait à la trouver superbe et très douée ; le moindre gargouillis était une musique irrésistible. Chaque bouchée de purée de banane ou d'œuf mollet nourrissait le talent de l'enfant qui allait devenir la plus grande star du monde.

C'est ainsi que Sally voyait Jane. A douze mois, elle marcha. A quatorze, elle dansa en imitant les pas de sa mère, « un pas en avant, un pas en arrière ». A quinze mois, elle dit « mamma », « papapa » et « lolo ». A un an et demi, Jane savait chanter « Marie avait un petit agneau », « ABC » et « I Don't Care That My Man's Gone Blues ». A deux ans, elle pouvait enfin arborer un sourire agrémenté de toutes ses dents.

« Janie, ma toute douce, tu feras la une des journaux », lui disait Sally en confidence. « Tu vas devenir une grande star, murmurait sa mère en embrassant son petit ventre rond. Mais tu sais, Janie, tu devras changer de nom. Tu vois ce que je veux dire, ma colombe ? »

Son père était plus distant. Ce qui enthousiasmait Sally irritait Richard. Il n'aimait pas voir Jane chanter et danser. Une fois elle avait essayé, ouvrant ses bras potelés et lançant « Love Me Again » à la cantonade, mais son père en avait paru plus choqué qu'admiratif. Depuis, dès que ses petits pieds marquaient le rythme d'un air de la radio, sa mère coupait court à ses démonstrations, la mettait dehors et lui offrait une sucette — récompense offerte par la direction pour la représentation annulée. Jane était futée. Elle comprenait vite.

Richard avait de l'affection pour sa fille, mais il restait raide. Il ne savait tout simplement pas comment s'y prendre avec une toute petite fille qui ne souhaitait pas qu'on lui fasse la lecture. Il rentrait de la banque en lançant : « Comment vont mes filles ? » et Jane et sa mère couraient l'accueillir en l'embrassant. Ils passaient ensuite directement à table. Jane écoutait ses parents raconter leur journée avec une animation quelque peu forcée. Elle ne comprenait pas leurs paroles, mais elle voyait sa mère penchée en avant, prête à se lever pour débarrasser la table à peine Richard avait-il avalé sa dernière cuillerée de crème. Et elle surveillait son père, qui soupirait et s'essuyait les lèvres sur sa serviette, puis se dirigeait vers son fauteuil à bascule d'un pas pesant pour s'installer à sa lecture.

Elle ne devait pas le déranger jusqu'au moment où elle sortait de son bain, coiffée et pomponnée, pour monter sur ses genoux et recevoir son baiser du soir. Puis Sally lui emboîtait le pas jusqu'à son petit lit où c'était l'heure des cajoleries et des extravagances. Elle n'était seule avec son père qu'au cours de la demi-heure de promenade où il l'emmenait prendre une glace à la fraise tous les samedis. Mais Richard, qui ne savait pas manifester tendresse et chaleur envers sa fille, ne lui voulait, au moins, pas de mal. Bien des petites filles avaient dû se contenter de moins.

Et les grandes filles aussi. Sally savait fort bien que Richard ne s'intéressait à son emploi du temps que pour la galerie, pour que l'enfant n'assistât pas à un repas silencieux. Il n'en avait fichtre rien à faire d'elle, en dehors du plumard. Il lui avait retrouvé quelque attrait après la naissance de Jane, pas avec l'ardeur des premiers temps de leur mariage, mais il se manifestait trois fois par semaine, s'évertuant à une sincérité épuisante dont elle n'avait plus que faire. Le dégoût qu'il avait eu d'elle pendant l'interminable trimestre qui avait précédé l'accouchement l'avait marquée, et elle ne pouvait tout simplement pas l'embrasser en oubliant l'injure, d'autant plus qu'il ne lui avait jamais présenté d'excuses. Il ne la désirait qu'à jours fixes, les mardis, jeudis et samedis, et toujours de la même façon. Plus aucune fantaisie dans le programme, plus de positions amusantes. Il ne la tripotait ni ne la caressait d'aucune façon. C'était juste bisou-bisou, étreinte et boum-boum-boum. Il passait plus de temps sur ses mots croisés. Ou à écouter ses disques, ces opéras de Wagner qui ressemblaient à une musique funèbre pour l'enterrement d'un chat.

Richard avait besoin de consolation. Il ne réussissait pas bien à la banque. C'était un homme de deux ans son cadet qui avait été nommé vice-président adjoint. Le chef du département des crédits, Monsieur Forsyth, qui jouissait, disait-on, d'une fortune personnelle, avait, à tour de rôle, invité les jeunes cadres à déjeuner à son club privé. Richard avait été pressenti le dernier et n'arrivait pas à comprendre pourquoi.

Il avait attendu mieux. Beaucoup mieux. Peu après Pearl Harbor, une visite médicale lui avait appris qu'il souffrait d'une insuffisance rénale relativement inoffensive qui le rendait inapte au service armé, et il avait espéré gravir les échelons très vite. Il faisait confiance à son père : « D'ici fin décembre, ou en mars au plus tard, tu auras ton nom sur une porte », mais rien ne se concrétisait. Il en était toujours à utiliser le taille-crayon des secrétaires.

Et c'est pourquoi, lorsqu'il rentra chez lui un soir et que Sally agita sous son nez une invitation : *Monsieur et Madame Ralph Forsyth seraient heureux que vous assistiez à la journée portes ouvertes qu'ils organisent à l'occasion du Nouvel An*, il ressentit une bouffée d'espoir comme il n'en avait pas connu depuis le jour de son mariage.

La première question que Sally posa fut évidemment : « Je peux aller m'acheter une robe neuve ?

— Rien de trop habillé, dit Richard. Les Forsyth sont une vieille fortune. » Au moins n'avait-il plus à se torturer l'esprit pour le nouveau décolleté atroce que Sally aurait arboré. Depuis la naissance de Jane, presque trois ans avant, le farouche côté espagnol de Sally s'était estompé au profit de sa meilleure moitié, son côté britannique.

« Tout à fait dans le ton, dit Sally à Richard.
— Chut.

— On pourrait croire qu'avec leur fortune ils ont les moyens de s'offrir de la moquette partout. »

La résidence des Forsyth était décorée de tapis chinois, de commodes Chippendale et d'un secrétaire Sheraton.

Elle aurait pu servir de décor à *Autant en emporte le vent*, si le film avait eu un petit budget ; c'était un modeste manoir rehaussé de colonnes blanches et construit sur plus d'un hectare de pelouses.

Sally passa la main sur le chintz d'un fauteuil club. « Je suppose que tu vas me dire que cet imprimé fleuri tellement moche fait aussi vieille fortune.

— Chut.

— Je parie qu'ils n'ont pas fait venir le tapissier depuis vingt-cinq ans. C'est pas étonnant qu'ils aient tant d'argent qui sommeille.

— Sally, on pourrait t'entendre. »

Il y avait bien une cinquantaine de personnes dans le salon des Forsyth et encore autant agglutinées autour du gigantesque récipient en argent rempli de punch, dans la salle à manger, mais aucune d'elles ne semblait disposée à prêter une oreille attentive à la conversation des Heissenhuber. Personne, en fait, ne semblait s'intéresser à eux. Madame Forsyth les avait accueillis à l'entrée, avec un charme tout sudiste. « Bonne année, nous sommes si, si heureux de faire votre connaissance, Sally et Richard, avait-elle dit. Entrez, je vous en prie, et prenez un verre, je vous verrai dans un petit moment. » Mais on ne l'avait pas revue. Richard jeta un coup d'œil vers l'entrée ; DeLayne Forsyth accueillait toujours ses invités.

Richard se retourna vers Sally et, d'une voix mesurée, lui désigna les différents dirigeants de la Queen City Trust. Que cela intéressât Sally ou non importait peu ; il voulait simplement paraître occupé par quelque conversation de salon. « Ça, c'est John Crane, le correspondant pour l'étranger. Non, pas le gros. Celui qui est à côté, avec le veston écossais.

— Oh ! » dit Sally. Sa nouvelle robe était en laine blanche avec un col de dentelle du même ton.

« Bonsoir, Richard. » Une voix douce et profonde s'immisça entre eux. « Non, ne me dites rien. Ce doit être Sally. » Ralph Forsyth avait commencé à boire dès six heures du soir la veille et n'avait pas cessé depuis. Il leva son verre et lui porta un toast. « A Sally Heissenhuber ! Une jolie... » Il tangua vers la gauche et se rattrapa à l'épaule de Sally pour ne pas perdre l'équilibre. « Hum, un ravissant flocon de neige ! » Sa figure bouffie avait l'éclat rougeoyant du buveur en virée. Mais son corps mince avait une certaine rigueur. « Richard, je peux vous la voler un instant ? » Et sans attendre la permission de Richard : « Venez donc, Petit Flocon, allons vous chercher un verre. » Il prit Sally par la taille. « J'adore la compagnie des jolies femmes », dit-il à Richard, qui avait l'air abasourdi. Il ne croyait Monsieur Forsyth heureux qu'entre des actes, des chevaux ou des chiens.

« Eh bien, monsieur Forsyth, dit Sally tandis qu'ils se diri-geaient vers la salle à manger.

— Ralph.

— Eh bien, Ralph... » Il l'avait entraînée vers une fenêtre et lui montrait avec son verre de bourbon, la propriété, les écuries et le paddock. « Superbe ce paddock, murmura-t-elle. Un des plus beaux que j'aie jamais vus.

— ... Savez ce qui est beau aussi, Sally ? Vous, adorable petite chose.

— Merci. » La main qui entourait la taille de Sally remonta doucement et s'attarda sur son ventre, puis remonta encore et encore. Tout en parlant de sa jument préférée, Lady Linda, monsieur Forsyth pétrissait la poitrine de Sally. « Je vous en prie, monsieur Forsyth.

— Ralph, Petit Flocon. Dites-moi, vous êtes un adorable petit bout de femme. Quand je pense que ce vieux Richard, qu'on voit tous les jours depuis des années, nous avait caché qu'il avait un adorable petit flocon de neige chez lui. »

Il sirota la fin de son bourbon.

« Vous aimez la vue, Sal ? murmura-t-il.

— Oui, Ralph. » Il était ivre et commençait à s'avachir, mais Sally ne savait que faire. Il était le patron de son mari, elle ne pouvait donc pas l'offenser. Elle ne pouvait pas lui dire d'enlever ses pattes humides de là, qu'il n'était qu'un vieux chnoque bourré comme un cochon. De plus, ce qu'il avait dit sur Richard, qui l'enfermait à la maison, était plein de bon sens. Elle avait encore tant à offrir, à trente-six ans, alors que l'événement le plus excitant de l'année était le dîner annuel du troisième âge, lorsque le Dr Plum lui demandait de préparer sa salade de haricots noirs aux oignons verts.

« Une vue superbe vraiment, Sal. » La respiration de Monsieur Forsyth se fit sifflante. Elle espéra qu'il était plus excité que malade.

Elle se pencha pour regarder le gazon encore vert, la clôture de séparation et, à la limite de sa conscience, commença à poindre son image, en robe rose avec un éventail en plumes assorti, accueillant des invités à la porte d'entrée. « Je devrais retourner vers Richard, dit-elle.

— Oh! Allez, charmant Petit Flocon. » Monsieur Forsyth
resserra son étreinte sur sa poitrine. « C'est le Nouvel An. Joyeux.
Joyeux Nouvel An. Venez, je vais vous montrer une autre vue. »

Par obéissance... en fait, par obligeance... elle le suivit à travers
la cuisine et l'office, en bas des escaliers, et là, dans le recoin
sombre du bouilleur, Sally Heissenhuber se fit sauter par Ralph
Forsyth pour commencer l'année 1943.

Les gros bonnets lancent leurs filets; dans le monde du
commerce, toute action est subtile et chemine de biais. Ce ne fut
donc qu'à la mi-mars, une semaine après le troisième anniversaire de Jane — au lieu du 3 janvier — que J. Rufus Curry, le
président de la banque et patron de Ralph Forsyth, convoqua
Richard dans son bureau en fin d'après-midi et lui annonça qu'il
n'aurait jamais un poste important à la Queen City. Richard eut
le courage d'en demander la raison. Monsieur Curry répondit que
Richard manquait de ce don indéfinissable qui était nécessaire
pour arriver au niveau de la direction à la Queen City. Mais il
pourrait très bien convenir ailleurs, dans une autre banque.
Monsieur Curry s'offrait à aider Richard à trouver un créneau
qui lui convienne mieux. Bien entendu, si Richard se sentait à
l'aise à la Queen City, s'il avait le sentiment que son poste
correspondait à ses aspirations, il pouvait très bien rester.
Richard le remercia et dit qu'il allait réfléchir. Il n'était pas un
gros bonnet. Il n'avait pas compris qu'il était un homme mort et
que c'était Ralph Forsyth qui l'avait tué.

« Qu'est-ce que cela veut dire? demanda Sally.

— Rien, je ne sais pas. Ils pensent que je serais plus heureux
ailleurs.

— Que veux-tu dire par heureux? Les banquiers ne sont pas
des gens heureux. Je ne comprends pas. » Elle surveillait le ton
de sa voix pour ne pas réveiller Jane. « Monsieur Forsyth t'a dit
quelque chose? » C'était la première fois depuis le Jour de l'an
qu'elle mentionnait son nom. Près du bouilleur, en bas, il lui
avait juré de l'appeler dès le lendemain. Elle avait attendu
quatre jours, faisant des plats uniques pour le dîner avec des
boîtes de conserve pour ne pas sortir faire de courses. Puis,
pendant deux semaines, elle n'avait quitté la maison que pour
une heure. Et enfin, elle avait compris.

Bien entendu, Richard ne s'était jamais douté de rien.

« Que comptes-tu faire maintenant? lui demanda Sally.

— Je dois envisager toutes les possibilités. » Richard espérait
que quelqu'un lui dicterait la conduite à adopter.

« Cela veut-il dire que nous ne pouvons pas acheter de maison ? »

En juillet, Richard n'avait toujours pas pesé le pour et le contre. Les responsables de la banque lui adressaient encore le même « Bonjour » courtois et il recevait, un vendredi sur deux à onze heures, un chèque pour son salaire de la quinzaine, mais son bureau était devenu une île de tranquillité au milieu d'une mer agitée de demandes de succession et d'administration de legs. Les clients de la Queen City continuaient à mourir, les testaments étaient homologués et tout le département vibrait d'activité. Sauf Richard.

Par un oppressant après-midi de juillet, ils étaient assis sur les bancs en fer forgé du jardin des parents Heissenhuber. Pour le seizième samedi d'affilée depuis l'avertissement de monsieur Curry, la famille discutait de l'avenir de Richard.

« C'est une institution solide », disait Anna. Elle souhaitait que Richard y restât.

Carl, caissier à la succursale du Mont Airy, estimait que Richard devait s'en aller. « Ils deviennent un petit peu indigestes. Un peu trop prudents. » Il prit une carafe de limonade tout embuée et se versa un autre verre. « Il faut que tu trouves une entreprise ouverte aux idées nouvelles. Peut-être pas une banque. Peut-être une maison de courtage. Peut-être...

— Tu as une idée précise en tête ? » demanda Richard.

Carl répondit : « Eh bien, je ne pense à rien de spécial. Mais un homme solide avec une bonne éducation est toujours apprécié. »

Sally soupira. Elle avait recommencé à se maquiller et sa belle-mère la regardait de travers. La belle affaire. Elle en avait sa claque d'avoir l'air d'une morte. Les gens ne la voyaient même pas lorsqu'elle marchait dans la rue. Elle avait fait cela pour Janie, mais ce n'était vraiment pas amusant. Lorsqu'elle avait acheté du mascara, du fond de teint et un rouge à lèvres tout nouveau résistant aux baisers et s'était maquillée, Janie lui avait dit : « Maaman, tu es si bel-le ! » L'enfant avait un goût inné.

La vieille dame la dévisageait d'un air méchant. Oui, elle en avait sa claque. Elle mourait d'envie de prendre Janie sous le bras avec ses affaires et de s'éclipser pour l'emmener dans un coin sympathique, comme la Californie. Il était trop gourde pour deviner où elle serait partie. Elle irait peut-être à Hollywood essayer de trouver des petits rôles. Devenir une star, sûrement pas. Elle ne se faisait pas d'illusions. Elle était un peu trop vieille pour ça.

« Je crois que j'entends Janie, dit-elle en se levant du banc.

— Elle est tout à fait tranquille, répliqua Anna. Il y a juste une demi-heure qu'elle fait son somme.

— Quelquefois, ça lui suffit. » Avec ses chaussures à talons aiguilles, Sally perdait l'équilibre sur le gazon où elle laissait des petits trous.

« J'aimerais que vous enleviez vos chaussures lorsque vous marchez sur la pelouse, lui cria Anna.

— Quoi ? » Sally s'arrêta et, se tournant vers sa belle-mère : « Je n'ai pas entendu.

— J'ai dit... » commença Anna.

Sally hurla : « Oh ! » et sa main s'abattit sur son cœur comme pour réciter un rapide *mea culpa*; elle se frappa avec force pour tuer la guêpe qui l'avait piquée. Mais la vengeance était minime. « Merde ! » Toute sa poitrine était en feu. C'était horrible. Sally regarda fixement les Heissenhuber avec des yeux effrayés, puis elle s'affaissa, la tête en avant.

Richard se précipita vers elle. « Sally, qu'est-ce qui se passe ? Sally ? » Il l'allongea sur le dos. L'endroit où la guêpe l'avait piquée enflait si vite qu'on aurait dit comme un troisième petit sein. « Appelez une ambulance », hurla-t-il.

Naturellement, elle n'en avait jamais parlé. Sally était une citadine, une fille qui avait passé le plus clair de sa vie à l'intérieur, sinon cela se serait produit plus tôt. Elle était mortellement allergique aux piqûres de guêpes. Richard lui souleva la tête, mais sa respiration devint plus difficile. Puis elle s'arrêta. Tout simplement. La femme qui s'était appelée Sarah Taubman et Sally Tompkins... señorita Rosita Carita et madame Richard Heissenhuber mourut dans les bras de son mari cinq bonnes minutes avant l'arrivée de l'ambulance qui hurlait en remontant la rue.

Puis tout fut silencieux jusqu'à ce que Jane se réveille de sa sieste et appelle : « Maaman ? »

3

... d'après le neurochirurgien britannique de Jane Cobleigh, sir Anthony Bradley, qui a eu un entretien avec les journalistes hier soir. Cependant, le livre américain qui fait autorité en la matière, *Stupor & Coma*, est plus précis en un sens, en affirmant que...

Detroit News

Richard Heissenhuber n'était pas un veuf joyeux. Non qu'il se plaignît, pleurât ou se trouvât dans un état second à cause de la mort de Sally. Tout au contraire. Durant trois jours et trois nuits, il se tint bien droit — les jambes raides et les yeux secs — entre ses parents, sur un divan marron en crin de cheval, dans le salon de l'entreprise de pompes funèbres Norris J. Vernon.

Richard essayait de se lever, pour faire face, mais la chaleur moite de juillet sapait son courage. Il restait assis, luttant secrètement sous sa chemise de rayonne blanche de banquier et son complet d'hiver bleu marine... le seul qui convenait pour un deuil, étant le plus foncé, lui avait affirmé sa mère. Une bouffée de sueur l'inondait toutes les cinq minutes et coulait sur sa poitrine et derrière ses oreilles. Il disait « Bonjour, mademoiselle C., désolé de vous faire sortir par une chaleur pareille. » Des gouttelettes de transpiration perlaient sur sa lèvre supérieure. Richard voyait bien que tout le monde avait trop chaud. Les gens venaient lui présenter leurs condoléances et s'éclipsaient aussi vite que possible.

Il observait ses voisins, les membres de sa famille et les responsables de la Queen City Trust qui jetaient des coups d'œil

sournois et répétés vers Sally. Cela ne lui plaisait pas du tout.
Elle n'avait pas l'air d'une jeune mère de famille qui avait fini
tragiquement et de façon prématurée. On aurait dit que quelqu'un à l'étage en dessous, quelque employé de chez Vernon à
l'esprit mal tourné, avait appris qui était vraiment Sally et
l'avait préparée comme une star.

Elle était exposée, les joues couleur pêche, les lèvres carmi-
nées, les paupières outre-mer et les cils recouverts d'un mascara
si épais qu'ils ressemblaient à des sourcils retournés à l'envers.
Quant à sa robe bleu marine bordée de blanc qu'elle portait pour
le baptême de Jane, ou elle avait beaucoup rétréci, ou ils
l'avaient épinglée très serrée dans le dos, car, au lieu de lui
donner un air respectable, comme à toute morte décente, elle
avait un aspect résolument voluptueux. Et, bien que la chose fût
vraiment impossible, l'espace d'un instant il crut entendre l'un
des directeurs de la Queen City murmurer qu'elle était vraiment
une bonne affaire. Puis Richard prit conscience qu'elle serait
bientôt froide pour toujours et cela, très rapidement... alors, il
plaqua ses mains sur ses yeux et sur son front.

« Richard ? Mon fils ? Quelque chose ne va pas ? »

Les genoux de Richard se mirent à trembler. « La chaleur »,
arriva-t-il à murmurer. Il perdit connaissance et se serait affalé
sur les genoux de sa mère si Ralph Forsyth, de la banque, ne
s'était pas trouvé tout près de lui pour l'empoigner et le
redresser.

« Merci, monsieur Forsyth, réussit-il à dire.

— Heureux de vous être utile, Richard. »

Ce ne fut que le lendemain, en entendant le petit bruit des
cailloux et des pelletées de terre sur le couvercle du cercueil, qu'il
se sentit à l'abri. Tout était enfin terminé.

Les semaines passèrent et Richard comprit que ni la compagnie de Sally ni ses embrassements humides trois nuits par
semaine, ne lui manquaient vraiment. Mais il ne se plaisait pas
dans sa situation de veuf. Que devait-il donc faire ? Que diable
pouvait-il bien faire avec une petite fille de trois ans et demi ?
Surtout une enfant comme Jane, qui ne voulait pas admettre que
sa mère soit morte.

La salle à manger des Heissenhuber était petite et, pour
compenser cette exiguïté, Anna avait tapissé les murs d'un

papier à rayures vert et jaune pâle ; on avait ainsi l'impression que le plafond était haut.

« Mange ta viande, dit Anna d'une voix encourageante.

— Non.

— Sais-tu combien de tickets elle représente, cette viande ? demanda Carl, faisant allusion au rationnement du bœuf depuis la guerre. Le sais-tu ?

— Ma maaman dit que je ne suis pas obligée.

— Jane, dit Anna d'un ton apaisant, comme le lui avait conseillé le pasteur, maman est au ciel avec Jésus. Tu te souviens que nous en avons parlé ? Maman est très heureuse au paradis et tu lui manques, mais elle ne peut pas revenir.

— Elle dit que je ne suis pas obligée de manger ma viande. »

Carl plia sa serviette et la posa à côté de son assiette. « Je crois que vous nous mentez, jeune demoiselle. Il n'y a personne qui vous parle.

— Maaman dit que...

— Mange cette viande ! beugla Carl.

— C'est de la nourriture pour les chiens et je ne dois pas la manger.

— Mange. »

Richard, qui était assis en face de Jane à la minuscule table ovale, ouvrit la bouche pour la première fois de la soirée. « Je m'en occupe, papa. » Ses parents et sa fille le regardèrent, aussi curieux qu'incrédules. « Jane », commença-t-il. Puis il s'arrêta, ne sachant plus quoi dire.

« Oui, papa ? » Elle lui tendait une perche.

« Jane, il faut que tu manges ta viande. C'est bon pour toi..

— Maaman dit qu'elle sent mauvais.

— Non, ce n'est pas vrai.

— Si.

— Jane, c'est le ragoût de grand-maman.

— C'est un sale truc et maaman...

— Arrête, mais arrête donc ! Elle est morte.

— Papa, maaman dit qu'elle m'aime et qu'elle t'aime aussi et que tu ne dois pas crier après moi ni m'obliger à manger cette viande.

— Jane...

— Tu sais ce que maaman dit ? Elle dit... »

Richard se leva si vite que sa chaise se renversa avec fracas. Il courut autour de la table ovale jusqu'à la place de Jane. Elle baissa la tête. Ses nattes noires frôlèrent la nappe. Richard saisit sa fourchette et piqua un morceau de viande comme s'il allait tuer quelqu'un. Du pouce et de l'index, il comprima les joues de

Jane, la forçant à ouvrir la bouche. Il y introduisit violemment la fourchette puis la retira, lui serrant les lèvres avec ses doigts. « Mâche. Je ne te lâcherai pas tant que tu n'auras pas mâché et avalé. » Avec un haut-le-cœur que personne n'entendit car elle avait la bouche fermée, elle réussit à avaler.

« Elle a avalé, Richard, dit Anna. Je l'ai vue.

— Non, elle n'a pas avalé.

— Je te dis que si. N'est-ce pas, Carl ?

— Je ne peux pas l'affirmer.

— Elle n'a pas avalé, insista Richard.

— Eh bien, regarde dans sa bouche, Richard, lui suggéra sa mère.

— Ouvre la bouche. Lève la langue. Très bien. Maintenant, mange le reste de ta viande. » Elle prit sa fourchette. « C'est déjà mieux. » Richard regagna sa place. Jane murmura quelque chose. « Qu'est-ce que tu as dit ?

— Maaman dit que je peux manger maintenant. C'était trop chaud. C'est pour ça qu'elle ne voulait pas que je le mange. Maintenant, c'est juste bien. Maaman dit...

— Je t'en prie, Richard, intervint Anna alors qu'il se précipitait vers la place de Jane. Tu vois ? Elle se met à manger. »

Sur le terrain de jeux, la triste lumière de décembre était diffuse sous le réseau serré de branches dénudées qui s'étendaient, comme un dais, au-dessus de la rangée de balançoires. Anna serra son manteau de tweed autour de son cou et se tourna vers Jane qui paraissait minuscule sur la grande balançoire, petites Boucles d'or basanée dans le fauteuil du papa Ours.

« Balance-toi, ordonna Anna. C'est pour cela que je t'ai amenée ici. »

La balançoire ne bougeait pas. « Grand-maman, j'ai faim.

— Tu dîneras dans une heure.

— Mais j'ai faim tout de suite.

— Ça va te couper l'appétit.

— Ma maaman... »

Anna frappa le sol du pied. « Est-ce que tu veux que je dise à ton père que tu recommences à faire des histoires ? C'est ça que tu veux ? » Elle se baissa vers sa petite-fille, saisit les chaînes qui retenaient la balançoire et hissa Jane à son niveau.

« Non.

— Sais-tu ce que Dieu fait aux petites filles qui mentent ?

— Quoi ?

— Elles vont directement là où tu sais.

— Où donc ? »

Anna lâcha brusquement la balançoire qui repartit dans l'autre sens, plus haut que la normale. Les mains de Jane, à l'abri de ses moufles vertes, se cramponnaient aux chaînes.

« Tiens-toi bien, et pour l'amour du ciel, cesse d'être un paquet de nerfs. Tu ne veux pas tomber de la balançoire ? »

Jane était trop émotive au goût d'Anna.

Mais elle savait très bien aussi qu'elle était une enfant éveillée, capable, à quatre ans à peine, de lire couramment au point de rendre honteux un élève du cours élémentaire. C'est Anna qui le lui avait appris en quatre mois.

Jane était aussi intelligente que Richard lorsqu'il était enfant, mais Anna était la première à reconnaître qu'elle avait une volonté que son fils de trente et un ans ne possédait pas. Mais ce n'était pas chose aisée de remettre l'enfant sur le droit chemin, en effaçant l'influence néfaste de sa mère, en demandant à Jane de se dominer lorsqu'elle commençait à se trémousser en dansant aux coins des rues quand ils allaient à l'église, ou en lui donnant la fessée lorsqu'elle se répandait en épithètes peu recommandables (elle avait traité Carl de gourde) dès qu'on la contrecarrait.

Cependant l'enfant avait ses bons côtés. Elle était affectueuse, grimpait sur les genoux d'Anna en fin d'après-midi avec un livre d'histoires et demandait : « Lis-moi quelque chose, grand-maman. » Elle était étonnamment soignée pour son âge. Ils l'avaient installée dans une petite chambre réaménagée dans le grenier, mais les cauchemars qu'elle faisait à propos d'un monstre qui lui dévorait les bras et les jambes étaient tellement impressionnants et les hurlements qu'elle poussait si aigus qu'ils décidèrent de mettre son petit lit dans un coin de la chambre d'Anna et Carl ; Richard avait récupéré son ancienne chambre et il ne convenait pas qu'elle la partageât avec lui.

Anna jeta un coup d'œil vers Jane : de façon très méthodique, comme toujours, elle glissait lentement de la balançoire, baissant les pieds, centimètre par centimètre, avec précaution. « Descends donc, Jane, n'en fais pas toute une histoire. »

Anna fit la grimace. L'enfant avait le teint de sa mère. Une peau noire inquiétante... presque jaune... et cette chevelure ! Mais, au moins, l'enfant avait-elle hérité des yeux bleus, superbes, de Carl et de Richard. Hélas, elle avait aussi hérité d'eux son menton un peu fort, ses membres longs et ses épaules larges. Elle n'était pas jolie, tout bonnement. Mais pas repoussante comme sa mère avec son côté trop en chair.

Elle tendit la main à Jane. « Rentrons à la maison. Il faut que je finisse de préparer le dîner. »

Richard allait se trouver au chômage à partir du 1er janvier 1944. Il annonça cette nouvelle avec un sourire de connivence. « Monsieur Forsyth dit qu'ils ont besoin de mon bureau et, de plus, ils pensent que la motivation de rechercher un travail, impérativement, va me stimuler. »

« Quoi ? » Les pages de bandes dessinées en tombèrent des mains de Carl.

« J'avais cru comprendre qu'ils te garderaient si tu le désirais, dit Anna.

— Eh bien, tu sais comment sont les choses, répliqua Richard. Je ne suis pas si sûr qu'ils aient tort, de toute manière. Les choses tournent bien en fin de compte. »

Le visage d'Anna s'empourpra et elle quitta la pièce. Richard n'était pas le fils qu'elle avait espéré. On aurait dit que Sally, cette traînée, l'avait comme saigné à blanc. Il ne restait plus qu'un grand type, beau et bien élevé... Anna avala sa salive... Ce qui restait, c'était l'ombre d'un homme.

Anna percevait chaque mot prononcé par cette femme. « Pas *ce* rouge, indiquait-elle. Je vous l'ai dit la semaine dernière, il ne me plaît pas. Vous ne vous en souvenez pas, Betty ?

— Excusez-moi, mademoiselle Rhodes.

— Je veux le rouge très doux, le deuxième sur la gauche. Non, pas celui-ci, de l'autre côté. Sur la gauche, oui, celui-là. »

De toute évidence, cette femme avait une profession, Anna en était certaine. Les épouses classiques de Cincinnati ne seraient jamais venues au salon de coiffure de leur quartier dès la première heure le samedi matin, habillées d'un fourreau de laine beige, d'une jaquette courte marron et chaussées d'escarpins en chevreau brun. Elle n'était pas de ces femmes mariées à la va-vite qui prenaient du bon temps avec un homme pendant que leur mari risquait sa vie en Italie ou aux îles Salomon. Ce n'était pas du tout le genre.

Elle était très élégante, mais le visage restait sérieux.

Elle accusait une bonne trentaine d'années, mais n'arborait aucun maquillage.

Elle ne portait pas d'alliance. Anna était assise de l'autre côté du salon et observait cette femme dans la glace, lorsque son coiffeur lui boucha la vue. Bien que cette femme ne fût pas mariée, elle pouvait se permettre d'aller chez le coiffeur régulièrement et même se faire faire une manucure. Anna, quant à elle, y allait toutes les cinq ou six semaines pour une coupe et une mise en plis, et tous les six mois pour une permanente et, à chacun de ses rendez-vous, le samedi matin, elle la retrouvait là. Anna avait demandé à monsieur Charles qui elle était et il avait dit qu'il lui semblait qu'elle travaillait dans un des grands magasins du centre et qu'elle habitait avec ses parents dans le quartier, à Walnut Hills.

Mais Anna avait le sentiment que monsieur Charles se trompait quant à son travail. Elle ne voyait pas du tout cette femme, attendant patiemment derrière un comptoir de magasin et souriant à la clientèle.

Anna admirait cette femme. Une vraie dame. On le sentait à la façon dont elle payait à la caisse, sortant les dollars de son portefeuille avec une délicatesse mêlée d'une certaine aversion, les tenant du bout des doigts. Elle avait une telle façon de faire que tout le monde, absolument tout le monde se mettait en quatre pour lui faire plaisir. Elle n'était jamais arrogante et n'élevait pas la voix. Elle faisait savoir simplement ce qu'elle voulait : « Pas de laque sur les boucles. » On acquiesçait, on souriait en se penchant vers elle, on faisait tout pour lui être agréable à cause de cette allure qu'elle avait.

Anna ne la trouvait cependant pas parfaite. Elle ne disait : « S'il vous plaît » et « Merci » qu'à monsieur Wayne, considérant le reste des employés du salon de coiffure comme ses domestiques. Et puis cette femme n'était pas une beauté. En fait, elle était vraiment banale, mais elle avait du chien. Oui, vraiment.

En se levant pour aller au séchoir, Anna jeta un nouveau coup d'œil dans la glace. La femme avait les yeux fixés sur elle. Anna sentit qu'elle se mettait à rougir et allait se retourner pour que la femme ne pense pas qu'elle l'examinait, lorsque, au beau milieu du miroir, la femme lui adressa un chaleureux sourire.

Dorothy Rhodes était avare de ses sourires, car elle savait d'expérience qu'elle ne pouvait pas se le permettre dans sa situation. Pour un simple « Bonjour », ils s'attendaient à être intégralement remboursés. Un sourire et ils risquaient d'insister pour qu'on double le remboursement. Elle était la plus compétente des assistantes du directeur du contentieux depuis que le magasin McAlpin existait, et elle était sûre — si monsieur Pugh ne se remettait pas de sa crise cardiaque — d'accéder à son poste, dans le grand bureau au fond du hall.

Ce n'était pourtant pas qu'elle manquât de responsabilité. Son bureau se trouvait entre celui de monsieur Pugh et le chaos ; de sa place, elle pouvait superviser le travail de trois autres employés et prendre en main les attaques quotidiennes des acheteurs les plus retors, des hommes et principalement des femmes, qui essayaient de chercher des noises à MacAlpin.

Les cas simples, comme des robes qui portaient encore leurs étiquettes, des cakes sous cellophane rendus le 2 janvier, étaient traités par mademoiselle DeBord, madame Wigglesworth ou monsieur Uhl. Le travail de Dorothy exigeait beaucoup plus de doigté.

« Ce toaster ne fonctionne pas », geignait quelqu'un. Sans un mot, Dorothy allumait sa puissante lampe de bureau pour examiner le toaster, vérifiant si le cordon n'avait pas été rongé par quelque animal ou si l'intérieur n'était pas recouvert d'une pellicule de gras noircie, preuve qu'on aurait mis à toaster du pain beurré ou quelque viennoiserie sucrée. Cela ne manquait jamais : une minute et demie après le début de son examen, la plupart se tortillaient, essayant de la distraire en disant n'importe quoi. « Ce satané truc a brûlé la dernière tranche de mon pain aux raisins. » C'est ainsi qu'ils se dénonçaient eux-mêmes.

« Avez-vous touché à l'appareil avec un couteau ? jetait-elle tout à coup.

— Pardon ? » Mais elle ne répétait jamais sa question. « Eh bien, j'ai dû mettre un couteau dedans car le toast brûlait. Ce truc n'a jamais marché dès le début. Mais je...

— Je regrette. Vous ne pouvez espérer un remboursement si vous avez vous-même endommagé l'appareil.

— Mais je n'ai pas...

— Si vous préférez parler à monsieur Pugh, le directeur du contentieux, vous pouvez prendre une chaise et vous installer dans le hall, on vous appellera dès qu'il sera libre. » Neuf sur dix reprenaient leurs toasters et s'esquivaient.

C'était cela son travail et elle y excellait. Elle travaillait de dix heures à dix-huit heures, du lundi au samedi, et ne s'arrêtait qu'une demi-heure pour son déjeuner qu'elle prenait avec son père : sa mère leur préparait tous les matins des sandwiches de saucisse, de foie, de fromage ou de jambon, en alternance. L'arrêt du déjeuner était de quarante-cinq minutes, mais elle ne les prenait jamais. Elle était trop dévouée à son travail.

Le magasin MacAlpin était une tradition dans la famille. Son père, Fred, avait commencé dans la maison comme garçon de magasin, puis il avait trouvé sa voie dans la confection pour hommes. « J'ai l'œil pour les cravates », adorait-il répéter. Il était devenu le premier vendeur de la marque « Better Suits ».

Six jours par semaine, Dorothy attendait l'autobus avec Fred : talons hauts, chapeau, sac à main en cuir et, toujours, une paire de gants à l'ancienne ; elle était habillée, mais à moindres frais, comme les dames qu'elle admirait. Le septième jour, elle allait au cinéma.

Les membres de la famille Rhodes étaient les meilleurs amis du monde. Wanda, la mère de Dorothy, disait souvent : « Les autres ne comptent pas. » Ils étaient satisfaits de leur niveau de vie : le dimanche, ils mangeaient des crêpes et des saucisses et une fois l'an, ils faisaient un voyage de deux semaines en voiture pour rendre visite à leur famille dans le Kentucky ou le Tennessee. Mais un jour de novembre 1942, la veille de Thanksgiving, Wanda apprit qu'elle avait la tuberculose. Le docteur avait recommandé beaucoup de repos. Wanda suivit ses instructions et Dorothy se retrouva soudain avec le tube de mayonnaise à étaler sur les sandwiches ou les tartines à couper et Fred passait au magasin Curtsinger's Delicatessen en sortant de son bureau pour acheter du fromage de tête et de la salade de pommes de terre, car Wanda était trop fatiguée pour préparer le dîner. Leur rythme de vie avait changé.

Dorothy sentit venir le vent. Au mois d'août suivant, pour son anniversaire, elle s'acheta un tube de rouge à lèvres et un flacon de « Nuits de jasmin ». Elle n'allait pas passer toute sa vie dans la maison de brique de Walnut Hills. A trente-six ans, avec ses grosses jambes, ses cheveux fins et ses lèvres pâles, mais une garde-robe signée McAlpin, Dorothy Rhodes était mûre pour chercher un mari.

Elle fit plusieurs tentatives cet automne-là. Monsieur Hardee, à la mercerie, lui rendit son premier sourire, mais ni le deuxième, ni le troisième, ni le quatrième. Monsieur Kingham, aux comptes courants, fut courtois tout en remettant en place, sur son bureau, la photo d'une splendide jeune femme ; d'abord, Dorothy crut que la photo était vendue avec le cadre, puis elle découvrit qu'il s'agissait de sa femme. Monsieur Klein, au service du personnel, sentit qu'il y avait une avarie à l'ascenseur et lui envoya un bref « Non, merci » lorsqu'elle lui offrit un billet qui lui restait pour l'Opéra. Quant au conducteur de l'autobus avec qui elle voulut bavarder, il la pria de passer vers le fond de la voiture. Bien entendu, elle ne souffla mot à ses parents de ses intentions de quitter la maison familiale. Elle ne se vanta pas non plus de ses expériences malheureuses.

C'est Wanda qui, la première, entendit parler des Heissenhuber. Son médecin, le Dr Neumann lui disait : « Inspirez, soufflez », puis il lui parla de la mort de Sally le lendemain de l'événement. « Est-ce possible ? » répliqua Wanda à son médecin. A Dorothy et à Fred, elle dit : « Morte et bien morte en moins de cinq minutes. Elle n'était pas de Cincinnati, cette fille, vous savez. »

Fred avait effectivement rencontré Richard ; cela lui revint en mémoire le lendemain matin dans l'autobus. « La fille qui est morte d'une piqûre de guêpe ? Heissenhuber. Le nom m'est toujours resté en tête. Voulez-vous que je vous dise ? Eh bien, c'est moi qui ai vendu sa tenue de mariage à son mari. Qu'est-ce que vous dites de cela ? Je me souviens qu'il m'a donné son adresse et j'ai dit : " Vous habitez à Walnut Hills ? Moi aussi ! Le monde est petit. " C'était un costume gris en laine peignée, taille quarante-huit si mes souvenirs sont exacts. Un beau garçon, sûr. De grandes jambes. »

Puis, le samedi suivant, chez Milady's, monsieur Wayne murmura : « Cette grande femme, qui sort juste du bac à shampooing ? C'est la belle-mère de la femme à la piqûre de guêpe. Vous êtes au courant, mademoiselle Rhodes ? Juste une piqûre, bizz, bizz, bizz, puis le silence, comme ils disent. »

Ainsi instruite par son coiffeur, Dorothy réussit à croiser le regard d'Anna dans la glace, plusieurs mois après, et à vaincre sa timidité par un chaleureux sourire.

Richard appréhendait la suite des événements. Dorothy comptait sur sa demande en mariage et il n'arrivait pas à trouver le moyen de se défiler. C'est qu'il la connaissait à peine. Il l'avait rencontrée lorsque Anna l'avait appelé pour lui demander de venir la chercher chez le coiffeur, sur un ton impératif qui ne lui ressemblait guère. « Mademoiselle Rhodes, je vous présente mon fils, Richard. »

Presque machinalement, et sans la remarquer, il répliqua : « Bonjour. » Elle ressemblait à un prof. C'est alors qu'il sentit sa mère lui faire du pied, comme elle le faisait lorsqu'il était gamin pour lui rappeler de dire merci ou s'il vous plaît. « Comment allez-vous ? » demanda-t-il à la jeune femme. Elle paraissait plus âgée que lui, mais il ne pouvait pas dire de combien d'années.

« Très bien, je vous remercie. C'est très aimable à vous d'y penser. Et vous-même ? »

Ce soir-là, Anna lui glissa un petit papier dans la main alors qu'il se reposait, les pieds en l'air et les yeux clos dans son rocking-chair, tout en écoutant les communiqués de guerre. « Elle a une situation de premier plan, lui dit Anna comme il ouvrait les yeux. C'est une occasion dont tu devrais profiter. »

Une semaine plus tard, la première de décembre, il l'emmena au cinéma puis il lui offrit une glace. Alors qu'il lui exposait rapidement sa situation, elle l'écoutait intensément et lui fit répéter les détails qui avaient pu motiver son renvoi de la banque.

« Voyons, essayons de récapituler cette histoire. Cela ne vous ennuie pas si je m'y intéresse. Vous aviez de bons diplômes et votre travail à la banque donnait satisfaction ?

— Eh bien, je le supposais, mais...

— Il n'était pas satisfaisant ?

— Mais si. Et les clients semblaient m'apprécier. Enfin...

— Excusez-moi, juste une seconde, Richard. Je déteste interrompre quelqu'un, mais il me semble que vos problèmes réels ont commencé après cette réception du Nouvel An, lorsque vous avez présenté votre femme pour la première fois à vos collègues. Est-ce que, ce jour-là, elle a dit ou fait quelque chose...

— En réalité, commença Richard, je ne pense pas que... cette discussion soit opportune. Je veux dire, c'est arrivé... enfin, elle a disparu en juillet dernier.

— Très bien », dit Dorothy. Ses mains étaient posées sur ses genoux, ses gros bras moulés comme dans des bas par les manches vert forêt de sa robe de jersey. L'éclairage intense du glacier faisait briller le sol dallé et les murs blancs qui réfléchissaient la lumière sur son visage. Elle avait la peau lisse, sauf autour de ses lèvres sillonnées de petites marques comme les centimètres inscrits sur une règle. Elle avait le teint pâle et sa joue gauche était balafrée de rouge, parce qu'elle avait oublié d'estomper son maquillage.

« Je pense seulement... enfin, certaines choses sont très personnelles. En tout cas, je ne pense pas que ma femme ait rien eu à faire avec... avec quoi que ce soit.

— Alors, c'est quelque chose que vous avez fait. Ou que vous n'avez pas fait.

— Non, vraiment pas.

— Oh ! J'ai beau ne pas être allée à l'université, les choses sont limpides. On vous a prié de quitter les lieux. Or nous sommes en guerre et je sais qu'à McAlpin, nous gardons précieusement les hommes que nous avons, même s'ils ne font qu'à moitié l'affaire. Alors dites-moi pourquoi la Queen City Trust, qui a la chance

d'employer un type sorti avec mention de l'université de Cincinnati et qui est inapte au service armé pour un problème mineur
de reins, pourquoi l'ont-ils flanqué à la porte alors qu'ils n'ont
personne pour le remplacer ?

— Mais ils ont dit qu'ils avaient trouvé quelqu'un. C'est pour
cela...

— Enfin, Richard, vous avez vraiment le cœur trop tendre. Il y
a un coup fourré là-dedans. Vous ne le croyez pas ? Vous ne le
sentez donc pas ? Vous êtes diplômé de l'université. Vous devriez
avoir un poste de tout premier plan. »

Richard trouva un dernier soupçon de glace à avaler et leva la
tête pour la regarder dans les yeux. Il commença : « Ma femme...

— Oui ?

— Elle avait été dans le spectacle. » Dorothy se pinça les
lèvres et se pencha vers lui en hochant légèrement la tête. « Vous
comprenez, poursuivit Richard avec impatience, elle ne pouvait
pas s'empêcher de vouloir toujours être en vedette. Par exemple,
ce jour-là, pour rencontrer tous les responsables, elle portait une
robe blanche très moulante, d'un blanc très brillant. Et, vous
voyez, toutes les autres épouses portaient... eh bien, elles ne
portaient pas de blanc.

— Vous êtes si bon. Vous n'avez pas le cœur à reconnaître
qu'elle était... eh bien, trop voyante. Tous les gens du spectacle
sont ainsi. Ce n'est pas contre elle, personnellement, que je dis
cela. Je suis sûre qu'elle était très gentille. Mais essayez de vous
souvenir des détails. Votre femme aurait-elle dit devant tout le
monde qu'elle avait travaillé dans le show-business ?

— Je n'en ai pas le souvenir, répondit doucement Richard.
Peut-être.

— Je regrette de devoir vous le dire, Richard, mais j'en
jurerais. Il n'y a rien de mal à cela, mais les banquiers sont des
gens très conservateurs. Je ne vous apprends rien.

— Je m'en doute bien... »

Il l'invita à dîner une ou deux fois. « Tu l'aimes bien », lui dit
Anna un soir qu'elle l'aidait à enfiler son pardessus. Il ne
l'appréciait pas tellement, mais elle ne lui était pas non plus
antipathique. Il semblait la fasciner et cela, surtout, l'intriguait.
On aurait dit une tante célibataire à sa dévotion, incapable de le
critiquer. Seulement, ce n'était pas sa tante.

Elle disait par exemple : « Richard, parlez-moi de vos années
d'université aujourd'hui. Depuis le début. » Ou bien : « Vous
aviez la charge des revenus de monsieur Paul Buchhorst, en ce
qui concernait la comptabilité ? Avez-vous rencontré madame
Buchhorst ? C'est une cavalière renommée. Comment est-elle ? »

Ou encore : « A quel moment avez-vous commencé à comprendre que votre femme n'avait pas le profil qui convenait pour votre situation ? Hum. Mais vous n'avez jamais songé au divorce ? Non. Je suis entièrement de votre avis. »

La cinquième fois qu'il rencontra Dorothy, ce fut chez ses parents. Elle leur avait rendu visite et avait dit : « Je suis sûre que vous êtes submergés d'invitations, mais ma mère et mon père seraient... eh bien, ils seraient tout simplement charmés si vous acceptiez de dîner avec nous le soir de Noël. » Anna avait insisté pour qu'il y aille en disant qu'il passerait toute la journée avec Jane et qu'à l'heure du dîner elle serait de toute façon à cran. Il se présenta donc en complet et cravate et, pour la mère de Dorothy, apporta des chocolats de chez Whitman.

« Hé, Richard, c'est bon de vous avoir ici », lança Fred, aussi décontracté que s'il voyait les camarades de sa fille toutes les semaines. Il portait une cravate écossaise rouge et verte et une pochette du même ton. Comme pour rester dans la note, semblait-il, ses joues étaient écarlates. Lorsque Dorothy lui avait annoncé son invitation, il en était restée bouche bée. « Un homme à dîner ? » Wanda en avait été si perturbée que sa respiration était devenue sifflante et Dorothy avait dû l'aider à monter se coucher. « Encore un peu de sauce sur votre pain de maïs ? s'empressait Fred. Les sauces de Wanda sont réputées. » Wanda souriait et toussait.

Après le dîner, Fred et Wanda s'enfermèrent dans la cuisine. Seuls les bruits de la vaisselle témoignaient encore de leur présence. Richard était assis à côté de Dorothy sur un canapé recouvert d'un velours bordeaux et rehaussé de pattes de lion.

« Charmant dîner, dit-il. Absolument charmant.

— Vous avez commencé vos recherches pour trouver une nouvelle situation ?

— A dire vrai...

— Vous aviez décidé de vous y mettre immédiatement.

— J'en ai bien l'intention. Mais j'ai eu des achats de Noël de dernière minute et... j'avais promis à ma petite fille de lui acheter une cabane.

— Et combien de temps faut-il pour acheter une cabane ? »

Richard eut un léger haussement d'épaules tandis que sa main parcourait le velours en tous sens.

« Très bien, dit Dorothy, vous avez sans doute besoin qu'on vous épaule un peu. Je le sens. Il vous faut... vous êtes comptable. Accepteriez-vous que je vous aide ?

— Oui, dit Richard. S'il vous plaît. »

Dorothy se dirigea vers une petite table et en sortit un bloc et un crayon rangés dans le tiroir. Elle revint vers le divan et s'assit plus près de Richard. « Bien, nous allons faire une liste des situations possibles. Attendez un peu. Ecoutez-moi avant de parler. Il n'y a pas que les banques. Vous êtes comptable, vous pouvez trouver ailleurs. Que penseriez-vous des agents de change, Richard ? » Il acquiesça. « Voyons un peu. Aux recettes fiscales ? Ou inspecteur des impôts ?

— Oh ! Je pense que je préférerais une entreprise privée. Je ne me sens pas tellement d'affinités...

— Très bien. C'est évidemment une situation sans avenir. Rayons cela. Et les grandes sociétés ? Elles ont certainement besoin de comptables. Procter & Gamble par exemple. La compagnie du Gaz et de l'Electricité de Cincinnati. D'accord ?

— Oui. A propos, j'ai entendu dire...

— Oui ?

— Il y a une agence spécialisée pour les jeunes cadres.

— Parfait. Vous pourrez y aller dès lundi matin à la première heure.

— Ils risquent d'être fermés. Parce qu'entre Noël et le Jour de l'an, il ne se passe pas grand-chose.

— Richard, si vous ne voulez pas que je vous aide, vous n'avez qu'à refuser. »

Bien entendu, il lui dit qu'il désirait son aide et, lors de leur sixième rencontre, quatre jours après le dîner de Noël, elle lui présenta une liste dactylographiée d'entreprises avec les adresses, les numéros de téléphone et, dans la plupart des cas, les noms des chefs du personnel. Elle la lui tendit par-dessus la nappe à carreaux. Ils se trouvaient dans un restaurant qui s'appelait chez Gino, avec des bougies sur les tables et un poster mural de Venise, mais aucun des plats proposés ne ressemblait, même vaguement, à la cuisine italienne, en dehors des spaghettis. « Faites attention, dit-elle, vous approchez la liste trop près de la bougie.

— Excusez-moi. » La liste comprenait une vingtaine de banques et d'entreprises. « Merci beaucoup. Oui, vraiment un grand merci, Dorothy.

— Je suis heureuse de pouvoir vous aider, Richard. » Ils mangèrent du bout des lèvres le plat de légumes qu'ils avaient commandé. Richard la mit au courant de la visite qu'il avait faite à l'Agence pour l'emploi des cadres ; il y avait reçu un accueil très encourageant. « Quels sont leurs honoraires ? demanda Dorothy.

— Je n'en ai qu'une vague idée.

— Vous n'avez pas posé la question ?

— Le taux est sûrement standard.

— Il faut vous assurer, avant d'accepter le premier rendez-vous, du montant de leurs honoraires. De toute manière, ils trouveront cette question normale de la part d'un comptable, Richard.

— Croyez-vous que je devrais les régler immédiatement. Je veux dire, avant... ?

— Vous les réglerez lorsque ce sera le moment. Ne vous faites pas de souci. J'ai un peu d'argent de côté. » Dorothy soutint son regard en disant cela ; elle savait qu'il avait compris qu'elle s'attendait à ce qu'il l'épouse. Et il ne pouvait pas traiter cela à la légère. Il sentait qu'il perdait le contrôle de la situation. C'était le destin. « J'ai plusieurs milliers de dollars », déclara-t-elle, puis elle posa sa fourchette et lui tendit sa main, parfaitement manucurée, pour qu'il s'en saisisse. Il eut une seconde d'absence, sa tête et sa gorge le picotaient, il était comme engourdi. Pendant une seconde, il vit Sally devant lui, sa langue caressant sa lèvre supérieure, ses yeux comme des charbons ardents, et l'excitant comme un fou. Après cette courte absence, il se retrouva sous le regard pesant de Dorothy, qui l'examinait de ses yeux un peu noyés et exorbités ; il prit alors sa main, l'amena à ses lèvres et l'embrassa.

« Je n'ai pas encore fait la connaissance de votre fille ni de votre père, dit-elle en enchaîné.

— Ce soir, si vous voulez...

— Le 1er janvier serait sans doute plus indiqué. »

Comme les enfants le font souvent, Jane entendit mal le nom de la dame assise à côté d'elle sur le divan ce Jour de l'an. Elle comprit « Mademoiselle Rose ». Rose ? pensa-t-elle. Elle renifla profondément et de façon un peu bruyante, et sa grand-mère lui lança un regard d'avertissement. Son père lui avait dit que, si elle se tenait mal, on lui reprendrait tous ses cadeaux de Noël ; elle croisa donc ses mains sur ses genoux comme la petite fille modèle sur la couverture des *Poèmes pour les enfants chrétiens* et leva les yeux vers l'ange blond installé en haut de l'arbre.

La dame avait tapoté le divan en disant : « Viens donc t'asseoir près de moi, Jane. » Son père et ses grands-parents avaient souri bien grand à cette invitation, de cette sorte de sourire qui montre les dents du bas, mais pas un vrai sourire. Pourtant ils faisaient comme si c'était la plus belle chose du monde que cette dame à la robe bleue fasse attention à elle.

« Où as-tu trouvé ces jolies nattes noires ? demanda la dame.

— Réponds à mademoiselle Rhodes, Jane, ordonna son père.

— Quoi ?

— Laissez donc, Richard, dit la dame. Elle se familiarisera bien assez vite. N'est-ce pas, ma chérie ? » La dame posa sa main sur la tête de Jane, mais elle ne la tapota pas et ne caressa pas ses cheveux. Elle la laissa là, une grande main, comme un chapeau, sur sa tête. Et elle était si lourde. Ce poids mort lui rappela les caresses de sa mère, la façon dont Sally lissait sa frange.

Jane essaya de secouer la tête pour faire tomber la main de la dame, mais sans succès. Au contraire, la main se fit plus lourde, comme si la dame sentait que Jane voulait, mais ne pourrait se dégager. « Je veux ma maaman », dit Jane doucement, tournant le dos à la dame et regardant sa grand-mère. Mais personne ne l'entendit. « Je veux ma maaaman ! » Elle essayait de crier, mais déjà elle pleurait. « Où est ma maaman ? Je veux la voir. Je... » La dame retira sa main Son père arriva, saisit Jane par les bras et l'arracha au divan.

« As-tu fini, enfin ! » aboya-t-il puis, à la dame : « Elle n'a plus fait cela depuis des mois. »

Et Carl de surenchérir : « Ce doit être la surexcitation.

— Trop de sucreries », affirma Anna.

La dame ne disait rien. Son père libéra Jane.

L'enfant se tenait seule, immobile, la tête basse. De grosses larmes tombaient l'une après l'autre sur le tapis. Soudain, quelqu'un lui tapa violemment sur l'épaule, comme les grands au parc de jeux quand ils voulaient lui donner des coups. C'était la dame. « Nous allons être de bouonnes amies », dit-elle à Jane ; mais elle ne la regardait pas, elle fixait Richard par-dessus la tête de Jane. « Je le sens. »

Alors Jane regarda la dame droit dans les yeux ; ils étaient noisette. « Vous ne voulez pas être mon amie ?

— Oh si ! Jane.

— Non, c'est pas vrai. Vous faites seulement semblant, espèce de grosse... »

On l'envoya se coucher sans dîner, si bien qu'elle n'apprit que le lendemain, deuxième jour de l'an 1944, que Dorothy Rhodes allait être sa nouvelle maman.

Le mardi 15 février, la veille de son mariage et le dernier jour où elle pouvait profiter de sa carte de réduction comme employée chez MacAlpin, Dorothy Rhodes se prépara à sa nouvelle condition de femme au foyer en achetant cinq robes d'intérieur et un fouet à œufs.

Le 16, le Dr Clyde Babcock de l'église presbytérienne de

Walnut Hills, qui avait baptisé Richard, célébra son mariage avec Dorothy.

Le 17 février, Dorothy Heissenhuber, qui avait perdu sa virginité, servit à son mari un petit déjeuner composé de jus d'orange, de céréales et de café dans la modeste cuisine blanche et verte de leur nouvelle maison d'Edgemont. L'agent immobilier, très racoleur, avait affirmé à Dorothy que ce quartier était une enclave de jeunes cadres dynamiques. Mais Edgemont était bien ce qu'il paraissait être : un quartier lugubre de contremaîtres d'usines et d'employés de commerce. Richard observa qu'on aurait pu rechercher un voisinage plus agréable, mais Dorothy avait affirmé que la maison était bien située et ses parents furent de son avis, disant qu'il était important que son employeur sache qu'il n'habitait pas dans un quartier trop chic. Richard mangeait lentement. Il n'aimait pas les flocons d'avoine chauds.

« C'est bon ? demanda-t-elle.

— Oh oui ! Délicieux. Merci beaucoup. »

Dorothy portait une robe d'intérieur jaune canari garnie d'un col noir et blanc, de poches et de gros boutons ronds et noirs. Richard fixait une petite flaque de lait qui flottait sur la surface grumeleuse des céréales dorées. La nuit précédente, leur nuit de noces, Dorothy lui avait demandé d'aller se changer dans la salle de bains et, lorsqu'elle l'avait appelé, elle était prête à se mettre au lit, revêtue d'une chemise de nuit en rayonne blanche avec des manches chauve-souris.

Depuis des semaines, il vivait dans la terreur de devoir lui faire l'amour, craignant de ne pouvoir y arriver. Lui, qui n'avait pourtant jamais eu beaucoup d'imagination, se représentait la tête de Dorothy lorsqu'elle comprendrait qu'il ne pouvait pas avoir d'érection. Elle ne se mettrait pas en colère, mais ses narines se dilateraient et elle lui demanderait d'en discuter avec lui. Il imaginait la conversation : « Y a-t-il quelque chose que *moi* je dois faire et que je ne fais pas ? N'aie pas peur de me blesser. » Mais cette première nuit, elle éteignit toutes les lumières si bien qu'il ne pouvait pas du tout la voir. Lorsqu'il trouva la place du lit et se glissa sous le couvre-pieds, il découvrit que de sa propre initiative elle avait remonté sa chemise de nuit jusqu'en haut, en faisant un boudin autour de son buste. Il dit : « Oh ! » La première chose qu'il toucha fut son estomac mis à nu. Par rapport à ses membres, son torse était menu, mais son ventre, qui paraissait plat, était mou comme si la peau n'adhérait pas aux muscles. Sa main décrivit tout doucement des cercles. Elle ne disait rien. Il n'entendait pas sa respiration. Il remonta la main vers sa poitrine. Bien que relativement plats, ses seins se répandaient presque sur tout son buste. Les bouts étaient enfoncés, on avait l'impression d'une bouche édentée. Ses doigts couraient sur ses mamelles sans arrêt, avec la régularité d'un métronome et, finalement, à sa grande surprise, il sentit une érection. Erection qui fut suivie, un instant après, d'un besoin urgent d'éjaculation. Ses jambes se raidirent et il chercha sa respiration. Puis il se mit à gémir et à se débattre comme un bébé. Sa femme était immobile et silencieuse, bien à plat sur le dos. Puis, enfin, elle lui donna la permision. « Vas-y, Richard. »

Ce matin-là, Dorothy avait une coiffure aussi impeccable que si elle était à son bureau à MacAlpin. « Une demi-cuiller de sucre dans ton café ?

— Oui, s'il te plaît.

— Du lait ?

— Oui, mais je peux le faire moi-même, Dorothy.

— Non. Je le verserai.

— Merci beaucoup. »

Le lendemain, un vendredi, en sortant du nouveau bureau que lui avait trouvé l'agence, Richard s'arrêta chez ses parents avant de rentrer chez lui. Il venait prendre sa fille pour l'emmener dans sa nouvelle maison. « Voici ta nouvelle maman », dit Richard. Ils se tenaient dans le carré derrière la porte d'entrée. « Dis " Bonjour, maman ". *Dis-le*, Jane.

— Non.

— Jane, tu ferais mieux de le dire !

— Richard, ne la bouscule pas. Laisse faire le temps. »

Dorothy mit une main sur l'épaule de Jane et prit son menton de l'autre. « Jane, mon petit, je sais que cela est dur pour toi, mais ne veux-tu pas au moins essayer de m'appeler maman ? Tu sais que je t'aime et que je m'occuperai bien de toi. Allons, ma chérie, dis : maman.

— Non. »

Richard essaya d'arracher Jane à l'emprise de Dorothy.

« Dis : maman !

— Richard, s'il te plaît », murmura Dorothy. Elle baissa les yeux vers Jane. « Tu vois bien, mon lapin, tu mets ton père en colère. Si ça continue, il va t'emmener là-haut et te donner la fessée. C'est pas cela que tu cherches ? Pas vrai ? Une grosse fessée et au lit sans dîner pour ton premier soir dans ta jolie maison neuve ? C'est cela que tu veux ? S'il te plaît, Jane, appelle-moi maman. C'est tout ce qu'on te demande. Ne mets pas ton père en colère. »

Jane serra les lèvres. Puis elle leva les yeux vers son père. Richard regarda sa femme. Dorothy regarda Jane. « Eh bien, dit

Dorothy, je suis désolée. Je souhaitais tant que ça ne se passe pas ainsi. »

« Et, *après*, chuchota Jane à son amie, la méchante belle-mère enferma la princesse Cindy dans une tour. » Son amie, Charlène Moffett, qui avait six ans et habitait la maison voisine, pâlit à l'annonce de cette dernière atrocité et elle s'accrocha au bras de Jane avec la passion d'un auditeur sous le charme. « C'était une pièce minuscule, poursuivit Jane, *très* sombre, avec des araignées et...

— Pas de fantômes, supplia Charlène. Tu as promis.

— Je sais. » Les deux petites filles étaient allongées côte à côte sous un orme par un après-midi chaud et humide de juillet. C'était le premier anniversaire de la mort de Sally, mais Jane ne le savait pas. Elle savait seulement que Dorothy avait encore mal au ventre et, comme d'habitude, elle avait suggéré que Jane passe son après-midi chez les voisins. « En tout cas, la princesse Cindy est dans cette pièce toute noire et elle se met à pleurer. » Jane posa les mains sur ses yeux et fit semblant de sangloter bruyamment. « Tu comprends, il fait nuit noire et il y a des araignées qui s'accrochent à ses longues boucles d'or.

— Mais si le Prince charmant voit des toiles d'araignées dans ses cheveux...

— Charlène, arrête, sinon je ne pourrai jamais terminer. Et alors, tout à coup, elle entend une musique magique. Tu sais, diling, diling. Et puis...

— Quoi ? Quoi ?

— La chambre s'éclaire et voici qu'apparaît, juste devant la princesse Cindy, une bonne fée très belle et très gentille. Et elle dit : " Ne sois pas triste, Cindy. Les toiles d'araignées, c'est fini. " Et elle lève sa baguette magique et toutes les araignées et les toiles disparaissent *et* la princesse se retrouve habillée d'une longue robe du soir rose et d'une couronne de diamants. Alors elle se regarde et dit : " Oh ! Merci, bonne fée. " Mais tu sais ce qui se passe alors ? La bonne fée disparaît. Comme ça. Pouf ! Plus de bonne fée.

— Est-ce que la lumière disparaît aussi ?

— Non, la lumière reste, mais Cindy continue à pleurer sans arrêt. Mais alors, elle entend la voix de la fée qui lui vient du ciel. Et cette voix lui dit : " Ne pleure pas, ma douce Cindy. Je m'occuperai toujours de toi. " Et c'est sûr et certain.

— *Qu'est-ce* qui est sûr et certain ?

— C'est sûr et certain, elle avait levé sa baguette magique

dans le ciel puisque la lumière devint encore plus brillante et voici que, devant ses yeux, se tenait...

— Le Prince charmant.

— Charlène, s'il te plaît ? Et, alors, le Prince charmant lui donna un baiser, et la porte de la tour s'ouvrit toute grande, et il l'emmena loin du château, mais il tua d'abord la méchante belle-mère. Il prit son épée et, de la pointe, lui transperça les yeux, puis il lui ouvrit le ventre et ses entrailles vertes et gluantes...

— Tu avais juré, craché que tu ne raconterais pas ça.

— Bon, en tout cas, il emporta Cindy sur son cheval blanc et ils vécurent heureux pour toujours.

— C'est fini ?

— Bien sûr que c'est fini, Charlène. »

Richard travaillait pour l'un des hommes les plus riches de l'Ohio. Le grand-père de John Hart avait créé une entreprise qui fabriquait du matériel lourd ; il avait vendu cette société et ajouté cet apport à la fortune qu'il avait héritée de son père, qui avait investi très tôt et massivement dans des sociétés de produits chimiques pour créer sa propre affaire et servir ses propres intérêts. Ensuite, il avait épousé une « débutante » de Cincinnati, Rebecca Corey ; les journaux l'appelaient la « belle Becky ». Toutes ces opérations avaient été menées à bien pour les vingt-cinq ans de John Hart.

Cependant, à l'époque où Richard fut engagé, il était lieutenant dans la marine, commandant les fusiliers marins du Ml qui combattaient les Japonais aux îles Marshall. Etant donné son éloignement, il n'avait pas pu, pendant un certain temps, prendre contact avec son nouvel employé, Richard Heissenhuber.

Ce contact était d'ailleurs bien secondaire. Richard avait été engagé comme administrateur dans la société Hart. Dorothy s'en gargarisait : « administrateur ».

« Certaines entreprises disent " contrôleur ", remarqua Richard.

— Oui, mais c'est quelque chose de travailler pour John Hart, personnellement.

— Oui... enfin, il est dans la marine actuellement.

— Oui, bien sûr. Mais lorsqu'il rentrera, d'être son administrateur... » Richard hocha la tête. « C'est comme si tu étais son bras droit. »

Cependant, le premier jour où Richard arriva au bureau, le

vieux monsieur Tisman, qui était au service des Hart depuis trois générations, lui déclara : « Si vous avez un problème, venez me voir. N'allez pas voir monsieur Grooms ni monsieur Weiskittle, et surtout pas monsieur Corbett, pour l'amour du ciel. »

La compagnie Hart avait pour seule fonction d'investir pour accroître la fortune personnelle de John Hart. Elle comptait quatorze employés et Richard en était l'expert-comptable.

« Tu as ta propre secrétaire, Richard. Je parie que tu es le pilier de la société Hart. » Elle lui souriait à travers la pièce. Richard haussa les épaules. Il n'avait pas le cœur de lui dire que la secrétaire en question avait été engagée pour remplacer celle qui avait donné sa démission un mois avant qu'il ne soit lui-même engagé. Il n'avait même pas eu droit à un bureau personnel.

« Je suis sûre que tous les espoirs te sont permis.

— Et moi, je n'en suis pas si sûr.

— Mais moi, si, et tu le sais. Je suis certaine qu'au moment où le bébé va naître, tu seras en haut de l'échelle. »

Elle faisait si rarement allusion à sa grossesse que Richard, souvent, n'y pensait plus. Cette fois-ci, il jeta un coup d'œil sur le ventre de Dorothy ; une rondeur pesante l'arrondissait.

« Dorothy », dit-il, puis il se passa nerveusement la langue sur les lèvres. « Je ne suis qu'un comptable, il y a des limites.

— Tu es *administrateur*, Richard. Le ciel sera notre seule limite. Toi, moi et le bébé. On sera au firmament de Cincinnati. Les Hart et les Heissenhuber. Tu verras. »

Lorsqu'un événement important se produisait dans la vie de l'un des collaborateurs influents de Hart, naissance, mariage, décès, Rebecca Hart faisait envoyer des fleurs de chez le fleuriste le plus élégant de Cincinnati. Et ils avaient droit à un cadeau de chez Tiffany à New York : cuiller à bouillie pour les nouveau-nés, paire de chandeliers en cristal pour les jeunes mariés.

Après la naissance du petit Rhodes Heissenhuber, Dorothy resta la semaine requise à la clinique. Aucune livraison de fleurs. Le stock de cuillers à bouillie de chez Tiffany resta inchangé. Onze jours après son retour à la maison avec son bébé, elle reçut un mot de Rebecca sur le vélin ivoire au monogramme gris foncé de son bureau.

« Chers monsieur et madame Heissenhuber,
« Je vous adresse tous mes compliments pour la naissance de

votre fils, Rhodes. Si mon mari était présent, il se joindrait à moi
pour vous adresser tous nos vœux.

« Meilleures salutations.

« Rebecca Hart. »

C'est ainsi que Dorothy arriva à la même conclusion que celle
qui l'avait précédée dans son rôle de madame Heissenhuber.
Richard était un perdant. Il ne lui donna jamais aucune occasion
de changer d'avis.

Seuls leurs yeux montraient qu'ils étaient frère et sœur, de
grands yeux de velours bleu foncé. Ceux du frère brillaient
lorsqu'ils rencontraient ceux de sa sœur quand elle rampait sur
le sol pour se glisser furtivement jusqu'à son berceau. Elle
faisait : « Chut. »
   Mais sa joie était trop vive pour ne pas manifester son bonheur
de voir Jane et c'était un concert de monosyllabes et de notes qui
montaient et descendaient la gamme pour lui dire « nin, nin,
nin », ou lui chanter « baa, baa, baa », et il tordait sa langue et
lui montrait sa bouche édentée.
   « Chut, Rhodesie. »
   C'était bien risqué de se voir ainsi, de se glisser en catimini
dans la chambre de ses parents pendant la sieste de Dorothy.
   C'était pourtant la seule façon de jouer avec Rhodes, de lui
chatouiller le ventre, de faire courir son doigt le long de sa joue
incroyablement douce. « Chut. » Elle mit ses deux index dans sa
bouche et les écarta pour se faire une face de monstre tout en
louchant. Rhodes sourit et gazouilla : « Nu. » Jane fit la grimace
et glissa son doigt entre les barreaux du berceau. Le bébé s'en
saisit. « Rhodesie chéri, petit chaton potelé. Je t'aime », murmura-t-elle.
   Dorothy ne quittait Rhodes des yeux qu'en fin d'après-midi.
Autrement, il était toujours tout près d'elle.
   Jamais elle n'avait explicitement défendu à Jane de toucher à
Rhodes mais, chaque fois que la petite fille s'approchait, elle
disait qu'elle craignait les germes de polio ou expliquait que
Rhodes était fatigué et que, si Jane le taquinait, il deviendrait
pénible et pleurerait. Dorothy était affolée dès qu'il pleurait. Elle
arrêtait tout pour le bercer et le dorloter avec des yeux égarés
jusqu'au moment où il se calmait enfin. Et elle ne quittait pas
Jane des yeux lorsqu'elle surveillait Rhodes. « Est-ce que tu
aimes ton frère ? lui avait-elle demandé.

— Oui.

— Tu n'es pas jalouse ?

— Quoi ?

— Tu ne voudrais pas être aussi jolie que lui ?

— Il n'est pas joli. C'est un garçon.

— Jane, tu sais bien que nous t'aimons toujours. Même si Rhodes est très beau... ce mot-là te convient mieux ? ou s'il requiert toute notre attention, tu fais quand même partie de la famille. Je sais que quelquefois tu as tendance à l'oublier, mais nous t'aimons. Même lorsque...

— Pourquoi je ne peux pas le porter ?

— Tu peux répondre toi-même à cette question, Jane.

— Quoi ?

— Réponds à ta propre question. Pourquoi je ne te laisse pas porter Rhodes ?

— Je ne sais pas.

— Dis : " Je ne sais pas, maman. "

— Je ne sais pas, *maman.*

— Eh bien, je voudrais que tu y réfléchisses. Pense à la petite fille que tu as été. D'accord ? Tu le feras ? Et ensuite, on en reparlera. »

Jane retira son doigt de la main de Rhodes avec précaution pour qu'il ne pleure pas. « Chut. » Dans un certain sens, elle comprenait l'interdiction de Dorothy. Rhodes était sans doute le plus beau bébé du monde. Tout le monde le pensait. Les voisins disaient : « Oh ! Mon Dieu ! » ou : « C'est un ange ! » chaque fois qu'ils le voyaient. Les passants qui l'apercevaient dans son landau le dévoraient des yeux, puis regardaient Dorothy, et revenaient vite à lui.

Dorothy se plaignait dans son sommeil. Les bras et les jambes de Jane devinrent de plomb. Elle était reprise de vertige, ne pouvant distinguer le sol du plafond ; tout se mettait à tourner autour d'elle. Si on la trouvait là, tout pouvait arriver. Pas tout de suite, Dorothy ne la frappait jamais. Elle attendait le retour de Richard puis, lorsque, au milieu de l'entrée, elle prenait le manteau de son mari et l'accrochait de la main gauche tout en tenant Rhodes de la droite, elle le mettait au courant de la désobéissance de Jane d'une voix morne, presque découragée.

Richard montait Jane au premier, s'installait sur son lit, la renversait sur ses genoux, puis il relevait sa jupe, baissait sa culotte et la fessait jusqu'à ce que ses cris deviennent si perçants que Dorothy intervenait. « Je t'en prie, les voisins vont entendre. »

Retenant son souffle, Jane se lovait comme un ver à travers la chambre. Au moment où elle se faufilait au pied du lit de Dorothy, Rhodes se mit à hurler pour protester bien haut contre cet abandón. Dorothy sursauta, le visage blanc de terreur. « Rhodes ? » appela-t-elle et, sautant du lit, elle trébucha sur Jane. « Oh ! Mon Dieu ! gémit-elle. Qu'est-ce que tu lui as fait ? Mais qu'est-ce que tu as donc fait ? »

4

... s'il y a quelque chance que madame Jane
Cobleigh, qui a quarante ans, puisse sortir un jour
du coma...

The Guardian.

La maison des Heissenhuber, au 7510 Ross Avenue, avait une pelouse, mais pas de jardin. Leurs voisins immédiats, les Moffett et les Donner, y plantaient des tulipes mais Dorothy n'en voyait pas l'intérêt, puisqu'elle devait déménager dès que Richard aurait assis sa situation dans la compagnie où il venait d'entrer, comme bras droit de John Hart.

Mais Richard resta à son poste d'expert-comptable. Lorsque Dorothy comprit qu'elle ne dépasserait jamais le niveau de Ross Avenue avec Richard, elle reporta son intérêt sur son fils, Rhodes, et elle ne planta même pas une graine de tournesol.

Tout ce qu'on pouvait dire de la maison, en bien comme en mal, c'est qu'elle était modeste. Il y régnait une ambiance de chambre de motel.

Mais cela était bien indifférent à Jane : on l'avait toujours considérée comme un hôte indésirable qui vient juste de prendre possession de sa chambre. La maison était celle de Dorothy et on ne tenait aucun compte de ses suggestions.

Il n'y avait nulle part de photos de Sally. Jane n'en gardait que des souvenirs épars : le bruissement d'un slip en taffetas lorsqu'elle montait sur les genoux de sa mère ; le suc des gros raisins dorés qu'elle prenait un par un au creux de sa main, les préférant de beaucoup aux raisins noirs. Elle gardait en mémoire deux phrases entières : « Mon trésor, tu te rappelles où je range les pinces à linge ? » et « Le rouge est vraiment ta couleur. » Elle se souvenait de l'endroit où Sally avait la peau si douce, à l'intérieur du bras.

Toutes traces de Sally avaient disparu, Richard ne s'en était jamais expliqué. Une fois, en haussant les épaules, il avait marmonné que les deux ou trois photos qu'il avait prises avaient dû être jetées avec les vieux numéros du *National Geographic*.

Jane avait onze ans lorsque sa grand-mère mourut d'une attaque. Jane fut chargée de vider le placard d'Anna et elle y découvrit, sous une pile de papiers jaunis au fond d'un carton à chapeaux, une photo. (Elle dénicha aussi une carte postale porno qui représentait une fille des années folles, vêtue de ses seules bottines lacées haut, assise les jambes écartées sur un repose-pied, le doigt pointé sur son sexe.)

La photo du carton à chapeaux représentait Richard qui paraissait extraordinairement beau ; il n'avait pas encore le front dégarni et son visage dégageait une vraie vigueur ; on aurait dit un étranger venu d'un monde meilleur. Au creux de son bras, il tenait un bébé : Jane. Une longue main aux ongles vernis reposait sur sa manche ; la photo était en noir et blanc, les ongles paraissaient donc noirs. En y regardant de plus près, Jane remarqua que le bord blanc de la photo manquait de ce côté-là. Grand-maman Anna avait coupé le portrait de Sally.

Mais ce document concret permit à Jane d'ajouter la gracieuse main aux ongles foncés au portrait maternel qu'elle avait reconstitué à partir de ses souvenirs fragmentaires. Ils ne recréaient pas la vraie Sally, mais étayaient un portrait vivant et intime qui la calmait : « Ma chérie, il ne le voulait pas » à chaque nouvelle fessée administrée par son père. Jane se couchait sur le ventre, elle sentait des élancements dans son dos comme un cœur meurtri et palpitant et se réfugiait dans la fraîcheur de son oreiller. La voix de Sally, qu'elle percevait plus qu'elle ne l'entendait, lui murmurait : « Janie, mon bébé, ne pleure pas. Chut, calme-toi. Chut. Elle l'oblige à faire cela. Il ne voulait pas. »

Richard en parlait très peu. Il se souvenait que Sally était petite et Jane inventait le reste. Elle était petite mais très fine, avec un cou qu'un cygne lui aurait envié et une allure royale. Sally pouvait se tenir immobile et droite pendant des heures, sans jamais devoir s'appuyer contre le dossier de sa chaise. Elle avait les mêmes cheveux noirs que Jane. Un noir de jais, avait toujours pensé Jane. Comme Richard ne pouvait se souvenir de ses yeux, Jane les inventait changeants : bleu, vert, violet parfois. Et, comme Sally avait été comédienne, elle lui donnait une voix chaude et vibrante, douce mais pas larmoyante. Ce n'était pas un portrait de madone à l'eau de rose. Sally restait, morte, ce qu'elle avait été, vivante : le centre de gravité de Jane.

Jane avait besoin d'une mère. Dès l'âge de quatre ans, elle s'était opposée à Dorothy plusieurs fois par jour. Comme Dorothy le confiait à Rhodes, c'étaient là les *manières* de Jane.

« Je sais que tu ne le fais pas exprès, mais tu as l'air renfrogné », dit Dorothy au cours de l'une des fréquentes discussions à cœur ouvert qu'elle avait toujours recherchées depuis que Jane était petite. « Je te prie de me regarder lorsque je te parle.

— C'est ce que je fais.

— Non, pas du tout. » Dorothy se campa sur sa chaise, ses mains crispées sur la table de cuisine en Formica : la position d'un juge. Jane avait maintenant douze ans ; elle était très développée pour son âge, avec les longues jambes de son père et, en puissance, la forte poitrine de sa mère. Mais, depuis l'âge de quatre ans, on lui avait assigné une place dans la cuisine ; elle se tenait donc sur le mètre cinquante de carrelage vert devant le placard de la batterie de cuisine, presque à portée de main de sa belle-mère. Jane était large d'épaules, ce qui contrebalançait sa taille (elle mesurait déjà un mètre soixante-sept et risquait d'atteindre dix centimètres de plus). Elle avait des cheveux noirs et raides et sa frange épaisse lui cachait les yeux ; elle penchait la tête et avait l'air coupable du condamné. Ses pieds ne tenaient pas en place sur le carrelage vert.

« Jane, tu n'ouvres pas la bouche ici, sauf pour embêter Rhodes ou lui voler ses crayons de couleur et c'est de la jalousie. Regarde-moi, je te prie, ne regarde pas par terre. Tu ne soignes pas tes cheveux, ils sont... pour être tout à fait honnête, ils sont tout gras, et tu te demandes pourquoi Charlène Moffett reçoit des coups de fil de garçons et pas toi. Je perçois très bien ces choses-là, même si tu ne le crois pas. Je sais que ça t'embête, alors inutile de le nier.

— Je ne veux pas que les garçons m'appellent. Personne ne reçoit de coups de fil, pas avant quatorze ou quinze ans, et si Charlène en reçoit c'est...

— Des cheveux noirs et un teint mat, ça peut être *très* séduisant, mais il faut te récurer. Si tu as l'air propre, tu te sentiras bien, au-dehors comme au-dedans. Propre et *pleine d'entrain*. As-tu fini de faire la moue ? Et de parler dans ta barbe, Jane ? Je fais vraiment de mon mieux, même si tu as décidé que j'étais contre toi. J'essaie de travailler *pour* toi. Je t'ai acheté ce shampooing si cher spécial pour cheveux gras... Très bien, continue comme ça. Et fais toutes les grimaces que tu veux. Ne t'imagine pas que je ne vois rien. De toute évidence, je n'aurai pas raison de toi. Tu préfères que ce soit ton père qui s'en occupe ? *C'est cela ?* Très bien, ne me réponds pas. Mais monte dans ta chambre *immédiatement.* »

Jane devait s'exécuter. Là-haut, elle se glissait sous son dessus-de-lit, malade après cette séance, toute moite de sueur à l'idée de la réaction paternelle. Puis elle se calmait en pensant à sa mère jusqu'à ce qu'elle tombe dans un profond sommeil, même au milieu de la matinée.

Mais le secours maternel de Sally n'était pas assez puissant pour endiguer la révolte grandissante de Jane. Entre treize et quatorze ans, elle essaya de se défendre.

« Papa, je peux te parler ? Je voudrais savoir une chose. Tu ne pourrais pas laisser ton journal une minute ? »

Richard, installé dans son fauteuil club, se pencha vers elle. « Est-ce le ton qui convient pour parler à son père ?

— Je veux seulement savoir pourquoi Rhodes obtient tout et moi rien.

— Tu sais, maman m'a prévenu que tu as des réactions de jalousie et elle m'a dit qu'elle était à bout de patience...

— Je te jure que je ne suis pas jalouse. C'est juste parce qu'il va à Country Day alors que tu dis toujours qu'on doit faire des économies et qu'on n'a pas d'argent pour ceci ou pour cela...

— Maman et moi, nous pensons qu'il réussira mieux dans une école privée. Et ça marche très bien pour toi à Woodward. Allez, va jouer maintenant.

— Papa, j'ai treize ans et demi. Et je veux aussi savoir pourquoi tu ne lèves jamais la main sur Rhodes, alors que...

— Dorothy ? Dorothy ? Tu peux venir un instant s'il te plaît ?

— Papa, je t'en prie, écoute-moi.

— Tout ce que tu me dis, tu peux le dire à ta mère. Oh ! Dorothy. Voudrais-tu expliquer à Jane pourquoi Rhodes va à Country Day ?

— Expliquer ?

— Eh bien, c'est parce que Jane a demandé pourquoi...

— Jane, si ton père avait les moyens, dit Dorothy, tu ne crois pas qu'on t'enverrait aussi dans une école privée ? Mais ce n'est pas le cas.

— Vous n'accepteriez jamais de m'envoyer quelque part, et lui non plus !

— Jane...

— Le seul qui vous intéresse, c'est Rhodes.

— Arrête.

— Vous ne vous souciez même pas de mon père. Pas du tout. Il n'y a que Rhodes, Rhodes...

— Ça suffit! Tu as entendu sur quel ton elle me parle, Richard? Oui? Je veux que tu lui dises de se contrôler.

— Jane, prends un peu sur toi, voyons.

— Papa, *je t'en prie*, écoute-moi. Elle veut toujours faire croire que je suis mauvaise, mais ce n'est *pas* vrai. Ce n'est pas juste. A chaque fois, elle te rend...

— Richard! Tu entends sur quel ton elle parle. Mais écoute-la!

— C'est bon, c'est bon. Allons-y. Montons. »

Plus elle mûrissait, plus les fessées devenaient difficiles à supporter. Presque toujours, cela commençait par un affrontement avec Dorothy en rentrant de l'école. Vers cinq heures et demie, lorsque Richard remontait la rue pour rentrer chez lui après son travail, Dorothy ouvrait toute grande la porte de la chambre de Jane, allumait la lumière, faisait un pas en avant, ses chaussures collant au linoléum et lançait : « Voilà ton père qui rentre. » Jane sortait de son lit, encore raide, les yeux papillotant sous la lumière et suivait sa belle-mère en bas. Elles attendaient Richard dans l'encadrement de la porte d'entrée, éclairées de dos par la lumière blafarde que diffusaient les vitraux orange du hall. A peine avait-il gravi la première des cinq marches du perron que Dorothy attaquait : « Je suis désolée, Richard, je sais que tu es fatigué, mais elle m'a traitée de... je n'ose pas le dire... de zut avec un p, aujourd'hui. Je n'arrive pas à en venir à bout. Tu *sais* pourtant combien je m'y suis appliquée. »

Pendant que Dorothy mettait le couvert, Richard disait : « Au premier », et il montait derrière Jane dans la chambre qu'il partageait avec Dorothy. Il fermait la porte derrière eux, enlevait son veston, dénouait sa cravate et ouvrait son col de chemise. Il s'asseyait doucement sur le bord de son lit et disait : « Finissons-en. » Jane s'allongeait sur ses genoux dans une position plutôt bizarre car elle était presque aussi grande que lui et le bout de ses chaussures ainsi que ses doigts touchaient le sol.

Il baissait sa culotte et frappait. A la première fessée, elle émettait un bruit qui tenait du halètement et du cri. Ses yeux cherchaient quelque point précis à fixer : une roulette au pied du lit de Dorothy, un mouton de poussière sous la coiffeuse. Mais la main de Richard s'abattait sur elle, avec une force et une vitesse qui allait s'accélérant à chaque coup, et qui avaient vite raison de sa concentration.

Enfin, la douleur était la plus forte et elle se mettait à hurler. Son esprit s'embrumait et n'enregistrait plus rien jusqu'au moment où son père s'arrêtait, visiblement épuisé, effondré même, la figure rouge, tout en nage.

Mais lorsque la douleur physique commençait à s'atténuer, une autre épreuve l'attendait : il lui fallait descendre et affronter le visage de Rhodes, blanc comme un linge, qui la fixait du bas des escaliers, les yeux de plus en plus écarquillés à cause des larmes qu'il ne pouvait réprimer. Puis c'était Dorothy qui appelait de la cuisine : « Jane, j'ai besoin d'aide », la voix mielleuse de générosité, offrant à Jane une autre chance, mais tendue à l'idée qu'une telle compassion était inutile ; il lui fallait aussi subir l'épreuve du verre à jus de fruits rempli de whisky que Dorothy posait devant le couvert de son père — qui ne buvait jamais qu'en cette occasion — et le regarder l'absorber à petites gorgées rapides comme une potion brûlante à ingurgiter. Puis observer Dorothy qui desservait la salade de choux ou de haricots, feignant d'ignorer les quintes de toux de Richard provoquées par le whisky.

Lorsqu'elle eut quinze ans, elle apprit à prendre sur elle pour se tenir à l'écart de tout le monde. Elle descendait rarement, sauf à l'heure des repas, pour aider aux tâches de la maison ou pour sortir. Elle vivait et travaillait derrière sa porte close.

Le lit de Jane, un matelas sur un socle en bois, était installé sous un tableau d'affichage qui regorgeait de souvenirs ; les photos préférées de son enfance (un chaton et un jeune chiot, dont les frimousses retouchées semblaient sourire) étaient recouvertes par les photos des classes de septième et de sixième, elles-mêmes disparaissant sous des coupures de journaux d'Elvis Presley où elle avait écrit à la main ELVIS ! et un article du magazine *Seventeen*, « Fleurissez votre maisonnette ! » en fabriquant des fleurs de chrysanthèmes et de zinnias en papier crépon. Mais tout ceci, et même ses diplômes annuels de la Junior & Senior Honor Societies, étaient enfouis sous un flot d'imprimés concernant le théâtre : les programmes du Drama Club, des talons de billets, des sélections d'A.B.C. découpées dans un *New York Times* du dimanche, sa carte de membre de la National Thespian Society, des citations de Shakespeare recopiées sur des cartes de fichiers. Elle avait dit à son amie Lynn : « J'ai le théâtre dans le sang. » L'héritage de cette mère dont elle se souvenait à peine inondait sa chambre.

Mais la présence de sa mère s'était estompée pendant sa dernière année de lycée. Cela valait mieux car même le fantôme d'une mère aimante n'avait pas sa place dans la maison de Dorothy Rhodes Heissenhuber.

« D-e-h-o-r-s, dit Jane.

— Tout va bien, elle est allée faire des courses, répliqua Rhodes. Oh ! Mais qu'est-ce que tu as fait, idiote ? Quelle idée de voler ce napperon ?

— Je ne l'ai pas volé, crétin.

— Tu *sais* que tu auras une raclée si maman s'en aperçoit.

— Et toi aussi si tu ouvres ta grande gueule. » Jane était assise sur la descente de lit bleue à franges, le seul endroit un peu chaud sur le sol recouvert de linoléum. Elle s'appuyait contre son lit recouvert de plumetis suisse et, par-dessus sa couture, jetait un coup d'œil à son demi-frère vautré contre la commode. « Et de toute manière, monsieur le gentleman, il se trouve que ce n'est pas un napperon mais un repose-tête et elle ne saura pas qu'il a disparu car ça fait cent sept ans qu'il est au fond du placard à linge, et de toute façon ça appartenait à grand-maman Anna et maman ne s'en est jamais servie, car les appuis-tête ça fait peuple, c'est pour les gens qui n'ont pas appris qu'on ne laisse pas sa tête grasse sur le dos des fauteuils.

— C'est pour ça que je ne savais pas comment ça s'appelait, parce que c'est peuple et je n'en suis pas. Bien sûr, c'est pour ça que *toi*, tu l'as deviné tout de suite.

— Et comment ta mère savait que ça fait peuple alors ? Hum ?

— Quand arrêteras-tu de l'appeler " ta mère " ? Tu sais aussi bien que moi qu'elle t'a élevé depuis...

— Il se trouve que ma mère s'appelait Sally Tompkins Heissenhuber, qu'elle était comédienne et que c'était une beauté. *Ta* mère...

— Comment sais-tu que ta mère était une beauté ? Tu n'as jamais vu une seule photo d'elle.

— Parce que papa m'a dit qu'elle lui avait appris qu'elle avait joué le rôle de Juliette et on ne peut pas jouer ce rôle si on n'est pas belle.

— Mais, si elle était si belle, qu'est-ce qui t'est arrivé ?

— Rien, idiot.

— Tu ne te regardes jamais dans une glace ? Avec six jambes en plus, tu ferais une pieuvre parfaite.

— Quatre, tu rigoles. Tu n'as pas compté mes bras.

— J'essayais de ne pas te le rappeler. » Rhodes leva le menton et rajusta le nœud de sa cravate qu'il se devait de porter tous les jours à la Cincinnati Country Day School. Il n'avait que treize ans et il était encore plus beau que l'éclat de ses premières années le laissait espérer. La mâchoire carrée, des lèvres pleines qui lui donnaient une bouche élégante sans déparer la force de son ossature et des yeux d'un bleu profond comme ceux de son père et de sa sœur : grands et veloutés. Sa barbe n'avait pas encore poussé et il avait le teint clair rehaussé d'un certain éclat comme de la porcelaine. Il était grand pour son âge (il n'avait cependant pas encore le mètre quatre-vingt-trois qu'il atteindrait) et avait l'allure de ce qu'il était : la vedette de l'équipe de basket-ball des minimes, fort, plein de charme et très maître de lui. Les petites jeunes filles de son âge téléphonaient à la maison plusieurs fois par jour en gloussant ou en demandant à lui parler d'une voix niaise ou contrefaite. Les plus âgées, portant leur seize ans dans des jupes serrées, lui proposaient d'aller faire un tour dans leurs voitures décapotables. Ce geste qu'il avait pour resserrer son nœud de cravate à la mode d'un play-boy des années 20 aurait paru affecté chez tout autre, mais chez lui, c'était d'un naturel désarmant.

Jane se remit à sa couture : elle bâtissait un col de dentelle autour de l'encolure d'une blouse noire toute simple. « Tu t'imagines que tu fais partie de la h-a-u-t-e parce que tu vas au Country Day, mais tu sais aussi bien que moi que tous les garçons de ta classe n'ignorent pas que tu habites à Edgemont.

— Espèce de vilaine asperge à la peau noire, il se trouve justement qu'ils savent très bien où j'habite et s'en fichent complètement. Ils m'aiment pour moi-même.

— Alors, de toute évidence, ils n'ont aucun goût.

— Ils en ont assez pour voir que tu es moche. Vieille bique.

— Fais-moi plaisir, Rhodes. Va-t'en. Il faut que je finisse mon costume.

— C'est pour ça que tu es de si mauvaise humeur. Parce que tu joues Clémentine, alors que tu voulais l'autre rôle.

— Non, non.

— Mais si, voyons. » Rhodes traversa la pièce en trois enjambées et, d'un mouvement souple et rapide, croisa les pieds pour s'asseoir en tailleur sur la descente de lit. Son genou touchait celui de Jane.

« Va-t'en de là.

— Non. En tout cas, tu voulais le premier rôle et...

— J'ai le premier rôle.

— Tu sais bien ce que je veux dire. Le rôle qui paye. Peu importe le nom du personnage.

— Deirdre Brooks-Elliott.

— Voilà. C'est celui-là pour lequel tu as auditionné.

— J'ai fait une lecture.

— Pourquoi tu ne l'as pas eu ?

— Parce que. Allez, Rhodes. Laisse-moi tranquille.

— Parce que quoi ?

— Parce que monsieur Gluck a dit que je n'avais pas un emploi d'ingénue. Mais ce n'est pas vraiment un rôle d'ingénue et, de toute façon, j'aurais pu le jouer. Je suis comédienne. Donc, par définition, je peux jouer des tas de choses.

— Et à ça, il a répondu quoi ?

— Rien.

— Qu'est-ce que tu veux dire par rien ?

— Rien. *Nothing. Nada.* Je n'allais tout de même pas me mettre à hurler contre monsieur Gluck, non ?

— Tu n'avais pas à hurler. Il suffisait de lui dire : " Ecoutez, monsieur Gluck, je mérite vraiment... "

— Ça n'en valait pas la peine.

— Mais *si.* Vraiment, je ne te comprends pas. Pourquoi ne veux-tu jamais essayer ?

— Monsieur Gluck avait ses raisons et il était inutile de compliquer les choses.

— Tu as les yeux noirs tellement tu es en colère.

— Rhodes, la vraie raison, c'est que Bucky Richards joue Aubrey Weston et il mesure un mètre soixante-cinq, soixante-sept dans ses bons jours. Il ne pouvait donc pas me laisser jouer Deirdre.

— Eh bien, Bucky a de la chance. Il a eu le rôle qu'il voulait.

— Je sais, surtout qu'il est en premier cycle. Moi je suis en dernière année. Mais Gluck a donné le rôle à Vicki Luttrell simplement parce qu'elle est petite. Oh ! Tu sais, l'eau coulera sous les ponts et cette histoire avec !

— Ecoute-moi, tu seras très bien en Clémentine. Et tu vas sans doute leur faire de l'ombre parce qu'ils sont encore plus mauvais que toi.

— Je ne tiens pas à leur faire de l'ombre. Ce sera ma dernière pièce au Senior Drama Club et je voulais que ce soit exceptionnel. Et je me retrouve à jouer une douairière anglaise de quatre-vingts ans dans une pièce qui fait absolument hurler Cincinnati. Bucky Richards s'imagine qu'il suffit de coller ses dents en avant pour prendre l'accent britannique, le résultat c'est qu'il ressemble à un idiot de lapin qui parlerait. Et cette Vicki ! Tu sais combien de gestes elle a à son répertoire ? Un seul. » Jane posa son ouvrage sur ses genoux et leva la tête vers son frère. « Je dois finir ça. Tu ne pourrais pas me laisser t-r-a-n-q-u-i-l-l-e ?

— Tu penses que ça fait chic de détacher les syllabes ?

— Rhodes, va donc jouer dehors.

— Tu ferais bien de t'appliquer pour coudre à petits points. Sinon, Bobby Spurgeon n'aimera pas ton costume.

— Qu'est-ce qu'il a à voir là-dedans, Bobby Spurgeon ?

— Tu plaisantes ou quoi ? " Oh, Lynn, je ne peux pas quitter *Noble Hearts*, car comment pourrais-je supporter de ne plus voir Bobby Spurgeon tous les jours aux répétitions. C'est ma seule chance de le rencontrer, avec son petit bout de nez et ses grandes mains si fortes ! " »

Jane voulut se saisir du bras de Rhodes, mais il se releva comme un ressort. « Espèce de sale cafard. Tu écoutes mes conversations téléphoniques. »

Rhodes s'en retourna vers la porte, en faisant comme s'il tenait un combiné collé à son oreille. « Lynn ? C'est Jane. Salut. Ecoute, Bobby Spurgeon m'a regardée pendant le cours de latin. Je veux dire, vraiment regardée ; juste une seconde, mais... »

Comme il sortait à reculons, Jane s'égratigna le poignet en cousant. « Jamais plus je ne te parlerai.

— Ta, ta, ta. Madame Clémentine, je te dis " merde " pour la suite. »

Lynn Friedman leva les yeux vers Jane. Le metteur en scène de *Noble Hearts* mesurait tout juste un mètre cinquante-trois. Ses immenses yeux noirs brillants et sa chevelure foncée qui lui mangeait le visage lui donnaient encore plus l'air de l'enfant abandonnée de quelque conte de fées. Abandonnée, mais bien habillée, d'un pull-over en cachemire bleu glacier assorti à une jupe écossaise bleu et beige et d'épaisses chaussettes du même ton que sa mère avait fait venir spécialement de chez Bergdorf Goodman à New York.

Jane se trouvait sur la scène de la Woodward High School, en costume et complètement maquillée, ses longs cheveux relevés et talqués pour paraître gris. A côté d'elle, Lynn avait l'air de sa petite fille.

« Jane, déplace-toi de dix centimètres sur la droite. C'est bon. Mon Dieu, cet éclairage est épouvantable. » Lynn, mettant ses mains en porte-voix, cria vers le garçon de la régie au fond de l'auditorium : « Bobby ! Je ne t'ai pas demandé de me faire Versailles. » Le projecteur braqué sur Jane vira du blanc cru au bleu. « C'est pas incroyable, ça ? Bobby, c'est une répétition en costume ! » Elle se tourna vers Jane et dit d'une voix étouffée : « Je n'arrive vraiment pas à comprendre ce que tu lui trouves. Sauf qu'il est grand. C'est pour ça ?

— Lynn, tais-toi.

— Il ne peut pas m'entendre, sauf si je hurle à pleins poumons.

— Mais Vicki est juste à côté. Tu ne vois pas qu'elle nous regarde fixement ? Je parie qu'elle a entendu tout ce qu'on a dit. Mon Dieu, je vais mourir.

— Pas question. La première est pour demain. Maintenant, écoute-moi. Après, tu vas rentrer avec moi à la maison et maman va nous forcer à manger, mais nous pourrons parler et ensuite je te raccompagnerai chez toi pour dix heures, pour que ta sorcière de belle-mère ne te tue pas. Ça ne peut pas continuer comme ça, Jane. Tu es une adulte et tu es impeccable quand tu veux bien t'en donner la peine, et il n'y a aucune raison que tu n'aies pas un petit ami et quelqu'un qui t'emmène au bal d'étudiants, d'autant plus qu'il y a des dizaines de garçons qui ne sont avec personne.

— Je ne veux pas être officiellement avec quelqu'un.

— Mais *fais* quelque chose avec Bobby Spurgeon.

— Faire quoi ? Je lui ai dit : " Salut. " Je lui ai laissé copier toutes mes notes sur Virgile et je portais du rouge à lèvres carmin, comme tu me l'avais dit, et si ça me donnait bonne mine, en tout cas il ne s'en est sûrement pas aperçu. De toute façon, je crois qu'il a un faible pour Gail Renner.

— Je ne suis pas de cet avis, à moins qu'il n'apprécie le genre cheftaine attardée et je suis persuadé qu'il s'intéresserait à toi si seulement... je ne sais pas, si tu le flattais un peu.

— Je ne sais pas comment faire.

— Mais enfin, Jane. Tu as dix-sept ans.

— Merveilleux : dix-sept ans sans avoir jamais été embrassée.

— Si j'arrive à mes fins avec toi, on t'embrassera tellement que tu ne pourras plus le supporter. »

Jane avait encore cinq minutes avant le coup fatidique des dix heures et elles étaient garées dans Section Road, à quelques maisons de chez les Heissenhuber Lynn lui dit : « Bon, on va répéter une dernière fois. »

La banquette avant de la voiture était avancée au maximum, et malgré cela, Lynn s'asseyait sur un coussin pour voir par-dessus le volant. C'était une décapotable peinte en bleu et blanc, aux couleurs de la Woodward High School, et la portière du conducteur était agrémentée d'une toute petite plaque de cuivre à ses initiales, L. M. F., Lynn Marlène Friedman. Bien qu'on soit en mars, elles avaient décapoté, mais elles avaient laissé le chauffage pour en profiter jusqu'à la taille.

« On est demain soir. Tu es à la réception après le spectacle,

Bobby Spurgeon boit son Coca dans son coin et il a l'air de s'ennuyer. Que fais-tu ? » Jane voulut changer de position, mais le siège de la voiture était si près du tableau de bord que sa marge de manœuvre était mince, elle pouvait tout juste bouger ses genoux qui lui arrivaient au menton. « Je dis : " Salut, Bobby. Whaouh, je suis contente que ça soit fini ! " Et je m'écroule dans ses bras.

— Non, ne t'effondre pas. Il te prendrait pour une espèce d'andouille. Appuie-toi sur lui juste une minute, pour qu'il sente que tu es une jeune fille. Bon, maintenant que se passe-t-il s'il ne dit rien ?

— Je lui demande s'il a eu des problèmes à la régie.

— Pas du tout. Cela n'aboutirait qu'à un oui ou pas de réponse du tout. Tu lui demandes quel a été le moment le plus difficile de toute la soirée à la régie. Là, il sera obligé de parler.

— J'ai froid.

— Non, tu n'as pas froid, mais tu es absolument paralysée à l'idée d'être deux secondes en retard et d'entendre la bave de l'autre : " Méchante, méchante. " Mais enfin, tu es une adulte ! Que peut-elle bien faire contre toi ? Tu n'es pas contrainte d'être absolument parfaite, tu sais.

— Ne te moque pas de moi, Lynn.

— Je le pense sincèrement. Tu te surveilles tellement pour être exceptionnelle que tu n'es jamais détendue. Souris, souris, souris, et travaille, travaille, travaille. Oh ! Jane. Je ne veux pas te blesser. Mais... je ne comprends pas. Tu es complètement paniquée si tu obtiens moins de dix-huit à une composition ou si tu oublies une chose sur une liste de cinquante millions de trucs que tu dois acheter pour ta vieille chouette de belle-mère. Même si tu n'es pas parfaite, les gens t'apprécieront autant. Tu es une fille formidable et, si tu prenais les choses un tout petit plus à la légère, ça te faciliterait la vie. Tu aurais des millions de petits amis si tu ne paraissais pas si... Enfin, tu vois. Si impressionnante.

— Je les aurais comme ça. Un, deux, trois.

— Je ne dis pas que ce sera facile. Si c'était facile, tu aurais été avec un garçon dès la première année, Dieu m'en est témoin. C'est difficile parce que tu as toujours été la première de ta classe et ça demande du travail. Et puis ta confiance en toi vis-à-vis des garçons est à moins un million au-dessous de zéro, pour une raison étrange qui me dépasse complètement, et tu dégages une impression d'insécurité. Ce qui est curieux, c'est que tu peux être la fille la plus adorable du monde. Mais à la minute, que dis-je, à la seconde où un garçon s'approche, tu es paralysée. Etat de momification avancée.

— Je suis peut-être frigide ou quelque chose comme ça.

— Ne sois pas idiote. Comment peux-tu le savoir puisqu'un garçon ne t'a jamais embrassée ? Peut-être qu'au contraire tu es un peu nympho tout au fond de toi et c'est pour ça que tu n'as jamais voulu commencer, depuis tout ce temps.

— Ecoute-moi, Lynn, je t'en prie. D'abord je n'ai pas la chance d'être adorable, comme toi. Mais si, tu es délicate et mignonne à croquer, et tout le monde a envie de t'offrir un cornet de glace. Moi, je suis grande et dégingandée, j'ai un nez affreux...

— Non, c'est pas vrai. Tu as un très joli nez. Droit et bien proportionné. Qu'est-ce que tu ferais d'un tout petit bout de nez ? Ecoute, je m'y connais en nez. La moitié de mes copines de l'université se sont fait refaire le nez.

— Rhodes m'appelle nez crochu.

— Qu'est-ce que tu peux attendre d'un jeune frère comme Rhodes ?

— Et mes vêtements sont moches.

— Tu es dingue. Ils sont très bien.

— Je n'ai que des pulls en orlon.

— Et tu crois vraiment qu'un garçon qui est attiré par ta personnalité et qui veut te... hum, enfin, se montrer vraiment très gentil, va regarder si tu portes de l'orlon ou du cachemire par-dessus ta... Non que je pense que tu ferais une chose pareille, sauf, bien sûr, si vous sortiez déjà ensemble. Tu me dépasses, vraiment. Tu as un corps de statue, tu n'as même pas besoin de porter de soutien-gorge rembourré et tu te fais un monde à propos de l'orlon. Les garçons n'entendent rien à ce genre de chose, alors arrête. Tu es la troisième de la classe, tu es une comédienne fantastique, tu es la seule fille qui a décroché plus de dix-huit en maths et tu es ma meilleure amie.

— Mais je suis paniquée. Et si Bobby...?

— Quoi, et si Bobby ?

— Essaie de...

— Dis-lui non.

— Mais comment ?

— Tu repousses sa main et tu agites ton doigt sous son nez en disant : " Oh, oh, Bobby Spurgeon. Voie sans issue. "

— C'est une réponse pour toi, ça, pas pour moi. C'est mignon, et j'ai cessé d'être mignonne il y a... dix-huit centimètres. » Elle soupira et se frotta les mains l'une contre l'autre à la chaleur diffusée sous le tableau de bord.

Une semaine avant la distribution de *Noble Hearts*, Jane avait passé la nuit chez Lynn et elle avait essayé de lui expliquer. La chambre était plongée dans l'obscurité et elle avait risqué une question pour commencer. « Est-ce que ton père... je sais qu'il n'est pas sévère, mais... est-ce qu'il te bat ou autre chose ?

— Oh ! Mon Dieu, jamais ! Une nuit, après un grand bal, je crois, je ne sais plus lequel... le Presidential Ball peut-être. Enfin, toujours est-il qu'à l'époque, je sortais avec Chuckie Nudelman et, après le bal, nous sommes allés chez Frisch et ensuite, Chuckie et moi, nous nous sommes garés, mais je te jure mes grands dieux que nous étions juste à bavarder et puis, tout à coup, j'ai réalisé qu'il était quatre heures et demie...

— Mais il ne te...

— Est-ce que ton père te bat ? Je ne peux pas y croire. Dorothy, oui, avec un martinet, mais ton père a l'air si gentil...

— Oh, oui ! C'est vrai. Ça n'est arrivé qu'une ou deux fois, quand j'étais petite.

— Eh bien, laisse-moi te dire ce qui s'est passé. J'étais absolument terrorisée, et Chuckie aussi, mais il m'a raccompagnée jusqu'à la porte et... »

Jane ferma les yeux. Elle n'avait plus reçu de fessée depuis deux ans. Mais, récemment, Richard s'était introduit dans sa chambre la nuit, à deux reprises, et cela était de bien mauvais augure. Et elle ne pouvait en parler à personne.

« Jane, souffla mademoiselle Bell. Pourquoi ne pas accepter ?

— Parce que je désire m'inscrire à l'université de Cincinnati.

— Mais vous pouvez choisir n'importe quelle université *dans tout le pays*. Le monde vous appartient.

— L'université d'ici est excellente. » Dans le bureau de la conseillère pédagogique, les étagères étaient envahies par les imprimés d'inscriptions et les brochures multicolores des universités étaient répandues partout et jonchaient même le sol. Jane était assise sur le bord de la chaise en bois, elle souriait à mademoiselle Bell, mais son cœur battait la chamade au point de lui faire mal.

« C'est une bonne école, en effet. Mais est-ce le bon choix pour Jane Heissenhuber ? »

Jane garda le sourire et, haussant légèrement les épaules, elle dit : « Je crois que oui. » Elle était prise de vertige. Elle coinça ses chaussures autour des pieds de la chaise et s'accrocha des deux mains à son siège comme si elle craignait d'en être expulsée. Elle s'efforçait de respirer profondément, mais elle manquait d'air. Elle murmura dans un souffle : « Je me plais ici. » Des gouttes de sueur perlèrent à son oreille et coulèrent le long de son cou.

« Jane, l'idée de quitter la ville vous effraie ?

— Non.

— Certains étudiants sont... disons, intimidés par des universités réputées où ils auraient leur place. Oh non ! Pas Vassar, pas Smith. Ces endroits-là ne sont pas pour moi ! C'est cela qui vous arrête, Jane ?

— Non, mademoiselle Bell, vraiment pas. » Elle gonflait ses poumons mais quelque chose en obstruait l'entrée et ils semblaient incapables d'absorber l'oxygène de l'air. Mademoiselle Bell avait une verrue sur le nez et, l'espace d'une seconde, Jane eut une envie incoercible de tendre la main et de la presser pour voir si elle éclaterait.

« Je souhaite que vous vous donniez une chance, Jane. Vous le méritez.

— Je vous en prie, mademoiselle Bell.

— Jane, prenez le risque.

— Pardon ? » Elle ne pouvait se concentrer que sur sa respiration, inspirer, souffler, inspirer.

« Ne retirez pas votre dossier d'inscription. D'accord ? D'accord, Jane ? » Jane baissa la tête. Mademoiselle Bell prit ce geste pour un assentiment. « Bien ! dit-elle. Je suis ravie de votre décision, Jane. Absolument enchantée. »

Les acteurs et l'équipe technique de *Noble Hearts*, entourés des quarante autres membres du Woodward Senior Drama Club, se pressaient dans le sous-sol aménagé de chez Friedman. Ce local s'étendait sur presque toute la longueur et la largeur de la maison et pouvait aisément contenir les soixante-quinze élèves du lycée qui s'y trouvaient, mais la plupart se pressaient autour du bar, analysant les raisons qui avaient provoqué un grand rire inattendu à la fin de l'acte I.

Vicki Luttrell papillonnait dans son costume d'ingénue, une tenue pour le thé avec des rubans voltigeant autour de sa tête, mais Jane, elle, s'était entièrement démaquillée et avait enlevé sa robe à col de dentelle de douairière pour se mettre en pantalon noir et pull-over rouge, tenue choisie après une demi-heure de discussion serrée avec Lynn au cours du déjeuner.

« Pourquoi ne vas-tu pas le trouver tout de suite ? lui demanda Lynn. Je ne te comprends pas. Tu es absolument fabuleuse. Tout est vraiment parfait, y compris le rouge à lèvres, qui ne déborde pas comme d'habitude. Alors, vas-y.

— Je ne peux pas.

— Bien sûr que si. Où est-il ? Ah ! Au bout du bar, il discute avec Teddy Collier et Mike Spahr. Tu vois ?

— Oh ! Dieu, je ne peux pas aborder trois garçons. » Jane devint si rouge qu'elle sentit son cuir chevelu se tendre. Bobby lui tournait le dos, le pied appuyé sur la barre de cuivre qui courait le long du bar, les jambes serrées dans son blue-jean. Il avait retroussé les manches de sa chemise écossaise et arborait l'allure décontractée d'un propriétaire de ranch. De temps en temps, comme pour se recoiffer, il passait la main droite dans ses cheveux clairs et raides, qu'il portait plus longs que la mode classique, en brosse ou tout plats.

« Jane, tu ne vas pas rester dans ton coin toute la soirée. Allez, vas-y. Il faut bien commencer un jour.

— Lynn, je crois sincèrement que je ferais mieux d'attendre d'être à l'université. Je t'en prie... »

« Hé, tu danses vraiment bien », dit Bobby plus tard dans la soirée. On avait éteint les lumières et la plupart des gens qui étaient restés dansaient le slow. « Tu suis vraiment bien. »

Jane avalait sa salive avec difficulté. Bobby dansait si près d'elle et la tenait si serrée qu'elle pouvait à peine respirer. Son oreille était collée à la joue de son partenaire, qu'elle sentait moite de chaleur et d'émotion. Et elle craignait, si elle renversait la tête en arrière pour parler, qu'il ne se produise une sorte de « ppummm » très gênant lorsque sa joue se décollerait de l'oreille de Bobby. Le bras de son danseur la serrait de près, son coude formant un petit arc en haut de son dos, mais elle ne savait comment l'en empêcher car, en fait, il ne faisait rien de mal.

Puis la main au bout du bras arqué commença à bouger à la recherche des agrafes de son soutien-gorge, mais ne se glissa pas sous son pull-over, et elle ne savait comment se défendre. Le chanteur avait une voix satinée et, lorsqu'il entonna : « Tu es mon ange vêtu de blan-anc / Ton amour réchauffe mon cœur », Bobby lui prit la main et, la portant à sa bouche, lui mordit la paume.

« Bobby, s'il te plaît.

— Tout va bien.

— Non, pas du tout.

— Chut. Ne t'écarte pas.

— Bobby, je t'en prie. » Bobby plia légèrement les genoux

puis, se redressant, frotta son pénis entre ses jambes. Elle tenta
de se cambrer pour lui échapper et lui proposa : « Pourquoi ne
pas remonter prendre un peu l'air ? » Elle avait tant de fois rêvé
de cette première danse, avec une lumière tamisée, mais pas de
se retrouver dans l'obscurité ; il aurait relevé son menton avec
son index puis, gentiment, avec chaleur, aurait embrassé d'abord
sa lèvre inférieure, puis sa lèvre supérieure. Elle s'imaginait qu'il
lui caresserait les cheveux en lui avouant qu'il en pinçait pour
elle depuis le début de la première année. « Bobby !

— Chut ! » Il dégrafa son soutien-gorge et relâcha juste assez
son étreinte pour glisser son autre main, tel un reptile, dans le
décolleté de son pull-over.

« Non ! Arrête.

— Allons. » Il étreignait ses seins comme s'ils avaient le
pouvoir de lui échapper de leur propre chef, en roulant sur le
côté. « Ooh ! Oooh !

— Arrête ! » Sa supplique était presque un cri. « Je ne veux
pas !

— Si, tu en veux. » Il les pressait plus fort. « C'est toi qui as
commencé à te frotter contre moi. Allons, tu n'as pas envie que
tout le monde t'entende ? Laisse-moi faire. *Détends-toi.* » Il
commença à tortiller le bout de ses seins entre son pouce et son
index.

Le disque, un trente-trois tours, ne se termina qu'après deux
autres chansons d'amour. Elle eut juste le temps de remettre sa
poitrine dans ses bonnets de soutien-gorge avant que la lumière
ne revienne. « Bon, on s'en va, dit-il. On va faire un tour ou autre
chose. Hé ! Tu ne vas pas me laisser choir.

— Lâche-moi la main.

— Allons. Reviens ici.

— Non. Arrête. Laisse-moi tranquille.

— Qu'est-ce que ça veut dire ? »

Il la tira par la main.

Jane ne réfléchit pas ; sa réaction fut instinctive. Elle enfonça
ses ongles dans la chair moite de sa paume. Il hurla : « Oh ! Mon
Dieu ! » Quelques étudiants se retournèrent.

« Je suis désolée de t'avoir fait mal, souffla Jane dans un
murmure. Mais je ne veux pas... »

Bobby Spurgeon baissa la voix et, d'un ton hargneux, lui
lança : « Mais, dis donc, pour qui tu te prends ? C'est toi qui me
cours après depuis le début de la soirée.

— Non, c'est pas vrai. Je regrette si tu as mal interprété ce que
je...

« — Mal interprété ? Tu sais ce que tu es ? Une perdante. Et une allumeuse. »

Tandis qu'il traversait la pièce avec dignité, Jane mit la main sur sa bouche. Ses lèvres étaient toutes sèches. Elle n'avait toujours pas reçu son premier baiser.

« Tu *sais* l'heure qu'il est ? » lui demanda Dorothy quinze minutes plus tard. Elle portait un lourd peignoir surpiqué. Le jaune agressif du nylon lui donnait une face lunaire et la colère lui faisait saillir les os du cou : on aurait dit un mort. Jane détourna les yeux. « Veux-tu bien me regarder ! Quelle heure est-il ?

— Aucune idée. Une heure.

— Il est une heure *et demie*. »

Jane répondit presque d'une voix de petite fille : « Vous aviez dit que je devais rentrer à une heure raisonnable. »

Dorothy se rapprocha de Jane jusqu'à ce que ses doigts de pied touchent les chaussures de la jeune fille. « Tu ne le sais même pas, n'est-ce pas ? » Son haleine était fétide.

Jane recula la tête. « Savoir quoi ? Je vous avais dit que nous avions une réception pour les comédiens après la représentation et le spectacle n'a fini qu'à dix heures et demie. Papa ou Rhodes auraient pu vous le dire, maman.

— Maman, répéta Dorothy. Eh bien, *papa* et Rhodes sont allés se coucher dès qu'ils sont rentrés. Et maintenant, tu vas me dire ce que tu as fait pendant... » Elle s'arrêta un instant et se serra encore plus dans son peignoir, comme si Jane allait le lui arracher. « Pendant trois heures... »

Jane baissa les yeux pour regarder Dorothy. L'odeur de son haleine rance flottait encore dans l'air. « J'étais à la réception chez Lynn.

— Et tu t'imagines que je vais tomber dans le panneau ?

— Oh ! Je vous en prie. Appelez les Friedman. Ils y étaient.

— Je parierais que non.

— Mais qu'y a-t-il de mal ? Je vous l'ai dit...

— Les *Friedman* t'ont-ils vue à moitié déshabillée, comme te voilà ? *Débraillée.* »

Le manteau de Jane était grand ouvert, elle sentit que sa poitrine était dangereusement libérée dans son soutien-gorge dégrafé. « Je viens juste de l'ouvrir dans la voiture en rentrant. Avec Sissy Davies. Je vous le jure, maman, ça me sciait le dos et...

— Ne te fatigue pas. Ne sais-tu pas que, rien qu'à te regarder, je peux dire à quel genre de réception tu es allée ? Mais va donc te regarder. Tes cheveux sont comme un nid à rats. Et ton rouge à lèvres a complètement disparu.

— J'ai mangé. Il y avait des saucisses de Francfort et des hamburgers. »

Jane détourna la tête, mais Dorothy qui ne la touchait que rarement, saisit son menton et l'approcha de son visage. « Tu as fait du charme à ton père pour qu'il te laisse rentrer plus tard que l'heure habituelle et maintenant tu viens te pavaner ici...

— Je ne me pavane pas, zut !

— Vas-y, continue à jurer. Tu n'es que la fille de ta mère, voilà tout.

— Qu'est-ce que vous voulez dire par là ? »

Dorothy haussa les épaules, comme si elle répétait un cliché éculé : « Une traînée.

— Vous ne l'avez même pas connue !

— Non, je n'ai pas eu ce plaisir, mais ceux qui l'ont connue le savaient bien et ce n'était qu'une question de temps pour que ça remonte en surface. Je te voyais venir. Tu crois que je ne t'ai pas vue, au mois d'août dernier, qui paradais devant Rhodes en sous-vêtements ? Tu crois peut-être que je ne vois pas ce qui se passe ? Qu'est-ce que tu t'imagines ? Eh bien, je vais te dire une chose. Jusqu'à la fin de l'année, tu vas te mettre au pas, et après, du balai. Pas d'université de Cincinnati pour toi, pour te balader avec cette pourrie gâtée de petite Friedman et sa bande avec leurs voitures décapotables. Si tu veux aller à l'université, tu te trouveras une bourse toute seule et tu quitteras la ville et tu nous *débarrasseras le plancher*, comme ça tu ne pourras pas enlever à Rhodes ses chances de réussir une vie convenable. Tu t'imagines que tu vas te pavaner devant les garçons de Country Day dans ton slip, traînée ? En soutien-gorge et petite culotte ? Tant que je vivrai, j'empêcherai ça. »

Elle entendit la porte de Jane claquer ; Dorothy compta alors lentement jusqu'à cent puis s'approcha du lit de Richard. Il dormait en chien de fusil. « Richard. »

Il ouvrit brusquement les yeux, effrayé et sur ses gardes comme si on l'avait surpris en train de faire quelque chose de mal. « Qu'est-ce que c'est ? » Dorothy s'installa au bord du lit. « Dorothy ? » Elle croisa les mains sur ses genoux. Il ne saisissait pas ce qu'elle voulait, mais ce n'était sûrement pas lui. Elle l'avait autorisé à venir dans son lit, de temps à autre, après la naissance de leur fils, mais ils n'avaient plus de relations intimes depuis plus de dix ans. « Est-ce que quelqu'un est mort ?

— Non. Personne n'est *mort*. Ecoute-moi. Sais-tu l'heure qu'il est ? » Il n'aurait su dire si elle l'avait vu secouer la tête. « C'est le milieu de la nuit, et ta fille est rentrée il y a une ou deux minutes en se pavanant. Richard, écoute-moi, c'était horrible. Son *soutien-gorge* était ouvert. Richard, je crois que c'est fait.

— C'est fait, quoi ?

— Faut-il que je te fasse un dessin ? Elle n'osait pas me regarder en face.

— A-t-elle dit quelque chose ?

— Je t'en prie, Richard, tu ne t'imagines pas qu'elle va le reconnaître ?

— Non, mais...

— Je ne te l'ai jamais dit, mais je l'ai surprise l'été dernier, vautrée contre un mur, elle parlait avec Rhodes à moitié nue, sans rien sur elle que ses sous-vêtements et tu sais de quoi elle a l'air ; Rhodes n'était qu'un enfant, mais, doux Seigneur, un garçon est un garçon et il la *dévisageait* et je ne tolérerai pas cela chez moi. Ni cela, ni de la voir rentrer à l'aube avec cette allure de... femme des rues. » Richard fit un nouvel effort pour s'asseoir, mais la couverture l'en empêcha.

« Que devons-nous faire ?

— Je lui ai parlé. Je lui ai dit qu'elle avait intérêt à se surveiller à chaque instant, de jour comme de nuit, et qu'elle se le tienne pour dit.

— Très bien.

— Non, écoute-moi. C'est sa dernière année ici. Après, elle s'en ira. Toute seule. Si elle n'obtient pas une bourse complète, nous devrons l'aider, mais plus à la maison, pas d'université de Cincinnati pour elle, à traîner avec cette Lynn Friedman à qui on ne refuse absolument rien. Elle ne fera pas son manège ici, je te le garantis. Oh non ! Pas elle. Elle ne va pas saper tout ce qui est notre raison d'être. Elle partira et c'est irrévocable.

— Dorothy.

— Quoi ?

— On ne peut pas faire face à l'université *et* à Country Day.

— Il le faudra bien. De toute façon, tu as droit à une augmentation. Très largement. Tu devras en parler avec monsieur Tisman lundi, à la première heure. Dis-lui que tu veux parler directement à monsieur Hart. Ne prends pas un refus *de sa part* comme une réponse. Tu m'entends, Richard ?

— Peut-être que Jane s'est attardée simplement pour bavarder, tu sais.

— Tu penses vraiment ce que tu dis ?

— Je vais aller lui parler.

— Maintenant ? Non, il est trop tard. Laissons-la mijoter dans son jus pour le moment. Qu'elle comprenne que jamais on ne pourra tolérer dans cette maison ce qu'elle est.

— Très bien. Mais, Dorothy, peut-être que si je...

— Richard, écoute-moi bien. C'est une comédienne, tout comme sa mère. Elle peut se montrer très, très convaincante. Mais ne te laisse pas prendre à son jeu. Tu t'es toujours laissé attendrir lorsqu'il s'agissait d'elle et ça ne nous a créé que des inquiétudes. Je veux qu'elle quitte la maison, pour notre tranquillité à *tous*. » Elle tendit la main vers lui et lui caressa le front. « Promets-le-moi, Richard. »

Son père n'était plus venu dans sa chambre depuis la veille de la soirée avec Bobby Spurgeon ; il s'était écoulé une quinzaine de jours et donc, depuis quelques nuits, elle s'était abandonnée au sommeil avant minuit au lieu de rester aux aguets. C'est pourquoi elle ne sentit sa présence qu'au moment où il souleva la couverture. « Ce n'est que moi », murmura-t-il. Elle croisa ses bras devant elle, comme un enfant imitant la trompe de l'éléphant, pour se cacher du mieux qu'elle le pouvait. « J'ai pensé que tu aimerais avoir de la compagnie. » Comme les autres fois, il se glissa dans son lit et s'étendit près d'elle sous les couvertures. Son pyjama sentait l'eau de Javel. « Tu veux me raconter ta version de l'histoire ? »

Elle réussit à répondre dans un murmure : « Je n'ai rien fait.

— C'est bien, ne t'inquiète pas maintenant. Puisque tu le dis. je te crois. Non, ne te retourne pas. Reste comme tu es. Parlons un peu entre nous. Je sais que tu ne veux pas aller dans l'Est. Ne secoue pas la tête, c'est la vérité. La conseillère pédagogique a appelé maman. Tu ne le savais pas, tu vois ? Elle a dit que nous devrions te convaincre pour que tu rentres dans l'une des universités les plus cotées. Ne te rends pas malade. Allez, fais-moi un beau sourire. A la bonne heure. Je retrouve ma petite fille. Ne t'imagine pas que je ne comprenne pas. Pas de grandes écoles. trop chic pour toi.

— Papa, je crois que je voudrais y aller, s'il te plaît. Smith ou Pembroke, celle qui paiera le mieux.

— Allons donc. Je pourrais parler à maman. Ce serait si sympathique de rester ici où tu as tous tes bons amis. Et ta jolie chambre pour toi, si confortable.

— Non, papa, vraiment, je... » Tout d'un coup, elle se mit à trembler de la tête aux pieds.

« Tu as froid ?

— Non, non.

— Elle a si froid, ma petite Jane. » Jusqu'à présent, il ne l'avait jamais touchée. Il s'était juste allongé à côté d'elle, lui parlant pour la première fois de Sally, de ses magnifiques yeux noirs, de son sourire, de son allure fascinante. Mais ce soir, alors que Jane n'était plus maîtresse de ses jambes qui tressautaient nerveusement, il les bloqua avec la sienne. « Pauvre Jane », dit-il et il se frotta contre elle, beaucoup plus lentement que Bobby Spurgeon, mais avec la même intention. « Laisse-moi te réchauffer. Ce n'est pas agréable ? Tu es une fille si adorable. Si jolie. Je sais que tu n'es pas une mauvaise fille. » Sa main suivit la courbe de sa hanche, de bas en haut et de haut en bas. « Comme ta mère. Tu savais ça ? Tu me rappelles tellement ta mère. Exactement Sally. Le portrait craché de la ravissante petite Sally. » Sa main frôla son ventre, sa poitrine, puis se glissa sous l'élastique de son pyjama et caressa la touffe de son pubis.

« Oh non !

— Chut.

— Papa, ne fais pas ça.

— Je parlerai à maman. Tu pourras rester ici, aller à l'université de Cincinnati. Ce serait bien, non ? Hum ? Ce n'est pas agréable ? Détends-toi un peu. Allons. Tu te sens mieux ? Tu as plus chaud ?

— Je veux aller dans l'Est.

— Non, tu n'en as pas envie. Non. Allons. Calme-toi.

— Je veux vraiment, vraiment y aller.

— Ma fille. Ce n'est pas agréable, ça ?

— Je vais aller dans l'Est. C'est sûr. Maintenant, arrête. Je t'en prie, arrête...

— Calme-toi.

— Papa, ne fais pas cela. Je t'en prie, je ne veux pas que tu...

— Chut. Tu vas réveiller toute la maison.

— Arrête !

— Tais-toi, je te dis !

— Non ! » Elle se mit à hurler. « Non ! Non ! Non ! »

DEUXIÈME PARTIE

Nicholas

... nous avons en ligne, notre critique cinématographique, Pat Hynes. Pat?

Merci, George. Je me trouve sur la Cinquième
Avenue devant l'appartement de Nicholas et Jane
Cobleigh, dans une résidence exclusivement
constituée de copropriétaires. Mais je pourrais
tout aussi bien me trouver dans le Connecticut,
devant le domaine des Cobleigh ou sur la côte
ensoleillée de la Californie devant la propriété des
Cobleigh à Santa Barbara. Comment toute cette
histoire a-t-elle commencé? Eh bien, Jane
Cobleigh, qui lutte actuellement contre la mort
dans un hôpital de Londres, est issue d'une famille
typique du Middlewest. Quant à son mari, Nicholas Cobleigh, star internationale, le faste lui est
familier. Il est né dans une famille riche de
privilèges et de tradition, aristocratique...

Extrait de *Témoins oculaires*, de W.A.B.C.

Le grand-père de Nicholas Cobleigh, Henry Underwood
Cobleigh, était d'une origine fort humble, malgré son nom
distingué. Le père d'Henry, Johnny, avait quitté l'Angleterre et
s'était embarqué pour l'Amérique en 1868, dix ans avant la
naissance d'Henry, avec vingt livres en poche qui ne lui apparte-
naient pas. Le tribunal de Liverpool avait lancé un mandat
d'arrêt contre lui pour vol et assassinat et, de toute évidence, il
avait jugé plus prudent de prendre le large. Johnny avait sauté
du navire dans le premier port américain qui se trouva être
Newport, à Rhode Island. Mais cette ville provinciale ne convenait pas au besoin d'action de Johnny. Il déambula donc un
moment dans le nord jusqu'à ce qu'il découvre un coin qui
convienne à son tempérament actif.

Pawtucket, à Rhode Island, était laide, mal famée et l'air y était vicié à cause des déchets industriels. Johnny s'y sentit tout de suite à l'aise. Avec ses poignets de lutteur, son esprit entreprenant et de l'or en poche, il se retrouva vite propriétaire d'une taverne prospère dans sa cité d'adoption.

La taverne était située dans le quartier le plus chaud de Pawtucket ; on maniait le couteau ou le pistolet dans les bagarres et la plupart des tenanciers du quartier se faisaient tuer ou blesser dans les premiers mois qui suivaient l'ouverture de leur commerce. Mais Johnny Cobleigh n'eut jamais de problèmes, ni avec les ouvriers des manufactures en mal d'assassinat ni avec les putains schizophrènes. Il mesurait un mètre quatre-vingt-trois, pesait plus de cent cinquante kilos et sa figure, couperosée, avait un triple menton. On aurait dit un quartier de bœuf.

La mère d'Henry, née Henriette Underwood, était la fille d'un ouvrier des filatures qui avait eu la jambe broyée par la chute d'une pièce de taffetas bleu glacier. De sorte que son mariage avec un commerçant comme Johnny Cobleigh fut salué comme un grand pas dans la hiérarchie sociale. Henriette était vaguement jolie, avec des yeux bleus sombres comme certains raisins, mais pas très futée. Elle passait complètement inaperçue, si ce n'était son aspect fluet. D'une taille normale, elle ne faisait même pas trente-huit kilos. Etant enfant, on se moquait d'elle en lui lançant : « Henriette, l'asperge » et « Henriette a avalé un bâton c'est pour ça qu'elle y ressemble. Ha ! Ha ! »

Un mariage heureux effaça le souvenir de son enfance sinistre. Malheureusement, ce bonheur fut de courte durée. Le 3 mai 1878, elle mourut d'une hémorragie en mettant au monde un superbe garçon de trois kilos six cents.

Johnny appela son fils Henry, en souvenir de sa femme, et le confia à un institut catholique, décision qui n'était pas aussi arbitraire qu'elle pouvait paraître, car Johnny ne pouvait pas élever un bébé à Pawtucket : les lamentations des syphilitiques et les haut-le-cœur des alcooliques lui auraient servi de berceuses. Bien que trente et un ans auparavant il ait été baptisé à l'église anglicane, il confia Henry aux sœurs catholiques romaines de Sainte Hélène, près de Providence, pour la bonne raison que leur orphelinat était le seul, sur les quatre qu'il avait visités, à ne pas sentir les couches.

Johnny avait sans doute fait le bon choix. Henry Underwood Cobleigh avait hérité d'un certain nombres de gènes de ses parents : il était beau et intelligent. Les sœurs raffolèrent de lui dès qu'il sut parler, car il avait une façon attendrissante de répondre : « Zui, ma zœur », en zézayant à toutes leurs injonctions. Elles étaient sensibles à ses yeux bleu foncé brillants, sa vivacité d'esprit, son maintien modeste, sa propreté naturelle et ses bonnes manières. Ainsi entouré de ses douze mères nourricières attentives, le petit bonhomme ne parut pas souffrir de l'absence de son père qui cessa toute visite dominicale dès que son fils eut quatre ans, car Johnny était accaparé par sa deuxième femme, aussi jolie que peu éveillée comme la première, par l'évolution rapide de ses affaires qui l'avaient rendu propriétaire de trois tavernes et enfin par ses nouvelles activités au sein du parti démocrate.

Pourtant, les sœurs lui laissaient la bride sur le cou. Elles étaient strictes et exigeantes avec Henry. A l'âge de dix-sept ans, elles lui avaient déjà enseigné le latin, l'histoire, la géographie et les mathématiques. Il récitait *Macbeth* par cœur. Spécialiste en herbe de saint Thomas-d'Aquin, il avait lu et relu les sept *Quaestiones disputatae* et la *Summa theoligica*.

Que dire de ses manières ? Il ne zézayait plus, mais répondait toujours à toute demande par un « Oui, ma sœur » des plus courtois. La plupart des sœurs étaient issues de familles catholiques aisées ; de leur enfance, elles gardaient vivaces les principes à inculquer à tout jeune homme bien élevé. Grand, mince et avenant, Henry accéda à l'âge d'homme avec une allure et une élégance de grand bourgeois catholique.

Il avait un charme fou ! Son esprit et ses manières étaient rarement pris en défaut. Quant à son âme, c'était une autre affaire, hélas. L'abandon total de son père l'avait sûrement marqué ; il avait peut-être appris, de surcroît, que Johnny avait eu deux jumelles de sa seconde femme.

Son rêve le plus cher était de devenir un homme riche. Il aimait à s'imaginer sur son trente et un, follement élégant. Avec beaucoup de chic, il se coifferait avec la raie de côté et entretiendrait ses cheveux blonds avec des produits de grande marque comme faisait monsieur O'Keefe, l'administrateur de l'orphelinat qui était dans les chemins de fer. Il posséderait une cinquantaine de pantalons de soie et un feutre. Bien entendu, il aurait une femme racée, habillée d'une robe en brocart rose avec des manches gigot, qui s'accrocherait à son bras et murmurerait : « Oh ! Henry, tu es l'homme qui a le plus d'allure de tout Rhode Island. »

Henry ne parlait jamais de ses rêves au confessionnal. Pas plus que de sa liaison avec Minnie Halloran, célibataire d'un certain âge qui venait à l'orphelinat pour aider au linge. Depuis plus de quatre ans, il entretenait avec elle des relations au moins hebdomadaires.

Le jour de ses dix-huit ans, les sœurs le prièrent instamment de devenir jésuite. Il leur rit au nez (et ce fut aussi bien ainsi). Il souhaita le bonjour aux douze religieuses médusées avec la même émotion que s'il prenait congé d'un commerçant et quitta tranquillement l'orphelinat pour ne jamais y revenir, il va sans dire. Puis il débarqua à l'improviste dans la taverne de son père ; celui-ci devenu un membre influent du parti démocrate y tenait ses assises. Deux heures après, Henry en ressortait avec assez d'argent pour payer ses études à l'université et il lui en resterait encore un peu. Bien entendu, il ne revit jamais son père.

Henry Uderwood Cobleigh devint membre de l'Ivy League. Il entra à l'université Brown de Providence avec la promotion de 1899 et en sortit quatre ans plus tard avec une licence ès lettres et une lettre d'admission pour l'école de droit de Harvard, une maîtrise du poker et du polo et une passion pour les jeunes femmes bien nées qu'il pouvait satisfaire à une cadence étonnante.

Louise Kendall, une beauté, était la troisième des six filles ravissantes de Roderick Kendall, pasteur baptiste et descendant d'une des familles les plus anciennes, les plus distinguées et, hélas, les plus pauvres de Providence. Mais il importait peu que les filles Kendall n'aient pas de dot, car elles étaient extraordinairement jolies, parées de cheveux blond doré, épais et ondulés et d'une ossature fine et anguleuse d'aristocrates. Leur réputation allait jusqu'à Boston, et Mary Kendall, la femme de Roderick, s'était vue dans l'obligation de limiter le temps de visite pour chacune de ses filles, tant elles avaient de soupirants.

Louise avait dix-huit ans lorsqu'un des amoureux de sa sœur Abigail vint rendre visite à la maison Kendall avec Henry Cobleigh. Comme elle l'avoua à Abby le soir même, on en tombait amoureux au premier regard.

« Tu crois qu'il m'a trouvée séduisante, Abby ? Tu crois qu'il va revenir demain ? »

Il revint. A vingt-cinq ans, Henry, attaché aux biens terrestres, était connaisseur et réaliste. Le visage et le corps de Louise, autant que sa parfaite éducation, l'avaient beaucoup impressionné. Ce serait un atout d'épouser une femme pareille. Il ne pouvait prétendre à mieux. Il avait tenté de faire la cour à deux jeunes femmes fortunées, toutes deux folles de lui, mais les pères avaient rejeté sa demande en mariage. « Qui *êtes*-vous, jeune homme, qui *êtes*-vous ? » lui avait demandé l'un d'eux. Malgré sa position sociale élevée, le révérend Kendall ne pouvait pas se permettre d'éconduire un jeune homme séduisant, parfaitement bien élevé, à l'éloquence aisée et de belle prestance, un jeune homme qui était en passe de devenir un pilier du barreau de Providence.

Le mariage de Louise Kendall ne fut pas aussi avantageux que ceux de ses sœurs, mais en tout cas ce fut le plus excitant. Elle était folle de son superbe mari, adorait leur bijou de maison géorgienne sur Benefit Street et raffolait des anniversaires et des fêtes, même du 4 Juillet, car la veille de chaque jour férié, Henry avait l'habitude de rentrer à la maison et de lancer dès le hall : « Où est mon ange ? Où est ma Louise adorée ?

— Henry, c'est toi ? disait Louise. Comment s'est passée ta journée ? »

Mine de rien, elle réprimait à grand-peine ses gloussements d'excitation, car elle savait ce qu'il tenait dans sa main derrière son dos. Mais elle n'arrivait pas à garder son sang-froid. « Oh ! Henry, lui lançait-elle enfin. Montre-moi, s'il te plaît, montre-moi. Sois gentil.

— Te montrer quoi ? » demandait-il en feignant l'ignorance.

Puis il se laissait attendrir, voulant profiter de l'allégresse encore cachée derrière ses yeux bleus éblouissants. « Très bien, prends-le, puisqu'il est pour toi. » Il sortait sa main cachée derrière son dos et brandissait le paquet cadeau comme un trophée. Louise sautait pour l'attraper.

Elle déchirait le ruban et l'emballage en poussant des petits cris de joie pour découvrir son cadeau de fête que son mari appelait une « petite babiole » : un rang de perles ou une broche, une barrette pour ses cheveux ou une bague, souvent garnie de saphirs pour rehausser l'éclat de ses yeux.

A Providence, certains s'interrogeaient sur l'élégance des Cobleigh : pour un homme venu de nulle part et une jeune fille sans le sou, ils vivaient un peu trop bien, semblait-il. Mais la plupart s'amusaient trop à les voir pour chercher plus loin. Beaucoup plus beau que ne le serait jamais son petit-fils, la star du cinéma, Henry se pavanait sur Waterman Street en blazer et pantalon blanc, saluant les passants d'un coup de canotier avec grâce et noblesse, si bien que les jeunes membres du barreau le surnommait le prince Henry. Mais avec affection.

L'allure fière, Louise avait le port d'une jeune Américaine fin de siècle. A l'église, à une garden-party ou à un banquet, sa tenue était en toutes circonstances ce qu'on faisait de mieux dans le genre : élégant, discret et luxueux. Ses proportions faisaient les délices de ses maîtres-tailleurs, son corps faisait rêver les hommes.

Entretenir Louise sur un tel pied était coûteux. Henry ne pouvait y faire face sur ses seuls revenus de juriste et il avait perdu à une table de jeu, au cours du dernier mois à l'université, le reliquat des subsides de son père. Mais Henry trouvait des solutions.

Il commença sa carrière juridique dans les bureaux de Broadhurst & Fenn, le cabinet sans doute le plus distingué de Providence, le plus ancien en tout cas. La vie évoluait lentement dans cette vénérable institution. Les dossiers étaient transmis de main en main avec une courtoisie languissante. Les vieux associés ne mouraient jamais. Les jeunes collaborateurs se voyaient gratifiés d'un modeste bureau et d'un maigre salaire. Tout cela ne suffisait pas à Henry Cobleigh.

Deux semaines après son entrée chez Broadhurst & Fenn, Henry comprit qu'il ne deviendrait pas riche avant trente ans.

Il apporta des documents à signer à Spencer Howell. Monsieur Howell était l'un des clients les plus importants de l'étude; fabuleusement riche, il possédait la seconde filature par l'importance de toute la Nouvelle-Angleterre, T. L. Howell & Sons.

« Quel est votre nom, jeune homme ? » Monsieur Howell était un homme humain, un de ces rocs sur lequel pouvait s'appuyer en toute sécurité la première église baptiste de Providence. Il prenait toujours le temps de s'intéresser au menu fretin.

« Henry Cobleigh, monsieur.

— Cobleigh. Cobleigh. Vous êtes de la famille de ce... ce démocrate de Pawtucket, Johnny Cobleigh ?

— Non, monsieur. » Monsieur Howell acquiesça et prit sa plume pour signer les contrats étalés devant lui. « Je n'ai pas de famille, monsieur Howell. J'ai été élevé dans un orphelinat. » Les yeux brillants de sympathie, monsieur Howell reposa sa plume.

En novembre 1902, un mois après cette rencontre, Henry Cobleigh quitta Broadhurst & Fenn pour devenir le conseiller personnel de la maison T. L. Howell & Sons, avec un salaire égal au triple du précédent. Dans le courant de l'année suivante, il avait gagné l'entière confiance de monsieur Howell qui n'avait pas d'enfant. Il lui fit entendre qu'il aurait des parts dans sa société, dans quelque temps. Ainsi il deviendrait vraiment riche, dans quelque temps.

Mais cela n'était pas suffisant. Rien que les tissus pour les tenues de Louise, des copies exactes de Worth et de Paquin, coûtaient des centaines de dollars. Il y avait la maison, les domestiques, une réserve de bon porto, les voyages à Newport,

Boston, Saratoga et sur la côte du Maine. Il y avait aussi autre chose : moins de six mois après son mariage, Henry avait réalisé que, de temps en temps, il souhaiterait une compagnie plus sophistiquée que celle de Louise. Mais ce genre de compagnie, discrète, est trop onéreuse même pour un jeune conseiller qui a fait son chemin, sauf une fois en passant, à moins de pouvoir augmenter ses revenus.

Henry trouva un moyen. C'était un homme de loi de valeur, mais certains sujets dépassaient ses compétences comme les brevets sur les machines utilisées par les filatures Howell, les procès dans lesquels T. L. Howell & Sons étaient mêlés dans les autres Etats ou la discussion de contrats internationaux quelque peu ardus. Mais il avait la charge de rechercher des cabinets valables pour mener à bien ces affaires. Quelques semaines après son entrée dans la société, Henry dut ainsi saisir un cabinet juridique d'un problème survenu à propos de la loi Sherman. Il choisit Hamden & Hamden qui étaient renommés comme experts en la matière et qui avaient promis de le remercier pour leurs honoraires de deux mille dollars : Elias Hamden Jr., le benjamin de la famille, se trouvant au Club de la ligue avec Henry, lui tendit une enveloppe avec deux billets chiffonnés de cent dollars.

Dès lors, toute intervention extérieure rapporta dix pour cent à Henry Cobleigh, dont la fortune prospéra pendant neuf ans, alimentée par l'avarice des maîtres du barreau de Providence. Il fut pressenti par les meilleurs clubs de la ville. Trop pointilleux pour se contenter dès lors de prostituées, il eut pour maîtresse des femmes aussi cultivées et aussi jolies que la sienne. Spencer Howell, se reposant de plus en plus sur le jugement circonspect d'Henry, l'envoya en première classe à New York, à Charleston puis à Londres, pour le représenter personnellement. Il rapporta de ce dernier voyage cinq complets sur mesure de chez Saville Row et un service à thé en argent Queen Ann, cadeaux du fabricant d'outillage et du teinturier qui venaient de signer un contrat avec Howell.

Mais tout cela ne fut pas encore suffisant. De plus en plus souvent, Louise se plaignait d'être la seule des filles Kendall dont le mari ne possédait pas une résidence d'été à Newport. Elle disait : « Bien sûr, je n'envisage pas une grande bâtisse fastueuse et redoutable, juste un modeste chalet pour passer l'été près d'Irène et Abbey. Et de Marguerite. Et de Violette et Catherine. Oui, je sais, je comprends bien que tu n'es pas *propriétaire* de ta propre affaire comme les maris de mes sœurs, mais je ne veux rien d'aussi sophistiqué. Juste un gentil pied-à-terre qui me permette d'être avec mes sœurs. Tu verras comme tu seras heureux là-bas. Oh ! Je t'adore, Henry, je t'adore. »

Henry signala donc à Reggie Blount qu'il envisageait d'acquérir une résidence secondaire.

Reggie était associé dans une société spécialisée dans les brevets et il craignit qu'Henry ne demande plus que ses dix pour cent habituels. Il dit : « Oh ? Avez-vous déjà une idée ?

— Ma femme aime Newport.

— Mais, c'est très cher, Newport ?

— Oui, très. Mais j'ai réfléchi à notre arrangement. Les dix pour cent ne conviennent plus. Pourquoi ne pas ajouter, disons trois... non, quatre mille à votre relevé d'honoraires (c'est moi qui contrôle les factures) et me reverser la différence lorsque vous aurez reçu le chèque de la société.

— Vraiment, Henry, nous sommes déjà allés au-delà de ce que nous souhaitions.

— Il y a d'autres conseillers en brevets à Providence, vous savez. C'est à prendre ou à laisser, Reggie. »

Dans la soirée, Reggie Blount rendit visite à Spencer Howell. Ce dernier ne voulut pas croire les paroles de son visiteur, mais Reggie resta ferme et lui parla pendant plus d'une heure. Après son départ, Spencer Howell se prit la tête dans les mains et se mit à pleurer.

« Mais, maman, je ne *sais* pas ce qui s'est passé. » Les yeux de Louise Cobleigh étaient rouges et gonflés, pourtant elle avait cessé de pleurer depuis une semaine. Elle avait toujours son mouchoir à la main, mais pour le tordre jusqu'à en faire une fine dentelle entre ses doigts. « Je revenais tout juste de voir mon couturier lorsqu'il est rentré à la maison dans la matinée en claquant la porte. » Elle tapota ses yeux secs et marqua une pause. « Et il m'a annoncé qu'il ne travaillait plus pour monsieur Howell. Il reste à la maison dans la petite salle à manger, enfermé à clé. Il ne sort que rarement. Et quand je lui ai demandé ce qui s'était passé, il m'a répondu que ça ne me regardait pas. Ensuite... » De honte, Louise baissa sa charmante tête d'or. « Père, il a pris presque tous les bijoux que j'avais dans ma boîte, ceux qu'il m'avait donnés, sauf les boucles d'oreilles en opaline que je n'ai jamais vraiment appréciées.

— Il a sans doute été dans l'obligation de les vendre, Louise.

— Bien sûr, il a dû les vendre, dit-elle avec aigreur.

— Louise !

— Excusez-moi. Il a donné congé à la cuisinière. Le service à thé en argent a disparu, ainsi que les candélabres. Quand j'ai fait remarquer qu'ils manquaient, juste dans un murmure, il a dit : " Louise, ferme-la. "

— Grand Dieu !

— Mary ! » Le révérend Kendall se tourna vers sa fille. « Mon enfant, il se passe quelque chose de sérieux. Nous devons découvrir le fin mot de l'histoire. Du peu que j'ai pu comprendre, il s'agit d'une affaire très délicate, semée de dangers. Mais nous traverserons cette épreuve. Nous sommes des Kendall, non ? » Les femmes hochèrent la tête.

Louise cessa de maltraiter son mouchoir et s'appuya sur les coussins du divan. « Oh ! Merci, père. Je me sens déjà mieux.

— Ce *pourrait* être une bonne chose, Louise, de suggérer à Henry de... enfin, que tu reviennes ici pour un moment. Reste avec nous jusqu'à... tant que ses affaires...

— Oh ! Père, est-ce que je peux ? Vraiment ?

— Roderick, que vont penser les gens ?

— Hum, hum.

— J'ai vraiment tout fait pour essayer de le réconforter. Mais il me repousse. Il dit que tout est de ma faute. Que tout ce qui m'intéresse, ce sont robes et les bijoux ; mais vous *savez* que ce n'est pas vrai. Je ne suis pas égoïste. Je n'ai jamais rien demandé. Jamais. Pas une seule fois. Il adorait me couvrir de cadeaux. Et maintenant, c'est moi qui suis une insatiable.

— Ma chérie, murmura Mary Kendall.

— Et il m'a trompée avec madame Welles, père.

— Je sais, ma chérie. Ta mère me l'a dit ; mais je suis certain que cela ne se reproduira pas. Tu seras plus à ton aise avec nous. Mais, naturellement, si tu préfères...

— Juste un détail, ajouta Louise.

— Quoi donc ? » demanda Roderick Kendall. Il remarqua que sa fille rougissait dans la faible lumière du salon. « Eh bien, Louise ?

— Je crois que je vais agrandir la famille. » Elle émit un petit rire forcé qui ne couvrit pas le hoquet de surprise de sa mère.

« C'est pour quand ? » demanda son père avec délicatesse. Louise marmonna une réponse. « Parle plus fort, Louise !

— A peu près dans quatre mois.

— Tu ne veux pas dire que ça fait déjà cinq mois... commença Mary Kendall.

— Mère, je t'en prie. Je voulais juste que ce soit une grande surprise pour Henry et je ne voulais pas vous en parler avant que Violette et Catherine aient leurs bébés car je savais que vous vous faisiez du souci pour elles deux, et... et je ne voulais pas porter ces affreux vêtements de grossesse et comme je n'ai pas beaucoup grossi... alors je pensais que ce serait une grande surprise pour tout le monde et souvenez-vous que je vous avais invités à dîner pour le samedi et...

— Pour le meilleur et pour le pire, commença à prêcher le révérend Kendall.

— Ah, non ! Pas ça, papa !

— A la réflexion, ma chère Louise, ce serait une erreur pour toi de quitter Henry en ce moment.

— Mais, père, il est si mesquin avec moi. Il me déteste. Il me fait des reproches.

— Peut-être que cette... hum, cette merveilleuse nouvelle va améliorer son état d'esprit.

— Non ! s'il te plaît, papa. Il m'a frappée. Si, si. Je te jure que c'est vrai. Il m'a giflée et m'a traitée de...

— Louise, Louise. Allons. C'est qu'il était très en colère. Je connais Henry. Je suis sûr que ça n'arrivera plus. Tout ira bien. »

James Kendall Cobleigh naquit par une nuit claire et froide d'avril 1912 de parents qui ne le désiraient pas. Quel dommage, c'était un si beau bébé !

Sa mère le considérait comme l'élément qui la liait irrémédiablement à un mari repoussant. Elle n'arrivait pas à s'émerveiller devant ses yeux, d'un bleu plus brillant que les siens, ni à s'exclamer de la perfection de ses minuscules ongles de pied. Il émettait une délicieuse musique de pépiements qu'elle n'entendait même pas. La plupart du temps, elle l'abandonnait dans une pièce fermée dans le berceau que sa sœur Abby lui avait charitablement donné et elle ne venait le prendre qu'au bruit des hurlements de faim ou de souffrance que ses langes jamais changés provoquaient et qui la sortait de la torpeur d'une fureur silencieuse.

Son père semblait incapable d'aimer et il avait perdu tout intérêt pour son fils en comprenant qu'il ne pouvait pas servir de gage pour se réhabiliter ; les Kendall s'attendrirent mais ils ne fondirent pas de joie à la vue de James.

Ses parents avaient d'autres soucis en tête que le petit James. Un mois avant la naissance de James, Henry enferma Louise dans un placard un samedi matin, pour étouffer ses cris hystériques, afin de faire visiter la maison à d'éventuels acquéreurs. A midi, il l'en fit sortir car la maison était vendue, à vingt pour cent de moins qu'il ne l'espérait.

Mais il avait besoin d'argent. Après deux jours de recherches pour un emploi, Henry Cobleigh dut s'avouer qu'il était devenu un paria, même si Spencer Howell avait renoncé à le poursuivre en justice. Aucun des hommes de loi qu'il pressentit ne voulut le recevoir. Au Club de la ligue, le maître d'hôtel lui tourna le dos et Wintrop Craig, administrateur à l'université de Brown, avec qui il avait couru la gueuse, lui cracha à la figure, fit volte-face et sortit.

Il remboursa l'hypothèque de la grande maison de brique de Benefit Street et, avec ce qui lui restait, fit deux investissements : une maison de bois, au porche rongé par les termites, et un modeste cabinet juridique, les deux situés à Cranston, dans Rhode Island, cité ouvrière non loin de Providence.

Dès leur installation, plus rien ne fit plaisir à Louise. Après la naissance de James, cherchant une consolation dans les émotions fortes ou peut-être une revanche, elle se donna à tous les livreurs qui se présentaient chez elle. Elle cessa cette pratique au bout de trois mois et au quinzième livreur. Mais, entre-temps, le voisinage avait eu vent de la chose et il lui fallut compter avec les dames de Cranston qu'elle avait eu l'intention de snober, mais aussi se défendre des propositions du livreur de glace ou des avances du pharmacien qui la pelotait en lui rendant sa monnaie.

Les Kendall avaient toujours été d'une sobriété exemplaire ; malgré cela, Louise se mit à boire un cordial ou deux avant d'aller se coucher pour mieux dormir. Elle devint alcoolique. Au bout de six mois, elle était rarement dans son état normal ; ses cheveux blonds, autrefois si réputés, pendaient, tout raides et graisseux. Elle oubliait l'heure qu'il était et jusqu'à sa propre personne. Souvent, elle négligeait de se baigner pendant des semaines et une odeur nauséabonde imprégnait les pièces qu'elle venait de quitter. Elle ne voyait pratiquement plus sa famille à Providence.

Quant à Henry, il avait abandonné toute velléité de vie sociale ; éjecté du Club de la ligue pour arriéré de cotisations, tout bouffi à force de bombances et d'excès de boisson, il ne rentrait plus dans ses costumes de Saville Row et il était fauché. Tous les matins, il se traînait à son bureau ; les semelles de ses chaussures de bottier s'amenuisèrent à force de déambuler. Il passait ses journées à fumer des cigares à deux sous et à manger des bonbons et, de loin en loin, s'occupait des affaires de quelque ouvrier des filatures avec son épouse.

Son fils, James Kendall Cobleigh, grandit parmi les Italo-Américains de Cranston, petit protestant pâle perdu dans un océan de catholiques méditerranéens. Ce qui fut une bonne chose, car ils lui montrèrent une tendresse que ses parents ne lui donnèrent jamais.

C'était comme si Dieu avait dit : *Refais le chemin mais cette fois-ci dans le bon sens.* James semblait suivre les traces de son père, mais pour atteindre au sommet ; son chemin était plus propre, plus sûr et plus direct. Dès qu'il sut marcher, l'enfant descendit clopin-clopant les marches du perron aux termites et s'introduisit dans les cuisines des voisins pour que quelqu'un s'occupe de lui. La négligence des Cobleigh envers leur fils faisait figure de scandale à Cranston. Conquises par son charme, les mères prenaient en pitié le petit garçon blond aux yeux bleus, elles l'installaient sur leurs genoux et le gavaient de boulettes ou de pâtes ; les pères ébouriffaient ses boucles soyeuses. Lorsqu'il grandit, les garçons lui apprirent à tenir une batte et à faire griller une pomme de terre sur un feu de déchets dans les terrains vagues. Lorsqu'il eut douze ans, les garçons lui enseignèrent l'art de dévisager une fille sans même soulever les paupières. Les filles faisaient le reste.

James perdit sa virginité à quatorze ans, comme son père. Mais sa partenaire ne fut pas une blanchisseuse un peu détraquée entre deux âges : c'était une Vénus de dix-huit ans qui s'appelait Laura DiMarcantonio ; elle le suivit de l'école jusque chez lui et lui montra de quoi il retournait derrière le camion du laitier, monsieur Paglia. « Tu veux que je te dise, mon petit Jimmy ? Tu ressembles terriblement à Conrad Nagel. Vraiment. Tu es aussi beau. Et... oh ! Tu veux recommencer si vite ? » James retrouva Laura tous les jours après l'école pendant trois mois, jusqu'au jour où madame Delvecchia l'accrocha au passage et lui demanda s'il voulait bien l'aider à sortir ses tapis dans la cour du fond. Madame Delvecchia n'était pas aussi jolie que Laura, mais elle avait du chien ; elle lui offrait du vin et lui passait des disques de Caruso après l'amour. Lorsque James dit à Laura qu'il ne pouvait plus la voir, elle se mit à sangloter et s'accrocha à sa chemise en plaidant sa cause. « Je t'en prie, Jimmy, j'ai besoin de toi. Je t'aime. Ecoute, on n'est pas obligé de se voir tous les jours. Juste de temps en temps. S'il te plaît. Jimmy, tu es mon chéri, Jimmy. »

Un mois plus tard, Laura épousa un cousin fraîchement débarqué de Calabre. Sept mois après, elle donna naissance à une petite fille.

A peu près à la même époque, il redit les mêmes mots à madame Delvecchia qui s'effondra en larmes. Le professeur de français de James avait repris son rôle, puis, après elle, il y eut une succession de femmes et de filles du voisinage, charmantes et toutes prêtes à aider le fils de ces fous de Cobleigh, fils aussi beau et séduisant que réservé.

Mais il désirait autre chose que le sexe et, contrairement à la plupart de ses condisciples, il aimait travailler et travaillait à plein rendement — et ce rendement était vraiment fabuleux.

Lorsque James eut dix-sept ans, Henry le pria de s'asseoir en face de lui dans la salle à manger. « Assieds-toi, j'ai à te parler. J'ai entendu dire du bien de toi, mon garçon.

— Je me débrouille très bien.

— Ne me sers pas ce genre de foutaises. Et écoute-moi bien. Tu veux faire quelque chose de ta vie ? Ficher le camp de ce coin pourri de Cranston ? Alors il faut que tu ailles à l'université. Ne me regarde pas comme ça ; je n'ai pas d'argent. Va parler à ton grand-père. N'attends pas Noël, car ta mère y sera et elle va sans doute tomber la tête la première dans la sauce aux airelles et il sera retourné. Fais-toi couper les cheveux avant d'y aller. »

Mary Kendall plaida la cause de James auprès de trois de ses cinq illustres gendres qui écrivirent des lettres de recommandation pour lui et il fut admis à l'université de Brown. Son grand-père intercéda en sa faveur et obtint une bourse réservée aux familles des membres du clergé baptiste. Les Kendall sentaient peut-être qu'ils devaient quelque chose à leur fille.

Peu avant 1930, l'université de Brown n'était pas réputée pour son niveau intellectuel, bien que membre de l'Ivy League. On disait que c'était l'école des play-boys car beaucoup d'étudiants étaient les fils de déménageurs ou de barmen qui n'avaient pas le standing pour entrer à Harvard ou à Yale où les étudiants se sentaient obligés de se présenter aux cours dans un état correct. Plus encore que Princeton, Brown était l'école où l'on prenait du bon temps. Pourtant, James travaillait sérieusement.

Impressionnés par son Q.I. et charmés de ses bonnes manières, ses professeurs le conviaient dans leurs bureaux et même chez eux. Il apprit à déguster leur sherry et à se laisser séduire par leurs épouses. Assez doué pour décrocher d'emblée le maximum dans sa spécialité, l'histoire américaine, il ruina ses moyennes avec une dissertation annotée d'un commentaire éloquent : *Bonnes idées mais style un peu gauche.*

Son éducation se poursuivait en dehors des cours. Dès qu'il eut franchi la porte de Hegeman Hall, James adopta le rythme des gens bien nés : prendre son petit déjeuner, poster son courrier, se doucher et se raser. Il ressembla très vite aux autres fils de grands bourgeois, dotés d'une parfaite éducation. Dès 1931, une étudiante de Pembroke faisait l'envie de tout son dortoir si elle pouvait annoncer qu'elle avait un rendez-vous pour travailler avec Jimmy Cobleigh. « Jimmy » obtenait généralement ce qu'il voulait et sans faire cadeau de la moindre babiole, à l'inverse d'Henry. La plupart des étudiantes avec qui il sortait étaient impatientes de se marier, et beaucoup avaient des pères fortunés qui ne demandaient qu'à faire entrer dans leur affaire de famille un gendre aussi brillant et aussi beau garçon. Mais James n'était pas prêt pour le mariage. Sans doute sentait-il qu'il pourrait trouver mieux avec le temps. Ou bien, attendait-il de tomber amoureux.

Entre-temps, il décida de suivre les traces de son père : il deviendrait avocat. En septembre 1932, il entra à l'école de droit de Harvard, où ses résultats furent assez brillants pour qu'on voie apparaître son nom dans la Law Review, ce qui n'avait pas été le cas d'Henry.

Assis sur le gazon jauni par le soleil sur les berges de la rivière Charles, James fixait l'eau et soupirait. « Qu'y a-t-il, Jim ? » lui demanda son cousin. Trois jours avant, le jour de son entrée à Harvard, James Kendall Cobleigh avait rencontré Bryan Kendall Devereaux, le fils de sa tante Catherine. Ils avaient échangé quelques paroles de politesse avant de se regarder bouche bée en se reconnaissant.

« Dis-moi tout, cousin Jim. Qu'est-ce qui ne va pas ?

— Rien de grave.

— Tu n'as pas de souci pour tes études au moins ?

— Non. Je pense que j'y arriverai.

— Tu vas sans doute décrocher un dix-neuf et demi. Moi, je serai recalé, évidemment. Je me demande pourquoi je n'ai pas hérité de ta cervelle.

— Et moi, je me demande pourquoi je n'ai pas hérité de ton argent.

— Oh ! Jim, tu n'es pas fauché ?

— Complètement raide.

— Je peux te prêter...

— Merci, Bryan, non. J'ai un job pour le week-end. Je vais servir au bar, chez Wally, après le match de Princeton.

— Il faudrait que tu t'amuses un peu, Jim. Tu ne fais que travailler. Jamais une distraction. Et toutes ces âneries, en plus !

— Je m'amuse un peu.

— Sacrément peu. Quelle distraction de baiser avec cette bigleuse de Cliffie qui est major en math. C'est du travail ça, pas un passe-temps. Tu as besoin de sorties excitantes et de soirées prestigieuses. Ne t'en fais pas. Le cousin Bryan trouvera bien une solution pour toi. »

C'est ainsi que James fit la connaissance de Winifred Tuttle qui allait devenir sa femme.

6

... Murray King, l'agent de Nicholas Cobleigh, a
fait savoir que le comédien ne souhaitait pas
parler aux journalistes qui se sont massés devant
l'hôpital, puisqu'il considère que l'état de santé de
sa femme est une affaire « strictement privée ».
Cependant monsieur King a confirmé que monsieur Cobleigh avait consulté sir Anthony Bradley
le neurochirurgien britannique, qui...

Philadelphia Inquirer.

Les Tuttle n'étaient pas aussi riches que les Rockefeller ou les
Mellon, mais ils étaient plus qu'aisés. Le premier Tuttle américain, Josiah, s'était installé à New York en 1701. Il était illettré,
mais avait dix-sept ans et le cœur chaud ; une tignasse poil de
carotte et un nez épaté si criblé de taches de rousseur qu'il en
paraissait brun : ces caractéristiques allaient se reproduire
pendant des générations de Tuttle. Contrairement à beaucoup de
jeunes immigrants, Josiah n'était ni un domestique lié par
contrat ni un bon à rien. Il avait un métier. Il faisait partie du
personnel domestique de lord Cornbury, le gouverneur britannique de New York, comme cireur de bottes.

Malheureusement, le gouverneur n'aimait pas les bottes. Il
aimait beaucoup s'habiller, comme tant de New-Yorkais depuis
cette époque. Il raffolait des tenues longues et Josiah apprit vite à
devenir expert en corsets et en perruques.

« Tu penses que je suis bizarre, Jo, à porter jupons ?

— Non, monseigneur.

— Foutaises ! Je n'aime pas les menteurs, Jo. Je suis bizarre. Diablement bizarre. Mais bien joli aussi.

— Ravissant, monseigneur. Surtout en bleu. »

Lorsque Sa Seigneurie fut flanquée dehors et quitta New York des années plus tard, il n'oublia pas son cireur de bottes, car ses compliments lui avaient paru sincères, cas unique dans son entourage. Avant de monter à bord, il remit à Josiah une seule boucle d'oreille en rubis.

Josiah vendit la boucle et, avec ce profit, acheta cinq lots de terre à l'emplacement de l'actuel Greenwich Village. Un an plus tard, il revendit quatre-vingts ares et, avec le bénéfice, en racheta cinq fois plus, un peu plus haut en ville. Et ainsi de suite, jusqu'à ce qu'il possède un assez gros morceau de Manhattan, en 1740. Il dînait alors avec les Jay, les Van Cortlandt et les Livington. Et il avait son propre cireur de bottes. Lorsqu'il mourut de la grippe en 1764, Josiah Tuttle était le patriarche de l'une des plus grandes familles de New York.

Hosea Tuttle, petit-fils de Josiah, était pâle, frêle et rouquin. En 1792, il réalisa environ vingt pour cent du patrimoine immobilier de la famille pour fonder l'American Bank, ce qui contribua à renforcer l'influence des Tuttle sur la vie économique de la ville et du pays pendant des générations. Il innova aussi dans un autre domaine, avec bon sens : il épousa une jeune fille de basse extraction.

Hester Smithers était la fille du cocher des Tuttle et la famille fut horrifiée à la nouvelle du choix d'Hosea, mais il ne voulait pas entendre parler des héritières Stuyvesant ou Philips ou Marston qui paradaient devant lui. Cette Hester, terrienne solide, était la seule femme qu'Hosea désirait.

C'est ainsi que la lignée Tuttle fut revigorée par les trois garçons dynamiques et les quatre filles que Hester donna à Hosea.

De même que le génie financier, les mariages exogames devinrent un trait de famille. Toutes les deux ou trois générations, l'aîné mâle des Tuttle découvrait la fille d'un forgeron ou d'un entrepreneur, s'agenouillait devant elle et se déclarait.

A travers le XVIIIᵉ et le XIXᵉ siècle, il y eut des Tuttle non seulement sur les places financières, mais aussi dans les universités et sur les chaires. Certains furent poètes, d'autres combattirent l'esclavage. Ils furent hommes de loi, chirurgiens, propriétaires de haras, partisans du vote des femmes. Bien qu'il y eût un ou deux joueurs invétérés, un fumeur d'opium et un pédéraste, cela n'empêcha pas la famille Tuttle d'affronter le xxᵉ siècle avec une classe qui n'avait d'égale que leur prospérité.

Le 24 mars 1900, Samuel Tuttle, qui avait trente ans, et était très en retard pour le thé, bouscula une jeune femme juste devant la maison de ses parents à Washington Square. La voyant dans le caniveau, il s'exclama : « Oh ! Je suis désolé, terriblement désolé. Vous n'avez pas idée. Là, laissez-moi vous aider.

— Le joli personnage ! » Elle fit la grimace, en détaillant son Chesterfield bien coupé et voulut à toute force se relever, mais sa longue jupe alourdie par l'eau sale du caniveau la retint prisonnière.

« Permettez-moi, je vous en prie. » Samuel lui tendit la main et l'aida à se redresser.

Elle était presque aussi grande que lui. Samuel baissa les yeux pour inspecter la fine jupe de laine. « Oh ! Mon Dieu », murmura-t-il.

Il fourragea dans la poche de son pantalon, mais n'en ressortit qu'une poignée de monnaie. Comme beaucoup d'hommes riches, il n'avait pas d'argent sur lui. « Sincèrement, j'ai de l'argent à la maison, je voudrais faire amende honorable.

— C'est bien, maintenant vous pouvez me laisser partir. »

Les iris de ses yeux étaient aussi noirs que ses pupilles et ses cheveux d'une teinte qu'il n'avait jamais vue, auburn nuancé de bronze. Le doux ivoire de sa peau était embelli de rose sur chaque joue.

Elle réussit à se mettre en route et il la suivit de l'autre côté de la rue, puis dans Washington Square Park. « Arrêtez de me regarder comme ça ! Allez-vous-en. Ouste ! Est-ce que vous êtes un tombeur, en plus ? Je vais appeler un agent.

— Si vous vouliez seulement retraverser la rue avec moi. J'habite dans la maison qui est là. Je pourrais vous donner de l'argent pour la robe neuve et une des bonnes pourrait vous aider à... hum, brosser votre robe.

— Une des bonnes !

— Mais... » Samuel ne pouvait s'en détacher. Ses yeux étaient rivés à ce visage ; sa chevelure châtain roux aux éclats de bronze appelait des yeux d'émeraude, mais les siens étaient noirs et lui allaient bien, comme si elle les avait voulus pour ne pas être comme tout le monde — ou parce qu'elle était trop forte pour admettre les canons de la beauté. Car elle était forte. Samuel n'était pas homme spécialement porté sur la chose, mais il était très émotif, derrière une façade de bon ton, et son âme s'était dilatée au contact de cette vigueur. A l'inverse des « belles » qui étaient évanescentes ou roucoulantes, elle était directe et vivante. Cette vitalité était telle qu'elle avait rompu les barrières de ses inhibitions et de ses bonnes manières et qu'elle allait faire de Samuel Warren van Dusen Tuttle un homme passionné, pour la première fois de sa vie.

« Croyez-vous que je sois assez toquée pour aller avec un étranger dans une maison inconnue ? » Mais le ton était plus gentil, comme si elle reconnaissait enfin qu'il n'était pas détraqué.

« J'ai une idée ! » La voix de Samuel tremblait, il en fut frappé, car il gardait toujours le contrôle de lui-même. « Attendez-moi ici une minute. Je vais traverser la rue en vitesse et je reviendrai avec ma mère ou une de mes sœurs. Elles répondront de moi. Et une bonne, avec un linge humide. Ou bien... »

Une demi-heure après, il était assis dans le salon de ses parents et pouvait examiner à loisir la jeune femme, ses cheveux superbes et son teint de fleur que rehaussait le mauve de la robe prêtée par sa sœur Dora. Grâce aux questions de pure politesse de sa mère, il apprit que son père travaillait dans une épicerie de la Sixième Avenue, que sa mère était morte, que son frère aîné était pompier et le plus jeune dans la marine marchande ; enfin, qu'elle n'avait pas de sœur, qu'elle avait vingt et un ans et s'appelait Mary Sue Stanley mais que tous ses amis l'appelaient Maisie.

Pendant la troisième semaine de leur lune de miel, Samuel saisit la main de Maisie par-dessus la minuscule table d'un café parisien. « Tu penses encore que je ressemble à une carotte ? demanda-t-il.

— Oui. Mais une carotte splendide, Samuel. » Elle commençait à glaner certains de ses adjectifs et à les incorporer à son propre vocabulaire, comme « splendide », « solide » et « charmant ».

Maisie ne se contentait pas d'imiter le langage raffiné de son mari, elle l'assimilait, étant ainsi en passe de devenir elle-même une aristocrate, et très rapidement. Maisie Stanley Tuttle avait de la classe. Elle était sensible, sûre d'elle, pleine d'humour et gentille ; malgré son humble naissance dans un appartement des bas quartiers de Manhattan, elle avait la beauté et l'esprit d'une patricienne.

Après quatre ans de mariage, les Tuttle avaient trois fils, une maison sur la Cinquième Avenue, une ferme à Fairfield County dans le Connecticut (dont leur petit-fils, Nicholas Cobleigh, hériterait), un terrain de camping de près d'un demi-hectare au bord du lac Taylor dans les Adirondacks et enfin un appartement dans Mayfair.

Ils étaient aussi heureux qu'ils méritaient de l'être. Samuel vouait sa vie aussi bien à la société de l'Oratoire ou à la Maison pour infirmes de Washington Heights qu'à ses propres intérêts financiers. En 1906, Maisie fonda et alimenta la Maison des œuvres sociales de Greene Street, construite à quelques pas de l'appartement minable où elle avait vu le jour.

En 1915, quinze ans après leur mariage, Maisie était encore plus rayonnante que lorsqu'elle était jeune ; elle avait la grâce et le port d'une grande dame de la société new-yorkaise dont elle était l'un des chefs de file. Elle frappa un soir à la porte de la chambre de son mari : « Puis-je entrer, Samuel ?

— Bien sûr, ma chérie. » Comme il fermait la porte, elle jeta ses longs bras tendres autour de son cou et l'embrassa sur la bouche. « Oh ! Maisie. »

Et, cette nuit-là, ils conçurent leur quatrième enfant, Winifred Lucinda Theodosia Tuttle.

7

... Mais la rédactrice en chef, Elisabeth Rose, a
dit : « Peu importe », *Harper's Bazaar* a l'intention
de publier le reportage pour lequel Jane Cobleigh a
posé voici deux semaines pour les trois pages de
mode spécial week-end.

Women's Wear Daily.

Aussi grande que son père, avec la chevelure rousse frisée des
Tuttle et un corps vigoureux, à dix-sept ans, Winifred se sentait
très à l'aise en tenue décontractée ; excentrique et active, portant
les pull-overs de ses frères et chevauchant les grands étalons
arabes de la ferme, elle s'amusait à faire connaître son admiration pour le New Deal, au grand dam de sa famille réunie pour le
dîner de Thanksgiving.

Le monde de sa mère, celui des premières et des problèmes
vestimentaires, l'effrayait plus qu'il ne l'ennuyait. Sur un court
de tennis, elle avait une grâce aérienne, mais à une soirée
dansante, elle se sentait stupide. A sept ou huit ans, aux
mercredis du Plaza de mademoiselle Adeline King Robinson, elle
transpirait dans sa robe de crêpe de Chine rose. Vers douze,
treize ans, elle fréquenta les Middle Holidays à titre de « pré-
débutante » ; elle y remarqua que même les garçons les moins
attirants se pinçaient les lèvres avec résignation lorsque arrivait
leur tour de la faire danser. Elle entendit quelqu'un dire :
« Regarde cette toison rouge ! Au moins, c'est une preuve
éclatante de la fidélité de Maisie à son mari. — Mais, mon cher,

même Samuel est plus présentable. Elle a des cheveux crépus comme... un nè-è-gre. »

« Je ne veux pas, dit Win.

— Si, il le faut ! répliqua Maisie.

— Peut-être une formule moins sophistiquée que Newport, intervint Samuel. Mes sœurs ont fait leurs débuts à la maison.

— A la maison, ricana Maisie. Trois violons derrière un palmier en pot et du punch au vin blanc. Est-ce cela que tu souhaites, Samuel, pour les débuts de ta fille unique dans le monde ?

— C'est tout à fait bien, Maisie, vraiment. Parfaitement acceptable. Winifred n'est pas le genre de fille à profiter de cinq cents personnes avec un orchestre de vingt musiciens.

— Je devrais peut-être tenir ma langue. Tu dois le savoir mieux que moi. Après tout, c'est toi le Tuttle, de par ta naissance et ton éducation ; moi, je ne suis qu'une fille que tu as ramassée dans le ruisseau.

— Oh ! Arrête, Maisie. Tu sais que tu les vaux toutes.

— Alors, s'il te plaît, fais-moi confiance. Tu sais bien, Samuel, que la fête pour Winifred, c'est trois chevaux et une paire de bottes.

— Maman, pourquoi me fais-tu cette réputation ? Je ne suis pas déraisonnable. Je voudrais...

— Ce sujet n'est pas ouvert à la discussion, Winifred. Tu dois être présentée et, puisque ton frère et Polly ont si aimablement offert Breezy Point, l'une des merveilles architecturales de Rhode Island...

— Maman, personne ne voudra venir. Je t'en prie, ce sera affreux ! Tous les garçons me détestent et, s'ils se tiennent décemment, ce sera uniquement... enfin, tu vois ce que je veux dire... à cause de ce que nous sommes, mais ils iront rire derrière mon dos et ils diront que nous sommes à Newport parce que personne ne veut de moi à New York...

— Winifred, arrête !

— C'est la vérité, papa. Et que tu as dû payer pour une grande chasse aux maris, et...

— Win, ma petite fille. » Maisie s'approcha et passa doucement ses doigts sur les sourcils roux et frisés de sa fille. « Tu es une jeune fille ravissante. Une allure folle. Tu as un corps de sportive, tu es grande, fine et élégante.

— Je ne suis pas élégante.

— Ça va venir, Winifred. Tu vas voir. »

La Grande Dépression avait singulièrement ralenti les affaires. Jeremiah, l'un des frères de Win, faisait remarquer « que c'était une occasion de se débarrasser des marginaux, vous savez. Tous ces concessionnaires Ford de West Orange qui essaient de refiler leurs filles aux Foxcroft. Des bas, des hauts, puis des bas, en une seule génération et bon débarras ». Jeremiah était réellement le plus stupide de tous les Tuttle depuis cinq générations et sa femme, née Pénélope (Polly) Czeki, était la fille d'un homme marginal précisément. Son père avait fait fortune dans sa ville natale de Pittsburgh en fabriquant des réservoirs pour usage industriel et, en 1930, il avait acquis Breezy Point, une résidence de Newport appartenant à un banquier de Boston qui avait fait faillite. Monsieur Czeki y avait adjoint des courts de tennis, des écuries et une piscine d'où l'on voyait le Rhode Island Sound ; il avait aussi acheté un yacht, la *Reine de Pittsburgh*. A quelque temps de là, il mourut d'une insuffisance cardiaque, laissant toute sa fortune et ses biens à sa fille Polly. Un an plus tard — et nonobstant la désapprobation de Maisie et de Samuel — Jeremiah l'épousa, car il raffolait du tennis, de l'équitation, de la natation, du bateau, et détestait travailler.

Mais Polly était, au moins, deux fois plus brillante que son mari et elle n'avait pas épousé un Tuttle pour des prunes. Elle voulait se faire valoir aux yeux des gens qui n'étaient que tout juste polis envers elle. Très consciente d'avoir gravi un échelon social par son mariage de première classe, elle cultivait soigneusement sa belle-famille ; cette tendre dévotion, qui ne se relâchait pas, eut raison de leurs réticences et ils acceptèrent son offre d'une soirée inoubliable à Breezy Point en l'honneur de Win.

Faisant semblant de tenir une jeune fille dans ses bras, Bryan Kendall Devereaux fit deux pas dans la chambre de son cousin à l'école de droit d'Harvard. Il chantait : « Je vais mettre ma cravate blanche. »

« Jim, vieux frère, mets tes vernis. J'ai réussi à te faire inscrire sur la liste de Boston et on va assister à une soirée fabuleuse. Uniquement le dessus du panier.

— Salut, Bry. Comment va ?

— Comment je vais ? Je suis en extase, fou de joie de me trouver si brillant. Mon Dieu, J. C., tu peux dire que tu as de la veine de m'avoir pour cousin. A la dernière minute, j'ai tiré les cordons de sonnettes des dames patronnesses les plus retorses de

Boston pour te faire inscrire sur la liste. *La* liste, Jim, pour
l'amour du Ciel. Celle qui te permettra d'être invité aux plus
belles soirées de la saison, et, pour commencer, nous sommes
conviés à la plus chic. Ce qu'il y a de mieux sur les listes de
Boston et de New York, mais, manque de chance, la fille est ce
qu'il y a de moins bien comme figure, allure et personnalité, mais
nous verrons au moins Breezy Point à Newport et peut-être
qu'elle aura une ou deux ou cinquante amies qui ne nous donnera
pas la chair de poule et... Maintenant, écoute-moi. C'est un gros
coup pour l'un des Tuttle ; alors, débrouille-toi et rendez-vous à
la porte de ma suite à huit heures sonnantes samedi, habillé de
pied en cap.

— Ces gens-là se moquent-ils complètement de ce que les
autres pensent d'eux ? Les gens font la queue pour un morceau de
pain. Ils ne trouvent pas de travail.

— Tu nous assommes, J. C. Tous les prolos dévorent littéralement les pages mondaines des journaux. Tu le sais bien. Ils
veulent voir des débutantes dans des robes inabordables et
buvant du champagne français. Les queues pour le pain, c'est
pour manger ; nous on leur fournit les jeux du cirque. Et ainsi,
tout le monde y trouve son compte. Alors, laisse donc tes idées à
la manque et...

— Je n'ai pas de queue-de-pie, Bryan. Je ferais peut-être mieux
de ne pas y aller.

— Et moi je te dis que tu viendras. Les Tuttle tiennent le haut
du pavé à New York et Breezy Point a la réputation d'être
absolument sublime, bien que Polly l'arriviste soit très, très
nouveau riche : c'est la belle-sœur de la débutante, celle qui
possède la baraque. Et il y aura sûrement des centaines de filles
ravissantes, riches et bien roulées, qui ne demanderont qu'à
perdre leur vertu pour un homme plus âgé de l'école de droit
d'Harvard. Avec ton allure, Jim, tu vas recevoir tellement de
propositions que tu n'auras plus le temps de remettre ton
pantalon pendant les cinq années à venir. »

A dix heures du soir, vêtus de la livrée bleu et gris de Breezy
Point, six valets de pied se tenaient devant la façade ionique et
accueillaient les premiers des cinq cents invités conviés à la
« petite soirée » organisée par Polly Tuttle. Cappy Caplin et son
orchestre composé de vingt-deux musiciens, jouait : « Une jeune
fille, c'est pour quoi faire ? » et « Boom-Diddy-Boom », dont les
accords parvenaient de la salle de bal et se répandaient dans les
allées et sur les quatre hectares de pelouse.

Maisie et sa fille accueillaient leurs invités, devant un treillage lourd de fleurs roses et de rubans blancs. Le vent décoiffait Win, dont les cheveux avaient été tirés par la femme de chambre une demi-heure plus tôt. On les avait sagement répandus sur ses épaules, mais ils se recrêpaient et l'arc flamboyant qui encadrait son visage lui donnait l'aspect d'un personnage de dessin animé après une violente décharge électrique.

Win pensa qu'il y avait quelque chose à Newport qui faisait rayonner tout le monde mais qui l'empoisonnait, elle. Elle n'avait jamais eu l'air si décomposée. Ses taches de rousseur devaient ressembler à des taches de naissance ; les garçons, en catimini, riraient en regardant son épaule dénudée par sa robe à la grecque, en prétendant que sa peau ressemblait à celle d'un léopard. Quant à sa chevelure, son éternel problème, elle n'avait jamais été aussi affreuse.

« Arrête de tripoter tes cheveux », chuchota Maisie entre deux vagues d'invités.

Maisie avait déjà accueilli trois cent cinquante convives, mais elle était aussi fraîche et souriante qu'à l'arrivée du premier. Quelques instants après, toujours souriante, elle se tourna vers sa fille et murmura : « Ma chérie, cesse de te comporter comme une neurasthénique. Tu es absolument adorable. » Puis, à haute voix : « Bonsoir. Enchantée. »

« Bryan Devereaux, madame Tuttle. De Providence. Et mon cousin, James Cobleigh. »

Cappy Caplin susurrait : « Conchita, rendez-moi mon cœur » et James jeta un coup d'œil sur les cheveux auburn de Ginny. Ou était-ce Valérie ? Ces débutantes, toutes en robes et souliers blancs avec leur chevelure éclatante, semblaient aussi frivoles et asexuées que celles qui lui avaient été présentées dans les réunions au cours de ses deux premières années d'université.

Heureusement, Cappy et ses trompettes terminèrent par un : « Conchita, je suis à vous ! » et James prit congé en s'inclinant avec une grâce légèrement ironique, comme il l'avait vu faire aux autres jeunes gens.

« Excusez-moi juste un instant, Philippa.

— Philippa ? Mais je m'appelle Priscilla. »

« Ça marche pour toi, J. C. ? » demanda Bryan Devereaux. Son visage lunaire était rouge et brillait de transpiration. « Oh, Doux Jésus, regarde un peu ça !

— Quoi ?

— Là-bas, juste après les portes coulissantes. La fille Tuttle qui tourne à mort avec ce gorille de Dartmouth, comment s'appelle-t-il déjà.. Paget Trent. Il lui en donne pour son argent. »

Paget Trent avait les dents en avant, un maxillaire proéminent, de petits yeux et un front assez bas ; il ressemblait cependant plus à l'homme de Neandertal qu'à un gorille. Il connaissait Win depuis l'époque des classes de danse. Poussé sans doute par ses amis, il la faisait tournoyer de plus en plus vite, vite, vite, et les cercles se rétrécissaient jusqu'au moment où ils tournèrent autour d'un point fixe.

« Paget, je t'en prie. » La tête commençait à lui tourner et elle avait mal au cœur. Mon Dieu, si la musique s'arrêtait et qu'il ne ralentissait pas la cadence, elle allait tomber face contre terre et... c'était inévitable... vomir. A son propre bal.

« Elle n'est pas si mal », dit James.

Elle n'était pas faite pour les soirées élégantes, mais elle devait rayonner au soleil : simple et bien bâtie, de longues jambes, une belle foulée, grande classe. James Kendall Cobleigh perçut la nature de Winifred Tuttle. Le dessus du panier.

« Pas si mal ? Tu plaisantes ? J. C., j'ai monté de plus belles juments. Franchement. » James ne répondit pas ; il entendit la musique ralentir légèrement et s'éloigna de son cousin.

Elle ne semblait pas à sa place dans cette débauche de marbre et de cristal. Tout ce luxe, par rapport à elle, paraissait de mauvais goût. James passa la main sur sa joue rasée de près. Il se sentait bête, intrigué par cette fille que les garçons tournaient en dérision. Une fille simple, maladroite et saine.

La plainte d'une clarinette, rapidement suivie d'un joyeux « ta-da ! » C'était la fin de la chanson. Paget Trent retira brusquement sa main droite, toute moite, du dos de sa partenaire ; une seconde après, il laissait tomber la gauche en grimaçant un sourire. Winifred se retrouva vacillant sur un pied, puis sur l'autre. La chute. Elle allait tomber et tout le monde la regardait.

Et James Cobleigh la rattrapa dans ses bras et dit : « Je vous ai rattrapée ! »

La nuit devint tout à coup comme un film extraordinaire, une étincelante comédie romantique et, comme par magie, on lui avait donné le premier rôle. Le prodige, dans cette magie, c'était que son cavalier était l'homme le plus beau du monde et tellement gentil, tellement... Winifred lui plaisait terriblement.

Et il ne jouait pas la comédie. Tout le monde s'en rendait compte autour d'eux. On sentait qu'il se passait quelque chose d'important.

James Cobleigh avait de magnifiques yeux bleus qui la regardaient comme si elle était la femme la plus désirable au monde. Mais cette femme-là n'aurait pas rougi jusqu'à la racine des cheveux en lui rendant son regard pénétrant. Win avala sa salive puis baissa la tête.

A une heure du matin, les valets de pied avaient ouvert les portes de la salle à manger ; Win et James, suivis des cinq cents invités en grande tenue, se regroupèrent pour le traditionnel souper au champagne et aux œufs brouillés. « C'est ma belle-sœur qui s'est occupée de tout cela », marmonna Win, tout en repoussant la longue tige d'une rose blanche qui s'effeuillait dans ses œufs. Elle essayait de rester naturelle, mais elle sentait la respiration de James sur son épaule nue. « Je veux dire les fleurs. Elle a tant insisté, que ma mère l'a laissée faire. »

James prit la fourchette de la main de Win et la posa sur son assiette. Puis il porta sa main à ses lèvres, embrassa le bout de ses doigts et lécha son pouce. « Oh ! Mon Dieu », murmura-t-elle.

La famille eut vite fait de se renseigner. Maisie dit qu'il n'avait pas le sou et Polly que sa mère était une pomme pourrie tombée d'un bon arbre — une alcoolique — et Samuel affirma que son père était un homme de loi de mauvaise réputation.

Jeremiah prétendit que James était ambitieux. Quant à Win, elle leur avoua qu'elle savait déjà tout cela : James lui avait tout raconté dès leur deuxième entrevue, le lendemain du bal. Et après ?

Elle voulait entrer immédiatement à Wheelock ou dans toute autre université de Boston qui l'accueillerait, car elle avait l'intention de voir James aussi souvent que possible. C'était ainsi et voilà tout.

« James, je t'en prie.

— Non, Win. »

Ils se connaissaient depuis un an et s'étaient allongés à l'abri des hautes herbes à quelque trente mètres du court six du Racquet Club de Boston, où elle venait de le battre deux sets à un. « James, je t'aime tant, ce n'est pas mal, vraiment, et nous serons bientôt mariés et personne ne le saura et j'en ai tant envie. » James suivait le galbe de ses cuisses avec un brin d'herbe, puis il remonta vers son ventre. « S'il te plaît. » Son short et son slip avaient voltigé. James remonta sa blouse et son soutien-gorge qu'il roula serrés autour de son cou. Il lui caressa la poitrine avec le brin d'herbe tandis que, de l'autre main, posée sur sa bouche, il étouffait ses gémissements.

« Bientôt, Win, murmura-t-il. Dès que nous serons mariés. »

Le bureau de Samuel Tuttle était la seule pièce simple de la maison. Il avait résisté à toutes les tentatives de Maisie pour le revêtir de panneaux d'acajou, le draper de tissu luxueux ou le tendre de cuir. Elle n'y mettait jamais les pieds car elle s'y sentait mal à l'aise.

Comme Maisie, James, assis sur le siège qui faisait face au bureau, se sentait mal à l'aise. L'idée que Samuel Tuttle venait se reposer en ce lieu était intimidante. James commença : « Monsieur Tuttle, je... » Samuel posa son cigare sur un cendrier en cristal, croisa le regard de James et le soutint. James songea soudain que Samuel savait pertinemment quel effet produirait sur lui cette pièce dépouillée. Il se cala aussi loin qu'il put dans la chaise inconfortable, croisa les jambes et sourit. « Monsieur Tuttle, vous savez pourquoi je suis ici. Je veux épouser Winifred. J'aimerais avoir votre bénédiction. » Il regarda Samuel droit dans les yeux, ces yeux pâles et larmoyants. « Ou, tout au moins, votre consentement.

— Vous l'avez.

— Merci, monsieur.

— Remerciez Winifred. Ses protestations ont épuisé sa mère à Noël dernier. Cela n'a fait que prolonger les choses, puis, en fin de compte, j'ai dû admettre que je n'avais plus la force de lutter. Je regretterai sûrement ma faiblesse, si je vis assez longtemps pour cela. Vous ne serez pas un bon mari pour elle.

— Je vous assure que si, monsieur Tuttle. Je ne suis pas un opportuniste. J'aime infiniment Winifred. Et je suis capable de m'en occuper sans... Je n'espère ni ne recherche votre aide.

— C'est fort heureux, monsieur Cobleigh, car vous ne l'aurez pas. Winifred a quelque fortune de ses grands-parents et d'une tante, comme vous le savez, je suppose, et je n'ai aucun droit de regard là-dessus. Mais elle n'aura rien de plus de ma part. Pas plus que vous.

— Je n'attends absolument rien, monsieur Tuttle.

— Pas de cadeaux, monsieur Cobleigh. Pas de soutien. Aucune lettre d'introduction pour les cabinets juridiques de New York.

— Cela ne sera pas nécessaire. J'ai déjà une situation Je vais être associé chez Ivers & Hood.

— Ivers & Hood ?

— Oui. »

Samuel prit son cigare, puis le reposa. « Depuis quand vous a-t-on offert cette situation, si je puis me permettre ?

— En février. Deux de leurs directeurs sont venus à Harvard en janvier pour rencontrer des étudiants de troisième année.

— En février. Je vois. A propos, Ivers & Hood savaient-ils que vous connaissiez ma fille ? Le savaient-ils, monsieur Cobleigh ?

— Non. Ils l'ignoraient, monsieur Tuttle. »

Il prit son cigare. « J'ai des intérêts chez Ivers & Hood. Le saviez-vous ?

— Non, monsieur. Cependant, si cela vous contrarie, je pense... eh bien, j'ai reçu d'autres propositions.

— Ici à New York ?

— Oui, à New York. Et aussi à Boston.

— La mère de Winifred souhaiterait qu'elle habite New York.

— Nous habiterons donc New York, monsieur Tuttle.

— Vous pouvez tout aussi bien rester chez Ivers & Hood. C'est une maison solide.

— Bien, monsieur. »

Samuel fit un petit nuage de fumée avec son cigare. « Préférez-vous du sherry ou du porto, monsieur Cobleigh ? »

En septembre 1938, quatre ans et cinq jours après leur première rencontre, Winifred Tuttle répondit : « Oui » du fond du cœur au pasteur de l'église congrégationaliste de Park Avenue. Quelques minutes plus tard, madame James Cobleigh, dans un nuage suave de tulle, de muguet et d'orchidées, sortait au bras de son mari, contemplant ses yeux bleus profonds sans même remarquer les trois cents visages rayonnants sur les bancs de l'église.

Ils allaient quelquefois à l'Opéra et, de temps en temps, James travaillait tard, mais il rentrait habituellement de chez Ivers & Hood à huit heures, posait son chapeau sur la petite table chinoise, cadeau d'un oncle de Win, jetait son pardessus et son veston sur un fauteuil Queen Ann, cadeau de la marraine de Win, desserrait sa cravate en reps, étreignait Win et la portait dans leur chambre, où il la jetait sur le lit pour lui faire l'amour tout le reste de la soirée. La tête de lit victorienne en cuivre — cadeau de la tante Violette de James — cognait contre le mur, parfois de façon régulière, mais quelquefois avec une vitesse et une force extraordinaires.

Au cours de leur première année de mariage, Win perdit plus de trois kilos et James deux et demi, car ils sautaient souvent le dîner. Mais ils rayonnaient tous deux du bonheur des jeunes mariés. Même Samuel s'en aperçut et, pour Noël, il était calmé et autorisa Maisie à offrir à Win un manteau de phoque et à James une paire de boutons de manchettes ovales, en or, avec ses initiales richement gravées. Pour leur premier anniversaire, Samuel offrit de leur payer une bonne afin de libérer Win pour qu'elle puisse voir ses amies et s'occuper de ses œuvres et, lorsque James refusa, Samuel insista et leur proposa même de débaucher la cuisinière de la famille lorsque le jeune couple recevait les responsables de chez Ivers & Hood.

« Raconte-moi tout ce que tu as fait aujourd'hui », demanda Win. Il y avait un peu plus d'un an qu'ils étaient mariés. Elle laissait courir ses doigts sur le duvet blond foncé qui recouvrait le ventre de James.

« Recommençons.

— Pas tout de suite. Allons, enlève ta main de là. On devrait commencer à se comporter comme un couple adulte. Je devrais te parler et tu me trouverais intéressante. Par exemple, sais-tu ce que j'ai fait aujourd'hui ? »

James l'embrassa. Il avait une telle façon de faire que Win en avait les larmes aux yeux car il appuyait si fort que ses lèvres heurtaient ses dents. Ses baisers la troublaient tant qu'elle était incapable de bouger ou de penser quand il la serrait dans ses bras. Puis, tranquillement, il changeait de position et, avec sa langue, parcourait tout son corps, de haut en bas ; alors, elle était toute à lui. Lorsqu'elle gémissait, il semblait qu'il l'avait voulu ainsi ; enfin, ses larmes revenaient et elle demandait grâce et tout ce crescendo paraissait parfaitement planifié dans sa tête, à lui.

« Viens, James. Viens. »

Ce soir-là, les Cobleigh conçurent leur premier enfant.

L'étude d'Ivers & Hood se trouvait à égale distance de la Bourse de New York, de l'église de la Trinité et du Federal Hall et, sans pour autant extrapoler sur ce triple parrainage du commerce, de la religion et de la patrie, on pouvait dire que la plupart des collaborateurs de la société croyaient à leur vocation

de les servir tous trois. Il était clair que le peuple élu, c'était eux...
Les jeunes cadres brillants se persuadaient qu'un jour viendrait
où ils seraient associés dans l'entreprise, pour peu que le destin
reconnaisse leur génie ; dès lors, leur ascension serait vertigi-
neuse.

Un mardi sur deux, les associés d'Ivers & Hood réservaient une
table dans un restaurant de poissons peu distingué et, entre midi
et demi et deux heures, ils discutaient stratégie militaire en
Europe, prédisaient une victoire républicaine à la présidence et
restructuraient l'économie.

James Cobleigh, qui prenait très au sérieux la situation
militaire en Europe, était loin d'être d'accord avec ses collègues,
qui ne pouvaient admettre de comparer la ligne Maginot à la
Grande Muraille de Chine.

« Parle-moi des événements de la journée au bureau », dit Win.
Elle s'était lovée dans un grand fauteuil-club, les mains sur son
ventre de femme enceinte, bien qu'encore tout plat.

« Rien de bien excitant. René Thibaut, de la Compagnie
maritime franco-américaine, est à New York et l'on m'a désigné
pour le calmer un peu, mais c'est presque impossible. Il a
d'ailleurs de bonnes raisons pour cela.

— Quelles raisons ?

— Il craint fort que l'Allemagne n'envahisse la France.

— Oui, bien sûr. Mais ce n'est pas une raison pour faire cette
tête en me dévisageant.

— C'est vrai. Pardonne-moi. Nous avons eu le déjeuner des
collaborateurs aujourd'hui et j'ai failli sauter sur George Grun-
wald.

— Comment cela ?

— Eh bien, nous discutions de la ligne Maginot...

— Oh oui ! J'ai lu un article là-dessus l'autre jour, mais je dois
dire que ça me déprime beaucoup. Si tu ne te sentais pas si
concerné par tout cela, je sauterais toute la première page. Tu
prends tout cela tellement à cœur, James. Nous pensons tous la
même chose, non ? Personne n'aime vraiment les Allemands. Ils
sont tellement... je ne sais pas... tellement lourds. Heureusement
que la ligne Maginot les empêchera de rentrer en France.
Monsieur Thibaut en a-t-il parlé ?

— Non.

— James, pourquoi es-tu si bourru ?

— Je ne suis pas bourru.

— Mais si. Ce n'est pas parce que je ne veux pas passer mes soirées à scruter les cartes de l'Europe que je suis sans intérêt.

— Mais je n'ai pas dit cela, Win.

— Non, mais tu deviens si... si irrité dès que je refuse de passer la soirée entière à discuter de Winston Churchill. Ici, il n'est plus question que d'une chose : la guerre, toujours la guerre ; et après tu voudrais...

— Je voudrais quoi ?

— Tu voudrais que je passe au lit, que je me mette à rire et à être enjouée, après une soirée passée à analyser les événements en Europe. Je sais que je suis moins intelligente que toi, James, mais je n'avais jamais senti l'importance que cela avait jusqu'à maintenant.

— Je t'en prie, Win. Tu es très intelligente.

— Non, pas du tout. Je n'arrive même pas à trouver les Pays-Bas sur la carte. »

James s'approcha de Win, la souleva du fauteuil, s'y assit et l'attira sur ses genoux. Il l'enlaça et caressa sa nuque et son dos. « Tu es brillante, Win. Très brillante. Dis-moi maintenant, de quoi veux-tu que nous parlions ? De tout ce que tu voudras.

— Je veux juste que tu me parles de toi. Parle-moi de ta journée avec monsieur Thibaut. » Tandis qu'il lui massait le dos, ses yeux se fermèrent. Elle cacha sa tête dans son épaule. « Cela me fait tellement de bien. Parle-moi. Où en est ton français ? Je crois que tu as un accent absolument parfait, bien que les langues n'aient jamais été mon point fort. Arrives-tu à soutenir une conversation d'affaires avec monsieur Thibaut ?

— Je me débrouille.

— Hum ? Excuse-moi, je n'ai pas entendu.

— J'ai dit que je m'en tirais assez bien, mais Thibaut dit tout le temps que j'ai l'accent d'un pêcheur provençal qui aurait étudié la diction avec une vendeuse parisienne... et que cela donne un accent qu'on ne s'attend pas à trouver chez un Américain. Il a dit que, pour quelqu'un qui n'a jamais séjourné en France et n'a appris le français qu'à l'université, je parle plutôt bien. Il a dit en réalité que je ne trahissais pas la langue et, dans sa bouche, c'était un compliment.

— C'est fantastique. Moi, je peux à peine lire une carte et, si je dis quelque chose, je dois tout mettre au présent. Oh ! Peut-être qu'après tous ces drames, nous pourrons passer quelque temps à l'étranger. Tu sais, maman m'a dit qu'elle avait commandé toute ma layette en France. C'est désolant que les choses aillent si mal là-bas. Oh ! James, je ne sais pas comment je vais pouvoir attendre encore six mois avant la naissance de Bébé. C'est vraiment la chose la plus excitante du monde. » Win se mit brusquement à rougir. « Excepté toi. »

James lui dit : « Viens, allons nous coucher.

— Tu ne veux plus parler ? lui demanda-t-elle.

— Non, nous avons assez parlé. »

« Seigneur, Seigneur, aidez-moi. C'est trop dur. Oh ! S'il vous plaît.

— Chut, dit l'infirmière de la salle de travail.

— Non, je ne peux pas en supporter davantage. Je ne peux plus prendre sur moi... Donnez-moi quelque chose, je vous en prie. Un médicament contre la douleur.

— Calmez-vous un peu, Winnie. C'est bien votre nom, n'est-ce pas, Winnie ? Soyez raisonnable et courageuse, le Dr Ward sera là dans une minute. Allons ! Cela ne sert à rien de crier. Bien au contraire. »

Dans le salon d'attente réservé aux pères du Lying-In Hospital, il y avait déjà deux heures que le seul autre postulant s'était précipité dehors en apprenant que sa femme venait de mettre au monde une fille.

James ramassa le *Times* que l'autre avait laissé : 2 juillet 1940. Le gros titre parlait de l'invasion de la Roumanie. Le sous-titre disait : *Le prestige du Reich grandit*. Il ferma les yeux, puis les ouvrit pour lire un article annexe : « Hier, les bombardiers allemands, avec une audace toujours croissante, ont effectué leur premier raid de jour au-dessus de l'Angleterre depuis le début de l'offensive à l'ouest... »

« Monsieur Cobleigh, Monsieur Cobleigh », lança une infirmière de la porte. Elle vint à lui et se tint droite pour annoncer : « Non, pas encore. Le Dr Ward m'a juste demandé de vous dire que Madame Cobleigh est partie pour la salle d'accouchement. L'événement devrait se produire dans... à peu près une demi-heure. Je vous préviendrai.

— Merci bien. »

Un autre titre, plus bas sur la page, disait : *Les Forces nazies se sont emparées des îles Anglo-Normandes*. L'article expliquait que Jersey, Guernesey, Alderney et Sark étaient tombées et qu'ainsi les Allemands avaient pris pied sur le sol britannique.

« Encore un peu, dit le médecin accoucheur à l'anesthésiste. C'est une affaire de minutes. Aucun problème. Elle a un bassin d'éléphant. »

Il lut que l'ancien premier ministre français, Paul Reynaud, n'avait pas été victime d'un accident de voiture comme on l'avait relaté, mais que « la Gestapo l'avait emmené faire un tour pour éviter qu'il ne s'envole pour le Maroc où il voulait former un gouvernement antinazi ».

« Le voici qui vient », annonça le Dr Ward.

Il lut : *Le Reich voit que l'inquiétude grandit en Angleterre.* Il se cacha la tête dans les mains, jusqu'au moment où l'infirmière lui tapa sur l'épaule. Son front et ses joues étaient maculés d'encre d'imprimerie.
« Félicitations, roucoula-t-elle.
— Quoi ?
— C'est un garçon ! »

« Nicholas, dit-elle. C'est tellement masculin, tu ne trouves pas ? J'ai toujours raffolé de ce prénom. A moins que tu ne veuilles l'appeler comme ton père.
— Non, Win. Nicholas, c'est très bien.
— Tu ne le trouves pas adorable, James ? Regarde son petit bout de nez ?
— Il est très beau. » Il porta la main de sa femme à ses lèvres et l'embrassa. Dans la lumière crue de la chambre d'hôpital, ses taches de rousseur avaient un reflet jaune. « Comme toi. »

La troisième semaine d'octobre 1940, ils laissèrent Nicholas et sa nurse aux bons soins des Tuttle et partirent en voiture dans le flamboiement de l'automne vers un petit chalet installé sur quelque quatre-vingts hectares dans le parc des Berkshires, acquisition qu'ils avaient faite grâce à l'héritage d'une grand-tante de Win. « Tu es bien sûr que tu ne veux pas m'accompagner ? » demanda Win. Elle bourra son pantalon de velours côtelé dans ses chaussures montantes, qu'elle ferma en faisant un double nœud aux lacets.
« Non. J'ai des choses à lire. »

— Oh! James. Ce voyage devait être une seconde lune de miel. Tu me l'avais promis. Faire de grandes marches en forêt, contempler les étoiles, couper du bois à la hache et boire des tonnes de cidre. Et tu n'as même pas mis le nez à la fenêtre.

— Win, arrête.

— Mais c'est vrai. » Elle enfila une grosse veste de laine sur son chemisier de flanelle. « Dis-moi, de quelle couleur sont les feuilles de l'arbre qui est juste en face de la porte d'entrée.

— Je ne sais pas. Rouges.

— Il se trouve qu'elles sont jaunes.

— Ça suffit, Win.

— Tu es complètement noyé dans tes journaux et tes satanées revues, sans parler de ces rapports sinistres de ton groupe d'amis qui s'occupent de la guerre.

— Laisse-moi tranquille.

— C'est la vérité.

— Tu ne sais pas de quoi tu parles.

— Mais si. C'est la plus belle période de l'année, nous sommes seuls ici dans cet adorable petit chalet et tu ne vois même pas la couleur...

— J'ai vu cinq millions de ces sacrés arbres sur la route pour venir ici. Ils étaient magnifiques. *Je l'ai dit.* Que veux-tu de plus, Win ?

— Je veux seulement m'amuser. Je ne veux pas entendre parler des nazis tout le temps. Je ne veux pas savoir que la civilisation occidentale est condamnée si nous n'entrons pas en guerre. Ceci... ces choses-là n'ont rien à voir avec nous. Nous sommes à des milliers de kilomètres de là. Pourquoi ne peux-tu cesser d'y penser tout le temps ?

— Je n'y pense pas tout le temps.

— Bien sûr que si. Et chaque fois que je veux faire quelque chose d'amusant, comme d'acheter un cheval ou de rendre visite à Prissy et Glenn à Sainte-Croix... tu me fais la tête.

— Tout ce que je dis, c'est qu'il y a autre chose dans la vie que de visiter des écuries dans Central Park dans le seul but de voir si elles sont assez luxueuses pour un foutu canasson.

— Si tu montais, tu comprendrais mieux.

— Si je montais, je prendrais encore le temps de regarder le monde où je vis. Et je pourrais comprendre que, si quelque chose n'arrive pas très vite, tout ce qui restera de l'Angleterre sera cette stupide commode Hepplewhite que tu t'es précipitée pour acheter.

— Nous pouvons nous le permettre, James.

— Là n'est pas la question, nom d'un chien !

— Tu penses que je suis frivole. Vas-y, dis-le. Dis : " Win, tu ne penses qu'à des futilités pendant que je réfléchis à des choses importantes et profondes. "

— Laisse-moi tranquille.

— Le seul moment où tu me prends au sérieux, c'est au lit. C'est la vérité. Quand tu rentres du bureau et que je me permets de te parler d'acheter un tapis ou que je t'annonce que Nicholas va percer sa première dent, tu réprimes difficilement un bâillement. Tu n'as qu'une hâte : t'enfermer dans ton bureau et te plonger dans ta serviette remplie de documents assommants jusqu'à minuit, et après tu attends de moi...

— Va te promener, Winifred.

— James...

— Rends-moi service. Fiche-moi le camp de là. »

Nicholas commença à marcher une semaine avant son premier anniversaire. Ce jour-là, vêtu d'un pantalon marin et d'une chemise d'aspirant, il titubait à travers le salon en suçant son pouce et sa cravate rouge, il oscillait d'un grand parent à un autre, d'une chaise au piano et de là à la table.

Samuel murmura : « Grand Dieu, quand finit-il par s'arrêter ?

— Lorsqu'on est si épuisé qu'on ne fait plus attention à lui, dit Maisie. Viens donc par ici, Nicholas.

— Winifred, tu dois absolument trouver une nurse convenable. Cette mademoiselle Horreur, avec ses yeux vairon, ne lui apprend rien du tout.

— C'est difficile avec la guerre en Angleterre.

— J'aurais pensé qu'elles seraient heureuses d'échapper aux bombardements. »

Samuel intervint : « Maisie, il y a de plus grandes priorités que les nurses. Maintenant, Win, peux-tu me dire ce que fait James à Washington ?

— Je ne sais pas trop, papa. Mais il devait rencontrer Monsieur Donovan hier. Il est très... enfin, très inquiet de la situation mondiale. Il désire se rendre utile.

— De quelle manière, Winifred ? demanda calmement son père.

— Je ne sais pas trop, papa. Il ne m'en parle pas, tu sais. Mais tout cela... tous les problèmes mondiaux... lui tiennent beaucoup à cœur.

— C'est que les problèmes sont sérieux, Win.

— Je sais. Mais le sont-ils au point de rater le premier anniversaire de son fils ? »

Neuf jours après l'anniversaire de Nicholas, le 11 juillet 1941, le président Roosevelt nomma un homme de loi de Wall Street, William Donovan, à la tête d'une agence baptisée Coordination de l'information. Le but de l'agence était de « recueillir et d'analyser tous renseignements et données touchant la sécurité nationale ». Donovan rechercha des collaborateurs. L'Amérique n'était pas en guerre, mais il savait que cela ne saurait tarder et des missions un peu particulières devaient être menées à bien. Il voulait s'entourer de jeunes hommes de valeur, intelligents, ayant le sens de l'honneur et ingénieux : des hommes de son espèce. Aidé de ses amis, il les recherche sur le terrain où il était certain de les trouver, son propre terrain : dans les cercles blancs et anglo-saxons des grandes universités de l'Est, dans les bureaux d'avocats conseils et les études juridiques, et enfin dans les banques. En d'autres termes, la C.O.I. (qui devint l'O.S.S., puis la C.I.A.) fut, au départ, un nid d'espions de l'Ivy League. Et James Cobleigh faisait partie de l'équipe.

« Bien sûr que je ne suis pas un espion, dit James.
— Mais, James, papa a dit que le colonel Donovan...
— Win, tout ce que je fais, c'est d'arranger certaines choses pour Bill Donovan. Mon français n'est pas mauvais et je peux parler avec un ou deux types qui connaissent bien la situation en France.
— Alors, pourquoi ne peux-tu me dire où tu vas ? Tu ne veux plus me parler maintenant.
— Je ne peux pas te dire où je vais parce que c'est un secret. Crois-moi, ce sera un voyage rapide, mais c'est important. Si je pouvais choisir, crois-tu que je vous laisserais Nick et toi ?
— Mais tu n'es pas obligé. On pourrait envoyer quelqu'un d'autre qui n'a pas de femme et...
— Je veux y aller. Oh ! Ne commence pas à pleurer. Ce n'est pas juste pour moi. Je serai de retour avant que tu ne t'en rendes compte. Avant même que tu comprennes que c'est bien plus drôle de ne plus m'avoir sur le dos.
— James, tu sais bien que je ne peux pas m'amuser si tu n'es pas là. »
Il respira profondément, avant de répondre :
« Je le sais, Win. »

Ils l'envoyèrent en Angleterre. De là, avec un membre du
B.C.R.A. (les services secrets en exil du général de Gaulle), James
traversa la Manche. Il voyagea sur un X 23, sous-marin britannique de moins de vingt mètres de long.

On déposa James et son escorte dans un village de pêcheurs du
Pas-de-Calais. Ils passèrent deux semaines en compagnie de trois
des chefs de la Résistance française. Le plus jeune avait été
professeur assistant en lettres classiques avant l'invasion allemande. Elle s'appelait Denise Levesque. C'était une fille très
simple et pas très jolie, mais très intelligente.

Elle fit un exposé à James pour lui expliquer pourquoi Ovide
était un si mauvais poète, puis lui demanda immédiatement des
explications sur chaque amendement de la Constitution des
Etats-Unis ; elle lui montra comment désamorcer une grenade et
le convainquit qu'avec suffisamment d'armes, la Résistance
pouvait mettre les nazis en déroute.

Ce fut leur première journée ensemble. Le deuxième jour, elle
lui fit à dîner : un sauté de lapin suivi d'un calvados maison.
« Vous n'avez jamais fait de grec ? » lui demanda Denise. James
était encore assez lucide pour comprendre qu'elle n'était absolument pas ivre.

« Non, seulement du français. » Il prononçait chaque mot
séparément et lentement, réfléchissant sur chacun d'eux pour
être sûr de choisir le bon.

« Pas de latin ?

— Non.

— Et l'on vous considère comme un homme cultivé aux Etats-
Unis ? Non. Ne fermez pas les yeux. Vous allez vous endormir et
je me retrouverai toute seule. Vous comprenez, James ? Maintenant, parlez-moi de New York. Je veux tout savoir sur les
restaurants. » Elle étira ses jambes plutôt lourdes sur le parquet
et soupira.

La nuit suivante, elle lui dit qu'elle était convaincue qu'elle
mourrait avant la fin de la guerre. Il lui mit la main sur la
bouche. « Ne dis pas cela.

— Oh ! James. Ne sois pas si sérieux. Les amours en temps de
guerre sont des amours condamnées. Tu as eu la vie trop facile,
mon chéri. Tu as besoin d'un peu de terreur, du frisson de la
destruction imminente, pour être heureux.

— Ce n'est pas vrai, Denise. Tu le sais bien.

— Allons, James. Ne fais pas la moue. Tu es très, très
courageux, et sincère. Je le sais. Et si beau... Fais-moi ton beau
sourire américain à la Douglas Fairbanks. Voilà, c'est bien. »

Il la tint enlacée et l'embrassa et, avant de la glisser de

nouveau sur lui, il lui confia qu'il avait un pouvoir de magie américain, un pouvoir spécial. « Tu vois, je passe mes mains sur toi comme ça et, très vite, plus rien au monde ne peut te faire de mal. Tu me crois ? » Elle rit et secoua la tête en disant non. « Denise, dit-il en la serrant contre lui, ça n'a jamais été comme ça avant. Oh ! Dieu, je te le jure. Je n'aurais jamais imaginé éprouver ce sentiment pour quelqu'un un jour. »

Il rentra chez lui trois semaines après pour retrouver sa femme enceinte, son bureau qui ne l'intéressait plus et son fils qui voyait son père si rarement qu'il ne pleura même pas le mois suivant en voyant la valise de James devant la porte d'entrée. « Dis au revoir à papa, l'enjoignit Win.

— R'voir », dit Nicholas. Puis il tourna les talons, ne regardant pas sa mère qui commençait à pleurer ni son père qui la dévisageait.

8

Nicholas Cobleigh est-il sincère? Ou bien, ses veilles auprès du lit de Jane, à Londres, ne sont-elles qu'une soigneuse mise en scène pour les médias? On murmure ici et à Los Angeles que le Couple doré n'était plus très amoureux ces derniers temps (tout au moins pas l'un avec l'autre) et, d'ailleurs...

New York Post.

« Bon, d'accord, nom d'un chien », gronda-t-il. Puis, excédé, il soupira si fort qu'on entendit comme un grognement dans l'appareil; enfin, James Cobleigh promit à Win de rentrer de Washington à temps pour interroger la nouvelle nurse, ce dimanche-là. Or, ce dimanche 7 décembre 1941 fut le jour de Pearl Harbor, si bien que Nounou Williams et son huile de foie de morue étaient installés dans la chambre du fond depuis plus de trois semaines lorsque James rentra à New York pour boucler sa valise.

James emporta peu de chose. Il venait d'être nommé capitaine dans l'armée, détaché auprès de l'O.S.S., et il savait exactement où il serait envoyé : le 1er janvier 1942, il embarqua pour l'Angleterre et plusieurs semaines après, pour la troisième fois, il se glissa en France occupée et dans les bras de Denise Levesque.

Nicholas ne garda aucun souvenir du départ de son père. Pourtant, James avait passé sa dernière matinée à New York assis par terre dans la chambre de son fils, à construire de curieux gratte-ciel en blocs de bois; il avait ensuite invité Nicholas, tout rouge d'excitation, à donner un coup de pied dedans pour que tout s'écroulât. Depuis sa naissance, un an et demi plus tôt, Nicholas n'avait jamais passé autant de temps seul avec son père, et cela lui avait donné comme des vertiges.

Pendant toute la guerre, sa mère répéta : « Tu te souviens de papa ? Tu te souviens des blocs de bois ? Tu les avais démolis d'un coup de pied et tu avais dit : " Au revoir, papa " (Win faisait le geste de la main) et tu l'avais embrassé. Tu t'en souviens ? »

Dès qu'il eut un peu plus de deux ans, son vocabulaire lui permit de lui répondre et il dit : « Non. » Sa mère parut alors tellement triste et Nounou Benson (on avait renvoyé Nounou Williams), qui se tenait derrière Winifred, secoua la tête avec une telle énergie qu'il sourit en disant : « Je m'en souviens. »

On avait posé la photographie de James, dans un cadre de bois, sur une étagère dans la chambre d'enfants.

Nicholas passait tous les jours devant le portrait. Lorsqu'il le remarquait, cet homme qu'il devait appeler papa lui paraissait familier et rassurant. Mais, par certains sombres après-midi d'hiver, le masque semblait le haïr et lui vouloir du mal. A trois ans, ses phantasmes disparurent.

Thomas, le frère de Nicholas, vint au monde peu de temps après le départ de James en Europe. Ses réactions étaient bien moins compliquées. Lorsque Win venait voir ses enfants, elle s'asseyait dans le vieux fauteuil à bascule et prenait Thomas sur ses genoux ; puis, attrapant la photographie, elle disait : « Et si on faisait un gros baiser à papa ? » Win, puis Nicholas embrassaient alors la photo, laissant des traces de leurs lèvres sur le verre. Et Thomas disait : « Papa. » Il appelait aussi « papa » tous les soldats, marins et agents de police qu'il croisait sur son chemin en allant jouer à Central Park.

Les papiers de James étaient au nom de Giles Lemonnier, né à Boulogne (parents décédés), commis boulanger. Il fut arrêté deux fois par des patrouilles allemandes, à trois ou quatre heures du matin, sur des routes de traverse, et put ainsi s'en tirer en disant : « Oh, mais, oh oui, bien sûr, je file à vélo pour faire cuire les miches que le colonel baron Oskar von Finkhenhausen trouvera sur son plateau ce matin. » Et ils lui avaient fait signe de poursuivre son chemin.

Il n'avait plus rien de commun avec l'homme de la photo dans l'appartement de Park Avenue. Il avait les cheveux courts coupés à la diable et en broussaille, comme les portent habituellement les pauvres gars peu dégourdis. Il affectait un léger zézaiement tout en cherchant ses mots pour camoufler ce qui lui restait d'accent et il apprit aussi à perdre son habitude américaine de marcher à longues enjambées pour donner de lui-même l'allure d'un homme sans intérêt. Malgré cela, il ne tenait pas à tester ses capacités de comédien et se tenait soigneusement à l'écart des Allemands et des Français moyens. Il n'avait affaire qu'à la Résistance.

James avait deux missions, ainsi que ses collègues O.S.S. pour le nord de la France : dans un premier temps, faire connaître par radio à l'O.S.S. de Londres la structure et l'efficacité des différents groupes de résistants dans le Pas-de-Calais ; dans un deuxième temps, aider à monter des opérations qui pourraient induire les Allemands à croire que le débarquement inévitable des Alliés se produirait dans le Pas-de-Calais plutôt que dans une improbable Normandie. La première partie de sa mission était difficile, en raison de la diversité des groupes de résistants : catholiques, communistes, loyalistes, protestants, gaullistes, juifs, socialistes, patriotes, psychopathes, enfin même parfois collaborateurs. La deuxième partie était pénible et dangereuse car, pour réussir, il devait éveiller les soupçons des Allemands sur l'activité des résistants du Pas-de-Calais et donc en sacrifier *quelques-uns* aux nazis.

Les complications venaient aussi de Denise Levesque, qui, de professeur de latin-grec, était passée à la tête des réseaux qui sabotaient les bases allemandes. James était amoureux d'elle. Elle était complètement différente de sa femme, ni tendre ni bien élevée, mais elle avait deux qualités qui faisaient défaut à Win : elle était intelligente et connaissait sa propre valeur. Pour la première fois, James avait une amie qui aimait les mêmes choses que lui. Denise était tout à fait à l'aise pour débattre des problèmes mondiaux, qui mettaient Win au pilori. Elle discutait de ses idées, se moquait de ses prétentions et dépréciait ses compétences ; mais elle ne l'en aimait pas moins. Et, lorsqu'ils faisaient l'amour, elle n'était pas complètement abandonnée à son bon vouloir comme Win, qui attendait les yeux clos qu'il l'emmène jusqu'au bout ; elle partageait sa sensualité, le suivant à l'occasion, mais la plupart du temps prenant les initiatives pour arriver à ses fins. Il désirait l'épouser.

La correspondance mensuelle de James transbordait par Londres, acheminée grâce aux vols nocturnes de munitions et de vivres. Le courrier était lu et censuré à l'arrivée, puis réexpédié à New York. En avril 1944, deux mois avant le jour J, installé sur un billot de bois dans la cave de la petite maison de Denise, James écrivit : *Chère Win, ce que j'ai à dire ne peut être dit avec ménagements ni gentillesse. Par conséquent... je vais être direct et cruel. Je suis...*

« Tu écris à Winifred ? » demanda Denise. James sursauta et

leva brusquement la tête. Il blêmit. Denise avait assez l'expérience de la guérilla pour descendre les douze marches branlantes de la cave sans aucun bruit.

« Oui.

— Qu'est-ce que tu écris ?

— Juste que tout va bien pour moi et...

— Menteur ! Et maintenant, dis-moi ce que tu lui écris ?

— Ce que tu m'as recommandé de ne pas lui écrire.

— Oh ! James ! Tu ne dois pas faire cela. Tu avais promis.

— Denise... » Elle s'empara vivement de la feuille de papier posée sur le billot et la déchira en deux, puis en quatre. « Denise, je vais réécrire inlassablement la même chose.

— C'est un mélodrame stupide. Ça servira à quoi ? Dis-le-moi. Ça ne servira qu'à assouvir ton goût pour les romans à deux sous. Ça suffit, James. Tu n'obtiendras pas ton divorce maintenant. Jusqu'à nouvel ordre, tu ne peux pas m'épouser. Alors, pourquoi la torturer ?

— Parce que je veux que rien ni personne ne nous sépare.

— Ecoute-moi. La guerre n'est pas finie. Et si je mourais ?

— Tu ne mourras pas.

— Et si, toi, tu mourais, James ? Y as-tu pensé ? Quel souvenir Winifred et tes garçons garderaient-ils de toi ? Une lettre disant que tu en aimes une autre ?

— Denise...

— Tu auras tout le temps de le lui dire quand la guerre sera finie. »

Et James écrivit donc :

« Chère Win,

« Je pense que tu as parfaitement raison de commencer les leçons d'équitation pour Nicky dès le printemps. Comme tu l'as vu par mon expérience humiliante, si l'on attend trop pour monter à cheval...

« ... et embrasse Nicky et Tommy pour moi et dis-leur que leur papa les aime beaucoup.

« Affectueusement,
James. »

« Suppose, maman, que tu sois une femme *obligée* de travailler, dit Win à sa mère. Est-ce que tu ne préférerais pas t'occuper d'enfants dans un appartement ravissant plutôt que de plier des parachutes ou de riveter Dieu sait quoi sur une ligne de montage ? »

Elles se trouvaient dans une prairie qui partait d'un étang et ondulait à travers les hectares de la ferme des Tuttle dans le Connecticut. Les arbres étaient en pleine floraison ; sous le ciel de mai, bleu et comme lavé, une brume rose et mauve adoucissait les contours du verger. Maisie cueillit un bouton de pommier sauvage, rose et brillant, et l'accrocha à son oreille comme une fleur d'hibiscus. « N'ai-je pas l'air d'une jeune fille des îles ? demanda-t-elle. Sans doute une jeune fille d'un certain âge, mais néanmoins... quel est le terme ?... Ah oui, nubile. Je n'en connais pas très bien le sens mais je suis sûre qu'on doit essayer de l'être, si l'on peut. » Elle retira un peigne en écaille de son chignon pour réajuster une mèche de cheveux blancs. Maisie avait dépassé la soixantaine, mais seuls ses cheveux et les veines saillantes de ses mains trahissaient son âge. Ses traits étaient encore fermes, sa peau de soie et ses yeux noirs, brillants.

« Maman... dit Win.

— Je suppose que tu n'attends aucune réponse à ta question », répliqua Maisie d'un ton cassant. Win baissa la tête. A côté de sa mère, elle paraissait mince et fragile. Elle n'avait plus été aimée ni caressée depuis le départ de James à la guerre ; privée de plaisir, elle avait perdu sa féminité et repris son air de cavale, comme aux temps de ses débuts.

« Ma chère fille, tu fais tout à l'envers. Tu es tout le temps dehors et tu supposes que la maison va tourner rond, que les chandeliers seront briqués et que les enfants mettront à temps leurs manteaux d'hiver. Et de quelle façon ? Y a-t-il un chœur d'anges pour claironner tes ordres aux domestiques tandis que tu déjeunes avec cette idiote de Prissy Ross ? Pas étonnant que le personnel ne fasse qu'entrer et sortir. Et les nounous, parlons-en ! Tu engages les plus bêtes, puis tu t'étonnes que Tommy soit constipé depuis six semaines et que Nicky continue à se toucher. Honnêtement, Winifred, je ne vois pas comment... Ah ! Je t'en prie, cesse donc de trembloter du menton.

— Maman, je fais des efforts. Sincèrement. Mais je ne suis pas comme toi. Je ne peux pas dire à une bonne : " Oh ! Minnie, la nappe a des faux plis, ou bien dites à la nounou que les enfants ont les oreilles sales. "

— Et pourquoi cela ?

— Parce que je ne suis pas comme toi. Je ne me sens pas sûre de moi.

— Eh bien, tu dois faire semblant, voilà tout. »

Le petit Nicholas, qui avait cinq ans, chantait l'air de son programme de radio favori. Du bout de sa botte, il écrasa une motte humide de bonne terre noire du Connecticut. Malgré les effluves des sapins typiques de la côte Est, de l'herbe fauchée et du crottin, il imaginait que la ferme de ses grands-parents était un ranch. Il coinça ses pouces dans la ceinture de sa culotte de cheval (qu'il détestait) comme si elle était en cuir.

« Qu'est-ce que tu racontes, petit ? » Monsieur Sullivan, le palefrenier de son grand-père, apparut à l'angle de l'écurie avec Lady Red, une petite pouliche chassieuse, la seule qu'on autorisait Nicholas à monter.

« Rien, monsieur Sullivan.

— Tu es prêt à monter Lady Red ?

— Oui.

— Bon, viens par ici. Je vais te donner un coup de main.

— Est-ce que c'est un étalon sauvage ?

— Enfin, pas exactement. Mais presque, mon garçon. Il te faudra la surveiller. Tu vois ce que je veux dire ? Ne pas la lâcher une minute. Ne la laisse pas s'écarter sans raison. Tu pourras y arriver ?

— Oui, je crois. »

Nicholas était le plus heureux des enfants à la ferme. L'air vif de la campagne remuait quelque chose en lui et lorsqu'il était dehors, il arborait un sourire extasié.

Il ne pouvait pas rester en place. Il avait une allure athlétique, comme sa mère, et prenait infiniment plus de plaisir à courir après les chiens jusqu'au verger qu'à écouter le *Casse-noisette*, emprisonné dans son costume de velours.

Né à Manhattan, ce n'était cependant pas un enfant des villes. Contrairement à Thomas, qui ne quittait pas son ours bien soigné et le dorlotait, Nicholas passait son temps à sauter et à caracoler.

A la ferme, il était libéré du défilé permanent de dames en chapeaux qui caquetaient et cherchaient à le pincer. On aurait dit que Thomas faisait ses délices du monde des adultes. Nicholas était trop observateur pour en faire autant ; il comprenait que les sujets qui intéressaient sa mère et ses amies ainsi que ses grands-parents n'avaient rien à voir avec les enfants.

« Eh bien, mon garçon, tu t'en tires bien lança le palefrenier. Tu fais du bon travail ici. » Nicholas sourit, puis il s'empourpra et regarda l'horizon avec les yeux de Texas Pete, digne et plein de confiance en lui. « Tu te débrouilles vraiment bien. »

Nicholas était, de loin, le plus beau des deux frères ; mais, dans son enfance, il décourageait les gens par ses vagues bonjours et ses airs rêveurs. Les dames de la société new-yorkaise et les gouvernantes anglaises convenables n'appréciaient pas le caractère du jeune Nicholas à cinq ans. Dans sa petite enfance, il n'eut cependant pas beaucoup de nurses anglaises convenables.

De 1940 à 1945, les liaisons maritimes entre Southampton et New York ne regorgeaient pas de bataillons de nurses à la recherche d'un emploi. De nombreuses femmes américaines de la haute bourgeoisie, devant le faible niveau de l'aide disponible, soupiraient et préféraient élever leurs enfants elles-mêmes. Win en était incapable. Elle ne se sentait pas plus de dispositions pour changer une couche ou dorloter un enfant malade que pour faire des claquettes.

Elle était aussi assaillie d'obligations. Sa position sociale et sa nature altruiste l'avaient amenée à des postes de responsabilité dans sept organisations charitables. De plus, elle roulait des bandages, tricotait des bonnets, emballait des médicaments et présidait plusieurs thés. Il lui restait deux heures par jour pour ses enfants ; c'était deux heures de bonheur, mais il ne lui vint jamais à l'esprit qu'elle pourrait les multiplier.

« Ça me prendra au maximum quatre semaines, dit James.

— Quatre semaines ? demanda Denise.

— Enfin, peut-être cinq ou six. Si je suis coincé à Londres quelques jours... avec les réunions et tout ce qui s'ensuit... et si je manque le *New Orleans*, je devrai attendre le transport de troupes suivant, et cela risque de prendre...

— Je ne compte pas partir en croisière en Méditerranée. Si tu reviens, tu me trouveras ici.

— Arrête, Denise ! Je t'interdis ! J'ai dit que je reviendrai. Il me faut simplement du temps pour expliquer à Winifred et signer quelques papiers, et je repartirai avec le bateau suivant pour la France. Tu le sais. Tu as ma parole. »

9

Et pour nous donner quelques précisions d'ordre clinique, nous avons en ligne le Dr Andrew Herbert, chef du service des urgences au Bellevue Hospital et auteur de...

The MacNeil Lehrer Report, **P.B.S.**

Presque perdus au fond d'un immense fauteuil à bascule, Nicholas, cinq ans, tient compagnie à Thomas, trois ans. Il rajuste les chaussettes de son frère. « Tiens-toi tranquille, murmure-t-il. Si tu continues à bouger, tes chaussettes vont retomber et ta chemise va se chiffonner.

— Est-ce que je dis " Bonjour monsieur, je suis Thomas Josiah Cobleigh " ?

— Non. Il sait qui tu es. C'est ton papa.

— Et le tien aussi ?

— Oui, je te l'ai dit un million de fois, Tommy. Tout comme maman, qui est notre maman à tous les deux. Tu n'as qu'à te lever et à l'embrasser.

— Toi aussi, tu vas l'embrasser ?

— Bien sûr. D'abord maman l'embrasse à la porte. C'est pour ça qu'elle attend là-bas, parce qu'elle l'a vu descendre du taxi. Et nous restons assis ici sans faire un geste jusqu'à ce qu'elle amène papa dans la chambre, alors nous nous levons et nous disons : " Bonjour, papa " et nous l'embrassons.

— Qui ira le premier ?

— Moi. Je suis le plus grand.

— Ce n'est pas juste.

— Mais si. Tu ne l'as jamais vu, toi.

— Ce n'est pas *juste*, Nicky.

— J'ai dit que si et je suis le chef.

— C'est pas vrai. Tu n'es qu'un âne idiot.

— Tu la fermes ou je te pince le nez, espèce de bébé.

— Ferme-la, Nicky.

— Chut !

— Tu n'es qu'une face de clown. Tu...

— Chut. Il est là. » Nicholas prit la main de son frère et la garda dans la sienne. « Ne t'en fais pas, Tommy. Tout ira bien. »

Il savait qu'il aurait à l'embrasser, mais ensuite, à la première occasion, il se rejetterait en arrière et dirait : « Winifred, il faut que nous parlions. » Mais James n'avait pas songé au choc qu'il éprouverait en rentrant chez lui ; après plus de trois années dans des caves humides et des commodités au fond du jardin, la vue de sa propre richesse le laissait pantois. Dès le hall, les parquets brillant d'un rouge sombre et le parfum des fleurs séchées dans une coupe en céladon le bouleversèrent ; cela lui donna envie de pleurer.

Il n'avait pas prévu non plus que la femme blottie dans ses bras, son épouse dégingandée à la chevelure flamboyante, sentirait si bon et serait si chaude et si accueillante. Les larges manches de sa robe en lin bleu vif découvraient ses bras piqués de taches de rousseur et des larmes assombrissaient ses cils pâles. Il ferma les yeux, la tint contre lui et caressa sa peau douce.

Il savait, en chemin, qu'il allait revoir ses fils, mais il ne pensait pas être si ébranlé lorsque son fils aîné, d'abord timide, leva la tête pour lui dire bonjour et qu'il découvrit le visage de son père chez son fils de cinq ans ; Nicholas était tout le portrait d'Henry Cobleigh, mais avec la douceur sérieuse de Winifred brillant derrière ses grands yeux turquoise. Et comment aurait-il pu résister à Thomas, face ronde et taches de rousseur des Tuttle, criant d'une voix de tête « Papa » puis, avec ses petits bras ronds, emprisonnant les jambes de James en lançant : « Papa, Pap, Pap ! »

Que dire du repas aux chandelles — rosbif et champagne — servi par une bonne en tenue noire et tablier blanc, de la brève visite de la famille Tuttle, lorsque Samuel lui mit la main sur l'épaule et dit : « Heureux de vous voir de retour, James. » Sans parler, pour finir, du corps élancé et de la peau soyeuse de Winifred.

La première semaine écoulée, il comprit que Denise Levesque avait vu juste. Leur liaison de guerre, intense, paraissait irréelle. Son monde, c'était New York. Dans les semaines qui suivirent, il essaya d'écrire à Denise à plusieurs reprises, admettant qu'elle avait été plus clairvoyante ; il ne pourrait pas retourner en France. Mais chacune de ses lettres lui paraissait ampoulée et froide. Denise s'en moquerait : c'étaient des lettres d'homme de loi. Il finit par renoncer à écrire, sachant que Denise comprendrait.

Tout était plus grand que la normale, au Broad Street Club, dans le centre de Manhattan. Les fauteuils étaient assez larges pour des gorilles. On aurait dit que les plafonds du club, qui s'élevaient à près de trois mètres du sol, et les murs aux boiseries d'acajou, procuraient une protection suffisante à ces hommes blancs, protestants de la haute bourgeoisie pour qu'ils jettent bas le masque du contrôle de soi et de la litote pour hurler, en silence, bien sûr, *Aboule ! Aboule !*

Samuel Tuttle sortit une crevette géante de son lit de glace pilée. « Je crois que je comprends, commença-t-il en croquant le tiers de la crevette. Vous envisagez de quitter Ivers & Hood, abandonner le travail juridique, traîner Winifred et les enfants à Washington et travailler pour des services secrets qui ne sont encore qu'en gestation. »

James prit une bonne rasade de son double whisky. Le club de son beau-père était si fermé que son cabinet, pourtant tout aussi fermé, n'avait pu y faire admettre que deux de ses collaborateurs. « Vous présentez cela comme si c'était un projet frivole. Ce n'est pas le cas.

— Si. Vous n'avez rien pour faire un espion. Vous avez une famille.

— Je travaillerai à Washington. Il y aurait peu de déplacements. Ecoutez-moi jusqu'au bout, s'il vous plaît, monsieur Tuttle. Je crois que la nécessité d'un réseau outre-mer de...

— Madame Tuttle ne souhaite pas voir sa fille unique quitter la ville et vivre la vie d'une épouse de fonctionnaire.

— Pour l'amour de Dieu !

— Et j'estime qu'il y a un moment, dans la vie de chaque homme, où il doit renoncer à terrasser le dragon ou partir à la recherche du saint Graal. En bref, il doit devenir adulte. Sa quête doit le mener dans le monde du commerce.

— Je vous en prie...

— Et j'ajouterai qu'il serait regrettable, très regrettable pour vous, de quitter Ivers & Hood au moment où une situation d'associé risque de se présenter du jour au lendemain.

— Demain, c'est-à-dire dans cinq ans. Je n'ai pas la patience...

— Cela n'est que trop évident. Vous n'avez aucune patience. Vous êtes un aventurier. Hélas, vous avez beau être très brillant, vous avez épousé une Tuttle, et nous sommes des gens tranquilles qui n'aimons pas être perturbés. Vos aventures ont pris fin le jour J. Votre vie d'espion est terminée. Vous serez avocat jusqu'à la fin de vos jours. Il est temps de le comprendre. Comme je viens de l'indiquer, ce ne sera pas si douloureux. Je suis convaincu qu'une situation d'associé est imminente.

— Monsieur Tuttle, je ne veux pas être pressenti comme associé avant les autres confrères de ma classe. Je ne veux pas d'un traitement de faveur parce que je suis votre gendre et que vous êtes un client important.

— Vous ne pensez pas que vous méritez de devenir associé ? » Samuel prit son verre d'eau et but longuement.

James finit son whisky en l'avalant d'une seule traite. « Je le mérite, oui, mais...

— Eh bien, c'est peut-être par vertu que vous serez récompensé un peu prématurément.

— Je ne veux pas accepter, monsieur Tuttle. Je pars pour Washington. Win est d'accord...

— Winifred accepterait de se faire immoler si vous allumiez le bûcher. C'est malheureux, mais c'est ainsi. Je ne pense pas, toutefois, que Washington soit à envisager pour vous.

— On m'a proposé une situation comme...

— Vraiment ? J'ai entendu dire que l'offre avait été annulée, James.

— Que voulez-vous dire ? Qu'est-ce que vous avez manigancé ? Avec qui avez-vous pris contact ?

— Toutes les parties concernées s'accordent à penser que vous serez bien plus satisfait en exerçant votre métier à New York. Il est possible que vous soyez de nouveau appelé à servir votre pays, dans un certain temps, mais ce moment ne semble pas pour demain. Un autre whisky ? »

James était étendu sur un drap de bain dans l'herbe drue qui bordait la berge sableuse du lac près du chalet des Cobleigh dans les Berkshires. Le bras replié, il se cachait les yeux. Sa peau nacrée n'avait plus profité d'une telle chaleur depuis l'été précédant Pearl Harbor et elle commençait à rôtir au soleil.

Nicholas était assis près de lui, en tailleur. Retenant sa

respiration, il abaissa lentement sa main jusqu'à frôler les petites touffes de poils qui couvraient la poitrine de son père. Nicholas retira sa main et inspecta sa propre poitrine, imberbe.

« Papa », murmura-t-il. James émit un grognement. « Papa, tu dors ?

— Oui.

— On retourne pêcher ?

— Plus tard.

— Est-ce que j'aurai des poils comme toi ?

— Quoi ?

— Plein sur mon ventre.

— Je ne sais pas, sans doute.

— Et sur mes jambes ?

— Ecoute, j'ai eu une semaine difficile, Nick. J'ai besoin de me reposer.

— Qu'est-ce qu'il y a eu ?

— Rien. Mais restons tranquilles encore un peu, d'accord ?

— D'accord. » Nicholas regarda son père qui s'étira sur son drap de bain et glissa ses mains sous sa tête en guise d'oreiller. Ses poils sous ses aisselles étaient raides et si pâles, presque blancs. Nicholas aurait voulu se fourrer la tête sous le bras de son père et entourer sa poitrine de son bras pour profiter de sa peau bien chaude et de son odeur d'homme.

Pour Nicholas, James ne correspondait pas exactement au père idéal. Mais, d'avoir vécu un peu au petit bonheur dans une maison sans homme l'avait rendu souple et, le lendemain du retour de James de la guerre, Nicholas voulut parler avec une voix de basse et fit irruption dans la salle de bains de ses parents pour se passer le blaireau de son père sur le visage.

Nicholas observa son père, puis il l'imita, calant son petit corps vivace sur l'herbe, mais son énergie inemployée tout autant que les cailloux rendait la position inconfortable. Il se leva et fit les cent pas en surveillant son père comme pour le forcer à s'éveiller en pleine forme.

Aussi désœuvré que fût son père, Nicholas désirait pourtant rester près de lui. Il était las de six années de chaos domestique et d'une perpétuelle tension qu'il ressentait mais voulait épargner à Thomas, il désirait donc rester avec son père.

« Papa, pourquoi tu m'as amené ici et pas Tommy ?

— Nick, laisse-moi tranquille.

— Parce qu'il est trop petit ?

— Oui. Il est mieux à la ferme, avec Nounou...

— Nounou Stewart.

— Nounou Stewart, oui, et grand-maman et grand-papa.

— Et maman doit rester à la maison et faire la sieste avant la naissance du bébé ?

— Oui.

— Pourquoi ?

— Pourquoi tu ne vas pas faire un petit tour ? D'accord, Nicky ?

— Est-ce que je vais par là chercher des vers pour la pêche ?

— Oui, bonne idée.

— Dans quoi je vais les mettre ?

— Nick, tu trouveras ça tout seul. D'accord ? Laisse-moi me reposer.

— Tu as eu une semaine difficile.

— C'est ça, j'ai eu une semaine difficile. »

Un mois après c'était tout aussi difficile. Le lundi, James était resté à son bureau de huit heures du matin à dix heures du soir. Promu associé trois mois plus tôt, il n'accordait pourtant qu'un intérêt minime à son cabinet. Lui qui avait aidé à sauver la civilisation occidentale, il la trouvait bien ennuyeuse maintenant.

Le mardi, il avait dîné avec Winifred à La Nuit bleue, invités par Dwayne Petrie, président de la Republic Petroleum et Madame ; lui portait une épingle de cravate garnie d'un D majuscule en brillants, elle un collier en diamants dont le D, orné de rubis, brillants et saphirs, se balançait au-dessus d'un décolleté prometteur.

Il y avait avec eux ce soir-là l'associé principal d'Ivers & Hood, Hamilton Cummings, et sa femme. Il portait des lunettes à monture métallique avec de gros verres et n'avait pas du tout de lèvres. La simple ligne de sa bouche ne souriait qu'au nom de la Republic Petroleum. Sa femme, Ginger, avait dépassé la quarantaine ; c'était une blonde pleine de charme comme l'avait été la mère de James, Louise, avant la naissance de son fils. Elle avait même, de Louise, le nez délicat et les narines frémissantes. Mais elle était affligée de la même maladie, l'alcoolisme. Après le dessert, elle fit quelques ouvertures embarrassantes à James, d'une voix pâteuse, « Voulez-vous goûter à la mienne, Jim ? » tout en collant sa cuiller pleine de mousse au chocolat sur les lèvres de James... puis sombra dans le silence.

Cela s'était passé le mardi. Le mercredi, en se mettant à table, il remarqua un petit tableau impressionniste accroché au-dessus du buffet. Le nom du peintre lui échappait, mais l'orgie de fleurs jaune pâle répandues sur le sol et la mousse, éclairées par la lumière rasante d'une fin d'après-midi, était à coup sûr l'œuvre d'un génie.

« Alors, James ? » susurra Win, en rougissant d'anxiété autant que d'une bouffée de chaleur de grossesse. Son regard passa de la toile à son mari puis se reposa sur le tableau. « James ? C'est quelque chose, non ? Tu sais, j'étais à la galerie Wasserman avec Westy Redding qui voulait faire estimer son aquarelle de Boullet, et j'en ai eu le souffle coupé, puis je me suis dit : " Win, tu ne dois pas y songer ", mais c'était si beau que ça m'hypnotisait, je ne pouvais m'en détacher. Enfin, c'était comme si je me trouvais au paradis dans ce jardin, ça devait y ressembler et... Mais qu'y a-t-il, James ? Oh ! Il ne te plaît pas ? Il ne te plaît pas, James ? James...

— Sonne la bonne, je te prie. Elle a oublié mon thé glacé.

— James, je supposais seulement que tu trouverais ça très beau. Jamais je n'aurais supposé qu'il ne te plairait pas. Je t'en prie, ne me regarde pas comme si j'étais transparente.

— Je voudrais mon thé glacé.

— Je suis navrée. Jamais je n'aurais supposé...

— C'est une manie, n'est-ce pas ?

— James...

— Winifred, combien de fois devrais-je le répéter ? Je suis étouffé par ton argent. Nous vivons dans un appartement au-dessus de mes moyens, avec des meubles au-dessus de mes moyens, avec des domestiques au-dessus de mes moyens et tu portes une paire de foutues boucles d'oreilles qui représentent une année de mes...

— Mais c'est maman qui m'en a fait cadeau.

— Et Maman t'a donné aussi la jolie montre. Et les jolies perles et les jolis vêtements. Et papa t'a donné la jolie voiture et le joli chèque et le joli...

— James, c'est à *nous* qu'il a donné l'argent.

— Mon œil.

— Tu parles comme ça parce que tu sais que ça va me contrarier.

— Je parle comme ça parce que j'en ai assez. Qu'est-ce qui te prend ? Ce chèque a été fait à ton nom. Chaque fois que je suis dans les parages, il y a quelqu'un qui te file quelques milliers de dollars, et tu cours immédiatement acheter quelque chose pour agrémenter ma vie. Je te dis que j'ai bien assez de vêtements et deux jours plus tard, je découvre trois chemises et une cravate du soir en soie...

— Mais il t'en *fallait* une, James.

— C'est à *toi* qu'il en fallait une. Tout ce dont j'ai besoin, c'est

qu'on me fiche la paix. Que dis-tu de ça, Win ? Tu pourrais
m'arranger ça ?

— Mais je te laisse en paix. Quand tu t'enfermes dans ton
bureau, je n'ai même pas *idée* de frapper. Mais qu'est-ce que ça a
à voir avec l'écharpe ?

— Un jour une écharpe, un jour un nouveau tableau que je ne
pourrais pas acheter si...

— C'est sur l'argent que m'a laissé l'oncle Joseph. Et c'est
tellement beau. Tu dois en convenir, James. C'est exceptionnel.
Et tout le monde dit que c'est un bon placement. Tout ce que je
veux, c'est une belle maison pour quand tu rentres, pour qu'on y
soit heureux, comme avant la guerre. Et tout ce que je possède
t'appartient, James, tu le sais.

— Parfait. Donc, cela t'est égal si je revends le tableau.

— James arrête.

— Donc, ce n'est pas à *nous*. N'est-ce pas, Win ?

— James, je le dis à regret, mais tu ne sembles pas prendre
plaisir à avoir des vêtements de chez Ogilvy, à partir en voyage, à
avoir tes repas préparés et servis et tes chemises repassées, à
profiter des garçons sortant du bain et resplendissant lorsque tu
rentres du bureau. Tu sais que je ne peux pas m'occuper de tout
cela seule.

— Tu peux, mais tu ne veux pas.

— Mais c'est bête.

— Ce n'est pas bête, Win. C'est simplement déplaisant.

— Pourquoi les choses seraient-elles déplaisantes, alors qu'elles n'ont pas à exister ? Tu voudrais vraiment que je me mette à
quatre pattes pour frotter les parquets ?

— Winifred, je ne suis pas mineur. Je suis associé dans un
cabinet de Wall Street et tu sais pertinemment que tu n'aurais
pas à te mettre à genoux.

— Mais pourquoi devrions-nous vivre comme les autres jeunes
associés dans ces petits trois-pièces ou dans ces constructions
Tudor de banlieue ? C'est tout à fait inutile, James. Je ne fais que
rendre les choses plus agréables pour nous.

— Tu ne veux pas d'un mari, Win. Tu veux faire ce que ta
famille attend de toi, et avoir un homme dans les parages parce
que ça se porte, chez les Tuttle. Ce que tu veux réellement, c'est
un gigolo, et tu fais tout ton possible pour que j'endosse le rôle. »
Winifred se leva, s'approcha de la chaise de James, et s'assit
par terre pour pouvoir lever la tête vers lui. « James, je t'en prie,
ne parle pas ainsi. Tu sais combien je te respecte. Je sais que ça a
été dur, depuis ton retour, pour te réhabituer à la vie civilisée,
mais tout le monde y arrive. J'en suis certaine. Ça doit te paraître

tellement monotone, mais tu vas te réhabituer. Et tu sais que je suis de tout cœur avec toi. Si je peux t'aider en quoi que ce soit...

— Allez, Winifred, retourne à ta place. Je le veux. Laisse-moi tranquille, nom de Dieu.

— Oh! James, je sais que tu n'aimes pas que j'en parle, mais je t'aime tant et il...

— Win.

— Oui ?

— Laisse-moi vivre ma vie. »

Le jeudi matin, sa secrétaire fit irruption dans son bureau et referma la porte derrière elle. « Monsieur Cobleigh, si je n'ai pas pu passer la communication, c'est parce que j'ai une dame au téléphone qui ne veut pas donner son nom mais qui souhaite vous parler ; je lui ai demandé trois fois.

— Hum. Oh, je crois savoir, ce doit être madame Snoud. La veuve de Hudson Container. Sa fille essaie de la faire déclarer irresponsable.

— Oh! Je suis désolée d'être entré ainsi dans votre bureau, monsieur Cobleigh, mais je ne savais pas...

— Ça ne fait rien, Gert. »

Quelques instants plus tard, James décrocha le téléphone pour répondre à l'appel : il ne l'avait pas vraiment escompté, mais ce n'était pas une surprise.

Le vendredi à midi, la température était telle dans la pièce, sans fenêtre, réservée aux dactylos, que l'une d'elles s'était évanouie une heure plus tôt ; elle en était encore commotionnée. James observa sa secrétaire. Elle répondit faiblement : « Bien, monsieur Cobleigh », lorsqu'il lui lança qu'il déjeunerait à son club.

En réalité, James s'engouffra dans le métro de Lexington Avenue où régnait une atmosphère de forêt tropicale sous la pluie. Un quart d'heure plus tard, le nœud de cravate impeccable, le veston entièrement boutonné et pas un seul cheveu en désordre, James, qui n'était pourtant qu'à quatre rues de son propre appartement, partit à larges enjambées vers la 1re Rue à l'ouest tandis que l'asphalte fondait sous ses pas.

Une demi-heure plus tard, il sirotait son second gin tonic glacé, caressé par les mains expertes de la femme de l'associé principal d'Ivers & Hood, Ginger Cummings.

Tard dans la nuit du 1er septembre 1947, Win était allongée sur le dos, les pieds relevés dans les étriers, sur la table de la salle d'accouchement du Lying-In Hospital ; elle transpirait et geignait pour mettre au monde la petite Olivia Rebecca Cobleigh, tandis que James était à Southampton, Long Island, dans la résidence d'été des Cummings ; dans la chambre en osier laqué blanc où l'on sentait la mer, il faisait l'amour avec Ginger Cummings pour la troisième fois de la journée, mais Ginger était tellement saoule qu'elle ne se rendait plus compte de rien et répétait qu'il était tard et qu'ils devaient aller se coucher. (Ham Cummings était à Chicago pour une promotion immobilière de cinq millions de dollars et, au même moment, il était étendu sur son lit à l'hôtel Ambassadeur, avec une prostituée à cinquante dollars qui lui faisait ce que Ginger avait fait à James deux heures plus tôt.)

La même nuit, Nounou Stewart permit à Thomas, qui pleurait, et à Nicholas, qui ne pleurait pas, de se glisser dans son lit. « Maintenant, Thomas, ne pleurniche plus. Sois un grand garçon. » Sa voix était si grave que les vibrations en étaient réconfortantes. « Eh bien, les garçons, calmez-vous, voyons. Votre maman va bientôt rentrer avec un nouveau petit frère, ou une petite sœur, et votre papa rentrera de son voyage d'affaires dès qu'il aura des nouvelles de votre maman, et tout ira bien. »

Bryan, le cousin de James, était un garçon démonstratif, du genre à conduire la farandole dans les fêtes à la campagne ou à hisser les caleçons de ses copains au mât du Yacht club ; cependant, il devint associé dans un cabinet juridique de Providence, Broadhurst & Fenn, en grande partie parce que la société de bijoux fantaisie de son père était le troisième plus gros client de l'étude.

« Le droit à la fac était barbant, mais je me disais, nom d'un chien, c'est Harvard, et on le sait bien que c'est barbant. Mais maintenant, c'est presque pire, parce que c'est toujours aussi assommant, mais il n'y a pas de filles dans le coin. Tu comprends, c'est une chose d'être assis en fac si tu sais que cinq minutes après, c'est terminé et que tu peux sortir pour aller peloter une fille.

— Mais enfin, tu as Jeannie et les enfants.

— Jeannie ? C'est les abonnés absents. Trois gosses et elle a fermé la boutique.

— Hum, tu n'as pas quelque consolation ?

— J'ai une des secrétaires, une charmante gourde qui s'occupe de sa mère dans une chaise roulante et qui ne peut s'échapper que le mercredi soir pour se faire peloter en vitesse. Et la fille du prof de golf, bâtie comme une amazone, mais elle se donne à la moitié du club, et je n'ai donc pas beaucoup l'occasion de la voir. Et puis... tu sais, quelques affaires par-ci par-là, qui ont besoin de se faire ramoner. Quel enfer ! C'est pire que les réunions entre confrères.

— Je m'en doute.

— Dis donc, J. C., pourquoi cet air renfrogné ? Qu'est-ce qui ne va pas ? Dis-moi ? Tu as des problèmes avec Winnie-la-Rousse ?

— Non.

— Je m'en doutais. Elle doit réellement en vouloir pour pondre des gosses comme si c'était plus amusant qu'une bonne soirée. Ça en fait combien maintenant ?

— Cinq. Nick, Tom. O... c'est Olivia... et les jumeaux, Michael et Abby. Mais c'est fini. Win le sait.

— Elle en veut d'autres ?

— Oui, je crois. Ça lui donne de l'importance. Tu comprends, Bryan, elle n'a qu'à les pondre, ensuite c'est la nounou et les bonnes. Elle a besoin de quelque chose pour se faire remarquer, alors elle ne prend pas de précautions et neuf mois plus tard elle tient un nouveau bébé sur les fonts baptismaux, puis sa mère et elle tirent des plans pour le repas de baptême... ensuite, un, deux, trois... le bébé part dans les bras de Nounou Stewart et voilà Win qui repart à cheval, aux déjeuners et dans les magasins.

— Ah ! Elle n'a donc pas de temps à te consacrer ?

— Si, elle me consacre tout le temps qu'il faut. Tout comme deux ou trois de ses amies. Quelle équipe elles font.

— Il s'agit de savoir quel laps de temps tu veux qu'elle te consacre, J. C. ? Allons, tu peux me parler. Je suis ton cousin et ton plus vieux copain. Ton témoin, devant Dieu. N'est-ce pas moi qui t'ai introduit dans la place ?

— J'ai quelqu'un.

— Mon Dieu, je le savais. Je m'en serais douté.

— Ce n'est pas... je ne suis pas amoureux d'elle. Elle me plaît. Elle a une allure folle. Blonde, bien roulée, un visage mince et un air froid de garce, mais... en réalité, elle aime beaucoup se convaincre du contraire.

— Bon Dieu, J. C., tu es quelqu'un. Sans blague. Je tombe sur Jeannie avec son père à la lippe et sa chaîne de trois drugstores miteux et une gourde de petite secrétaire toute flasque d'où je pense, et toi, tu décroches une Tuttle et...

— Et une alcoolique. Elle se descend presque un quart de brandy par jour. A partir de neuf, dix heures du soir, elle est complètement partie.

— Oh. Et tu la vois quand ?

— Au déjeuner, en général. Elle est au mieux à cette heure-là.

Ou, lorsque son mari est en voyage, je passe la nuit chez elle. Win croit que j'ai des affaires importantes à traiter à Boston. Ma... hum, dame, joue les opératrices de l'inter.

— Seigneur, J. C. Il y en a là-dedans. Sans blague. Et que fait le mari de la dame ?

— C'est un homme de loi.

— Dans un gros cabinet ?

— Oui.

— Lequel ? Allez, J. C., dis-le-moi.

— Le mien.

— Le tien ? Tu plaisantes. Oh ! merde.

— C'est l'associé le plus important.

— Oh ! Merde. Tu es *dingue* ?

— Pourquoi ?

— Conter fleurette à une alcoolique dont le mari est ton supérieur ! Qu'arrivera-t-il si elle fait un sac de nœuds et commence à ébruiter tes exploits ?

— C'est déjà fait. A une réunion, un soir, il y a environ six mois. Nous nous sommes tous moqués d'elle. Win a dit qu'elle croyait que la dame se faisait des illusions sur moi. Des illusions.

— Tu n'as pas tes esprits. Tu te rends compte de ce que tu risques ? Tu ficherais toute ta vie en l'air.

Tels des sarcophages en miniature, des jardinières en grès garnissaient l'extérieur des fenêtres de la nursery des Cobleigh, qui dominait la rue de dix-huit étages. Win avait planté à profusion des lobélias bleu très souples et des phlox roses très drus, et si Nounou Stewart n'avait pas accompagné chaque jour les enfants en bas, ils auraient pu croire que Manhattan était un paradis rose et bleu, une grande nursery recouverte de fresques.

Cela n'était qu'un début. Elle voulait apporter un reflet de la vie simple à la ferme de ses parents dans Park Avenue, pour lutter contre l'étouffement de Manhattan. En janvier 1949, enceinte de huit mois d'Abigail et Michael, elle avait commandé de grandes quantités de graines choisies dans des catalogues et les avait semées dans des centaines de tout petits pots tant et si bien que Nicholas et Thomas n'eurent plus l'usage de leur salle de bains.

En automne 1949, une petite voiture de livraison blanche, décorée d'un discret panneau *Les Fleurs* sur la porte du chauffeur, se dirigea vers l'entrée de service ; Monsieur Plotsky en veste blanche et son assistant en veste verte allaient passer presque une heure à répartir les fleurs coupées pour la semaine dans une vingtaine de vases rincés à l'eau fraîche.

Le matin de Noël, les enfants ouvrirent leurs cadeaux sous un magnifique sapin bleu. Monsieur Plotsky avait décoré les vestibules et entrées de houx et de gui.

Cinq enfants qui regardent un chiot se soulager sur un tapis, de connivence avec six visiteurs Tuttle et Tuttle par alliance qui se proposent pour tout nettoyer et qui réclament des chiffons, de l'eau minérale et du papier de toilette, cela fait beaucoup de tapage. Au moment du crescendo, James émergea de son brouillard de scotch et de cognac. Il saisit le vase de cristal uniflore posé sur la table de chevet et le jeta avec violence à travers la chambre ; l'objet vint s'écraser contre un pichet d'argent garni de roses blanches qui se trouvait sur la coiffeuse de Win.

Tout bruit cessa derrière les murs de la chambre. Quelques secondes plus tard, Win entra.

« Qui t'a demandé d'ouvrir cette fichue porte ? »

Winifred referma la porte derrière elle et s'y adossa.

« C'est Noël, James. Tu n'étais pas là la nuit dernière et...

— Fiche le camp.

— Nick *sait* que quelque chose ne tourne pas rond, James. Et Tom...

— Je t'ai dit de te débarrasser de ça.

— Je ne peux pas.

— Je te l'ai dit une fois, et je te le répète. Ou bien tu vas à Porto Rico pour te faire avorter ou bien je ne te toucherai jamais plus.

— C'était un accident.

— Sors d'ici.

— Le repas est à trois heures. Tom et O ont préparé les cartons. Ils sont si mignons, James...

— J'ai d'autres projets.

— Tu ne vas pas faire cela aujourd'hui.

— Vraiment ? »

Le ciel était de plomb, l'air lourd et humide. Mais les garçons qui couraient sur le terrain de sport à travers l'air poisseux avaient les joues rouges, les cheveux brillants ; ils portaient des tenues éclatantes et semblaient étrangers à la lourdeur environnante. Ils paraissaient élevés dans un endroit plus sain, une prairie anglaise ou un port danois, comme immunisés à New York.

Nicholas resplendissait. Les bras levés vers le ciel et les mains grandes ouvertes, il s'élança juste au bon moment pour se saisir du ballon de football projeté vers le but de St. Stephen qu'il gardait. Sa maîtrise n'avait d'égal que son aisance et il aurait drifté au sol si l'avant-centre de Cunningham, un garçon de dix ans fort comme un bœuf, en tenue vert et or, n'avait essayé d'envoyer de la tête le ballon dans le but et, ce faisant, enfoncé de toute sa force son crâne dans le menton de Nicholas.

La douleur commença comme un coup de poignard, puis gagna le maxillaire et le palais et irradia dans la tête. Nicholas hurla, mais aucun son ne sortit car son maxillaire fracassé bloquait sa langue, noyant son palais de sang. Il tomba sur le côté droit, essayant d'ouvrir la bouche pour cracher son sang et sa dent cassée, craignant de s'étouffer. Mais son maxillaire était bloqué et il ne réussit qu'à rejeter un peu de sang à travers ses lèvres.

« Ça va, Nick ? demanda l'entraîneur Jensen. Nick ? Nick, parle. Où as-tu mal, mon garçon ? »

La douleur qui labourait sa tête descendit vers le cou et l'épaule. Nicholas essaya de respirer profondément, mais sa bouche était coincée et son nez rempli de mucosités à la suite de ses larmes involontaires, et il ne pouvait respirer que par petites bouffées affolées. Il leva la main pour faire signe à l'entraîneur de lui laisser de l'air et comprit que la douleur venait aussi de sa main. Il était tombé dessus et s'était cassé le poignet.

Les deux équipes de Cunningham et St. Stephen étaient effrayées, car il vit des paires et des paires de souliers à crampons former un cercle à distance respectueuse. « Nick », lança l'entraîneur Jensen. Il paraissait en colère. « Nick ! Dis quelque chose.

— Seigneur, merde. » L'entraîneur de Cunningham semblait plus furieux encore. « Vous feriez bien d'appeler une ambulance en vitesse, Jake. Son bras ressemble à un quartier de viande. Et regardez sa bouche. »

Il ne perdit pas connaissance sur le chemin du New York Hospital, mais ce ne fut qu'une trêve. Ils nettoyèrent ses coupures avec un liquide froid qui le brûla et ils firent : « Hé ! Hé ! » lorsqu'il tenta de leur échapper. Ils ne se soucièrent pas de sa tête qui s'affaissa lorsqu'on le transborda du chariot à la table de radiographie et dirent « O.K. » lorsqu'il hurla de douleur. Le médecin qui lui recousit la mâchoire tenait en l'air une énorme aiguille et lui dit : « Tu as quel âge, dix ans ? Allons, sois un grand garçon ! Ce n'est qu'un maxillaire et un poignet cassés. On va te remettre ça d'aplomb en un rien de temps. Aussi simple que de faire un gâteau. Tu vas juste perdre quelques molaires. Qui a besoin de ses molaires, hein ? Maintenant, allons-y. Arrête de pleurer. Sois courageux. » Quand il essaya de se dégager des courroies qui le maintenaient serré, l'infirmière lui dit : « Comment veux-tu qu'on puisse te soigner si tu te conduis de la sorte ? » Et, lorsqu'il pleura parce qu'on tirait sur ses doigts recroquevillés pour appliquer le plâtre, ils dirent : « Bon, ça va maintenant. Ça a été un peu dur, mais c'est presque fini. »

Ils ne voulurent pas le relâcher car il n'y avait personne qui le réclamait. Nicholas était couché sur un lit vacant face à un mur blanc carrelé dans un coin de la salle des urgences, plâtré, bandé et gelé. L'entraîneur lui avait conseillé d'essayer de dormir et s'était éclipsé sous prétexte de chercher une cabine téléphonique « Je continue à appeler chez toi et au bureau de ton papa, Nick. » Il contacta aussi l'avocat de l'école.

Il fermait les yeux et appelait à son secours des pensées heureuses, mais la douleur décuplait et lui arrachait des larmes ou des gémissements.

Lui qui avait toujours été l'aîné, le plus fort, le plus courageux, c'était lui, maintenant, qui avait besoin de quelqu'un. « Mon Dieu, faites que maman ou papa sachent que je suis ici. Ou Nounou Stewart, ou grand-mère ou grand-père. N'importe qui. S'il vous plaît, trouvez-les. Merci. »

Win se trouvait cinq rues plus loin chez son amie Prissy, dégustant un second martini et se cassant la tête pour partager trois cents New-Yorkais nécessiteux en trente tables sympathiques pour le bal annuel des Airelles. James se trouvait trois kilomètres plus loin, dans la chambre de sudation du New York Athletic Club, se préparant à sortir avec sa nouvelle maîtresse. Elle s'appelait Germaine Bonnier et était professeur de français à l'école St. Stephen. James l'avait rencontrée deux jours après l'admission de Ginger Cummings dans un petit établissement du New Jersey pour une cure de désintoxication.

Nounou Stewart était au milieu de Central Park, surveillant Michael et Abigail qui promenaient le bébé, Edward, dans son grand landau, sur le chemin qui menait au zoo.

Le principal de St. Stephen finit par dénicher Win deux heures plus tard et, lorsqu'elle entra dans la salle des urgences, la figure rouge et gonflée de Nicholas la fit moins frissonner que son silence. Il la fixait de son seul œil ouvert ; il ne pleurait pas, ne se plaignait pas et n'essayait pas de dire « Maman ».

Rentré chez lui à six heures, Nounou glissa une paille entre ses lèvres et il réussit à avaler un peu de lait vanillé dès six heures deux, mais Nounou ne reçut en remerciement de sa peine qu'un léger signe de tête. A six heures quinze, Thomas caressa la main gauche, seule valide, de Nicholas. A six heures trente, Olivia cria, pleura et s'essuya le nez sur la couverture de Nicholas, puis elle disposa quatre de ses poupées sur le lit de son frère. Olivia et Thomas eurent droit à un cillement de l'œil gauche. A sept heures, les Tuttle arrivèrent avec leur chauffeur qui installa une série complète de *Hardy Boys* sur l'étagère de la chambre. Nicholas versa une seule larme. A sept heures quinze, ils décidèrent qu'il voulait dormir et se retirèrent.

« Le médecin a dit qu'il se remettrait vite, expliqua Win à ses parents.

— Bien sûr », approuva Samuel.

Maisie, qui était assise sur un divan à côté de Samuel, se leva brusquement et s'avança vers Win.

« Où est ton mari ? demanda-t-elle.

— Maman...

— Où est-il ? Son fils vient d'être blessé ; on a téléphoné à son bureau et ils ont dit qu'il était à son club. Et il n'y était pas... bien entendu.

— Maman, il doit être avec un client.

— Un client exigeant, sans doute.

— Maisie.

— Sincèrement, Samuel, je crois que j'ai le droit de parler à ma propre fille. Winifred, est-ce que tu vas supporter cela longtemps...

— Maman, je t'en prie... »

Ils restèrent assis, le silence rompu seulement par le cliquetis des tasses de café, jusqu'à onze heures trente. Puis une clé tourna dans la serrure. James rentra dans l'appartement et se dirigea vers le salon éclairé. « Que se passe-t-il ? » demanda-t-il. Sa voix était pâteuse, il n'était pas saoul, mais il avait bu.

« Votre fils a été blessé, dit Maisie.

— Voici plusieurs heures, ajouta Samuel.

— Lequel ?

— Nicholas. Il va bien, James ; je veux dire, il ira bien, vraiment, mais il... »

James se dégagea de sa belle-famille et courut le long du couloir qui menait à la chambre de Nicholas. Ils coururent derrière lui.

« Il dort.

— On lui a donné un sédatif.

— Est-ce que tu crois que tu peux juste... »

James ouvrit toute grande la porte de Nicholas et alluma la lumière.

« Dieu tout-puissant ! » dit-il en suffoquant, et il se précipita à son chevet. « Nicky, Nicky, mon amour, dit-il dans un souffle.

— James, surtout ne...

— Mais regarde-le. Il l'a réveillé.

— Il a la mâchoire brisée. Attention, par pitié.

— C'est arrivé pendant la partie de football. Un des garçons... »

James s'agenouilla au bord du lit. « Nicky, c'est papa. »

Nicholas scruta James du regard de son œil bleu intact et de l'œil enflé qui était rouge, presque fermé et noyé d'eau. Il gémit mais réussit à se tourner d'un côté. Puis il leva son bras plâtré avec une lenteur déconcertante et le jeta autour du cou de son père. Il y resta pendu, lourd, blanc, inerte, pendant un moment, puis il serra James et l'attira plus près de lui.

Ils entendirent alors que Nicholas disait : « Papa, papa, papa. »

10

Avec un budget de trente-cinq millions de dollars et, d'après certains, le sort du studio reposant
sur le succès de *Guillaume le Conquérant*, les
studios ont décidé de poursuivre la production
anglo-américaine de ce film de cape et d'épée.
Nicholas Cobleigh, qui en est la vedette et le
producteur exécutif, leur a fait savoir qu'il serait
indisponible aussi longtemps que l'état de santé de
sa femme resterait critique.

Wall Street Journal.

Dans les années qui suivirent celle de son accident, Nicholas se
cassa la jambe (football), le bras (équitation), il s'ouvrit l'épaule
(lacrosse [1]) et fut si souvent victime de contusions, d'écorchures,
de coupures et d'agressions variées qu'il était toujours en cours
de cicatrisation. C'était un athlète dans tous les sens du terme, se
ruant sur des adversaires souvent balourds sans se préoccuper de
ses poignets, de ses genoux et autres articulations. Après sa
première année d'internat, Winifred cessa de s'apitoyer sur ses
doigts tuméfiés ou ses bleus virant au jaune le long de ses tibias.

Cela n'avait aucun effet répulsif sur les jeunes filles des écoles
voisines. Elles étaient comme fascinées par ses meurtrissures.

Ce n'était pas le plus beau garçon de l'école, bien qu'il eût,
vraiment, beaucoup d'allure. Ses cheveux blonds d'enfant
avaient pris la teinte de la paille, soulignée de mèches cuivrées.
Ils étaient raides mais soyeux. Ses yeux, d'un bleu brillant,

---

1. Sport d'équipe très rapide et violent qui se joue avec des raquettes à longs
manches. *(N. d. T.)*

avaient des transparences vertes, comme une mer tropicale; c'était son seul côté exotique. Il avait le physique traditionnel d'un Anglo-Saxon, le teint pâle, le visage allongé et un nez qui partait très haut, entre ses sourcils.

Au repos, son visage était plutôt froid, mais les jeunes filles le croyaient romantique. Silencieux, et même plus. Il n'est pire eau que l'eau qui dort. Une bouche sensuelle, cruelle et de la tristesse au fond des yeux. Nicholas était, en réalité, un garçon plutôt conventionnel et ne comprenait pas pourquoi il suscitait tant de réactions passionnées. Une fille qu'il connaissait à peine déposait un baiser dans la paume de sa main ou lui caressait les jambes et, lorsqu'il se reculait, embarrassé et excité, mais un peu effrayé aussi, il l'entendait soupirer : « Oh! Nicky! »

. Leur désir grandissait encore lorsqu'elles voyaient Nicky à la plage, Nicky en short, Nicky sur le terrain de sport avec sa chemise roulée autour du cou. Il avait un très beau corps, mince mais bien musclé. Les doigts de la moins sensuelle des filles la démangeaient de l'envie de suivre le tracé des veines qui couraient le long de ses bras. Les autres désiraient lui frictionner les épaules, ou se frotter contre son dos, ou ébouriffer le duvet de ses mollets.

La première qui réussit fut Heather Smith. Elle n'avait rien d'exceptionnel, mais Nicholas fut attiré par sa gaieté et sa simplicité. Elle lui souriait beaucoup et ne semblait pas attendre quelque chose de mystérieux comme les autres filles — chose qu'il ne pouvait offrir. Lorsqu'ils se rencontrèrent, Heather demanda à Nicholas de lui faire une démonstration de sa musculature, en disant qu'il était si mignon qu'elle ne trouvait pas de mot pour le décrire. Cette requête l'étonna, mais il s'exécuta et gonfla son biceps jusqu'à ce qu'il en tremble. Heather vérifia à travers la manche du blazer et dit : « Oh! Oh! » A la fin de la soirée, il se sentit séduit par sa gentillesse et son indifférence à vouloir prouver qu'elle était capable de discuter de problèmes intellectuels. Elle en était incapable et Nicholas en fut soulagé, bien que d'un bon niveau lui-même. Il n'aimait pas avoir de discussions intellectuelles avec les filles. Ses réponses ne semblaient jamais leur donner satisfaction et elle répondait : « Oh! Tu veux dire... » tout en dansant le fox-trot sous l'œil vigilant de leurs chaperons. Heather l'aimait comme il était. Et Nicholas succomba à la charmante, stupide et attirante Heather Smith.

Heather ressemblait vraiment à une pêche. Les vacances d'hiver à Hobe Sound et celles d'été à Martha Vineyard avaient fait virer au rose doré la peau claire de Heather et décolorer le duvet de ses bras, de ses jambes et de sa lèvre supérieure. Ses formes, plutôt grassouillettes, s'étaient musclées grâce aux sports pratiqués à l'école : elle était ferme, dodue et mûre à point. Ses cuisses nues débordaient légèrement du siège de sa chaise de jardin en bois ; la peau en était plus pâle et tendre à l'intérieur que du côté bruni par le soleil.

Nicholas comprit que Heather avait surpris son regard car elle fit encore un mouvement. Elle frétilla sur sa chaise en levant son genou jusqu'à ce que son talon arrive à la hauteur du crochet qui fermait son ample short gris. Lorsqu'il la regarda droit dans les yeux pour briser le charme, elle baissa ses lourdes paupières et suça doucement la peau palmée de son pouce. Il ne savait pas si elle l'aguichait en se tenant comme les filles des calendriers sexy pour l'exciter ou si elle était assez innocente pour ne pas comprendre à quel point c'était une « pêche » mûre qu'on avait envie de croquer à belles dents. Cependant, il se contenta de croiser les jambes pour que son père ne remarque pas les signes évidents de son état, et il accepta une gaufrette à la vanille que lui offrit sa mère.

« J'ai entendu dire que vous êtes capitaine de l'équipe de lacrosse », dit le colonel Smith. Il avait pris sa retraite deux ans plus tôt et vivait dans sa maison de famille vétuste d'East Hill, Massachusetts. Heather, qui était étudiante au lycée de filles d'East Hill, vivait chez ses parents. Pour les jeunes filles comme elle, habitant des petites villes, c'était la coutume d'inviter son soupirant. Mais le colonel n'en paraissait pas charmé : assis sur le bord de sa chaise, il semblait se préparer à l'attaque, avec ses aides de camp. « J'ai dit que j'ai appris que vous étiez capitaine de l'équipe de lacrosse. »

Heather tenait une grappe de raisins entre le pouce et l'index et elle léchait le sucre fondu qui coulait le long de son bras.

« Vous jouez quelle position ? » Nicholas était fasciné par la langue de Heather. « De grâce, Heather, va chercher une serviette », ordonna le colonel. Puis, se retournant vers Nicholas : « Avez-vous entendu ma question ?

— Non, pardonnez-moi, monsieur.

— Vous entendez mal ?

— Non, monsieur.

— J'ai dit : dans quelle position jouez-vous ? Position ! Lacrosse !

— Oh ! Avant-centre, monsieur. » La figure du colonel commençait à rougir. Nicholas espéra que c'était de chaleur. Il sentait qu'il faisait piètre impression. Le colonel attendait des réponses nettes, pas vagues. Le flou était parfait avec Heather, qui avait tendu son visage vers le soleil, comme pour dorer le duvet de pêche qui courait de ses joues à ses oreilles et à son menton. Nicholas tourna sa tête d'un coup sec vers le colonel. « Nous avons une très bonne équipe, monsieur. » Sa voix était nasillarde. Il ne voulait pas que le colonel pense que l'équipe de lacrosse était la lanterne rouge du programme sportif de Trowbridge. « Notre record est de onze-quatre, monsieur. » Il répugnait à dire monsieur à chaque phrase, mais il n'était pas sûr de pouvoir utiliser le grade de colonel pour quelqu'un qui était en retraite.

« Lourdes pertes ?

— Non, monsieur.

— Quels résultats avez-vous eus ?

— Je ne m'en souviens vraiment pas, dans l'immédiat. » Il voulait se retourner vers Heather.

« Perdu contre Middlesex ?

— Excusez-moi. Je n'ai pas entendu, monsieur.

— Mid-dle-sex.

— Oh ! Non, nous n'avons pas joué contre Middlesex.

— Je suis allé à Middlesex.

— Je ne savais pas, monsieur. J'ai un ami là-bas. C'est une bonne école.

— Je sais que c'est une bonne école.

— Etes-vous allé à West Point ensuite, monsieur ?

— Qui vous a dit que j'étais allé à West Point ? » Le colonel n'avait pas de lèvres, mais le trait de sa bouche devint encore plus mince.

« Oh ! Je pensais, comme vous étiez dans l'armée.

— Croyez-vous que tous les officiers sortent de West Point ?

— Bien sûr que non, monsieur.

— Je suis allé à Dartmouth. Pensez-vous à Dartmouth pour vous ?

— Eh bien, je pense que je vais réfléchir sur ce problème pendant l'été car je ne dois pas poser ma candidature avant l'automne et...

— Où est allé votre père ?

— Brown. » Le colonel ne réagit pas, comme s'il n'avait pas reçu de réponse. « J'ai dit que mon père était à Brown, monsieur.

— J'ai entendu.

— Très bien. » Le colonel se détourna. « Heather », puis, prêt à mordre : « Arrête de tripoter tes doigts de pied. Il est quatre heures et demie. Va le raccompagner à la gare. »

Nicholas se leva. Ses muscles étaient raides d'avoir passé l'après-midi sur une chaise de jardin et il vacilla sur ses jambes mal assurées. Heather l'avait invité au déjeuner du dimanche, mais madame Smith n'avait servi que du raisin, des gaufrettes à la vanille et un broc de limonade tiède. Le colonel le regardait de travers et Nicholas sentit qu'il le suspectait d'avoir bu. Il aurait voulu le rassurer, mais comment expliquer qu'il était juste un peu étourdi de ne pas avoir déjeuné ? Heather marcha à sa rencontre, se serra contre lui et le prit par la main. Le regard oblique du colonel s'aiguisa. « Merci, madame Smith, dit Nicholas.

— Revenez quand vous voulez, murmura madame Smith.

— Merci, monsieur, lança-t-il au colonel, qui mesurait plus du mètre quatre-vingt-cinq avec la vigueur d'un lutteur. Je vais songer à Dartmouth.

— C'est inutile, répliqua le colonel.

— C'était très agréable, dit Nicholas aux deux Smith. Je vous remercie de m'avoir invité. » Ils gardaient le silence. « Eh bien, passez un bon été. » Heather le tira par la main et il la suivit. Au moment de tourner à l'angle de la maison, il lança : « J'ai été ravi de faire votre connaissance », mais le colonel avait disparu et madame Smith examinait ses raisins poisseux et ne l'entendit pas.

« Ils ont été *emballés*, s'exclama Heather.

— Seigneur, Heather. » Elle était allongée sur lui. Elle avait déboutonné son chemisier et passait la main sur sa poitrine et le bout de ses seins. Nicholas était partagé entre l'excitation et la crainte. Ils étaient au beau milieu d'East Hill dans l'enceinte du parc communal, cachés par un rideau de jupinerus. La terre était froide et caillouteuse sous son dos. De petites branches piquantes lui égratignaient les épaules. « Je ne vais pas l'avoir, Heather. » Elle avait déboutonné son chemisier et relevé son soutien-gorge. Sa poitrine ressemblait à deux petites pêches bien fermes. Elle essaya de l'écraser contre ses seins. « Oh, Mon Dieu, je t'en prie, je vais rater le bus.

— Il y en a un autre à six heures. Allons. Glisse ta langue dans ma bouche.

— Je dois être à la salle à manger à six heures.

— Mon petit Nicky, tu es si mignon.

— Heather, ce n'est pas une bonne idée. » Elle se frottait frénétiquement contre lui. En fait, elle voulait l'exciter. Il se rappela que son compagnon de chambre lui avait apporté l'année précédente un préservatif qui était dans son portefeuille. L'emballage rouge en était usé et fendu. Il n'était sûrement plus bon. « Ne fais pas ça, Heather. » Elle se pencha vers lui et colla sa langue dans son oreille. « Seigneur, Heather. » Il s'était souvenu du préservatif lorsque le bus était entré dans East Hill, mais elle l'attendait à la gare routière, ne tenant plus en place et lui faisant des signes, ce qui l'avait empêché d'entrer à la pharmacie pour en demander, vu que le pharmacien devait la connaître depuis son enfance et qu'il était même, qui sait, diacre à sa paroisse. Il ouvrit le bouton de son pantalon kaki mais, avant qu'il n'ait atteint l'attache de sa fermeture à glissière, la main de Heather se referma sur la sienne et la repoussa.

« Nicky, pas ça. Tu seras trop tenté.

— S'il te plaît. Je te jure que je saurai me dominer.

— Non. Arrête. » Il attendit qu'elle le libère de son étreinte mais, tout au contraire, elle se passa la langue sur les lèvres et recommença son manège de plus belle.

« Heather, je ne plaisante pas. Je ne peux plus en supporter davantage.

— Oh ! Nicky. » Elle s'assit bien droite, comme si elle chevauchait un cheval ombrageux dans un concours hippique. Elle se démenait tant que ses seins et ses cheveux courts étaient ballottés en tous sens. Il n'avait jamais vu une chose pareille.

Si elle ne s'arrêtait pas, ça allait venir et il devrait rentrer à Trowbridge avec une vilaine tache révélatrice sur son pantalon et devrait subir, pendant des semaines et des semaines : « Cobleigh ne l'a pas eue. » Il émit une plainte. Heather lui mit la main sur la bouche et lui montra le pied des jupinerus du menton. Il distingua deux paires de jambes sous un banc du parc ; elles se balançaient à moins de cinq mètres de leurs ébats. Une nouvelle vague de passion l'envahit et il lança : « Heather » à voix haute, comme pour défier les passants d'intervenir pour les arrêter. Heather s'était immobilisée. « Oh ! Heather », murmura-t-il plus doucement, en se demandant s'il valait mieux subir la torture qu'elle lui imposait ou en être sevré. « Je t'en prie, Heather.

— Tu m'aimes, Nicky ? » Ce n'était pas l'heure de reconnaître qu'il n'en était pas très sûr. « Nicky ?

— Oui. Oui. »

Elle serra ses jambes très fort autour des hanches de Nicholas, mais elle arrêta de projeter son bassin à droite et à gauche pour s'arrimer à lui, en quelque sorte. « Beaucoup ? » Le pré du village, les jupinerus et le sol froid sous son dos cessèrent d'exister. Même Heather ne comptait plus. Il n'était plus que sensation, centré sur un endroit qui enflait, enflait jusqu'à

devenir douloureux et le faire gémir. « Tu m'aimes comment ?
Allez, dis-le-moi, Nicky.

— Plus que tout, déclara-t-il dans un souffle. Que tout. » Il y
était presque. Il croisa les bras autour de sa taille et la serra
tellement qu'elle ne pouvait plus bouger. Il voulait s'enfoncer en
elle aussi loin qu'il pouvait.

« Tu me donneras ton pull d'université ?

— Oui. » La pression devint douloureuse.

« Et on se verra tous les...

— Oui ! » L'instant d'après, il allait au bout de son engagement et étreignait Heather tandis que jaillissait, dans un sursaut,
la chaude semence. « Oh la la ! »

Quelques instants plus tard, à la gare routière, elle déposa un
baiser sur son index et le plaça sur les lèvres de Nicholas avec
beaucoup de tendresse, comme une épouse. « R'voir, Heather. »
Sa chemisette en madras pendait sur son pantalon. Les pans qui
flottaient au vent étaient aussi explicites qu'une flèche voulant
attirer l'attention des passants sur l'événement.

« Nicky, essaie de venir au Vineyard. Maman et papa seraient
vraiment ravis de t'avoir, et je connais des gars tellement
épatants.

— Nous irons sans doute en Angleterre. Une des amies de ma
mère...

— Nicky, l'Angleterre ressemble à tout ce qu'on a déjà vu sur
les images et on n'y trouve pas de hamburgers. Allons. Promets-
moi de venir.

— D'accord, Heather. »

Le bus descendait la rue principale d'East Hill, puis il s'arrêta,
et, au vu du chauffeur et des voyageurs, elle se jeta à son cou et
lui souhaita au revoir dans un baiser plus démonstratif que
passionné. Puis il monta, en rougissant. Comme le bus démar-
rait, il se cacha la tête dans les mains. Mais il se redressa quand il
entendit : « Nicky, Nicky » ; Heather courait le long du bus. Elle
lui criait quelque chose. Il réussit à ouvrir la fenêtre. « Réfléchis
pour Dartmouth ! » hurlait-elle.

Trowbridge School (on avait abandonné le « le » en 1884) se
trouvait sur la rive est de la rivière Connecticut, juste à côté de
Beale, Massachusetts, une ville cent pour cent Nouvelle-Angleterre, au pittoresque de carte de Noël qui aurait pu conserver
dans la fonte de la cloche de sa vieille tour le cœur de l'Amérique.
Un cœur froid, il est vrai, qui accueillait assez mal les étrangers
et faisait fuir les antiquaires et les photographes amateurs vers

Felsham, plus au sud, où ils pouvaient dîner à la Powder Horn Inn et assister aux ventes aux enchères à Early Light. Mais la froideur de Beale convenait aux garçons de Trowbridge car la ville considérait l'école comme liée à son destin et, à ce titre, les garçons comme d'honorables Yankees de vieille souche. En retour, les étudiants s'imprégnaient si bien de l'état d'esprit de la ville qu'à la fin de leurs études, ils se sentaient nostalgiques, comme s'ils avaient été chassés du paradis des premiers pèlerins.

Trowbridge était construit dans une profonde vallée verdoyante, au bord de la rivière.

Le recrutement de l'école était très souple. Historiquement, il s'était organisé autour de familles d'origine anglaise ou hollandaise installées à Manhattan ou dans la vallée de l'Hudson aux XVIIe et XVIIIe siècles. De sorte qu'un garçon Tuttle ou Strague ou Van Essendelft, qu'il eût du génie en mathématiques ou du talent pour torturer les chats, était assuré de son éducation à Trowbridge.

Les Tuttle étaient loyaux et sentimentaux. Il ne leur vint jamais à l'esprit que leurs enfants puissent trouver une éducation de meilleur ton ailleurs. Samuel, court-circuitant complètement le directeur des admissions, appela le principal pour lui annoncer l'arrivée d'un nouveau Tuttle, qui s'appelait par hasard Cobleigh. Le principal répondit qu'il l'attendait avec plaisir. Nicholas et tous ses frères suivirent donc l'exemple des oncles Jeremiah, Caleb et Jesse, de son grand-père Samuel et des générations antérieures de Tuttle. Il y partagea sa chambre avec Charlie Harrison, fils d'un fondateur d'une chaîne de supermarchés.

Charlie était tout ce que Nicholas aurait voulu être. Très grand, cheveux abondants, un as en math et très mondain. Il tenait son charme de sa mère, une Irlandaise catholique de Boston, à l'esprit souple. Elle avait dix-sept ans et travaillait comme comptable lorsqu'elle rencontra monsieur Harrison qui en avait quarante. Elle accepta de l'épouser à la condition expresse qu'elle ferait son affaire de la maison et des enfants. Charlie et sa jeune sœur avaient eu des nounous et une gouvernante française. Ils avaient eu des professeurs de piano, de violon, d'élocution, de dessin, de danse et d'équitation. Pendant que Nicholas passait ses vacances dans le chalet des Berkshires ou à la ferme de ses grands-parents dans le Connecticut, Charlie voyageait en Europe, faisant du grand tourisme avec sa mère et la femme de chambre, sa sœur et l'étudiant de Harvard qu'on engageait chaque année pour servir de répétiteur à Charlie. Nicholas était intimidé par Charlie, qui dominait parfaitement le français, l'italien et l'allemand, et se taillait un franc succès avec ses expériences des prostituées de Nice, Rome et Munich.

Charlie tenait de son père le sens des réalités et le trait dominant de son caractère : l'ambition.

Leur amitié était chaleureuse ; ils étaient plus liés que la majorité de leurs condisciples, car ils s'étaient trouvés en haut de l'échelle dans les années cinquante et s'y étaient maintenus sans avoir à se battre.

En octobre de leur dernière année à Trowbridge, Nicholas et Charlie étaient les vedettes des étudiants de sixième année. On disait de Nicholas qu'il était calme, compétent et élégant. Son allure tranquille était le modèle d'un bon équilibre et sa fidélité à Heather Smith la preuve qu'elle était sienne.

Charlie était considéré comme un dieu. Il en avait les avantages : une commode remplie de mèches de cheveux, un tiroir plein de lettres d'amour de deux sœurs jumelles de Boston — deux blondes exquises qui ressemblaient à des poupées de porcelaine — et des propositions de toutes les universités de l'Ivy League pour entrer dans leur équipe de football.

En tant qu'étudiants de sixième année, on les considérait comme majeurs et ils n'étaient donc pas obligés d'ouvrir leur porte les jours d'inspection ni de subir le coup de balai bihebdomadaire du concierge. La confiance qu'on accordait à leur maturité d'esprit était illustrée par des chambres transformées en microbidonvilles où ils se vautraient dans leur propre saleté comme d'allègres porcelets. Comme pour tout le reste, Nicholas et Charlie avaient les palmes : leur chambre était la plus repoussante.

Nicholas bâilla et se frotta les couilles. Un instant après, Charlie se gratta l'aisselle, puis leva le bras et renifla. « Hum, ça sent le fauve ici. » Il posa son cahier de textes sur son devoir de maths et jeta un coup d'œil vers Nicholas. « On y va ? demanda-t-il à voix basse. Il est assez tard.

— Allons-y. » Nicholas tomba plus qu'il ne glissa de son matelas et repoussa l'interrupteur avec le pied. La chambre fut plongée dans l'obscurité. Le tiroir du bureau de Charlie grinça. « Tu l'as ? demanda Nicholas.

— Oui, dit Charlie. Vas-y. Commence. »

Nicholas avança la main dans l'obscurité jusqu'à la bouteille de vodka. Il murmura : « A la tienne », puis leva la bouteille et prit deux longues lampées. « Divin breuvage, grommela-t-il.

— C'est bon ? » Charlie s'empara de la bouteille et Nicholas
perçut un glouglou. « Seigneur ! Supercarburant. »

La bouteille fit de nombreux aller et retour. Au bout de
quelques minutes, Nicholas n'arrivait plus à tenir sa tête droite,
mais il prétendit qu'il était désorienté dans le noir. Il ne se
rendait sûrement pas compte qu'il était saoul et il fut tout
surpris lorsque Charlie annonça d'une voix de bébé : « Y en a
plus ! » La bouteille roula par terre avec un tapage effrayant,
sembla-t-il à Nicholas.

« T'es malade ?

— Non.

— Ecoute, Nick. Tu peux prendre Betty ou Babs. Laquelle
veux-tu ?

— Je ne sais pas. Comment peux-tu choisir entre elles ?

— Je ne sais pas. Il n'y a pas de différence, les deux sont bien.

— Je ne sais pas, Charlie. Que devient Heather dans cette
histoire ?

— Seigneur, tu n'es qu'une pomme. Tu pourrais avoir toutes
les filles que tu veux, tu sais bien qu'elles sont toutes folles de toi,
et tu restes à la colle avec ce boudin de Heather. Elle est si bête !
Ecoute-moi, Babs t'adore, et Betty aussi. Ça, ce sont des filles.
Comme elles devraient l'être toutes. Superbes. Chics. Drôles. Et
gentilles aussi. Tu peux prendre l'une des deux. Allez, viens, on
va les appeler.

— Non.

— Non ? Tu n'en veux pas une ?

— Oh ! Je n'en sais rien, mais nous ne pouvons pas sortir de la
chambre. Tu te souviens, pas même pour aller aux toilettes. Si on
veut pisser, c'est par la fenêtre. Ouvrir la porte, c'est se mettre
dans le pétrin.

— On peut y aller, Nick. Allez viens. Betty ou Babs ? On ne fera
pas de bruit. Choisis, c'est tout.

— Il est trop tard.

— Il n'est jamais trop tard.

— T'es sûr ?

— Absolument certain. » Quelques secondes plus tard, Charlie
ouvrit la porte. La lumière du corridor envahit la pièce. Nicholas
ferma les yeux. « Allez. Bouge tes fesses, Cobleigh. On va au
téléphone.

— Et Heather, Charlie ?

— Oublie-la. C'est pas un bon numéro. » Charlie traîna un
Nicholas tout flasque vers le couloir rempli du silence des
dormeurs derrière les portes. « On va l'avoir. » Charlie parlait si

fort que le premier des garçons réveillé commença à se plaindre aussitôt.

« Je vais appeler Babs et Betty et leur dire de venir tout de suite pour qu'on les saute. » Nicholas s'efforçait d'atteindre rapidement le téléphone, situé à l'autre bout de l'étroit corridor, mais il se marcha sur le pied et alla s'écrouler par terre en riant à gorge déployée. « Debout, Nick », dit Charlie. Les portes commencèrent à s'entrouvrir. Charlie saisit Nicholas par les poignets pour le remettre debout, mais Nicholas lui échappa, entraînant Charlie la tête la première dans un floc monstrueux.

« Comment appeler si on ne peut pas se lever ? » demanda Nicholas. Il pensait moduler sa voix, mais en fait, il hurlait. « Comment se les faire si on ne peut pas se lever ? »

Charlie réussit à redresser la tête. « On peut se lever. Hé ! Attends. Lève-toi ! Lève-toi donc ! T'y es, Nick ?

— Allô, Babs, s'égosillait Nicholas. Hé, Babs. C'est vrai que tu en pinces pour moi ? Si tu la veux, je vais te la donner ! » Il recommença à rire en se tenant les côtes pour se contrôler. Il cogna du poing dans le mur d'en face. « Babsie, laisse-toi faire. Je vais te sauter, Babsie.

— Baise-la, trou du cul, criait Charlie d'une voix perçante. Baise, baise, baise.

— Monsieur Harrison ! Monsieur Cobleigh ! » Monsieur Keil, le surveillant, se profilait au-dessus d'eux. Sous la toile d'araignée pileuse qui recouvrait ses jambes, on distingait les tibias brillant comme de l'ivoire. Il nouait nerveusement la ceinture de son peignoire de bain. « Qu'avez-vous donc fait ?

— Baiser », rétorqua Nicholas d'une toute petite voix.

Martin Wigglesworth ressemblait plus à un entrepreneur de pompes funèbres de l'Indiana qu'à un directeur d'école prépara-toire de la Nouvelle-Angleterre. Il avait le menton si pointu qu'on aurait pu croire, de loin à un bouc ; sa bouche de rapace et son nez d'aigle lui donnaient un profil de professionnel du malheur. Il évitait les tweeds rassurants, se cantonnant aux complets en épais tissu noir avec cravates sombres.

Les surnoms stupides que son nom inspirait mouraient sur les lèvres des nouveaux élèves. Les étudiants de Trowbridge ne l'appelait que Dr Wigglesworth, comme l'avaient fait leurs parents, presque tous aussi impressionnés par le personnage que leurs fils l'étaient.

Ainsi, lorsque le Dr Wigglesworth demanda à Winifred Cobleigh : « Je supppose que vous êtes au courant de ce qu'a fait

Nicholas ? », elle répondit par un « Non » tremblotant comme une petite fille de trois ans accusée d'avoir sali son bloomer. Nicholas, appuyé contre la porte fermée du bureau, à côté de Charlie, aurait voulu l'encourager d'un petit sourire pour qu'elle cesse de paniquer.

Monsieur Wigglesworth demanda au père de Charlie : « Et vous, monsieur Harrison, pourquoi pensez-vous que je vous ai demandé de venir à Trowbridge, pour réparation, dans les plus brefs délais ? »

Louis Harrison, surnommé Grand Lou par ses collègues de la profession et par le F.B.I. qui faisait une enquête sur ses marchés « amicaux » avec les transporteurs, les commissionnaires en viande et les entrepôts, grogna : « Quoi ? »

— Je demande simplement si monsieur Keil ou Charles vous ont signalé la raison de l'urgence de ce voyage, qui a dû vous causer de graves inconvénients. »

Monsieur Harrison était assis à côté de Winifred, mais Nicholas pouvait le voir presque de profil. Il était de taille moyenne, le torse long par rapport à ses jambes courtes, mais son autorité assise sur plus de cent vingt kilos de graisse lui donnait une allure imposante. Il portait un costume bleu ciel et une chemise sport rouge, col ouvert, entièrement imprimée de petites têtes de chien. Nicholas se dandinait d'un pied sur l'autre. Monsieur Harrison prenait plus de temps que personne ne l'avait fait avant lui pour répondre au directeur. Finalement, il lança : « Nous avons un problème, doc. Eh bien, parlons-en. »

Le visage du Dr Wigglesworth devint aussi aiguisé qu'un couperet. Il se pencha vers le dernier tiroir de son bureau et en sortit la bouteille vide de vodka. « Ils ont reconnu qu'ils avaient bu tout le contenu de cette bouteille », déclara-t-il en posant le corps du délit sur son bureau.

« Ont-ils démoli quoi que ce soit ?

— Heureusement pas.

— Ils se sont bagarrés ?

— Je vous demande pardon, monsieur Harrison. Vous ne semblez pas comprendre l'import...

— Ont-ils blessé quelqu'un ?

— Non.

— Qu'est-ce qui s'est passé alors ?

— Ils étaient saouls, monsieur, et se sont donnés en spectacle, ils sont sortis de leur taudis de chambre en proférant les plus obscènes, les plus...

— C'est tout ?

— Sans doute ne comprenez-vous pas notre point de vue, monsieur Harrison. Les boissons alcooliques sont strictement...

— Vous m'avez appelé à six heures du matin parce que deux galopins s'en sont descendu une ?

— Nous avons cependant pris sur nous. Pour vous éviter de conduire de nuit.

— Allons, doc. Quel est le problème ? »

Winifred tendit la main et effleura la manche de Louis Harrison. Elle parla si bas que Nicholas l'entendit à peine : « Monsieur Harrison, ils sont très stricts pour ce genre de choses.

— Nous allons justement nous en occuper, madame Cobleigh. » Il lui tapota la main pour la rassurer comme un entraîneur avec son boxeur entre deux rounds. « Laissez-moi faire, d'accord ? » Winifred acquiesça. « Ecoutez-moi, doc, vous êtes pasteur, n'est-ce pas ? Alors, pourquoi ne pas avoir un peu... comment appelez-vous ça... un peu de compassion ? Ces garçons ont fait une bêtise. Ça peut arriver. Tendez l'autre jour, pardonnez et oubliez.

— Monsieur Harrison, en tant que pasteur et directeur de Trowbridge, je me dois d'exiger certaines règles de bonne conduite. Nous ne pouvons pas tolérer une violation de nos principes aussi flagrante. Même, et sans doute plus particulièrement, de la part de deux de nos meilleurs élèves, qui auraient dû rehausser l'éclat de... » Il s'arrêta en voyant Win effondrée, se cachant le visage dans ses mains. « Madame Cobleigh, l'histoire de votre famille a été tissée à Trowbridge et cela me peine plus que je ne saurais le dire...

— Arrêtez vos foutaises ! » La puissante voix de monsieur Harrison fit sursauter Nicholas et Charlie qui se bousculèrent et le directeur agrippa le bord de son bureau. « Vous l'avez bouleversé ! Allons au fait. Viré ou gardé ? Vos deux meilleurs éléments, l'un d'une famille qui fréquente l'établissement depuis avant le déluge et mon Charlie qui vous rapporte vous-savez-combien pour votre nouveau et indispensable club house. Alors, décidez-vous. Viré ou gardé. C'est oui ou c'est non. Et ne la mettez plus dans cet état-là. On ne traite pas une femme comme ça.

— Peut-être pourrions-nous discuter de cela en tête à tête, monsieur Harrison.

— Doc, je n'ai pas le temps de rester pour le thé. Voyez ce que je veux dire ? Les camionneurs essaient de noyauter mes caissiers.

— Monsieur Harrison...

— Ecoutez, madame Cobleigh est une dame de la haute

société new-yorkaise, son fils peut se débrouiller tout seul et elle retirera le petit pour faire le compte... comment s'appelle-t-il ?

— Thomas, murmura Winifred.

— Donc, elle retirera Nick et Thomas. Et elle a encore deux autres garçons... c'est exact, non ?... qui iront ailleurs, à St. Quelque Chose et, qui sait, la moitié de leurs amis à New York risquent de les suivre. Quant à moi, doc, croyez-vous que j'en ai quelque chose à foutre que je me soucie de Trowbridge ? Ma femme voulait que Charlie soit dans une école privée. J'ai dit d'accord. Elle a choisi Trowbridge. J'ai dit d'accord. Vous dites plus de Trowbridge ; eh bien, je préviendrai ma femme qu'on va offrir un club house à une autre école. Vous croyez vraiment que...

— Bien que je sois très déçu par ces deux garçons, je ne souhaite absolument pas qu'ils quittent Trowbridge. Il faudra naturellement appliquer certaines mesures disciplinaires.

— Cela me paraît correct. Qu'en dites-vous, madame Cobleigh ? » Winifred acquiesça.

« Je crois que je suis un homme logique, monsieur Harrison.

— Très bien. Moi aussi. » Louis Harrison se leva et se précipita vers la porte à une vitesse incroyable pour un homme d'une telle corpulence. Nicholas voulut lui céder la place, mais monsieur Harrison l'empoigna par le plastron de sa chemise de la main gauche et fit de même avec Charlie de la main droite. Il amena les deux garçons à lui jusqu'à ce que les trois figures soient si rapprochées que Nicholas pouvait percevoir la chaleur de sa peau. Il parla très bas, les garçons seuls pouvaient l'entendre. « Petit puant de Charlie, si tu recommences, je te brise les jambes. » Ses petits yeux bouffis se tournèrent vers Nicholas. « Nous allons tous aller dîner à Beale avant que ne commencent ces foutaises de mesures disciplinaires et tu vas prendre ton courage à deux mains et dire à ta mère à quel point tu es navré et lui jurer de ne plus jamais recommencer. Tu m'entends, joli garçon ? » Nicholas approuva.

On était à deux jours du Thanksgiving, en 1956, et Samuel Tuttle savait qu'il allait mourir. Etendu sur un lit de malade dans une suite de l'aile du New York Hospital où son père avait fait une dotation, à quatre-vingt-sept ans, son cœur lâchait. Maisie était assise à son chevet.

Il ne voulait pas mourir car il savait que c'en serait fait du bonheur de Maisie. C'était une pitié, pensait-il, car, à soixante-quinze ans, elle était encore bien jolie. Il croyait fermement au

ciel, se demandant si chaque âme créait son propre paradis et s'il
y serait assis aux côtés de Maisie pour l'éternité.

Il pouvait laisser ses fils, car ils prendraient le deuil mais il ne
leur manquerait pas vraiment. Cependant, il répugnait à quitter
Winifred, car sa vie était imparfaite. Ou peut-être était-elle
satisfaite. Peut-être resterait-elle assise à attendre son mari pour
le restant de ses jours. Droite, simple, Winifred, encore amoureuse de son mari après dix-huit ans de mariage et six enfants.

Samuel savait que James Cobleigh pourrait l'empêcher de
profiter du paradis. Il haïssait son gendre, qui avait l'art de
mettre Winifred et les enfants dans son jeu, à ses dépens, usant de
son pouvoir sur Winifred pour amener Samuel, qui était un des
gros clients de l'étude, à plaider sa cause lorsqu'il était tombé en
disgrâce à cause de sa liaison presque étalée au grand jour avec
la femme du principal associé.

Nicholas était le préféré de Samuel, car c'était lui qui lui
ressemblait le plus : sérieux, le cœur noble, un peu triste et, bien
cachée, une réserve de tendresse dont la plupart des Tuttle et des
Cobleigh semblaient dépourvus, la même passion qui avait
permis à Samuel de tant aimer Maisie.

C'est pourquoi, à l'heure de mourir, Samuel Tuttle pensait aux
deux êtres qu'il chérissait le plus, sa femme et son petit-fils. Sa
dernière pensée fut une petite prière tranquille : que Nicholas
rencontre quelqu'un d'aussi beau et d'aussi bon et d'aussi
extraordinaire que Maisie. Il aurait pu en demander davantage,
mais il n'en eut pas le temps.

Lorsque Nicholas revint de Trowbridge pour Noël avec Thomas, qui était en quatrième année, et Charlie, sa mère sortit de sa
chambre pour les accueillir deux heures après leur arrivée. Ses
yeux étaient rouges comme si elle avait beaucoup pleuré. Elle
avait revêtu pour le dîner une longue jupe de velours vert foncé et
un chemisier blanc à jabot, mais ses cheveux n'étaient pas
peignés. Pas seulement en désordre, comme c'était toujours le
cas à la fin de la journée, mais pas soignés. Elle embrassa les
deux garçons, et même Charlie, mais d'une façon étrange.

Personne ne fit de remarque, bien qu'elle ne prononçât pas un
mot pendant le repas et refusât tout ce qu'on lui proposait. Elle
avait l'air d'une noyée. James, qui dînait rarement avec ses
enfants, présidait la table pour cette première soirée, comme si
sa femme était absente ; il incitait les trois grands garçons à
raconter des histoires amusantes sur Trowbridge, faisait une
remarque à Edward qui cognait son couteau contre son assiette à

pain, puis appelait la bonne avec une petite sonnette en cristal, comme s'il n'y avait pas eu de sonnette électrique sous le tapis près du pied droit de Winifred. On servit le dessert, puis James regarda sa femme à l'autre bout de la table. Les mains sur ses genoux, elle fixait son gâteau. Il lui déclara d'un air tranquille, neutre et froid : « Pourquoi ne vas-tu pas te reposer, Win ? » Elle quitta la table sans un mot. James jeta un coup d'œil à Charlie et expliqua : « Son père est mort le mois dernier et ça l'a un peu abattue. » Charlie approuva.

Mais après le dîner, Olivia, qui avait neuf ans, se glissa dans la chambre de Nicholas et lui expliqua en détail que Winifred agissait de façon étrange avant même que Samuel ne soit hospitalisé. Nicholas intervint : « Crois-tu, enfin, tu sais qu'elle a dû venir à l'école pour moi. Est-ce cela...

— Mon Dieu, non, Nicky. Ça l'a prise dès la rentrée des classes et c'est vraiment terrible. Elle ne sort plus du tout. Je te le jure. Elle ne va plus nulle part et ne veut plus répondre au téléphone et elle pleure beaucoup.

— Elle n'était pas dans cet état lorsqu'elle est venue à l'école.

— Cela empire de jour en jour », poursuivit Olivia. De tous les enfants, c'était elle qui ressemblait le plus à Winifred, avec la même figure chevaline et de grandes dents. Ses cheveux roux et indisciplinés étaient tirés en queue de cheval et attachés avec un ruban de gros grain écossais rouge et vert.

Nicholas demanda : « Et que dit papa ?

— Je n'ose pas lui en parler. Fais-le toi, Nicky, s'il te plaît. Nous t'attendions tous anxieusement pour cela. »

C'est ce qu'il fit, au moment où ils s'asseyaient dans leur loge pour écouter *La Bohème*. C'était la première fois qu'il se trouvait seul avec son père cette année-là. Il lança simplement : « Qu'est-ce qui se passe avec maman ?

— Rien. Je t'ai dit qu'elle n'est pas encore remise de la mort de ton grand-père.

— Mais elle était déjà mal avant cela, et Olivia dit...

— Nick, tu sais bien que ta sœur noircit les choses.

— Mais maman ne va pas bien. Elle est malade ? A-t-elle une... enfin quelque maladie ?

— Non.

— Elle ne mange pas et elle...

— Elle va s'en sortir. Il faut simplement du temps. Maintenant, installe-toi confortablement. Cette représentation est exceptionnelle. »

Il ne fut pas de cet avis et pourtant, lorsque Rodolfe comprend que Mimi est morte, Nicholas jeta un coup d'œil à son père qui

avait les joues inondées de larmes. Il n'avait jamais vu son père
pleurer, et cela l'effraya, pensant que ce devait être horrible pour
lui de voir cette femme si pâle et immobile, qui lui rappelait sa
propre femme de façon dramatique. Le rideau tomba et les
ovations déferlèrent. Nicholas tendit la main et la posa sur la
manche de James, qui se retourna. Nicholas eut du mal à le
reconnaître, tant l'émotion se peignait sur son visage. Il attendit
que James retrouve sa voix. Mais Nicholas n'entendit pas ce qu'il
avait attendu. « N'est-elle pas extraordinaire ! s'exclama James.

— Qui ?

— Qui ? La soprano. »

James se leva lorsque la petite chanteuse vint saluer. Il
applaudissait frénétiquement et criait : « Bravo! Bravo! »
Nicholas l'observa. Sa mère était férue d'opéra; son père l'y
accompagnait rarement et toujours de mauvaise grâce.
« Bravo! » Elle salua en serrant le châle brun de son costume de
scène, puis resta sur place sous une pluie de roses lancées par les
spectateurs. « Bravissimo! » hurlait James. Il se tourna vers
Nicholas un instant plus tard. « N'est-elle pas fabuleuse ?
demanda-t-il.

— Oui, p'pa. » Nicholas crut que son père allait ajouter
quelque chose, mais il baissa la tête. « Qu'y a-t-il ? » demanda
Nicholas.

Son père releva la tête, il hésitait, puis doucement demanda :
« Aimerais-tu faire sa connaissance ? »

Ils attendirent en coulisses que les visiteurs habituels, les amis
et les admirateurs aient quitté la loge. Puis James frappa et l'on
entendit : « En-trez. » Il repéra aussitôt son habilleuse qui
brossait les boucles noires de sa perruque à l'autre bout de la
loge. Ce ne fut qu'après qu'il la vit assise sur un tabouret, devant
une immense glace éclairée. « Deux secondes », dit-elle en
continuant d'enlever ses faux cils avec une pince à épiler.

Elle paraissait encore plus petite qu'en scène. Une robe beige
était jetée sur une chaise, mais elle portait un fourreau de satin
rose garni de plumes ; une robe de prima donna s'il en fut, mais
Nicholas trouva qu'elle semblait faite pour jouer des rôles
comme... par exemple... Peter Pan ou Huck Finn plutôt que Mimi.
Elle n'avait pas l'allure d'une chanteuse d'opéra.

Lucy Bogard ressemblait à ce qu'elle était : la fille de travail-
leurs immigrés. Elle était petite et émaciée. Ses vrais cheveux
étaient fins et clairs et son œil droit, sans faux cils, avait la
douceur mouillée d'un œil de biche. On ne voyait, de son nez

camus, que les narines. « Je suis à vous dans une petite minute. »
Elle acheva d'enlever les cils, puis plongea la main dans un pot
de crème, l'étendit sur sa figure en se tapotant et s'essuya le
visage. Son teint de rose disparut avec le maquillage. « Je suis à
vous, dit-elle en faisant tourner son tabouret. Qu'est-ce que tu
nous amènes là, Jimmy ?

— C'est mon fils Nicholas, répondit James.

— Pas possible », lança-t-elle en se levant. Une main sur le
bras de Nicholas et l'autre sur sa chemise, elle le guida vers le
tabouret où elle le fit asseoir. « Laissez-moi vous regarder. Quel
beau garçon vous faites, ma parole. Quelque chose du papa, mais
pas vraiment. Dites-moi, votre papa vous a-t-il expliqué qu'il me
connaissait ? Je pense bien que non. Il vous a juste traîné ici, et je
parierais que vous vous attendez à ce qu'il demande un autographe comme un vieux fou d'admirateur. Vous apprendrez,
pourtant, que je connais très bien votre père. Vous savez
comment ?

— Non, j'... » Elle était debout, juste à côté de lui, jouant avec
ses cheveux, et il avait une vue plongeante sur son décolleté. Il ne
savait où poser les yeux : vers le bas, il voyait le haut de sa
jambe ; face à son tabouret, il apercevait le satin rose entrouvert
sur sa poitrine ; une poitrine menue mais de femme-femme.

« Arrête, voyons, Lucy. » La voix de James était dure, mais un
peu nerveuse, comme s'il sentait que c'était elle qui maîtrisait la
situation.

« Arrête toi-même, Jimmy. C'est toi qui l'as amené ici. » Sa
voix se fit plus douce comme elle se tournait vers Nicholas. « Où
en étions-nous ? Ah oui ! Je vous racontais comment j'ai connu
votre papa. Eh bien, je me trouvais à cette vente de charité si
pénible, si stupide... » Elle prit le visage de Nicholas entre ses
mains, l'obligeant à la regarder en face. « Lorsqu'un ami de
longue date est venu vers moi pour me dire : " Il y a ici quelqu'un
que tu dois absolument rencontrer, c'est la réponse à tes
prières. " Et voilà votre papa qui débarque. » Elle fit une pause,
et on aurait dit que le Metropolitan Opera tout entier retenait
son souffle. Puis, à l'instant précis du suspense, elle ajouta : « Le
plus grand avocat de toute la ville de New York. » Il ne voyait pas
les autres, mais il sentit le soupir de soulagement qui parcourut
la pièce, de son père à l'habilleuse. « Vous savez cela, Nick ?
Votre père est un vrai génie du barreau.

— Lucy... » attaqua James.

Elle lui coupa la parole. Elle tenait toujours la tête de Nicholas
entre ses paumes, ses pouces suivaient le contour de ses joues.

« Il est arrivé et il a pris en charge et résolu jusqu'au dernier de mes problèmes. C'est quelque chose ça, non ? »

Le même soir, Charlie Harrison succomba aux charmes d'une jeune fille rencontrée à la réception d'un fils Hollins et, le lendemain matin, allongé de tout son long sur le tapis de haute laine de la chambre de Nicholas, il cherchait dans un magazine *Lovejoy* une université en Virginie du même niveau que Harvard, pour convaincre ses parents qu'il ne gâcherait pas sa vie en suivant sa bien-aimée pour devenir un homme du Sud plutôt qu'un monsieur de Nouvelle-Angleterre. « Seigneur, s'exclama-t-il, tu en as une tête. Tu vas survivre ? »

Nicholas était allongé sur le niveau inférieur d'un lit superposé, sa jambe et son bras droits pendaient, inertes, au bord du matelas. Il était très pâle. « Tu sais très bien que tes parents ne te laisseront jamais aller en Virginie. Ta mère va se trouver mal immédiatement si tu ne vas pas à Harvard et ton père va te battre comme plâtre pour avoir bouleversé ta mère. Je te le garantis. Tu es simplement intrigué parce qu'elle est plus âgée que toi.

— Non, je te jure que je n'ai jamais rencontré personne comme elle. Elle est exemplaire, Nick. Parfaite. Avec la chevelure d'une Scarlett O'Hara.

— Allons donc, Charlie. J'ai été à St. Stephen avec son frère. Je la connais. Elle habite depuis toujours sur la 66e Rue. Tu ne vas pas tomber amoureux de cette garce de Sudiste.

— Mais qu'est-ce que tu as ? Elle ne joue pas aux belles Sudistes. Elle a aussi quelque chose dans la tête. Tu sais ce qu'elle fait avant de se coucher tous les soirs ?

— Elle se met devant sa glace et elle se caresse.

— Figure-toi qu'elle lit un poème de John Donne tous les soirs. Elle dit que c'est l'apothéose de sa journée. Pas les poèmes légers. Les poèmes religieux, profonds. " O Seigneur, tandis que tu es sur la croix... " Elle a appris tout ce machin par cœur.

Elle a dû bûcher six ans pour apprendre son poème dans le seul but de harponner les plus cracks des étudiants, car personne sauf une horr...

— Mais, bon Dieu, qu'est-ce qui te prend, Nick ?

— Rien du tout.

— Tu as un problème ?

— Non.

— Peut-être à cause de ta mère.

— Mon père dit qu'elle va bien. Qu'elle s'en sortira, tu comprends ?

— Est-ce que ton père t'a tarabusté hier soir ?

— Non. Il a été très bien. Il a dit que ce n'était pas une raison, parce que lui avait été à Brown, pour que j'y aille aussi. Qu'il serait heureux si j'y allais, mais qu'il était d'accord sur ce que je déciderai, et que ça lui était égal que je n'aie pas eu assez de points pour Yale.

— C'était bien, l'opéra ?

— Oui, oui. Agréable.

— C'est mon préféré. Je sais bien que je devrais admirer davantage le *Götterdämmerung*, mais il y a quelque chose de parfait dans *La Bohème*.

— Alors, pourquoi n'as-tu pas accepté le billet que mon père voulait t'offrir ?

— Je ne sais pas. Je pensais que tu aimerais être seul avec ton père et, de toute façon, j'avais vraiment besoin de m'éclater cette nuit.

— Charlie, je suis désolé que ça soit moche ici, pour toi.

— Tu es dingue ? Ça n'a pas été moche. Je m'amuse beaucoup. Et j'ai rencontré Libby, alors je te remercierai tous les jours de ma vie. Tu veux savoir quelque chose ? Si tu étais un peu plus décontracté, tu te sentirais mieux dans ta peau. Ne t'inquiète pas tant pour tes frères et sœurs. Tout ira bien pour eux. Ta mère ne restera pas dans cet état. Elle va récupérer. Elle va sûrement aller se reposer quelque part.

— Oui, sans doute.

— Allons, tu ne devrais pas être aussi, comment dirais-je... aussi morose. On n'est jeune qu'une fois, et c'est le moment de se donner du bon temps. Ecoute-moi bien. Je sais que je t'ai promis de ne pas dire du mal de Heather et j'y veillerai, mais ne peux-tu pas te laisser aller un peu ici, à New York ? Ce sont les vacances de Noël, Nick. Amuse-toi un peu avec une fille sympa. »

« Je parie que vous préféreriez être avec une charmante créature de votre âge », dit Lucy.

Nicholas mentit : « Non, pas du tout. »

Elle avait appelé avant midi, juste au moment où Charlie et lui allaient sortir ; elle avait demandé si cela ne causerait pas trop de dérangement de la tirer d'un mauvais pas : elle avait oublié d'envoyer à son neveu un cadeau de Noël et il était juste de la taille de Nick et, si Nick voulait bien monter à son appartement, le chauffeur pourrait les conduire chez Brooks Brothers et Nick pourrait essayer des vestes. Cela ne durerait pas plus de... une demi-heure environ. Il avait accepté parce qu'il n'avait pas trouvé le moyen de refuser.

Elle avait ouvert elle-même la porte de son duplex, vêtue d'un pantalon en cuir noir archimoulant et d'un pull-over en V largement échancré. Elle l'avait accueilli en l'embrassant sur les lèvres. Un léger baiser, comme une prima donna devait en donner à n'importe qui, mais il en fut si surpris qu'il se lécha les lèvres aussitôt après et cela la fit rire. Elle le conduisit dans un salon meublé de façon ultramoderne, de divans bas, de tables au ras du sol et de lampadaires en arc de cercle, comme il n'en avait vu que dans les magazines. Elle lui proposa un verre et il demanda une bière, ne voyant pas ce qu'il pourrait boire d'autre avant déjeuner, puis elle s'assit tout près de lui sur le canapé, dégustant quelque chose à la cerise dans un verre à martini givré de rose. Elle croisait les jambes et sa chaussure à haut talon se frottait sur sa jambe de pantalon. Elle semblait tout connaître sur sa famille, sur la varicelle d'Abigail et les bons résultats de Thomas, sur le mauvais état de santé de sa mère, sujet sur lequel elle voulut le sonder jusqu'à ce qu'il demande une autre bière, pour faire diversion.

« Vous devez bien vous amuser avec votre ami à la maison ? lui demanda Lucy.

— Oui, beaucoup. » Ses ongles de pied, brillant de vernis rouge, étaient longs et ovales comme des ongles de main. Sa cheville était garnie d'une chaîne en or pas plus épaisse qu'un cheveu. Il essaya d'entretenir la conversation, malgré une langue pâteuse à cause de la bière. « Allez-vous rester à New York jusqu'à la fin de l'hiver ? Pour chanter, je veux dire.

— Oh ! Un peu de chant, un peu de danse, un peu d'autre chose.

— Quel âge a votre neveu ? Celui qui est de ma taille. »

Elle reposa son verre sur la table basse en forme de haricot qui était devant eux. « Nick, vous n'avez pas cru une seconde à cette sombre histoire de Brooks Brothers. » Son cœur battit la chamade. Il essaya de se lever, mais le divan bas sembla s'incliner vers l'arrière et il se retrouva assis encore plus en profondeur. Comme pour s'assurer de son prisonnier, Lucy appliqua ses mains sur sa poitrine et l'embrassa longuement. « Quelle bouche splendide et délicieuse. Le saviez-vous ? Vous avez une belle bouche sensuelle, mon agneau. Laissez Lucy en profiter encore. Venez. »

Il se surprit à l'embrasser à son tour, ouvrant la bouche pour que sa langue cherche la sienne, malgré sa mauvaise odeur de whisky. Puis il s'étonna de plonger dans son décolleté, sans réel désir de tâter sa poitrine anguleuse, mais très vite il voulut continuer à la caresser avec la crainte qu'elle ne se rejette en arrière à tout moment pour lui lancer une gifle, comme une femme outragée.

Il l'avait jugée malingre, sans beauté, cet affreux nez camus lui rappelant un porcelet, puis il découvrit qu'il la désirait tant que, malgré ses mains tremblantes de peur, il essayait de faire glisser son pantalon le long de ses hanches étroites.

Elle le fit pour lui : elle se déshabilla dans l'espace réduit entre le canapé et la table basse ; les lumières clignotantes de l'arbre de Noël coloraient de rouge puis de vert ses formes émaciées. Avec un corps d'enfant affamé, c'était pourtant une femme, la première qu'il ait jamais vue nue. Même Heather. Lorsqu'elle enlevait son soutien-gorge, elle gardait sa jupe et, quand elle lui permettait de la caresser au-dessous de la taille, son chemisier était boutonné jusqu'au cou.

Mais voici que cette femme nue le relevait du divan en se frottant contre lui. « Allons dans la chambre maintenant », déclara-t-elle.

Dans la chambre, elle parla comme un adulte. Ses explications étaient si surprenantes... « Je vais prendre tes couilles dans ma bouche, Nick et je vais commencer par les sucer » que, lorsqu'elle le bascula sur le lit, il était prêt à faire exactement ce qu'elle lui disait. Elle prit toutes les initiatives. « Tourne-toi sur le ventre maintenant », ordonna-t-elle. Ou : « Colle ta langue à l'intérieur, aussi loin que tu peux aller. Allez. Encore. Encore. »

Il resta trois heures dans la chambre et il fit tout ce qu'elle lui dit. A la fin, il eut l'impression qu'elle l'avait vidé, qu'il ne lui restait rien.

Lorsqu'elle rentra dans la douche, il commença à sangloter en se cachant la figure dans l'oreiller moite de sueur. Elle sortit, élégamment drapée dans un drap de bain. « Eh bien, mon chéri. N'en fais pas une affaire. C'est ce que tu voulais, alors arrête de pleurer. *Allons.* Tu as été vraiment un homme. Ne gâche pas tout. » Elle s'assit sur le lit et lui arracha l'oreiller. « Ne te cache pas de Lucy. Tu veux recommencer, trésor ? Je parie que c'est ça. Je parie qu'avec un petit encouragement, je pourrai le ranimer. Oh ! Regarde-le. Il commence à se redresser. Et te voilà, à pleurer et à te conduire comme un bébé, mais la petite bête sait ce qu'elle veut. Ça, c'est sûr. Je savais que ce serait comme ça. Je l'aurais juré. Qu'est-ce qu'on dit, trésor ? Tel père, tel fils. »

TROISIÈME PARTIE

Jane et Nicolas

11

LES ENFANTS SUIVENT LA STAR
A LONDRES
de Peter Hepwhite, de New York.

Les filles de la vedette de cinéma Nicholas
Cobleigh sont passées précipitamment devant les
journalistes à l'aéroport John F. Kennedy, escor-
tées par un représentant de la compagnie jusqu'au
vol Concorde de la British Airways. Les filles,
Victoria, dix-huit ans, et Elizabeth, seize ans, qui
partaient pour aller au chevet de leur mère à
l'hôpital ont baissé la tête pour éviter les photographes qui étaient...

Daily Mail.

Jane Heissenhuber et Nicholas Cobleigh se remarquèrent pour
la première fois pendant leur seconde année à l'université alors
qu'ils étaient assis à un rang et trois places de différence au cours
d'histoire sociale et culturelle des Etats-Unis. Pendant les quelques secondes où il posa son regard sur elle, il pensa qu'elle avait
une attitude typique d'une fille de Pembroke : agressive intellec-
tuellement et trop véhémente. Cependant, elle n'avait pas l'allure typique d'une fille de Pembroke. Elle était très grande et
avait un air exotique avec son teint mat et sa grosse tresse noire
qui lui tombait jusqu'au bas du dos, personnage sorti d'un
Gauguin, curieusement vêtue d'une jupe plissée et d'un pull-
over. Elle ne l'intéressait pas du tout.

Lui, par contre, l'intéressait beaucoup. Il avait l'allure de
l'Américain bien, très W.A.S.P. Il était doux, avec tout de
l'étudiant frais émoulu d'une classe préparatoire, mais sa voix

avait des intonations profondes et agréables. Tout en lui paraissait parfait, même ses chemises oxford semblaient mieux repassées que celles des autres. Mais il n'avait pas l'air arrogant. Il était assis droit sur sa chaise, évitant d'arborer l'allure avachie et dédaigneuse des autres élèves. Il ne se précipitait jamais pour répondre mais, toujours prêt lorsqu'on l'interrogeait, il donnait des réponses judicieuses, si ce n'est brillantes. Elle ne tomba pas amoureuse de lui, car elle avait l'esprit trop pratique pour aspirer à l'inaccessible. Mais, trois ou quatre fois au cours de ce semestre, elle jeta un coup d'œil vers sa nuque et ses épaules et, pendant un instant, se demanda comment cela pourrait être.

Ils s'aperçurent une fois au cours du semestre suivant. Ils récupérèrent leur linge en même temps et s'apprêtèrent à sortir du magasin lorsqu'il se mit à pleuvoir. Une pluie froide et désagréable. Ils arrivèrent devant la porte au même instant. Ils échangèrent un regard. Mais il recula de quelques pas pour la laisser passer et ils se ruèrent tous deux sous la pluie, Jane vers la maison des étudiantes de Pembroke, la section féminine de Brown University, et Nicholas vers sa chambre de l'Alpha Delta Phi House.

L'année suivante, alors qu'ils étaient encore en premier cycle, ils se trouvèrent à la même table, un soir, à la bibliothèque. Ils gardèrent la tête baissée pour ne pas avoir à perdre de temps en se demandant s'ils allaient se reconnaître et, donc, s'il leur faudrait simplement s'adresser un signe de tête ou se dire bonjour.

Plusieurs fois, ils se manquèrent de peu. Au cours de leur seconde année, Jane alla à une soirée à l'Alpha Delta Phi House avec un étudiant de dernière année et dansa à quelques pas de Nicholas qui draguait une nouvelle de l'université du Connecticut, mais ils ne firent pas attention l'un à l'autre. Ils ne se virent pas non plus l'ultime semaine de leur dernière année alors qu'ils étaient assis l'un à côté de l'autre au cinéma : ils regardaient les dessins animés qu'on projetait dans l'après-midi la semaine où avaient lieu les examens de fin d'études. Et la première semaine de leur dernière année, ils se trouvaient à la même heure au restaurant Toy Sun et mangeaient du poulet, mais Jane bavardait avec ses camarades de Chaussette et Cothurne, le groupe d'art dramatique de Brown et Pembroke, et Nicholas tenait la main de Diana Howard, la fille avec qui il sortait, et ils ne surent donc jamais que l'autre n'était pas loin.

Nicholas vit Jane une autre fois, un jour où elle ne le remarqua pas. Au mois de novembre de sa deuxième année, il regardait un spectacle de Chaussette et Cothurne, *The Nights of Jason Weekes*, une pièce qui se passait au Mississippi avec des personnages décadents parfaitement conventionnels. On avait droit au père alcoolique, au frère cynique, à la sœur lesbienne et à la mère schizophrène, mais aussi à la fille du métayer, une salope prénommée Delia. Delia portait le costume adéquat, une jupe moulante fendue et un chemisier dévoilant ses attraits lacé mollement sur son cache-corset et elle avait le comportement type de la souillon qui se roule dans la luxure; Nicholas ne réalisa donc pas avant le dernier rappel que la putain aux cheveux noirs répandus sur ses épaules nues n'était autre que la bûcheuse coincée de Pembroke qui s'était assise derrière lui au cours de leur seconde année.

Jane répétait le rôle de Gertrude dans le montage de *Hamlet* de Chaussette et Cothurne et, dans la mesure où elle venait de boire du poison un instant plus tôt et était retombée en arrière, morte, sur un fauteuil, elle ne vit pas Nicholas se diriger vers le balcon qui surplombait le fond de la scène, se pencher et contempler les deux mètres dix qui le séparaient du sol. Par contre, elle entendit le metteur en scène, le Pr Ritter, lancer du premier rang : « Vous pensez pouvoir le faire ?

— Sauter simplement ? » La voix venait des cintres, derrière elle. Elle ouvrit les yeux et tourna la tête juste à temps pour voir une silhouette tomber du balcon et atterrir avec un horrible bruit mat dans une position ramassée à cinquante centimètres d'elle. Jane se précipita vers lui mais, au moment où elle s'approcha, il se redressa et ils se retrouvèrent presque nez à nez. « Salut », lança-t-il.

Il était si près d'elle qu'elle sentait son souffle sur sa bouche tel un baiser menaçant. Elle reconnut alors le beau garçon distant qu'elle avait aperçu au cours d'histoire sociale et culturelle; elle se mit à rougir et recula. « Ça va ? demanda-t-elle.

— Oui, bien sûr », répliqua-t-il et il se redressa d'un bond sur ses pieds. Il avait des yeux d'un bleu extraordinaire teinté de vert et, lorsqu'il lui adressa un sourire poli et détourna les yeux vers le Pr Ritter, elle eut l'impression d'avoir perdu une chose très précieuse. « C'est ça que vous vouliez ? » lança-t-il au metteur en scène.

Le Pr Ritter était une espèce de géant balourd, avec un front bas et des dents de lapin comme l'idiot du village. Il croisa les mains comme en un geste de prière et posa le menton sur le bout de ses doigts. « Parfait, absolument parfait. A part une petite chose. Vous avez oublié de hurler : " Où pourrons-nous le voir ? " avant de sauter. Vous êtes Fortinbras ! Vous venez juste de tomber sur cet atroce — qu'avez-vous ? — cet atroce carnage qui a eu lieu à la cour du Danemark et donc, vous lancez dans un souffle : " Que se passe-t-il ? " et vous sautez à terre.

— Ecoutez, franchement, professeur Ritter, je ne suis pas acteur. Je suis juste venu parce qu'un de mes camarades du club d'étudiants m'a traîné ici et m'a dit que vous aviez besoin de quelqu'un pour sauter, et j'ai pensé que ça serait amusant...

— J'ai besoin de ce saut dans l'abîme embrassant la vie. Ne le sentez-vous pas ? L'homme d'action, l'homme fort, vous... Fortinbras. » Le Pr Ritter se leva. Son pantalon était si tendu sur ses cuisses corpulentes que la flanelle bleue semblait comme une seconde peau. « Vous ne comprenez pas ? Redites-moi comment vous vous appelez ?

— Nicholas Cobleigh.

— Ecoutez-moi bien, Nicholas. Hamlet, qui vit la vie de l'esprit, repose là, mort, et vous... vous sautez dans le vide, dévêtu jusqu'à la taille et brandissant une épée. Vous êtes l'incarnation de la force, de la vie elle-même.

— J'aimerais vraiment pouvoir vous aider, dit Nicholas, mais je n'ai pas une bonne mémoire. » Il glissa les mains dans les poches arrière de son pantalon kaki. Jane comprit alors qu'il était dérouté parce qu'il se trouvait sur scène. Son regard vif passa du Pr Ritter aux projecteurs, effleura Jane, puis se tourna vers Hamlet et Laërte, qui gisaient toujours sur le dos. « Désolé. » Son timbre de voix, qu'elle se rappela soudain avoir entendu au cours, avait des accents rauques terriblement excitants. Maintenant elle était grinçante et ne portait pas.

« Vous serez superbe, vivant, musclé et puissant. Enlevez votre chemise. Je veux voir si vous serez encore crédible torse nu. »

Nicholas recula de quelques pas. Sa main se posa sur le bouton du haut de sa chemise. « Je ne crois pas être votre homme. Je pense que je ne pourrais pas me rappeler un traître mot du texte...

— Jane ! aboya le metteur en scène. Levez la main ! Vous voyez cette fille ? Elle va vous aider à apprendre votre texte. Vous serez fantastique. Le prince guerrier dans sa quintessence même. Et maintenant enlevez votre chemise. »

« Comment puis-je éprouver une sensation d'atrocité ? demanda Nicholas. Je sais que vous n'êtes pas morte.

— Bien sûr que je ne suis pas morte, répliqua Jane. Ce qui ne serait d'ailleurs pas pour déplaire à Ritter, c'est un enragé de l'authenticité. Il voulait que nous nous mettions à vomir sur scène après avoir avalé le poison mais nous avons réussi à le faire changer d'avis. »

Elle n'était pas comme Nicholas l'avait imaginée. Sur l'insistance du metteur en scène, ils étaient convenus d'un rendez-vous pour se retrouver le lendemain matin devant le porche de la Faunce House. Sa taille élancée et ses traits puissants (elle avait un long nez, une grande bouche et une mâchoire carrée) lui firent craindre qu'elle n'ait une personnalité autoritaire. Il imagina sa voix tonitruante. Elle se montrerait sans doute hyperintellectuelle et condescendante. Ou alors elle serait prétentieuse, l'appellerait « mon cher » ou agiterait sous son nez une cigarette glissée dans un porte-cigarettes. Il regretta d'avoir accepté de la retrouver dans un endroit public parce qu'elle avait probablement un rire effronté et ferait des gestes théâtraux et grandiloquents qui attireraient l'attention.

Au lieu de cela, elle se montra rassurante, amicale et lui avoua que, grâce à sa coopération, il avait sauvé le Pr Ritter de sa crise psychotique mensuelle et que tout le monde avait apprécié qu'il se montrât si sympathique. Elle avait un large sourire qui découvrait ses dents et sa franchise allait bien avec son accent du Middlewest.

Sa gentillesse était tempérée par une certaine maladresse ou peut-être était-ce de la timidité. Ils s'éloignèrent de la Faunce House, se dirigèrent vers le campus et s'assirent sous un chêne. Elle évitait de croiser son regard, fixant plutôt les branches ou la partie de football qui se disputait à l'autre bout du campus. Elle tripotait les pages de son texte d'*Hamlet*. Elle croisait et décroisait ses jambes qui étaient beaucoup trop longues pour le bermuda qu'elle portait et jouait avec sa tresse qui lui tombait jusqu'à la taille. Entre deux explications passionnées, ses doigts partaient à la dérive et se posaient sur sa bouche.

« Ma question était la suivante : comment puis-je paraître bouleversé en vous découvrant tous gisant à terre, morts, alors que vous n'êtes pas morts ?

— Pensez que nous sommes morts.

— Allez.

— Mais je le pense vraiment. Vous regardez du balcon... Ça ne vous effraie pas de regarder de si haut ?

— Ça n'est pas si haut que ça.

— Tout ce qui dépasse dix centimètres, c'est haut. Enfin, bref, vous regardez de là-haut et que voyez-vous ?

— Je ne sais pas. Tout un tas d'étudiants qui font semblant d'être morts.

— Non ! Vous voyez le roi et la reine... et c'est moi, donc c'est vraiment profondément tragique et vous découvrez Laërte et Hamlet qui gisent à terre. Pensez à cela. Les dirigeants politiques, moraux, intellectuels et sociaux du Danemark sont anéantis. La crème de la crème est réduite à néant et maintenant vous devez prendre le pouvoir.

— Parfait, dit Nicholas.

— Non, ce n'est pas parfait. Ça, c'est la mauvaise attitude. Vous êtes supposé être noble et ça manque de classe de jubiler devant le spectacle de toute la famille royale du Danemark qui mord la poussière.

— Je ne suis pas supposé avoir une double personnalité ?

— Vous plaisantez ? » Quand elle souriait, elle penchait la tête sur le côté comme un enfant qui tente d'avoir un autre angle par rapport à une attitude absurde. Ce geste semblait en contradiction avec son allure si mûre. Elle était grande, aussi grande que Nicholas et, à douze ans déjà, avait sans doute l'air d'une adulte. Aucune fraîcheur juvénile ne pouvait marquer son teint très mat. Bien que son pull fût très lâche, on voyait qu'elle avait une belle poitrine de femme et il se rappela alors le spectacle dans lequel il l'avait vue où elle était à moitié dépoitraillée.

« Bon, enfin bref, on continue. Vous voyez cette racine ? » Elle caressa un gros nœud de la racine tordue à côté d'elle. Nicholas hocha la tête. « Très bien. Faites comme si c'était Hamlet et qu'il était mort.

— Mais je ne peux pas.

— Si, vous pouvez. Allez. Personne ne fera attention à vous.

— On va le remarquer si on me voit parler à un arbre.

— Ne soyez pas si timide. Vous mettez simplement votre vraie personnalité de côté et vous devenez Fortinbras. Allez, maintenant, parlez à l'arbre. Allez. Vous êtes Fortinbras. Courageux, fort et pas compliqué. Les épaules en arrière, la tête tendue. Regardez Hamlet du haut du balcon. Il est mort. Hamlet n'est plus. Fixez-le. Voilà, c'est ça. Ressentez cette perte et reprenez à : " Cette curée ". »

Nicholas se passa la langue sur les lèvres. Il contempla la racine proéminente du chêne. « " Cette curée crie au carnage. " Je me sens complètement idiot.

— Allez. C'est très bien.

— J'en étais où ? Ah oui, à " crie au carnage ". » La racine ne se changea pas en un prince danois, mais Nicholas se concentra sur les nœuds de l'arbre et les taches noires de l'écorce épaisse et dentelée. La voix qui disait ce texte ne semblait pas être vraiment la sienne. « " Oh ! Terrible mort ! / Quel banquet se prépare donc dans ton cachot éternel, / Pour que tu aies, d'un seul trait ensanglanté, / frappé tant de princes ? " » Il leva les yeux vers Jane. Il se sentait gêné.

« Vous avez vraiment une nature », dit-elle.

Amelia Thring, la meilleure amie de Jane qui partageait sa chambre, était la seule étudiante de Pembroke qui fût aussi grande qu'elle. Amelia, qui était allongée sur son lit, alluma une cigarette et laissa tomber l'allumette dans le cendrier posé sur son ventre. Puis elle dit : « Je ne t'ai jamais vue comme ça avant. Tu n'es qu'une épave.

— Je sais. » Jane était assise sur son lit, les jambes croisées, la tête appuyée contre le mur. « Je n'ai jamais ressenti cela avant. C'est comme d'être morte sans en avoir aucun des avantages.

— Oh ! Ma chérie. Tu pleures ! » Jane s'essuya les yeux du revers de la main. Amelia se redressa en un mouvement coulé. La cigarette et le cendrier semblèrent disparaître et, à la place, elle tenait un mouchoir en papier. « Tiens.

— Ce serait une chose si c'était simplement un béguin, Amelia.

— Ecoute-moi. Il y a une fin à toute cette histoire. La fin, c'est que tu vas t'arrêter de pleurer et, en outre, qu'il a quelqu'un dans sa vie. D'ici le mois de juin, il sera très probablement fiancé et en juin de l'année prochaine, il sera marié. Pour l'amour du ciel, il te l'a présentée.

— Si elle était ravissante, j'aurais pu le supporter, mais elle est pas mal, c'est tout. Je te le jure, Amelia, j'avais imaginé une beauté extraordinaire et, voilà, elle était devant moi, une fille charmante, comme beaucoup d'autres.

— Je vais aller te chercher un autre mouchoir.

— Elle n'a pas lâché sa main un seul instant. Elle la tenait tout simplement d'une façon très calme. Elle n'était pas possessive. Pourquoi l'aurait-elle été ? Elle ne me considérait pas comme une menace. " Diana, je te présente Jane. " " Jane, je suis si heureuse de vous rencontrer. Il m'a dit que vous étiez une grande actrice ! "

— Jane, écoute-moi. Je suis une personne parfaitement logique.

— Mais ce que j'éprouve n'est pas logique.

— Non, absolument pas. Il t'aime bien. Tu es une de ses amies. Et pas plus. Tu l'as dit toi-même. Tu me l'as dit et répété. Tu dois simplement le considérer comme un ami et, si ça te fait trop de mal, tu coupes les ponts. Arrête de dire ça maintenant qu'*Hamlet* est terminé.

— Je ne peux pas. Oh ! Mon Dieu, je ne peux pas.

— Arrête. Mais si, tu peux.

— Non, je ne peux pas. Toi, tu as Matt. Tu sais ce que c'est que d'avoir quelqu'un qui est le centre de ta vie.

— Matt est mon fiancé. Mais ce type n'est pas le centre de ta vie.

— Si.

— Non. Tu n'as aucun point d'attache, Jane. Tu ne comprends donc pas ? Tu n'es pas retournée voir tes parents depuis... trois ans ? Tu passes tes vacances avec moi, ou Peb ou Debby, et l'été tu travailles. Et maintenant on est en dernière année et les choses vont changer. Toutes tes amies sont sur le point de se fiancer ou de se marier ou vont poursuivre des études de troisième cycle et toi, tu es effrayée. Ça n'a pas marché avec Peter l'été dernier, alors tu n'as pas de petit ami et...

— Il a passé tout le mois de juillet à essayer de me convaincre de coucher avec lui, comme si c'était une espèce de campagne militaire et ensuite...

— Regarde les choses en face. Ne te perds pas dans un monde imaginaire. » Amelia serra Jane dans ses bras. « Ce garçon est beau, doux et aussi séduisant que l'enfer. Mais je vais te dire une chose, si tu lui fais comprendre ce que tu éprouves envers lui, toute cette gentillesse dont tu parles avec tant d'enthousiasme va disparaître et il te considérera d'un œil cynique comme si tu lui avais chié dans les bottes.

— Amelia, il n'est pas comme les autres. Je le jure.

— Jane, ne te fais pas tant de mal. Il n'en vaut pas la peine.

— Oh ! Amelia, tu as tort. Il en vaut la peine. »

« Tu te conduis comme si j'allais commettre un meurtre. » Nicholas se leva et enfila son caleçon. Il ne voulait pas discuter allongé à côté de Diana et il ne pouvait pas parler nu. Diana était appuyée contre le bois de lit dans la chambre d'hôtel. Elle avait la lèvre inférieure légèrement proéminente, ce qui était chez elle plus un signe d'abattement qu'une moue. Elle s'agrippa au drap qui couvrait sa nudité. « Tout ce que je vais faire, ce sont des essais pour un rôle dans un autre spectacle.

— Mais c'est le rôle *titre* de la pièce.

— Et alors ?

— Une fois, c'était amusant. Deux fois, ça devient autre chose.

— Non. Ecoute. C'est ma dernière année d'université, ma dernière année de liberté avant... mon Dieu !... avant une vie entière de responsabilités et je ne comprends pas pourquoi tu es si... si émotive.

— Moi, émotive ? Nicholas Cobleigh, écoute le ton de ta voix. »

Les cheveux bruns et courts de Diana étaient tout décoiffés à la suite de leurs ébats et s'échappaient en une cascade de boucles. Elle avait le visage rond, les traits délicats et le teint pâle et rose. Elle ressemblait à l'une des poupées des sœurs de Nicholas. Sur sa droite, sur la table de nuit, quelque chose attira le regard de Nicholas : le préservatif dont il s'était servi. Il l'emporta dans la salle de bains, le jeta dans les toilettes, puis revint s'asseoir au bord du lit. Diana baissa les yeux.

« Ne sois pas fâchée, dit-il.

— Je ne suis pas fâchée. Mais ce semestre compte pour l'université de droit. Tu le sais. Cela peut faire la différence entre Columbia et une autre université. Et cela me semble bien frivole de risquer ton avenir juste pour jouer dans une espèce de spectacle stupide, une pièce de boulevard. Même pas un truc sérieux.

— Je ne mets pas mon avenir en péril.

— Si. Tu sais bien qu'*Hamlet* t'a pris beaucoup de temps.

— Tu serais soulagée si je te promettais que ça n'aura aucune répercussion sur mes résultats ?

— Nick !

— Je t'assure. Allez, Diana. De toute façon, je n'y arriverai probablement pas. J'ai quatre-vingt-dix pour cent de chances de me rétamer à la première épreuve.

— Je ne vois pas ce qui te séduit là-dedans.

— C'est amusant. Ça change.

— Tu aimes bien ces gens-là ?

— Oui. Ils sont charmants.

— Ils m'ont l'air très bohème.

— Pas vraiment. Il y en a deux ou trois qui sont... disons... qui en font trop. Ils ont tendance à être un peu fermés au début, mais une fois qu'on a dépassé ce cap, c'est vraiment un bon groupe. Et ils ont été très gentils avec moi.

— Parce que tu as été parrainé.

— Que veux-tu dire par là ?

— Cette fille.

— Jane ? Elle ne m'a pas parrainé. Elle m'a juste aidé à répéter mon texte.

— Et je suis sûre qu'elle sera encore plus ravie de t'aider à apprendre ton nouveau rôle. » Diana avait des yeux bleus ourlés de longs cils bruns, des yeux de poupée de porcelaine et, lorsqu'elle cligna des yeux, Nicholas comprit qu'elle était à deux doigts de pleurer.

« Tu parles sérieusement, Diana ? Tu penses vraiment que c'est à cause de Jane que je vais continuer à travailler avec Chaussette et Cothurne ? Je n'arrive pas à le croire. Tu as remarqué que mon cœur s'était mis à battre la chamade quand nous sommes tombés sur elle ? Tu as vu que mes genoux s'étaient mis à trembler ? » Diana frotta sa joue contre sa poitrine. « C'est une fille charmante qui a bon caractère, dit Nicholas tout en ébouriffant les boucles de Diana. Et c'est tout », ajouta-t-il en se penchant pour lui baiser le front.

Bien qu'elle ne fût jamais tombée amoureuse, Jane était sortie avec un certain nombre de garçons depuis son arrivée à Pembroke, même s'il n'y en avait eu que trois qui avaient vraiment compté pour elle.

C'était une fille sérieuse, mais elle ne s'analysait pas. Elle savait qu'elle n'avait jamais été troublée jusqu'au fin fond d'elle-même. Certaines filles perdaient tout en se refusant, mais pour elle c'était facile. A dire vrai, elle n'était pas tentée. Mais elle ne se permit jamais de s'interroger là-dessus. Elle ne voulut jamais faire le lien entre son excès de maîtrise de soi et l'horreur et l'excitation des attouchements de son père. En fait, elle pensait rarement à son père. Elle ne l'avait pas revu depuis les vacances de Noël de sa première année. Et elle ne pensait jamais que toutes les années passées sous l'œil sévère de Dorothy l'avaient conduite à une autocritique poussée, observateur au regard pénétrant qui savait exactement que ses épaules larges et son long nez manquaient de charme, que ses hanches lourdes et ses gros seins un peu vulgaires n'étaient pas attirants.

Cependant, une force d'un autre ordre avait aussi modelé sa personnalité. Elle ne pensait pour ainsi dire plus jamais à Sally mais, au cours des trois années où elles avaient vécu ensemble, sa mère lui avait donné le meilleur d'elle-même. Il y avait assez de Sally en Jane pour adoucir son caractère, pour la rendre tendre, gentille et tolérante. Il y avait assez du scepticisme et de l'optimisme de Sally pour lui donner son sens de l'honnêteté et de l'humour. Et il y avait assez de la nature ardente de Sally au plus profond de Jane pour qu'elle pût avoir envie de Nicholas. Elle s'était allongée sur une chaise longue à côté de lui pendant les répétitions et, tandis qu'il déposait des petits baisers entre ses mains et l'appelait « ma chère, ma très chère miss Whittleby », elle imaginait que la lumière était éteinte, qu'il l'embrassait délicatement sur la bouche, qu'il avait enlevé sa chemise, comme dans *Hamlet*, et que ses mains labouraient son superbe dos musclé.

Ce ne fut pas avant la veille de la répétition technique de *The Other Sister*, que Nicholas se donna la peine de penser que Jane avait une vie en dehors de la compagnie. Quelques jours après leur rencontre, il l'avait aperçue au comptoir du Brown Jug devant un hamburger, penchée sur ses notes, un stylo coincé dans le haut de sa tresse. Il avait failli s'approcher d'elle, mais elle avait l'air si concentré sur son travail qu'il avait eu peur de la déranger ; de plus, il sortait de chez Walgreen où il venait d'acheter une pommade musculaire pour le pied et un contraceptif vaginal que Diana était trop timide pour acheter elle-même et il n'avait envie de parler à personne alors que sa vie privée se balançait devant lui dans un sac en papier.

Mais, la veille de la répétition technique, alors qu'il traversait le campus pour se rendre à son entraînement de lacrosse, plongé dans les brumes de son égocentrisme, il imaginait les huées de ses amis lorsqu'il arriverait sur le plateau pour sa première scène, en costume de chasse à courre, sans oublier la redingote d'un rouge écarlate et la culotte de cheval moulante d'un blanc éclatant. A partir de là, il n'avait qu'un pas à franchir pour imaginer qu'il allait oublier son texte et se retrouver muet comme une carpe, alors que Diana serait affreusement gênée pour lui. « Mathilda Whittleby est tombée de son cheval sur le nez », répéta-t-il à voix basse pour se rassurer et, juste à ce moment-là, Jane passa, la main dans la main avec le plus beau garçon qu'il ait jamais vu.

Elle riait à gorge déployée, la tête rejetée en arrière, le rouge au front et aux joues ; elle n'avait d'yeux que pour son compagnon et s'amusait tant qu'elle ne vit même pas Nicholas. Il se détourna lorsqu'ils passèrent. Le garçon se mit à rire et donna une bourrade à Jane, d'un geste taquin, sans jamais laisser échapper sa main. Jane se plaça devant lui, saisit la main qui l'avait frappée et pointa le poing du garçon vers lui comme si elle voulait l'aider à se donner un coup en plein visage.

Nicholas s'aperçut qu'il serrait très fort le ballon en caoutchouc qu'il avait à la main. Il relâcha sa pression. Il ne savait au juste ce qu'il éprouvait mais, s'il avait dû le définir d'un mot, il aurait dit qu'il était contrarié. Il avait vu Jane tous les après-midi depuis qu'il avait accepté de jouer Fortinbras. Il se sentait bien avec elle et pensait qu'ils allaient devenir amis. Cette idée lui souriait car il n'avait jamais été vraiment ami avec une fille et recherchait ce genre de rapport parce que Jane était exactement le style de personne qu'il admirait, une espèce de Charlie

Harrison au féminin ; elle était intelligente — plus intelligente
que lui —, elle avait bon caractère et était très drôle. Imperti-
nente, elle lui disait qu'il faisait retomber sa mèche sur le front
pour avoir l'air gamin (ce qui n'était pas vrai), qu'il se servait de
son regard comme d'une arme pour mettre les filles à ses pieds (il
n'en était pas sûr) et qu'une des raisons pour lesquelles il voulait
jouer, c'était que cela choquait ses proches qui n'attendaient de
lui qu'une attitude purement conventionnelle (ce qui était exact).
« C'est comme si tu rentrais dans un club de bowling au lieu de
jouer à ce jeu, ce truc auquel tu joues. Ce jeu avec des raquettes
qui ont l'air de filets à papillons pétrifiés.

— Le lacrosse.

— La comédie, ce n'est pas fait pour des gens comme toi. C'est
admettre publiquement que tu n'es pas un citoyen responsable.

— Mais je suis un citoyen responsable.

— Non, ce n'est pas vrai. D'abord tu as dit que tu étais pour
Kennedy...

— Nixon porte sa cravate avec un nœud à la Windsor.

— Tu n'es vraiment pas responsable.

— Si. Un nœud à la Windsor, c'est un symbole. Il est minable.

— Mais de là à leur dire que tu ne vas pas voter républicain,
alors que tu sais que soutenir un démocrate... c'est pratiquement
reconnaître ta trahison. Et, par-dessus le marché, tu dis que tu
veux jouer une pièce. Tu t'exposes à la critique. Ils vont te virer
de l'élite du pouvoir. Tu peux continuer à rire, mais c'est vrai. Si
tu avais un sou de cervelle, tu aurais pris un pseudonyme. Quand
ils vont enquêter sur tes antécédents pour la Cour suprême,
penses-tu qu'ils vont croire que c'était juste un péché de
jeunesse ? »

Pourtant, malgré son intelligence, elle lui avait semblé parfaitement directe. Cependant elle ne lui avait jamais dit qu'elle
était avec quelqu'un, bien qu'il se soit laissé aller à des confidences sur Diana et qu'il lui ait avoué que, même s'il voulait
l'épouser, il pensait qu'il ne serait pas prêt pour l'été prochain ;
or Diana semblait avoir cette date en tête. Ils rentraient à la
maison des étudiants de Jane après une répétition particulièrement tardive et, lorsqu'il lui avait annoncé cela, elle avait
trébuché sur un petit monticule sur le trottoir. « Pardon »,
marmonna-t-elle.

Il pensait bien la connaître mais, à voir ses cabrioles, il
n'aurait jamais imaginé qu'elle était si peu inhibée. Stupide
même. Elle tira la main du garçon, la lui mit derrière le dos et lui
donna un grand coup sur les fesses, puis — mais Nicholas ne

pouvait en être sûr car elle lui tournait le dos — elle se tordit de rire.

Nicholas les observa jusqu'à ce qu'ils tournent au coin du bâtiment. Il réalisa qu'il était en colère. C'était comme si Jane l'avait trompé. Son côté vulnérable, gentil et toujours de bonne humeur n'était qu'une façade ; elle n'avait fait que jouer la comédie une fois de plus. Le lendemain soir, à la répétition technique, il décida de se montrer très froid envers elle.

Nicholas était vautré contre un mur dans les coulisses à quelques mètres du plateau, plongé dans une conversation animée avec un autre acteur, un étudiant de première année qui jouait son valet. A côté de Nicholas, superbe dans sa culotte de cheval d'un jaune éclatant et sa chemise blanche à jabot du troisième acte, le jeune étudiant vêtu de gris avait l'air d'un lapin d'un mètre soixante-dix.

Jane s'approcha et lança : « Nick ? »

Il se frotta la main, geste qui hésitait entre attends une minute et laisse-moi tranquille.

« Je voudrais te parler un instant, dit-elle. Si tu es occupé ?... » Le jeune étudiant s'éclipsa pour aller prendre un café.

« On peut s'asseoir une minute ? » demanda Jane. Elle s'approcha d'une chaise longue qui « jouait » au premier acte et s'y assit. De mauvaise grâce, il s'installa à côté d'elle.

« Tu as le trac ? lui demanda Jane gentiment.

— Non. Ça va très bien. »

Il s'éloigna d'elle et se figea sur le bord de la chaise longue. Les bras sur les cuisses, il était dans la position du joueur qui attend qu'on l'appelle pour entrer dans le jeu. Elle lui effleura l'épaule et, comme il se retira, il agrandit le fossé qui existait entre eux. Un des paramètres de leur amitié stipulait qu'ils ne se touchaient jamais et sa réaction lui fit craindre qu'elle lui inspirât une certaine répulsion ou, pire encore, qu'il ait réussi à découvrir ce qu'elle éprouvait envers lui et qu'il trouvât ses sentiments répugnants. Elle savait qu'elle n'approfondirait pas le sujet mais, devant sa réaction, elle sentit un grand vide en elle, encore plus profond qu'elle ne se le serait imaginé. Elle savait qu'elle le perdrait, mais pas si brusquement ni si vite et elle réalisa que l'amour qu'elle avait décrit à Amelia ne représentait pas même la moitié de la vérité. Elle fixa ses mains. Elle tendit la main et effleura le bout de la sienne bien qu'elle sût que c'était la pire chose à faire.

« Qu'est-ce qui ne va pas, Nick ?

— Rien.

— S'il te plaît, je sais qu'il y a quelque chose. Tu m'as ignorée toute la soirée.

— Je ne t'ai pas ignorée. J'ai discuté avec quelques autres personnes. Je peux ? Ou j'ai besoin de ta permission ?

— Nick...

— Ecoute, au départ, je n'avais pas envie de m'engager là-dedans. J'ai été stupide d'accepter ce rôle. Cela me prend trop de temps.

— Nick...

— J'ai deux copies en retard et trois cents pages en histoire dans la vue. Je n'arrive pas à croire que j'ai compromis mes chances de rentrer à Columbia pour jouer cette pièce d'abrutis.

— Mais tu as dit...

— Oublie cela, Jane.

— Tu m'as dit que tu adorais cela, que c'était le pied de jouer un rôle complètement différent de toi, une espèce de dandy et que tout le monde croit à ton personnage.

— D'accord, dit-il d'un ton cassant.

— Et que tu aimais beaucoup tous les gens de la compagnie.

— Ils sont géniaux. »

Son ironie était presque physique et la laissait pour ainsi dire sans voix.

« Tu as été fâché que je n'aie pas pu répéter avec toi hier soir ? murmura-t-elle.

— Allez, Jane. Tu arrêtes ?

— J'étais prise.

— Allez, laisse tomber. »

Il croisa les bras et cacha presque ses mains.

« Mon frère était là et on l'a raccompagné à Boston avec la fille qui partage ma chambre ; on est juste rentrées à temps pour l'extinction des feux et je ne voulais pas t'appeler si tard. »

Nicholas se détourna et la regarda enfin. « Tu ne m'avais jamais dit que tu avais un frère ?

— Eh bien, si. J'ai un frère. Il fait le tour des universités. » Nicholas hocha la tête et décroisa les bras. Elle se sentait comme si un juge clément lui avait accordé un sursis. « Il termine ses études secondaires. Il vit avec notre... enfin sa mère, ma belle-mère, quoi... il y a un léger problème de ce côté-là, comme tu peux le constater. Enfin, toujours est-il qu'elle est restée à l'hôtel à Boston parce qu'elle avait mal à l'estomac et il a pris un bus. Je ne l'avais pas revu depuis trois ans. C'est fou ce qu'il a grandi... » Elle sentit qu'elle babillait. Elle prit une profonde inspiration et poursuivit d'une voix plus froide : « Il a eu une interview à Brown, mais je ne sais pas...

— Reginald ! Mathilda ! » hurla le professeur Ritter du plateau.

Nicholas se redressa, prit sa main et l'aida à se lever de la chaise longue. « On nous appelle.

— Nick, je voulais juste te dire...

— Ecoute, je suis désolé de t'avoir parlé sur ce ton. Je suis de mauvaise humeur. » Il lui fit un large sourire. « Si je n'avais pas mes humeurs, quel genre d'acteur serais-je ? »

Nicholas se sentait mal à l'aise avec le professeur Ritter. Il était d'une telle laideur que, lorsque Nicholas le regardait en face, il avait peur d'avoir une réaction de dégoût, d'ironie ou de pitié. « Je suppose que vous savez pourquoi je vous ai demandé de passer ? dit le Pr Ritter.

— Je n'en suis pas sûr, professeur Ritter.

— Mais vous pouvez le deviner. Cependant, je ne vous demanderai pas de le formuler. Je vais vous le dire moi-même. Vous étiez parfait en Fortinbras bien que... comment dire ? Bien que ce rôle ne donne pas précisément l'occasion de juger du talent d'un acteur. » Nicholas hocha la tête et attendit. Le Pr Ritter frappa du poing contre le mur derrière lui et hurla : « Cependant ! » Puis il s'éclaircit la gorge et prit un ton plus modéré. « Cependant, Reginald *était* l'occasion de prouver son talent, quoique dans un genre purement comique, et non seulement vous avez passé ce test, mais vous y avez excellé. » Nicholas se redressa. « Sincèrement, vous étiez très, très brillant.

— Merci. Venant de vous, ce n'est plus un compliment... mais, comment dire, un éloge, je présume.

— Oui, c'est un grand éloge. Au cours de toutes les années que j'ai passées à Brown, je n'ai jamais vu un étudiant qui ait autant de présence que vous. Notez bien, Nicholas, que j'ai employé le mot présence. Il y en a qui sont meilleurs techniquement, qui ne perdent pas leur accent britannique au milieu de leurs phrases...

— Oui, je sais. Il avait disparu avant même de me manquer.

— Je vous en prie. Vous avez autre chose... la présence... et ça, c'est un don. Vous êtes arrivé sur scène et le public vous a tout de suite adoré. Vous étiez sournois, calculateur, mais ils vous ont pardonné car ils ont lu dans votre cœur et ils ont su qu'au bout du compte, votre cœur échapperait à Mathilda et ne battrait plus que pour Eloïse. Non seulement vous êtes crédible, mais vous magnétisez les foules. Vous avez attiré le public dans ce spectacle la semaine dernière et vous l'y avez gardé.

— Je vous remercie, monsieur, mais Jane et Penny étaient...

— Elles étaient très bien. Toute la distribution était admirable. Mais nous parlons de vous : Nicholas Cobleigh. C'est un bon nom. Vous n'avez pas besoin de prendre un pseudonyme.

— Professeur Ritter...

— Et maintenant, allons plus loin et plus au fond des choses. Nous montons *Agamemnon* et vous devez essayer le rôle d'Oreste.

— Je ne peux pas. Je voudrais bien, mais je suis très en retard dans toutes les matières et, même si je sais que je ne devrais pas penser à mes notes, j'ai besoin au minimum d'un douze ce semestre pour l'université de droit et, à ce rythme-là, je n'aurai même pas un dix.

— L'université de droit ?

— Oui. Je croyais vous en avoir déjà touché un mot.

— Je pensais que vous aviez déjà franchi ce cap. Et pourquoi l'université de droit, si je puis me permettre ?

— J'ai toujours voulu faire mon droit.

— Vous voulez devenir avocat ? Même si vous n'êtes qu'une aiguille dans une botte de foin ?

— Mon père est avocat.

— C'est une profession admirable. Mais vous souhaitez gaspiller votre don ?

— Je peux toujours...

— Comment ? Dans des spectacles d'amateurs où un petit metteur en scène prétentieux vous murmurera " Merde " avant votre entrée en scène ? Vous êtes trop grand pour cela, Nicholas. » Le metteur en scène postillonnait à chaque fois qu'il disait « Nicholas ». La salive tachait le papier posé sur son bureau. « Vous écraseriez n'importe quel spectacle de ce genre. Ils ne voudraient même pas de vous.

— Je vais être occupé pendant quelque temps. L'université de droit, un emploi. J'apprécie l'intérêt que vous me portez, professeur Ritter, mais la comédie, ce n'est pas pour moi.

— Dites-moi une chose, comment vous sentez-vous en scène ?

— Très bien. Un peu nerveux au début.

— Et ensuite ?

— Ensuite ? Ça m'a bien plu.

— C'était merveilleux, n'est-ce pas, Nicholas ?

— Oui. Mais j'ai tout de même d'autres obligations...

— Faites juste un essai dans Oreste. Ecoutez-moi. Donnez-vous l'occasion de vous ouvrir avant de vous refermer à tout jamais. Cela ne vous prendra que jusqu'au début décembre et vous aurez votre amie Jane pour vous aider. Elle est la seule qui ait la stature pour jouer Clytemnestre ; Pembroke est devenue une université de naines. Et ensuite, vous avez ma parole, plus aucune pression. Si vous choisissez le droit, j'irai danser à votre examen de fin d'études. Je vous achèterai un attaché-case. Et je vous donnerai mon testament à rédiger. Bon, parfait. Je suis heureux que tout soit réglé. Et maintenant, dites-moi, vous avez lu *Agamemnon* ?

— Oui.

— Eh bien, relisez-le. »

Jane déclara qu'elle était submergée de travail et rompait ainsi avec la tradition qui durait depuis deux ans : elle n'alla pas avec Amelia à Bar Harbor pour Noël. Elle refusa aussi des invitations pour se rendre à Brooklyn et à Philadelphie et s'excusa en disant que, si elle avait quelques jours de libre, elle irait à Cincinnati. Evidemment, c'était impossible. Elle savait que Dorothy ne souhaitait pas sa présence et, au fin fond de son esprit, redoutait que son père la désire toujours. La vérité, c'est qu'elle n'avait pas le cœur d'aller quelque part. De plus en plus, elle réalisait qu'elle était profondément seule. Elle n'était qu'une convive en plus, agréable, invitée au Noël des autres. Mais elle ne manquait jamais à personne. Elle n'avait aucune attache et reconnaissait avec une souffrance qui approchait de la terreur que tous les gens liés à elle allaient se disperser en juin. Tous ses liens seraient rompus. Elle tentait de se calmer en pensant combien elle avait de la chance : elle allait être diplômée avec mention de l'une des meilleures universités du pays et elle était libre et indépendante. Cela ne la réconfortait pas. Elle n'avait ni argent, ni emploi, ni endroit où aller et personne nulle part pour lui dire au revoir ou l'accueillir. Et en dehors de son frère (dont elle imaginait à juste titre qu'il pensait à elle une ou deux fois par mois), elle savait que personne ne l'aimait vraiment.

Elle resta seule à Providence dans la maison des étudiants pour s'habituer à sa solitude. Pendant plus d'une semaine, elle ne quitta presque jamais sa chambre.

Le matin de Noël, dans son vieux pyjama rouge, elle ouvrit ses cadeaux. Celui de Dorothy et Richard était un twinset jaune si grand que le tricot aurait pu convenir à un grizzly femelle. Elle lut la carte qui accompagnait le cadeau :

« Ho, ho, ho, ha, ha, ha
Le père Noël est en route

> Avec sa provision de vœux de Noël
> Et des rires plein son traîneau. »

C'était signé *Maman et Papa* de l'écriture penchée de Dorothy. Rhodes lui avait envoyé un livre, *Seize pièces américaines*, et un petit mot : « J'espère que tu trouveras le rôle de ta vie là-dedans. Tu me manques beaucoup. Je suis désolé que tu ne puisses rentrer à la maison. Je te souhaite le plus heureux et le plus joyeux Noël !!! Avec tout mon amour et tous mes autres vilains défauts. R. »

Amelia lui avait offert un presse-papier en verre et une autre amie, Peg O'Shea, un journal relié en similicuir avec la date 1961 imprimée sur la couverture. Elle se mit au lit, pleura quelques instants, puis s'endormit. Pendant toute la semaine, elle lut tous ses livres et tous les ouvrages psychologiques d'Amelia, mais elle ne put se concentrer suffisamment pour rédiger les trois textes qu'elle avait prévu de faire.

Lorsque les cloches de l'église se mirent à sonner les douze coups du 31 décembre, elle se passait la langue sur les gencives ; elle avait la bouche sèche et pâteuse, mais elle était si bien emmitouflée dans sa couverture qu'elle n'avait pas envie de se lever pour se laver les dents. Elle songea aux baisers qu'elle n'avait pas reçus et pensa alors à Nicholas. Il lui avait parlé d'une soirée où il devait aller ce soir-là avec Diana. Il y aura un bon orchestre et un souper servi à minuit. Jane posa la main sur son épaule puis redescendit le long de son bras, elle sentit la flanelle fine et usée. Début décembre, Nicholas lui avait dit que Diana était allée un samedi à New York chercher une nouvelle robe longue pour la soirée. Lui, il n'avait pas de problème, avait-il ajouté : il mettrait le vieux smoking qu'il portait depuis toujours. Elle ferma les yeux et imagina Nicholas qui faisait tournoyer Diana, l'éclat de sa tenue de soirée noire et blanche adoucie par la mousseline lumineuse de sa robe tandis qu'il la tenait serrée contre lui et dansait.

« Maman », murmura Nicholas du bout du lit d'hôpital. L'infirmière l'avait remontée si haut que le dos de Winifred était à angle droit par rapport à ses jambes. Elle semblait si molle qu'elle aurait pu tomber en avant et se plier en deux ou sur les côtés et heurter de la tête le plateau du déjeuner abandonné sur la table de nuit en chrome. « Mère », répéta-t-il. Elle le regarda, mais elle ne le reconnut pas plus qu'elle ne réagit à sa présence. « Maman, dit-il. C'est moi, Nicholas. Je suis rentré pour les vacances. » Ses yeux gris étaient couleur d'ombre. Son teint aussi s'était obscurci. Il ne savait pas si ces changements étaient dus au traitement par électrochocs ou si la chambre haute de plafond de l'hôpital psychiatrique était mal éclairée. « Je voulais venir te dire bonjour. Tout va très bien.

— Nicholas, dit Winifred.

— Oui. Comment vas-tu ? » Quelqu'un avait noué un grand ruban vert dans les cheveux roux et gris mal coiffés de Winifred et, avec le nœud légèrement décentré par rapport à son front, sa tête ressemblait à un cadeau mal emballé. « Maman ?

— Je crois que je vais bien. Je suis fatiguée. Je vais dormir maintenant.

— Tu veux que je m'en aille et que je revienne plus tard ?

— Non. Non. Je ne t'ai pas vu depuis quelque temps, n'est-ce pas ?

— Pas depuis le mois de septembre. On est en décembre maintenant.

— Je le sais, Nicholas. Je ne suis pas folle.

— Je le sais. Excuse-moi.

— Ça marche à l'université ? Tu es heureux là-bas ?

— Oui. C'est un endroit très agréable.

— J'ai oublié comment ça s'appelait.

— Brown.

— Brown. Les électrochocs me font oublier des choses. Certaines choses. Toute la journée, j'ai essayé de me rappeler le nom du basset à la ferme. Celui qui boitait.

— Flippy.

— Ah oui, c'est ça. Je suis heureuse que tu puisses te rappeler ce genre de choses. Je suis si inquiète à l'idée de perdre les choses que j'aime, des choses dont je veux me souvenir et dont je ne saurai jamais que je les ai perdues.

— Je pense que tu es supposée oublier uniquement les mauvaises choses, les choses qui t'ont fait broyer du noir.

— Ça s'appelle de la dépression. Pas broyer du noir. Je fais ma propre dépression. Tu es au courant de l'autre ? La vraie ?

— Oui. Tu t'en souviens ? La soupe populaire...

— Nicholas, je ne serai pas à la maison pour Noël.

— Je sais. Mais tu rentreras peu après et tu te sentiras beaucoup mieux.

— Je ne crois pas.

— Si, tu verras, le docteur est très optimiste.

— Il a déjà dit ça la dernière fois. Ou peut-être y a-t-il eu deux autres fois. Je ne sais pas. C'est exact ? »

Nicholas hocha la tête. « Ça va bien quelque temps. Je rentre à la maison et ta grand-mère organise un déjeuner avec toutes mes anciennes camarades d'école et pendant un jour ou deux ton père... je suis si fatiguée. »

Pendant les jours suivants, il se laissa aller au tourbillon de mille activités jusqu'à ce qu'il soit trop épuisé pour réfléchir. Thomas rentra de son université du Connecticut, Michael et Edward de Trowbridge, et ses sœurs, Olivia et Abigail, de leur école dans le New Hampshire. Il s'occupa d'eux tous. Ils allèrent tous ensemble dans une maison de retraite du New Jersey où vivait leur vieille gouvernante, Nanny Stewart. Ils furent tous invités à dîner chez leur grand-mère, Maisie, qui avait dans les quatre-vingts ans et un air si majestueux avec ses cheveux blancs relevés en arrière et son camée rehaussant l'éclat de son cou qu'elle aurait pu être la caricature d'une grande dame. Ils allèrent tous ensemble patiner à Central Park. Un après-midi, Nicholas emmena ses sœurs au théâtre avec Diana. Il conduisit Michael, qui devait rendre un devoir en sciences naturelles, jusqu'aux serres du jardin botanique du Bronx et passa un après-midi à aider Edward à résoudre ses problèmes de trigonométrie.

En d'autres termes, Nicholas se conduisait plus en père qu'en frère aîné, et cela valait mieux ainsi, car James ne semblait pas apprécier son rôle. Au petit déjeuner, il paraissait stupéfait de découvrir six enfants-devenus adultes. La plupart du temps, il gardait le silence et fixait un point entre la salière et le poivrier, laissant à Nicholas le soin d'organiser les activités de la journée et de transmettre les demandes spécifiques. Lorsqu'il parlait, il avait l'air d'un avocat avare de ses mots face à un client. Avant de prononcer le nom des quatre derniers, il faisait toujours un « hum » pour se permettre de réfléchir un instant de plus et donner le bon nom au bon enfant. « Hum, Michael, tu es toujours dans le... dans l'équipe ?

— Oui. L'équipe de foot.

— Parfait.

— Hum, Edward ?

— J'ai essayé de faire du basket, mais ça n'a pas marché.

— Eh bien, ce sera pour l'année prochaine.

— Non, je suis nul en sport. »

James semblait diviser ses enfants comme sa vie : il y avait l'avant-guerre et l'après-guerre, les enfants de l'espoir et les enfants de l'éloignement.

Nicholas savait qu'il était le préféré de son père, même s'il n'en retirait plus le même plaisir secret que lorsqu'il était enfant. Et donc, le matin de Noël, lorsque James posa sa main sur l'épaule de Nicholas (geste qu'il n'avait jamais pour les autres) et lui dit :

« Allons bavarder un moment dans mon bureau », Nicholas jeta un coup d'œil vers ses frères et sœurs dans le salon et vit comme ils fixaient intensément cette main, tout en l'imaginant sur leur épaule. Il aurait voulu se dégager. Au lieu de cela, à contrecœur, il suivit James tout en sachant que cinq paires d'yeux étaient fixées sur eux.

« Alors, dit son père. Comment ça va ? Tu veux un cigare ?

— Non, merci.

— Tu ne fumes jamais ?

— Un de temps en temps.

— Tu ne fumes pas la pipe, n'est-ce pas ? Et pas de cigarettes non plus ?

— Non.

— Comment ça se présente pour l'université de droit ?

— J'ai posé ma candidature à Columbia et à l'université de New York.

— Et ?

— C'est tout.

— Pas à Harvard ? Après tout l'argent que je leur ai versé pour répondre à leurs demandes auprès des anciens élèves ?

— Tu as cinq autres enfants.

— Je ne parle pas d'eux. Je parle de toi.

— Je n'ai pas le niveau.

— Tu as fait une demande, au moins ?

— Non. Je veux rester à New York.

— Qu'est-ce qui t'attire tant ici ?

— Tout le monde est ici.

— Ils sont tous partis chacun dans son école.

— Ils reviennent. Vous êtes ici, maman et toi. Et la famille de Diana est ici. »

Nicholas regarda son père qui avait pris un masque de neutralité. Il avait suffisamment vu James face à une femme pour savoir que son père ne trouvait pas Diana séduisante et, si une femme ne l'attirait pas, elle n'avait aucun intérêt pour lui. Nicholas ne savait pas pourquoi, mais cette indifférence l'irritait.

« Tu as l'intention de l'épouser ? demanda James.

— Oui, je crois. Il lui reste encore un an d'études, mais cela me laissera le temps de m'intégrer à l'université de droit.

— C'est pas mal, Columbia.

— Je ne crois pas que j'y entrerai.

— Que veux-tu dire ?

— J'ai un dix. Ils exigent environ un onze et mes résultats ne sont pas si bons que cela. Pas si mauvais non plus. J'irai à l'université de New York. C'est l'une des meilleures.

— Tu peux faire mieux.

— Non.

— Je n'aime pas ce ton. Qu'est-ce qui ne va pas ?

— Rien.

— Tu étais si occupé avec cette fichue pièce que tu as bousillé tes chances pour Columbia. Tu as tout foutu en l'air pour cette bêtise.

— Je n'ai rien foutu en l'air.

— Tu appelles cela comment alors ? Une petite incursion dans le monde de l'art ?

— Oublions tout cela. D'accord ? Je me suis bien amusé. Toi aussi, ça aurait pu te plaire si tu étais venu.

— J'étais très pris.

— Je l'aurais parié », laissa échapper Nicholas. Il se sentait soudain si rouge de colère qu'il en eut des élancements dans la tête. Son père, assis en face de lui, eut du mal à encaisser le coup.

« Que veux-tu dire par là ?

— Que crois-tu que je veuille dire ? » Nicholas se leva.

« Assieds-toi, lui ordonna James. Pour qui te prends-tu, nom de Dieu ? »

Nicholas se rassit mais sa rage décupla, nouant sa gorge et sa poitrine. Il fallait qu'il dise ce qu'il avait sur le cœur. « Tu es si débordé avec toutes tes activités à l'extérieur que tu n'es même pas allé voir maman. Tu n'es pas allé la voir une seule fois.

— Il y a certaines choses que tu ne comprends pas.

— Vraiment ? Crois-tu qu'elle ignore pourquoi tu n'es pas allé à l'hôpital ? Ne sais-tu pas combien cela doit la blesser ?

— Elle pense que je suis en voyage.

— Tu n'as donc aucun sentiment pour elle », hurla-t-il, mais il avait la gorge si serrée qu'il avait la voix nouée. « Ne peux-tu même pas faire l'effort de trouver une nouvelle excuse ? Quelque chose qui ne soit pas cousu de fil blanc ?

— Tu ferais bien de faire attention à ce que tu dis. Tu dépasses les bornes.

— Mon Dieu, elle est à l'hôpital en train de subir des traitements de choc. Elle est au trente-sixième dessous et tu la frappes en plein visage avec tes excuses minables qui ne bernent personne.

— Tais-toi, Nick. Je te préviens.

— Que t'a-t-elle fait de si terrible pour que tu la traites ainsi ? » Il se leva. Il dut faire appel au peu de maîtrise de soi qui lui restait pour ne pas se jeter sur son père.

« Dis-moi, hurla-t-il, qu'a-t-elle fait pour mériter tes excuses stupides dont tout le monde sait ce qu'elles cachent ? Tes putes que tu n'as même pas la décence de cacher ? Ou tu rentres en puant l'alcool, ou tu ne rentres pas du tout.

— Tais-toi ! hurla James en menaçant Nicholas du doigt. Ferme ta gueule ! »

Nicholas n'avait jamais entendu son père parler ainsi. Cela le calma comme une gifle cinglante. Il prit alors un ton plus modéré. « Elle a besoin de toi.

— Allez vous faire foutre tous les deux.

— Papa.

— Je m'en vais. » James jeta son cigare dans le cendrier et se leva.

« C'est Noël.

— Je dois aller au bureau.

— Mon Dieu, comment peux-tu faire une chose pareille ? Qui est donc si important pour que tu nous laisses tomber le jour de Noël ? Nous avons besoin de toi. Tu es notre père. Ça t'est égal ? » James ne jeta pas un regard vers Nicholas. Il se dirigea rapidement vers la porte et, lorsqu'il passa devant lui, presque comme s'il se souvenait soudain de quelque chose, il lui donna un grand coup de coude dans la poitrine. Nicholas se plia en deux. Il fut saisi d'une nausée si violente qu'il en tomba à genoux.

« Joyeux Noël, espèce de petit salaud », dit James.

Nicholas essaya de relever la tête. Il n'arrivait pas à reprendre son souffle. Au moment où James ouvrit la porte, il arriva à murmurer : « Tu as cinq gosses là qui t'attendent.

— Qu'ils aillent se faire foutre, répliqua son père. Allez tous vous faire foutre. »

« Comment se sont passées tes vacances ? demanda Nicholas.

— Merveilleusement, répondit Jane. Et les tiennes ?

— Géniales.

— Parfait. » Elle se tut un instant. « En fait, les miennes étaient parfaitement atroces.

— Vraiment ?

— Oui.

— Les miennes aussi.

— Ah ! Tu as envie d'en parler ?

— Non, je ne sais pas, dit Nicholas. Et toi ?

— Moi non plus, je crois. Ce n'est vraiment pas intéressant. Je veux dire que ça va osciller entre le carrément ennuyeux et le franchement pathétique. Mais plus près de l'ennuyeux. Tu vas probablement t'endormir avant que j'en arrive au réveillon de Noël.

— Allez, Jane.

— C'est toi qui commences.

— Les femmes d'abord.

— Et si je te dis tout et que tu décides de ne rien me dire ?

— J'aurai alors une arme contre toi et j'irai raconter ça partout. Je révélerai tes secrets les plus cachés à tous mes copains du club d'étudiants et, si tu as encore le courage de montrer le bout de ton nez sur le campus après cela, je les ferai publier dans le *Daily Herald.*

— Nick...

— Que se passe-t-il ? »

Les deux lettres étaient arrivées la veille. L'une, de l'université de New York, annonçait à Nicholas qu'il était reçu ; l'autre, de Columbia, qu'il était sur la liste d'attente. Elles étaient toutes les deux dans sa poche arrière, légèrement détrempées à cause du sol humide. Les yeux mi-clos, il était allongé dans l'herbe sur le dos, le délicat parfum mouillé de ce début de printemps se mélangeant à l'odeur de la Seekonk River qui coulait à quelques mètres de là.

Il tourna la tête pour regarder Jane. Elle était assise sur son imperméable dans sa position préférée, en tailleur, et essayait de siffler à travers un brin d'herbe coincé entre ses pouces. Elle avait la tête penchée et ses cheveux, tirés en queue de cheval, étaient si noirs au soleil qu'ils renvoyaient des reflets bleus. Sa queue de cheval tombait sur son épaule et se répandait sur son cardigan vert, se soulevant sur son imposante poitrine puis retombant en vagues molles jusque sous sa taille.

Il soupira et ferma les yeux.

La menace d'une érection les lui fit rouvrir. Gêné, il se retourna sur le ventre. Il ne lui était jamais arrivé une chose de ce genre avec Jane. C'était inopportun et cela le mettait mal à l'aise. Il s'appuya contre l'herbe et posa la tête sur son bras tout en se concentrant sur le tissage de sa chemise de coton bleu pâle dont il remarqua que certains fils semblaient bleu foncé et d'autres blancs. Il observa l'herbe pâle et clairsemée puis, fermant les yeux, il écouta les bruits de la rivière. Plus près d'eux, un avertisseur lança trois longs coups impatients. L'excitation passa. Il jeta un coup d'œil vers Jane. Elle avait enroulé ses cheveux autour de sa main comme un bandage. « Alors ? demanda-t-il. Qu'en penses-tu ?

— Je crois que tu dois être fou, répliqua-t-elle.

— Pourquoi ?

— Hé, tu es tout vert à cause de l'herbe.

— Jane.

— Eh bien, tu es fou. N'importe quelle personne sensée aurait pesé ses chances de réussite et compris qu'elles étaient vachement bonnes du côté de l'université de droit...

— Tu as vraiment un accent du Middlewest. Je n'arrive pas à croire que tu penses l'avoir perdu. Tu dis *vaachement* à la place de vachement.

— Je ne dis pas *vaachement*.

— Tu viens de le dire.

— Non, ce n'est pas vrai. Je viens de dire que tu es fou et c'est pour cela que tu changes de conversation. »

Nicholas se retourna et s'assit, puis releva les genoux et posa les bras dessus. « Je croyais que toi, tu me conseillerais de tenter le coup.

— Mais c'est ce que je te dis. Je crois que tu es génial. Je le pense sincèrement, Nick. Tu as un talent fantastique et tu sais bien que je ne te le dirais pas si je ne le pensais pas. C'est une vie épouvantable et difficile et tous ceux qui n'ont que l'ombre d'une médiocrité ne devraient pas essayer d'être acteurs. Si j'avais le moindre doute, je te pousserais à abandonner. Ce serait cruel de ma part de t'obliger à affronter toutes ces choses atroces que tu vas devoir surmonter.

— Alors, pourquoi dis-tu que je suis fou ?

— Parce que tu vas renoncer à une carrière sûre et sans risque. Tu vas troquer le prestige, l'argent, et peut-être même un travail intéressant contre quoi ? Un spectacle qui durera trois semaines dans une production off Broadway ou l'occasion unique de jouer Monsieur Dents blanches dans une pub pour un dentifrice. Tu es fou parce que tu as le choix entre la sécurité et l'insécurité et que tu choisis l'insécurité. Tu peux choisir que tes riches parents te paient tes études à l'université de droit...

— Ils ne sont pas riches.

— Vous êtes quoi alors ?

— Je ne sais pas.

— Moi, j'ai l'impression que tu es drôlement riche. Enfin, peu importe ce que tu es, ou ce que tu étais... de toute façon, tout ça, ce ne sera plus pour toi. Ta famille va te couper les vivres et tu n'auras plus un sou. Et que vas-tu faire sans argent ? Tu n'as jamais travaillé.

— J'ai travaillé comme conseiller technique dans un camp pendant l'été. J'étais entraîneur de lacrosse.

— C'est parfait. Je suis sûre qu'il y a des tas d'opportunités de travail à mi-temps pour des entraîneurs de lacrosse à Manhattan.

Tu gagneras bien assez pour payer ton loyer, ta nourriture, tes vêtements, tes cours d'art dramatique...

— C'est ce que tu vas essayer de faire.

— Moi, j'ai déjà travaillé avant. J'ai passé des étés entiers à récurer des toilettes et à faire des lits. J'ai travaillé comme serveuse et à la bibliothèque. Ce n'est pas à moi que ça va manquer de ne plus aller à l'Opéra ou dans les restaurants français. Je ne me sentirai pas privée de ne pas pouvoir visiter l'Europe car je n'y suis jamais allée. Et je ne fais rien qui risque d'attrister qui que ce soit. Tout le monde s'en fout que je devienne comédienne ou professeur d'anglais ou femme de chambre. Je suis complètement libre. Je ne suis pas avec quelqu'un qui considère que le seul endroit où l'on puisse se trouver dans un théâtre, c'est dans un fauteuil au milieu de l'orchestre.

— Ce n'est pas gentil », répliqua Nicholas d'un ton cassant. Jane se mordit la lèvre inférieure. Elle avait l'air si malheureux qu'il voulut la réconforter. Son remords n'était pas à la mesure de son crime. « Jane, arrête. Tu n'as pas dit une chose si épouvantable. De toute façon, elle va venir.

— Vraiment ?

— Eh bien, elle est vraiment très bouleversée. Ce n'est pas à cause de... Oh ! Je ne sais pas. Je crois qu'elle me considérait comme quelqu'un de très direct et de parfaitement intégré.

— C'est la vérité.

— Mais les acteurs ne sont pas comme ça. Pas d'après Diana, en tout cas. De plus, tu viens juste de dire que j'étais fou.

— Mais tu as des raisons de l'être. Tu as un don.

— Vraiment ?

— Oui, vraiment.

— Eh bien, peut-être. » Il regarda Jane et lui fit un large sourire. « Lorsque je serai célèbre dans le monde entier, je veux que tu ne te sentes pas gênée de venir me voir dans ma loge. Mon habilleuse te laissera entrer pour me voir dans mon costume de Monsieur Dents blanches et... ne t'inquiète pas, je n'oublierai pas la pauvre petite Jane Heissenhuber... je te donnerai un autographe. Et un tube de dentifrice gratuit.

— Tu es un chic type.

— Merci.

— Même si tu n'es pas riche.

— Jane...

— Nick, écoute-moi. Sérieusement. S'il existe une justice en ce monde, tu vas réussir.

— Et s'il n'y a aucune justice ? »

Jane pencha la tête de côté et haussa les épaules. « Alors, tu deviendras l'étudiant en droit le plus vieux du monde. »

Elle savait que c'était la dernière fois qu'ils se voyaient seuls. Le lendemain soir aurait lieu la dernière représentation qui serait suivie d'une soirée pour les acteurs, mais Diana viendrait de Wheaton pour l'occasion et ensuite il y aurait les examens de fin d'études et la cérémonie de la remise des diplômes. Autrefois, Jane avait imaginé les différentes façons dont Nicholas lui déclarerait enfin son amour.

Mais, au cours des semaines qui avaient précédé cette dernière soirée, elle avait fini par renoncer à ses rêves après les assauts répétés de la froide réalité qui l'avaient meurtrie. Nicholas lui avait appris que Diana et lui avaient finalement décidé d'attendre deux ans avant de se marier : un an pour permettre à Diana de finir ses études et une autre année, une fois qu'ils seraient officiellement fiancés, pour lui permettre de trouver un travail et de s'occuper des préparatifs du mariage. Il lui avait promis que, s'il ne gagnait pas au moins de quoi vivre à ce moment-là, il abandonnerait la comédie et ferait son droit. Il ne lui restait plus un seul espoir auquel se raccrocher car Nicholas avait laissé échapper que Diana et lui s'étaient arrangés pour passer plusieurs jours seuls, dans la villa des parents de Diana à Long Island, et les derniers rêves de Jane n'avaient donc plus de raison d'être.

Cependant, elle voulait que leur dernière soirée ensemble soit inoubliable. Nicholas lui avait demandé de lui donner la réplique pour répéter son texte du second acte. Il jouait le rôle d'un soldat anglais dans une pièce dont la distribution était uniquement masculine : trois soldats à Tobrouk, en Afrique du Nord, attendaient la dernière attaque de Rommel et leur mort prochaine.

« ... et, en fait, où se situe toute cette fichue question ? La question est-elle qu'il n'y a aucune solution ? dit Jane.

— La question, enchaîna Nicholas avec un accent britannique beaucoup plus convaincant que lors de sa première tentative, c'est que nous sommes nés et que nous allons mourir et, entre ces deux points... mais ce qui se situe entre ces deux points, *c'est* bien là la question, Alfred.

— Bon boulot, dit Jane.

— Mais tu n'aimes toujours pas la pièce ?

— Non. Prétentieux et sentimental.

— Enfin, de toute façon, je te remercie de m'avoir fait répéter. Je voulais juste le revoir encore une fois. Je vais te raccompagner.

— Tu veux aller prendre un café ou quelque chose ?

— Tu ne m'en veux pas si on rentre tout de suite ? Il faut que je retape mon exposé pour le cours sur Roosevelt : je te verrai demain à la soirée. »

Il ouvrit la porte de la petite loge où ils se trouvaient et la tint pour laisser passer Jane. Sa crème après rasage était parfumée au citron. Il portait l'uniforme des fils de bonne famille, une chemise écossaise, un pantalon kaki et des mocassins, et, lorsque Jane lança un regard vers lui, il avait cet air froid et absent des garçons de haut lignage. Elle retint ses larmes jusqu'à ce que ses joues lui fassent mal. Chaque fois qu'elle jetait un coup d'œil vers lui, il ressemblait de moins en moins à Nicholas et de plus en plus à n'importe quel étudiant d'Alpha Delta Phi, froid, absent, parfaitement impeccable et distant. Lorsqu'ils se retrouvèrent dans la nuit chaude, il marcha d'un bon pas, les mains dans les poches, beaucoup plus loin d'elle que d'habitude et ne se donna pas la peine de faire la conversation, comme s'il raccompagnait chez elle une inconnue après une soirée ratée.

« Tu es nerveux pour demain soir ? lui demanda-t-elle lorsqu'ils approchèrent de la maison d'étudiants.

— Un peu, sans doute.

— Tu seras très bien. » C'était presque l'heure de l'extinction des feux et, de chaque côté de la porte d'entrée, deux couples s'enlaçaient pour se dire bonne nuit. L'une des deux filles était petite ; bien qu'elle se tînt sur la pointe des pieds, son petit ami devait se baisser pour l'embrasser. Il avait le dos voûté et tenait la tête de la jeune fille au creux de sa main. Jane détourna les yeux du couple mais aussi de Nicholas.

« A demain soir », dit Nicholas.

Elle se tourna vers lui. Il fixait les deux jeunes gens qui s'embrassaient. Le garçon avait glissé l'autre main sur le dos de la jeune fille aux allures de poupée et il la massait avec de petits mouvements circulaires. « Nick », commença Jane. Il détourna la tête comme s'il était stupéfait de constater qu'elle était toujours à côté de lui. « Nick, je voulais juste te dire... »

Il enfonça ses mains plus profondément dans ses poches et se dandina d'une jambe sur l'autre. Elle savait qu'il était mal à l'aise à l'idée d'entendre le petit discours qu'elle lui avait préparé, mais elle ne pouvait se taire.

« C'est la dernière fois que j'aurai l'occasion de te parler, et je voulais juste te dire combien...

— Ça va, dit-il, à demain soir. » Avant qu'elle ne puisse ajouter un mot, il s'enfuit à toutes jambes. Jane le regarda descendre la rue et accélérer le pas jusqu'à se mettre presque à courir.

Nicholas courut sur trois pâtés de maisons. Ce fut son trouble qui l'arrêta. Il s'appuya contre une voiture qui était garée là. Il ne savait ni pourquoi il courait ni où il allait ainsi. Pendant une seconde, il crut qu'il voulait rapidement regagner sa chambre et appeler Diana pour convenir d'un rendez-vous après le spectacle, mais il repoussa cette pensée. Lorsqu'elle se fut dissipée, aucune autre ne prit sa place.

La nuit, éclairée par une lune d'un blanc laiteux, était douce, mais soudain Nicholas se sentit transi de froid. Il croisa les bras et coinça ses mains sous ses aisselles. Il avait des sueurs froides. Pourtant, il resta ainsi, pelotonné sur lui-même et ne prêta aucune attention à un groupe d'étudiants qui se mirent à rire, croyant qu'il était ivre. Il était fou de désespoir.

Pendant quelques minutes qui lui parurent longues et effroyables, aucune pensée ne meubla le vide qu'il éprouvait en lui. Lorsqu'il songea enfin à quelque chose, ce fut à Jane et aux derniers mots qu'elle lui avait dits : « C'est la dernière fois... » Ces paroles résonnèrent en lui jusqu'à ce qu'il les répète avec elle en silence : *C'est la dernière fois.* Il comprit alors. Il resta parfaitement immobile. Puis il refit le chemin en sens inverse, en courant encore plus vite qu'il ne l'avait jamais fait jusqu'à ce jour.

Lorsqu'il arriva au premier étage, là où les garçons attendaient leurs petites amies, il vit qu'elle avait pleuré.

« Allons dehors.

— Il est tard, Nick. » Ses yeux, toujours humides, étaient d'un bleu sombre et profond ourlé d'une légère ombre noire autour de l'iris qu'il n'avait jamais remarqué jusqu'alors. Il eut envie de rire et de lui dire que c'était vraiment drôle : elle n'arrêtait pas de se moquer de lui en lui disant qu'il battait des paupières avec ses grands yeux bleus mais les siens étaient tellement plus spéciaux. Vraiment superbes et surtout avec son teint mat. « Je te verrai demain soir, lâcha-t-elle. D'accord ? Il est tard et j'ai cent cinquante pages...

— Epouse-moi, dit-il.

— Comment ?

— Epouse-moi.

— Ce n'est pas drôle.

— Je suis sérieux.

— Arrête, Nick.

— Mais je parle sérieusement.

— C'est très cruel ce que tu fais là. » Elle clignait les yeux mais ne put retenir ses larmes. Sa voix se fit encore plus douce. « Je n'arrive pas à croire que tu puisses me faire une chose pareille.

— Jane...

— Je croyais que tu étais mon ami. » Il tendit la main vers elle, l'attira contre lui et elle s'abandonna tout en murmurant : « C'est atroce.

— Non, non, ce n'est pas vrai », lui glissa-t-il à l'oreille. Il déposa un baiser sur son oreille puis l'embrassa sur les lèvres. Il n'avait jamais tenu entre ses bras une fille aussi grande et le plaisir de sentir sa bouche contre la sienne, sa poitrine contre la sienne et ses cuisses contre les siennes le rendait euphorique. Il posa la main sur sa nuque, sous sa tresse et, lorsqu'il sentit qu'elle tremblait, il comprit qu'elle pleurait. Il retira ses bras. « Jane, dit-il dans un souffle, crois-tu que je ferais cela...? » Il s'arrêta un instant puis se lança : « Penses-tu que je viendrais ici comme ça si je ne t'aimais pas ? Regarde-moi. » Elle secoua la tête. « Ecoute-moi. Je t'ai quittée ce soir et j'ai pensé alors comment ce serait de ne plus jamais te revoir. » Un sanglot étranglé lui échappa et elle mit la main sur sa bouche. « Et j'ai compris alors... Jane, pour l'amour de Dieu, dis quelque chose. »

Elle retira sa main mais il s'écoula une minute avant qu'elle ne puisse parler. « Si tu te moques de moi, je ne t'adresserai plus jamais la parole. Je te jure, je te haïrai jusqu'à la fin de mes jours.

— Epouse-moi, Jane.

— Tu te moques de moi. Tu le sais bien.

— Tu sais que ce n'est pas vrai.

— Et si je ne voulais pas ? » Elle était excédée et respirait avec difficulté. Elle avait le visage en sueur. « Et si je ne t'aimais pas ? Tu n'y as jamais pensé ? Cela ne t'est jamais venu à l'esprit que je pourrais...

— Je sais que tu m'aimes. » Ce ne fut que lorsqu'il prononça ces mots qu'il sut que c'était vrai. Il la prit par les poignets et l'attira de nouveau contre lui.

« Tu le sais depuis toujours ? lui demanda-t-elle enfin.

— Je ne sais pas. Ça fait longtemps ?

— Oui.

— Depuis quand ?

— Depuis le début.

— Pourquoi ne m'as-tu rien dit ? » Elle ne répondit pas. « Alors qu'est-ce que tu vas faire ? » Elle leva la main et, doucement, comme si elle craignait qu'il ne la repousse brusquement, elle lui effleura le visage. « Tu vas m'épouser ?

— Oui, je vais t'épouser.

— Oh ! Jane. »

Avant qu'il n'ait le temps de l'embrasser, elle ajouta : « Mais tu es fou, Nick. Tu fais une grosse bêtise.

— Non, je ne suis pas fou.

— Ce n'est pas grave. C'est la fin de tes études. Tu es très émotif. Je ne te demanderai pas de tenir ton engagement. Tu peux changer d'avis.

— Je ne changerai pas d'avis.

— Je le comprendrai.

— Jane », dit-il. Il lui donna un léger baiser. Elle avait une grande bouche, superbe et passionnée.

« Quoi ?

— Ce n'est pas une plaisanterie. C'est la vérité. Et pour toujours. D'accord ? Maintenant, dis-le-moi.

— Te dire quoi ?

— Ce que je t'ai dit. Allez.

— Oh ! Nick, murmura-t-elle. Je t'aime plus que tu ne le sauras jamais. »

12

[...] Un couple qui lie aussi deux natures parfaitement opposées. Le beau Nicholas, qui a tout de l'étudiant carré d'une classe préparatoire, est aussi silencieux et mystérieux qu'un moine bouddhiste alors que Jane, avec son charme sombre exotique, est aussi simple qu'une tarte aux pommes.

Los Angeles Times.

« Ecoute, je vois où tu as voulu en... » La voix de James se cassa. Il jeta une des valises de Nicholas dans le coffre du break, puis s'assit au bord du hayon. La voiture était garée non loin du club d'étudiants de Nicholas.

« Voulu quoi ? » demanda Nicholas. Il souleva une autre valise qui était très lourde car bourrée de chaussures.

« Pose ça une minute, dit son père. Ecoute, je n'ai pas envie que tu te mettes en colère, mais...

— Il est inutile de discuter, répliqua Nicholas.

— Ne me raconte pas ce genre de connerie. Ecoute, ce n'est pas la peine de s'attaquer mutuellement, je veux avoir une discussion intelligente avec un universitaire mûr et lucide. D'accord ?

— Arrête de me traiter avec condescendance.

— Nick, c'est une fille charmante. Je suis le premier à l'admettre. Elle est aussi vive que l'éclair. Elle est plus dans le coup que l'autre. Je ne suis pas aveugle. Elle a quelque chose. Je comprends pourquoi tu as eu envie de coucher avec elle...

— Arrête, papa.

— Mais ça ne *veut* pas dire pour cela que tu dois l'épouser. Elle est folle de toi. Elle fera tout ce que tu voudras, et elle n'a pas besoin d'une alliance pour cela. »

Nicholas jeta la valise dans le coffre du break, prit son tourne-disques et le cala entre la valise et le coin du coffre. « Il se trouve que je l'aime. Et il se trouve que je veux l'épouser.

— Dans ce cas, attends un an ou deux et tu l'épouseras si tu éprouves toujours la même chose.

— Non.

— Tu n'es qu'un gosse et tu ne sais pas ce que tu fais.

— Tu viens de me dire que j'étais un universitaire mûr et lucide. »

James soupira d'un air exaspéré. « Je t'en prie, arrête de te conduire comme un gosse. On n'épouse pas la première gonzesse sur qui on tombe.

— Tu n'as pas le droit de parler ainsi ! » aboya Nicholas.

James baissa la tête. « D'accord, je suis désolé. Je suis bouleversé, c'est tout. D'abord tu fous en l'air tes études de droit, ensuite tu débarques avec une inconnue dont les parents n'ont pas un kopeck...

— Et tes parents, côté fric, c'était comment ?

— Pardon ?

— Qui étais-tu quand tu as rencontré maman ? Tu avais une bourse pour faire tes études. Tu ne m'as presque jamais parlé de tes parents, mais il est évident qu'ils ne faisaient pas partie de la haute société de Rhode Island.

— Il se trouve aussi que ma mère...

— Tu m'as dit que ta mère était une alcoolique qui n'en avait jamais rien eu à foutre de toi. Et ton père était un avocat véreux... Excuse-moi. Ecoute, papa, je n'ai pas envie de me disputer avec toi.

— Moi non plus », répliqua James. Il gardait les yeux baissés et passa le doigt sur la serrure du hayon. « Mais tu es jeune. Tu changeras. Dans un an ou deux, tu comprendras que tu as besoin d'autre chose chez une femme, une femme qui soit issue d'une famille correcte, d'un bon milieu social...

— Papa, tu ne crois pas que grand-papa Samuel et grand-maman Maisie ont opposé les mêmes arguments à maman ?

— C'était différent.

— Comment cela ? »

Le visage de James s'empourpra sous les prémices de la colère, mais tout ce qu'il dit fut : « Nick, tu peux faire mieux.

— Non, je ne peux pas.

— Tu peux. Tu as eu tous les atouts dans ton jeu. Mais, qu'est-ce qu'elle a, bon Dieu ?

— Qu'est-ce qu'elle a ? Elle est la meilleure qui soit. »

Il y avait un lit à baldaquin dans la chambre d'amis où dormait Jane dans la vieille ferme des Tuttle. Les teintes fanées du tapis tressé étaient rehaussées par le ton mordoré du parquet en chêne. De l'autre côté de la pièce, on avait disposé devant la cheminée en briques un fauteuil club bleu avec de gros accoudoirs ronds. Le mur était d'un blanc laiteux. Elle n'avait jamais dormi dans une chambre aussi belle. Elle se retourna sur le côté, replia les jambes et ferma les yeux juste pour avoir le plaisir de les rouvrir et de découvrir le ciel du petit matin scintiller à travers les vitres ; des rideaux drapés encadraient la fenêtre.

Quand la porte s'ouvrit, elle était dans un tel état de béatitude qu'elle arriva à peine à relever la tête mais, lorsqu'elle vit que c'était Nicholas, une explosion de joie dissipa son brouillard. Elle s'assit et essaya de cacher son plaisir extrême en bâillant. « Oh ! Salut. Je croyais que c'était Abby ou Olivia. » Elle serra la couverture contre elle. « Tu ne devrais pas être là ajouta-t-elle.

— Tout le monde dort. » Nicholas, pieds nus, entra à pas de loup ; il portait un vieux pantalon kaki et un tee-shirt qui, à en juger par son aspect trop moulant et la façon dont il sortait de son pantalon, devait appartenir à l'un de ses jeunes frères. Il s'assit au bord du lit ; il sentait le savon et le dentifrice. Jane l'enlaça, frotta sa joue contre la sienne, l'embrassa sur l'oreille et glissa les mains le long de son dos pour masser les muscles de ses épaules.

Sa propre audace — elle tendait souvent la main vers lui ou prenait la sienne ou lui demandait de l'embrasser — la stupéfiait. Elle n'arrivait toujours pas à croire qu'elle était vraiment fiancée. Plusieurs fois avant la remise des diplômes, elle avait frissonné d'horreur en s'allongeant sur son lit, tout en s'imaginant que Nicholas allait lui avouer que sa demande en mariage n'était qu'une vaste plaisanterie. Il la prit dans ses bras et l'attira plus près de lui. « Tu as bien dormi, ma chérie ?

— Très bien. » Elle se recula pour voir son visage. « Ne t'approche pas trop, je ne me suis pas encore lavé les dents. Enfin, c'était une nuit agréable mais courte. Je suis restée avec les filles jusqu'à près de deux heures du matin. Olivia a l'air d'aimer parler.

— Elle n'arrête jamais.

— Et Abby m'a dit que j'avais l'air d'une princesse indienne.

— Indienne d'Amérique ou d'Inde ?

— Cela m'est égal. En tout cas, elle trouve que je suis chouette.

Apparemment, c'est le grand mot à leur école, chouette. Je suis chouette et mes cheveux sont les plus chouettes qu'elle ait jamais vus. Et...

— Et quoi donc ?

— Je suis beaucoup plus chouette que Diana. Je ne fais que citer ses paroles.

— Abby a dit cela ?

— Oui, et elle a dit aussi... Oh ! Excuse-moi, comment s'appelle son frère jumeau ?

— Mike.

— Elle a dit que Mike me trouvait très chouette aussi. Il ne me reste donc plus qu'à convaincre Ed et Tom. Olivia était assise exactement là où tu es et elle n'a pas dit que je n'étais pas chouette, donc j'en conclus qu'elle me trouve à la hauteur.

— Eh bien, répliqua Nicholas en mettant ses jambes sur le lit, tu as passé le test avec Tom. Il te trouve formidable. Quant à Ed il est à un âge où tout ce qui a de gros nichons est chouette, donc...

— Donc, tout ce qui me reste à faire maintenant, c'est de convaincre tes parents que je suis chouette.

— Arrête. Ils t'aiment bien.

— Non, ce n'est pas vrai. Ils sont juste polis.

— Jane, tu n'es pas en cause.

— Si.

— Ils pensent simplement que je suis trop jeune.

— C'est vrai. Pourquoi ne laisserions-nous pas tomber tout ça pour l'instant ? Rappelle-moi quand tu auras trente ans. »

Nicholas se tourna vers elle, puis la saisit soudain par les poignets et l'immobilisa par une prise de catch. « Retire ça. »

Elle tenta, mais sans faire de gros efforts, de se dégager de son étreinte. « C'est comme ça que tu intimides tes frères et sœurs ?

— Oui, retire ça.

— Qu'est-ce qui est en jeu pour moi dans cette affaire ?

— Moi.

— Oh ! D'accord. Je retire ce que j'ai dit. »

Nicholas relâcha ses poignets et elle le prit par le cou. « Attends, tu verras, dit-il.

— Attendre quoi ? » Elle sourit d'un air entendu.

« Que ta famille fasse ma connaissance. »

Elle baissa les bras. « Il fallait que tu me le rappelles, n'est-ce pas ?

— Eh bien, nous avons encore deux jours à passer ici.

— Nick, s'il te plaît, on n'a aucune raison d'y aller.

— Si, on doit y aller. On va travailler tout l'été et tu m'as dit que tes parents ne viendraient probablement pas au mariage.

— Rhodes viendra.

— Mais tu m'as dit qu'ils trouveraient une excuse quelconque pour ne pas venir.

— Ça ne te suffit pas ? Ça ne te renseigne pas assez sur eux ?

— Si. Mais cela ne signifie pas pour autant que je ne dois pas rencontrer tes parents.

— Mon père et ma belle-mère.

— Richard et Dorothy. Enfin, peu importe comment on les appelle. De toute façon, c'est la meilleure chose à faire.

— Je te conseille de faire le plein pour pouvoir quitter l'Ohio avant le coucher du soleil. Tu crois que je plaisante, n'est-ce pas ?

— On ne va pas s'installer avec eux, non ? On va passer entre quarante-huit et soixante-douze heures ensemble et ce sera sans doute la dernière fois jusqu'à... jusque dans cinq ans sans doute, pour le baptême d'un petit bout de chou. Ne t'inquiète pas, je pourrai encaisser les coups.

— Oublions cela. La question, c'est que nous allons être complètement fauchés.

— Allons, ce n'est pas une surprise. On va vivre dans un taudis. Mais un taudis à New York.

— Et tu sais ce qui nous attend avant New York ?

— Nick, écoute-moi.

— Laisse-moi me glisser sous les couvertures. J'ai envie d'être à côté de toi.

— Non. Ecoute-moi, s'il te plaît.

— Tu crois vraiment que tu vas pouvoir tenir le coup jusqu'au mariage ?

— Oui. On n'en a que pour trois mois et la plupart du temps on sera à trois cents kilomètres l'un de l'autre.

— Tu verras, tu finiras par partir en courant ou bien tu auras tellement pitié de moi que tu tiendras ta parole jusqu'au bout même si tu ne le souhaites pas. » Elle avait essayé de garder un ton ironique mais, au milieu de sa phrase, elle avait senti que sa voix se brisait et trahissait ses craintes.

Il prit ses mains dans les siennes et les serra contre sa poitrine. Son infinie tendresse la surprenait toujours. « Jane, je serai là pour m'occuper de toi. »

« Un petit quelque chose à manger ? » C'était si effroyable que Nicholas eut envie de rire. Dorothy lui offrait une tranche de concombre sur un petit toast de pain blanc. Cinq minutes avant,

Dorothy avait annoncé : « Le thé est servi ! » et Jane avait eu une expression terriblement gênée comme si elle allait mourir de honte. Elle était assise au bout du divan, les yeux fixés sur sa tasse ; on aurait dit qu'elle voulait se noyer dedans. Dorothy avait mis des napperons en papier partout, y compris sur les soucoupes. Devant eux, sur la table, se trouvait du sucre, des tranches de citron et, sur une assiette, une chose qui n'était, de toute évidence, qu'un gâteau au chocolat congelé qu'on avait coupé en morceaux de la taille d'un doigt.

« Vous êtes le bienvenu dans cette maison. » Dorothy lui sourit.

Il avait été surpris par sa simplicité. Sa coiffure avait un aspect sévère dû à la laque et aux épingles qui retenait ses boucles. Elle portait des robes noires ou bleu marine avec des cols blancs qui évoquaient plus le costume d'une bonne qu'une tenue élégante. Elle avait des bras et des jambes lourds. Ses chevilles étaient les plus laides qu'il ait jamais vues. Cependant sa méchanceté ne transparaissait pas de façon évidente ; elle ressemblait à Madame-Tout-le-Monde comme les gens qui assistent à une émission de jeux à la télévision.

« Jane ? » Jane secoua la tête. Lorsqu'ils étaient arrivés la veille, Nicholas avait observé attentivement Richard et Dorothy. Le père de Jane avait eu une attitude très effacée. Il semblait incapable de se décider pour savoir s'il allait l'embrasser ou non pour lui dire bonjour et fut sauvé à la dernière minute lorsque Jane aperçut Rhodes et se précipita vers lui pour le serrer dans ses bras. Pendant toute la soirée, le visage impassible de Richard n'avait pas trahi l'ombre d'une émotion. Mais Nicholas n'avait eu aucune difficulté à le jauger : c'était un homme de peu de poids.

Dorothy fit un pas de côté pour présenter l'assiette à son fils. Il avait fallu plus d'une heure à Nicholas hier soir pour comprendre qu'elle détestait réellement sa belle-fille. Elle semblait incapable de la regarder en face ; cependant, lorsqu'elle lui parlait, elle plissait les yeux et serrait les bras contre elle comme si elle parait l'attaque d'un ennemi malveillant et sournois. Elle lui parlait avec amabilité : « Ne te dérange pas, ma chérie », avait-elle dit lorsque Jane s'était levée pour l'aider à desservir la table. Mais, après un moment, Nicholas avait perçu la violence qui se cachait derrière ses mots. Lorsque Jane faisait une réflexion insolente qui faisait rire Rhodes, le visage de Dorothy se crispait en une moue effroyable. Nicholas ne pouvait s'expliquer comment il le savait, mais il sentait que Dorothy aurait aimé que Jane fût morte. Cela l'avait d'abord choqué, puis bouleversé au point qu'il avait mis des heures avant de s'endormir. « Rhodes, tu dois en prendre un, ce sont tes préférés. » De toute évidence, Rhodes n'en avait jamais mangé, mais il prit deux canapés et remercia sa mère. Elle rayonna de joie plus qu'elle ne lui sourit. Nicholas ne pouvait le lui reprocher.

Rhodes était si beau que Nicholas était gêné de le regarder. Il avait un physique si extraordinaire qu'il ne semblait pas à sa place sur ce canapé défoncé dans cette maison terne de Cincinnati. Mais Nicholas devait admettre qu'il n'aurait paru à sa place nulle part car sa beauté aurait fait oublier le décor qui l'entourait ; même Versailles aurait semblé minable en sa présence. Et, bien que Nicholas n'aimât pas fixer les gens, il se sentait attiré vers Rhodes. Il était trop beau pour ne pas le regarder. Toute sa vie, les gens s'étaient extasiés sur la beauté de Nicholas et il savait que son physique était un atout pour séduire les filles et favoriser ses relations sociales. Mais le frère de Jane (ils avaient les mêmes yeux d'un bleu profond) appartenait à une tout autre catégorie, peut-être même à un autre monde.

Il était assis entre Nicholas et Jane. Lorsqu'il porta le canapé à sa bouche, Nicholas vit Jane baisser la tête : elle avait une furieuse envie d'éclater de rire. A ce moment-là, tandis que Dorothy se baissait pour reposer l'assiette sur la table, Rhodes poussa Jane du coude pour l'arrêter, mais il paraissait aussi prêt à pouffer. Ce fut à cet instant que Nicholas comprit combien Rhodes avait été important pour Jane dans son enfance : il avait été l'antidote au poison que sa mère dégageait par tous les pores.

Une minute plus tard, lorsque Dorothy quitta la pièce pour aller chercher le lait qu'il avait demandé pour son thé, Rhodes se tourna vers sa sœur et lui dit : « Petite fripouille, tu n'as pas assez de cervelle pour ne pas craquer devant elle ?

— Je n'arrive pas à endurer cela, répliqua Jane. C'est trop monstrueux. Le thé !

— Elle essaie simplement d'impressionner Nick. Tu devrais lui en être reconnaissante. Tu as besoin de toutes les mains qui pourront se tendre pour t'aider. » Rhodes se tourna vers Nicholas. « Tu n'es pas impressionné, Nick ? Par cette superbe théière avec son bec ébréché et les étiquettes de chez Kruger qui pendent des sachets de thé ? Ce n'est pas comme cela qu'ils font à New York ?

— Je suis très impressionné, dit Nicholas.

— Je l'aurais juré », rétorqua Rhodes.

Dorothy revint de la cuisine avec un pot de lait. Elle en versa un peu dans la tasse de Rhodes, le posa à côté de la théière et s'assit dans le fauteuil de Richard, face au divan. Elle tira sa robe sur ses genoux et sourit à Nicholas. Elle se tint soudain le dos très droit, comme si elle venait juste de se rappeler qu'on reconnaît une femme du monde à son port. Nicholas savait qu'il l'intimidait et en était ravi. « Eh bien, dit-elle, n'est-ce pas délicieux ? » Il acquiesça d'un signe et but sa première gorgée de thé. Il était tiède. Il reposa sa tasse. « Nous sommes si heureux que Jane et vous ayez pu faire un saut jusqu'ici. » Elle se tut un instant et ajouta d'un ton important : « Et c'est vraiment extraordinaire que vous ayez une cousine à Cincinnati, une cousine telle que Clarissa Gray. » Dorothy se tourna vers Rhodes : « On parle souvent des Gray dans la rubrique mondaine de l'*Enquirer*. Très souvent. C'est l'une des meilleures familles de Cincinnati. Et d'excellents amis des Hart. »

En 1939, Clarissa Tuttle Robinson avait été l'une des débutantes les plus courtisées de New York. En 1940, elle avait épousé l'un des célibataires les plus riches et les plus séduisants à l'ouest du Mississippi — Philip Gray. La famille de Clarissa était plus qu'aisée, du côté de sa mère comme de son père. La famille de son père possédait une compagnie maritime. Sa mère était une Tuttle, la sœur de Samuel.

« Il faut que tu me racontes tous les potins de la famille », avait-elle dit à Nicholas.

Clarissa était assise sur une balancelle recouverte d'un tissu à rayures bleu et blanc sur la terrasse qui surplombait une partie des vingt-cinq acres de la propriété des Gray. Face à elle, derrière Nicholas et Jane, la pelouse s'étendait à perte de vue jusqu'à un bois de chênes, de pins et d'érables ; un jardin de rocaille se nichait au bord du gazon avec cet aspect raffiné né des hasards étudiés qu'ont les choses artificielles.

« Je suppose que tu es au courant pour tante Polly et oncle Jeremiah », dit Nicholas.

Clarissa acquiesça d'un signe. « Oui. Mais qu'il l'ait quittée ! Et à son âge ! » Elle croisa les jambes et dessina de petits cercles de son pied presque nu prisonnier d'une chaîne ornée de pierres précieuses.

« Je sais que c'est ton oncle, mais c'est aussi mon cousin et, très franchement, Jerry n'a jamais voté de sa vie. Et tout à coup il ne soutient plus les Kennedy... Mais qui est-ce ?

— Je crois que c'est la secrétaire d'un député ou d'un adjoint au député.

— Comment va ta mère ? » Elle posa la main sur la manche de

Nicholas. Elle portait une alliance en or de la largeur d'une phalange.

« Beaucoup mieux, répondit Nicholas. Elle est venue à la cérémonie de la remise des diplômes et ensuite nous sommes tous allés dans la ferme du Connecticut. Je savais que la seule façon pour que Jane s'acclimate à la famille c'était de la jeter dans la cage aux lions. Et elle y a survécu. » Nicholas se tourna vers Jane qui était assise à côté de lui sur le petit mur dallé qui entourait la terrasse et lui sourit.

« Jane, dit Clarissa, il faut que vous me pardonniez de monopoliser ainsi votre fiancé mais je n'ai pas vu Nicky depuis... depuis qu'il était enfant ; il était adorable, bien sûr, mais il s'était cassé quelque chose... le bras, je crois, et le voilà qui réapparaît, plus beau que jamais et fiancé. A Cincinnati, pas moins que cela, et à la fille de l'un des... (elle s'arrêta une fraction de seconde)... des membres éminents de l'entreprise de John Hart. »

Richard Heissenhuber n'avait pas l'air d'un cadre très important. Dorothy et lui se trouvaient à l'autre bout de la terrasse dallée. Ils avaient à la main les verres que leur avait apportés la bonne et ressemblaient plus à un couple venu se présenter pour une place de cuisinière et de chauffeur qu'à des invités.

Sur l'insistance de sa mère, Nicholas avait appelé sa cousine Clarissa qui avait convié la famille Heissenhuber au grand complet pour dîner.

Richard avait essayé de soulever des objections, disant qu'il ne voulait pas mettre monsieur Gray dans une situation délicate en invitant un simple employé, mais Dorothy s'était jetée sur l'occasion et — loin des oreilles de Nicholas — avait déclaré à Richard que ce serait une mauvaise idée de *ne pas* y aller et qu'une invitation lancée par des gens comme les Gray, c'était comme une invitation de la Maison-Blanche.

Maintenant, ils avaient tous les deux l'air pitoyable. Apprenant que ce ne serait pas une soirée habillée, Dorothy avait mis une robe blanche avec d'énormes roses rouges et bleues et une paire de chaussures neuves en vernis bleu marine. Sa robe se relevait sans arrêt par-derrière bien qu'elle tirât dessus subrepticement dès qu'elle le pouvait. Ses chaussures était trop étroites et, toutes les deux minutes, elle soulevait son talon gauche pour tenter d'épargner ses souffrances là où la chaussure lui coupait le pied.

Elle sirotait son ginger-ale et Richard son gin orange et tous deux, qui se trouvaient enfin dans le genre de maison où ils n'espéraient plus depuis longtemps être invités, bavardaient avec cette ardeur émue des gens qui savent qu'ils ne sont pas à leur place. Richard essayait de paraître à l'aise et décontracté dans son unique veste sport, une veste en laine marron avec des coudes en cuir qu'il n'avait pas mise depuis des années. Elle lui grattait le cou et, à l'instant même où il arriva chez les Gray, il s'aperçut que les manches étaient trop courtes. Il avait une chemise à manches courtes ; ses poignets et le bout de ses bras dépassaient donc de sa veste. Il essayait de garder les bras pliés pour que personne ne le remarquât.

Bien qu'elle souffrît à cause de ses chaussures et, sans aucun doute parce qu'elle savait qu'on lui avait ouvert les portes d'une propriété sur la colline grâce à Jane, Dorothy faisait de gros efforts pour tenter de se rappeler la vie des Gray sans en avoir l'air. Elle observait tout attentivement : la façon dont Clarissa avait pris le visage de Nicholas entre ses mains avant de l'embrasser sur les deux joues, la disposition des pots de plantes vertes en terre cuite et des petits arbustes en fleurs disséminés sur la terrasse, et le fait que les verres à champagne n'étaient pas du même service que les verres à liqueur. Elle remarqua que Philip Gray se tenait d'une façon qu'elle avait fortement déconseillée à Rhodes : il était assis les jambes tendues et les pieds croisés. Peut-être était-il obligé de s'asseoir ainsi. Il boitait d'une jambe : on disait qu'il avait été touché à la cuisse par une balle allemande pendant la Seconde Guerre mondiale au cours de la bataille d'Anzio.

Elle vit qu'au moins Rhodes, assis en face de monsieur Gray, ne se vautrait pas comme s'il était un homme important. Cependant Rhodes était trop expansif pour que Dorothy fût tout à fait à l'aise. Il parlait trop librement avec un sourire en coin, et peut-être avec ce ton ironique qu'il adoptait lorsque Jane était dans les parages ; cependant Dorothy n'entendait pas ce qu'il disait. Mais il était trop désinvolte, renversé dans son fauteuil, avec les jambes allongées et les mains derrière la tête comme si monsieur Gray était un potache et non l'un des plus gros actionnaires des Etats-Unis — plus important encore, d'après certains, que John Hart —, un homme si important qu'il recevait des coups de téléphone du vice-président Johnson. Un article que Dorothy avait lu dans le *Times Star* disait qu'il avait hérité d'une participation majoritaire dans une compagnie de mines de cuivre, mais le journaliste avait laissé entendre que c'était le portefeuille le plus modeste de Philip Gray. Nerveuse, Dorothy se mordillait la lèvre inférieure. Cette soirée était capitale. Son fils se trouvait exactement là où elle voulait qu'il soit. Tout son avenir risquait de reposer sur son attitude face à un homme si puissant.

Philip Gray rejeta la tête en arrière et rit d'une remarque de

Rhodes. Puis il but une nouvelle gorgée de son gin tonic. Sa fille, Amanda, perchée sur le bras de son fauteuil, s'esclaffa mais elle était d'une timidité maladive et riait la tête baissée et les lèvres serrées comme si elle avait des dents affreuses, ce qui n'était pas le cas. Amanda, qui avait été conçue juste avant le départ de Philip Gray pour la guerre, avait hérité du visage et des yeux gris de son père ; elle avait des cheveux bruns, raides, coiffés à la Jeanne d'Arc, et une silhouette gracieuse. Elle n'était pas belle mais assez jolie. Elle paraissait si hypnotisée par Rhodes qu'elle ne pouvait rien faire de plus. Elle le regardait parler, elle le regardait écouter son père, boire son Coca-cola et tourner un bretzel entre ses doigts. Rhodes paraissait parfaitement indifférent à sa présence. Toute son attention était fixée sur son hôte.

Rhodes fut aussi le point de mire pendant le dîner, comme si on avait donné cette soirée en son honneur, une petite réunion pour fêter ses débuts dans le monde. Il n'avait jamais bu de vin jusqu'alors, mais monsieur Gray remplissait sans arrêt les verres et il en avait donc bu quatre. Au quatrième, Rhodes se leva, vacilla légèrement, se retint au dossier de sa chaise d'une main et, de l'autre, porta un toast : « A Nicholas et Jane, qui seront comme Lunt et Fontanne. » Il reposa son verre mais ne vit pas sa mère qui lui fit signe de s'asseoir. Dorothy baissa la tête d'humiliation, mais elle la redressa rapidement lorsqu'elle entendit les applaudissements délicats de Clarissa Gray et sa voix gutturale : « Il est adorable, Philip. » Amanda, qui était assise à côté de Rhodes, le fixait avec une intensité où se mêlaient la vénération et le désir. Dorothy soupira de plaisir.

Après le dîner, de toute évidence, elle fut déçue car Clarissa apporta au salon plusieurs albums de famille et s'assit sur le tapis avec Amanda, Nicholas et Jane et ils les regardèrent dans tous les sens ; Jane appuyait son épaule sur celle de Nicholas comme si elle était déjà l'une des leurs. Après quelques instants, Philip Gray qui trouvait assommant de contempler des photos représentant plusieurs générations de Tuttle, proposa à Rhodes de lui apprendre à jouer au billard.

Dorothy et Richard étaient assis, raides comme des piquets, sans mot dire sur un divan en velours mordoré ; Richard mangeait tous les bonbons au chocolat et à la menthe disposés sur un plat d'argent qui se trouvait sur une table en laque de Chine devant eux. Dorothy tripotait les coussins en brocart de soie tout en se demandant comment on appelait ce tissu et fixait la voûte du hall d'entrée où Rhodes et monsieur Gray avaient disparu pour se rendre dans la salle de billard.

Ce ne fut que lorsque Clarissa dit : « Au bout du hall, tournez à droite et c'est la première porte sur votre droite », que Dorothy parut s'apercevoir qu'elle avait perdu toute notion du temps et que la soirée était terminée. Lorsqu'elle se leva et se précipita à la suite de Jane et Nicholas qui partaient chercher Rhodes, elle faillit trébucher sur Amanda ; elle s'excusa d'une voix perçante. Elle arriva à la salle de billard au moment où Nicholas ouvrait la porte et elle vit donc exactement le spectacle que Jane et lui découvrirent.

La lumière était tamisée. Une queue de billard gisait sur le tapis vert à côté de la veste en madras de Rhodes. Un peu plus loin dans la pièce, un cendrier était tombé par terre et les mégots étaient répandus tout autour. Il y avait deux verres de brandy vides au bord de la table. L'odeur du cognac et de la fumée imprégnait la pièce bien que les portes du fond fussent ouvertes.

Rhodes et Philip Gray étaient l'un en face de l'autre dans la pénombre sur la terrasse devant les portes ouvertes. Monsieur Gray semblait parler à Rhodes, mais ils étaient si près l'un de l'autre qu'il était difficile de savoir qui prononçait ces mots chuchotés. Leurs corps aussi étaient très proches, presque à se toucher ; on aurait pu croire qu'ils dansaient. Monsieur Gray tendit la main vers la joue de Rhodes.

« Hello ! » lança Dorothy.

Rhodes se raidit. Philip Gray retira sa main, recula et leur fit signe. Puis il rentra dans la pièce. Il marchait lentement, sans prêter attention à sa mauvaise jambe apparemment. « Bonsoir, dit-il. Rhodes s'est donné un coup dans l'œil avec une queue de billard. Je regardais juste si tout allait bien. » Dorothy hocha la tête. « Tout va bien maintenant.

— Parfait, dit Dorothy. Parfait. J'espère que vous vous êtes bien amusés.

— Beaucoup », répondit monsieur Gray. S'il n'avait pas boité d'une jambe, il aurait pu être le héros d'un drame situé dans une grande ville. Ses vêtements, son corps et son langage étaient irréprochables mais, dans la pénombre de la salle de billard, son visage bronzé et tendu était impassible.

Jane regardait son frère derrière lui. Rhodes était resté sur la terrasse dans la position même où Philip Gray l'avait laissé, le visage légèrement détourné.

« Rhodes, appela monsieur Gray, rentre. » Rhodes rentra dans la pièce comme s'il n'attendait qu'un ordre pour s'exécuter et s'arrêta au côté du financier. « Comment va ton œil ? demanda monsieur Gray. Ça va mieux ? Ça va mieux Rhodes ?

— Oui, merci.

— Parfait. »

Jane regardait fixement son frère. Ses deux yeux grands ouverts et comme démesurés étaient posés sur le visage de Philip Gray. Son nœud de cravate était défait et les trois boutons du haut de sa chemise ouverts. Sa poitrine et son cou brillaient de sueur. Elle jeta de nouveau un coup d'œil vers Philip Gray, mais son visage resta impassible. Elle se retourna vers Rhodes. Il avait le visage si éclatant qu'il semblait comme illuminé de l'intérieur, plus éblouissant que jamais. Jane inspira si brutalement qu'on eût dit qu'elle haletait. Nicholas lui prit la main. Il la serra si fort que son geste était clair. Il lui demandait de garder le silence.

« Je vous remercie pour cette charmante soirée, monsieur Gray, dit sa belle-mère.

— Vous êtes la bienvenue. » Philip Gray se baissa, récupéra la veste de Rhodes et la lui tendit. « Voilà, Rhodes.

— Que dis-tu à monsieur, Rhodes ? demanda Dorothy.

— Je vous remercie pour cette charmante soirée, monsieur Gray », dit Rhodes, les yeux encore plus écarquillés.

Jane regarda Nicholas dévaler l'escalier. Il portait un short de tennis et ne semblait pas à sa place, comme s'il s'était trompé d'endroit : il aurait dû se trouver sur un court de tennis sur gazon, zébré sous les rayons du soleil à Forest Hills, et non sur le tapis minable d'un salon du Middlewest. « Salut », lança-t-elle. Nicholas s'excusa. « Je suis désolé. Je n'aurais peut-être pas dû m'en mêler. Mais tu as peut-être tort.

— Tu l'as entendu. Il a dit que monsieur Gray voulait lui proposer un emploi pour l'été et il l'invite à dîner pour en discuter. Et il lui envoie son chauffeur pour le prendre.

— Ce n'est peut-être que cela.

— Rhodes a dix-huit ans. Crois-tu qu'un nabab comme Philip Gray invite un gamin à faire un bon dîner avant de lui offrir un emploi pour l'été ? » Nicholas haussa les épaules. « Nick, j'ai remarqué l'expression de mon frère. Je le connais mieux que personne et je ne l'ai jamais vu ainsi, comme s'il s'ouvrait soudain à la vie. Et tu les as observés sur la terrasse.

— Tais-toi. Le voilà qui arrive. »

Pendant les premières minutes, alors qu'ils se rendaient au tennis, Rhodes fut d'humeur morose, bien qu'il répondît aux questions de Nicholas à propos de son entrée à l'université La Fayette à l'automne prochain. Mais bientôt sa nature exubérante, doublée de son désir évident d'éviter toute question concernant Philip Gray, reprirent le dessus et il commença à les amuser avec son enthousiasme habituel.

Une fois qu'il eut abandonné son ton taciturne, Rhodes n'arriva pas plus à se taire qu'à rester assis tranquillement.

Jane n'avait pas le courage de répliquer aux piques de Rhodes. Chaque fois qu'elle se détournait, elle ne pouvait que fixer les yeux, au-delà de son pull-over blanc et de son regard clair, sur la scène de la veille au soir lorsque sa chemise était collée à lui, humide et froissée et ses yeux si agrandis qu'on aurait dit qu'il contemplait un miracle.

Nicholas s'arrêta dans un parking contigu à l'école de Rhodes et tous deux sortirent de la voiture d'un bond en faisant tournoyer leurs raquettes de tennis comme pour enlever la poussière des cordes. Jane resta assise jusqu'à ce que Rhodes fît le tour de la voiture et lui ouvrît la portière en s'inclinant bien bas.

Elle les suivit jusqu'au court, tout en serrant le manche de la vieille raquette que Rhodes lui avait donnée. Elle s'assit sur le gazon. Il faisait chaud mais l'air était sec. « Debout, lui enjoignit Nicholas. On peut faire un double canadien. Moi contre Rhodes et toi. »

Elle secoua la tête. « Non, je vais vous regarder.

— Excellente idée », dit Rhodes. Il ouvrit la boîte de balles et les jeta du côté du court où était Nicholas. « C'est toi qui sers », lança-t-il.

Ils jouèrent deux sets bien que, dès le premier, il fût évident que Nicholas était un joueur plus fort et plus subtil. Lorsqu'ils terminèrent la partie (Nicholas gagna les deux sets), le front et la lèvre supérieure de Rhodes étaient à peine plus mouillés que ceux de Jane. Nicholas avait le visage tout rouge. Ses cheveux étaient collés sur son crâne.

Rhodes attrapa Jane par la main et l'obligea à se lever. « Il est notre invité, je l'ai donc laissé gagner. »

Elle se cramponna à sa main. « Rhodes, je veux te parler.

— Laisse-moi tranquille. » Il la repoussa, passa devant elle et se dirigea vers la voiture.

« Rhodes », cria-t-elle en courant derrière lui, tandis que Nicholas essayait de la retenir. Elle monta en courant la rampe d'accès qui menait au parking. « S'il te plaît. Ecoute-moi. Tu sais que je ne veux pas te gêner et que pour rien au monde, je ne voudrais te faire du mal. Mais tu dois comprendre. Monsieur Gray n'attend peut-être pas de toi...

— Il veut que je travaille pour lui. Il pense que je suis très brillant. On va en discuter ce soir, et c'est tout. Vraiment tout.

— Alors pourquoi t'a-t-il appelé hier soir quand nous sommes rentrés à la maison ? C'était *lui* et ne me dis pas le contraire. Et pourquoi es-tu resté près d'une heure au téléphone avec lui ce matin ? Je t'en prie, Rhodes, je sais que tu te prends pour une personne très raffinée, mais...

— Il n'y a pas lieu de discuter. D'accord ?

— Oh ! Rhodes. » Son regard se posa derrière elle, vers Nicholas qui arrivait à sa suite. Elle effleura la joue de son frère. Il était glacé. Il était si beau qu'elle souffrait pour lui. « Rhodes, tu ne comprends pas quel genre d'homme il est.

— *Si*, je comprends.

— Non, Rhodes. Tu ne comprends pas. »

Il était anormalement pâle et, pour la première fois, elle remarqua la légère ombre bleue qui soulignait ses yeux à cause de son manque de sommeil. Elle passa le doigt sur ses cernes et il la regarda enfin en face. « Jane, murmura-t-il, si tu crois que je ne comprends pas ce qu'il est, alors tu ne sais absolument pas ce que je suis. »

« Tu es pire que méprisable. » Dorothy tournait le dos à Jane. « Vous étiez là ! Vous avez vu ce qui s'est passé.

— Tu as entendu ce qu'a dit monsieur Gray. » Dorothy, installée devant le plan de travail de la cuisine, frottait avec énergie une carotte contre la lamette métallique d'une râpe. « Rhodes s'est donné un coup dans l'œil. » Elle se tourna et lança un morceau de carotte sur Jane. « Et *n'essaie pas* — tu m'entends bien —, n'essaie pas de prétendre que mon fils va être mêlé à une chose de ce genre !

— Vous les avez vus. Ils étaient si près l'un de l'autre qu'ils étaient pratiquement...

— Tais-toi !

— Vous refusez de m'écouter ! C'est votre fils ! Il a dix-huit ans et vous allez le laisser sortir avec cet homme... A cause de quoi, du chauffeur ? Il lui envoie son chauffeur, alors ça sauve les apparences. Vous avez *vu*...

— Je n'ai rien vu !

— Vous avez vu son visage. Ecoutez-moi. Il va se mettre dans une situation si sordide, si épouvantable que cela risque de gâcher sa vie entière. Vous ne le comprenez donc pas ? Ne comprenez-vous donc pas que si vous le laissez partir dans cette voiture que monsieur Gray lui fait envoyer, il est perdu ?

— Pendant toutes ces années, j'ai cru que tu n'étais que perturbée. Une pauvre fille malade et sournoise, trop tordue pour avoir une notion quelconque des valeurs morales. Pendant toutes ces années, tu as été rongée de jalousie et, maintenant, tu reviens

ici pour essayer de détruire la vie de mon fils avec tes cochonne-
ries.

— Je vous en prie. Dites-lui de ne pas sortir avec monsieur
Gray.

— Monsieur Gray l'emmène dîner à La Maisonnette, qui se
trouve être le restaurant le plus cher de toute la ville, pour lui
parler d'un emploi pour l'été.

— Pourquoi emmène-t-il un superbe jeune homme à La
Maisonnette ? Ne savez-vous pas ce qu'il attend de lui ? Ne savez-
vous pas ce qu'ils vont faire ? »

Dorothy lui envoya une carotte en plein visage mais elle lui
échappa des mains et retomba au milieu de la cuisine. « Il va le
former ! lança-t-elle à Jane. Il va le former pour qu'il ait une
situation. Un bon emploi à un poste de direction à ses côtés. Et
peut-être même lui proposera-t-il un mariage avec sa fille. Il a vu
comment elle regardait Rhodes avec les yeux qui lui sortaient de
la tête.

— Non ! Ecoutez-moi ! Vous avez vu comment il touchait le
visage de Rhodes, comment il le caressait. Vous savez ce qu'il
est : il est homosexuel. Et il *désire* Rhodes. »

Dorothy s'avança et, de toutes ses forces, elle frappa Jane sur le
côté de la tête. « Tu ne gâcheras pas les chances de mon fils,
espèce de pervertie. Espèce de pute. Sale pute. Tu crois que
j'ignore ce que tu faisais avec ton père quand tu étais au lycée ?

— Non ! Je vous jure ! Je n'ai rien fait !

— Ah non ? Tu crois que je ne sais pas que tu l'as attiré dans ta
chambre très tard le soir ? Il ne pouvait se protéger lui-même.
C'est un homme faible. Mais toi ! Tu es si effrontée et répugnante.
Et si stupide de me sous-estimer. Tu crois que je ne l'entendais
pas se lever et traverser l'entrée sur la pointe des pieds ? Et tu
crois que je peux oublier comment tu as essayé avec Rhodes
aussi, espèce de pute ? En te pavanant sans arrêt devant sa
chambre, en slip et en soutien-gorge si moulants que ça sortait de
partout, et tout ça pour qu'il te voie à moitié nue ? Ecoute-moi
bien. Tu quittes Cincinnati aujourd'hui et tu ne remettras jamais
les pieds dans cette maison. Et, si jamais tu oses essayer de te
mêler de cette affaire, tu verras si je me gênerai pour aller dire à
ton charmant monsieur Cobleigh quel genre de pute tu es. »

Jane pleura tant qu'à Chillicothe, Nicholas se gara devant un
drugstore pour acheter un autre paquet de mouchoirs en papier.

A Clarksburg, il s'arrêta dans un motel, le Dew Drop Inn, et
laissa Jane seule dans leur chambre, une petite pièce décorée de

jaune et de rouge cerise. Il fit un tour en ville pour se détendre les jambes après ce long voyage jusqu'à ce que les odeurs rassurantes des arbres, de la terre et de l'obscurité soudaine lui fassent comprendre qu'il avait parcouru sept ou huit kilomètres dans la campagne.

Il était plus de dix heures lorsqu'il rentra au motel. Jane était toujours dans le même état, tout habillée et encore éveillée, mais si amorphe qu'elle ne releva même pas la tête pour voir qui entrait. Il éteignit la lampe posée sur la commode, estompant ainsi les couleurs criardes de la chambre. La lumière bleue du panneau d'entrée filtrait dans leur chambre à travers la fenêtre dépourvue de rideaux de la salle de bains.

Nicholas retira ses chaussures et s'allongea à côté d'elle sur le matelas affaissé. « J'ai fait une longue promenade », dit-il. Comme elle ne lui répondait pas, il lui demanda : « Comment vas-tu ? » Elle haussa les épaules. « Et toi qui m'avais dit que ce serait ennuyeux, l'Ohio.

— S'il te plaît, Nick. Je ne suis pas d'humeur à plaisanter.

— Je veux que tu te sortes de tout cela.

— Je ne peux pas.

— Si, tu peux.

— Nick, j'ai réfléchi. J'ai quelque chose à te dire. Je comprendrai, franchement je te le jure, si tu veux qu'on arrête tout. Ecoute-moi. Je sais que tu as dû en supporter beaucoup plus que ce à quoi tu t'attendais. Tu mérites mieux. Tu mérites une vie normale.

— Non, toi, écoute-moi. Dans toutes les familles, il y a quelque chose.

— Pas comme dans la mienne.

— Jane, ma mère est régulièrement internée dans des hôpitaux psychiatriques. Mon père, soit il se saoulait la gueule, soit il avait des aventures avec les infirmières de ma mère ou les deux à la fois. Et nous tous, on nous a refilés à des nounous et, dès qu'on a été assez grands pour faire nos valises, on nous a envoyés en pension. Tu ne te plains pas, alors pourquoi devrais-je me plaindre ?

— Ce n'est pas la même chose. Ils sont malades et c'est eux qui m'ont faite.

— Ma mère est malade. Et c'est elle qui m'a faite.

— Nick, je suis pourrie.

— Moi aussi. On est pourris tous les deux. Et on aura sans doute des enfants qui seront pourris aussi.

— Il n'y a pas que l'attitude de Rhodes qui me bouleverse. C'est aussi à cause de mon père, d'elle, de tout ça.

« — Qu'a dit ton père ?

— Rien. Il n'a même pas voulu m'écouter. J'ai essayé de lui parler avant de partir et il s'est... il s'est littéralement bouché les oreilles.

— Ton père ne changera jamais. Je ne comprends pas pourquoi tu te laisses atteindre par lui comme cela. Regarde-moi. C'est mieux. Je veux que tu me dises ce qu'elle t'a dit.

— Juste une chose, que j'avais l'esprit mal tourné. Et que...

— Calme-toi.

— Nick, en fait, elle a emmené Rhodes dans les magasins pour lui acheter une chemise neuve ! Peux-tu imaginer cela ? Comme ça, il sera charmant et impeccable quand monsieur Gray lui fera ce qu'il voudra. Rhodes a entendu le mot " Paris ", et, comme il n'est qu'un grand bébé, il pense qu'on va l'emmener là-bas et il ne comprend même pas ce qui va lui arriver. Qu'elle est si cupide, qu'elle a une telle soif d'argent, de pouvoir ou de je ne sais quoi qu'elle est prête à vendre son propre fils.

— Jane, quoi qu'il arrive, tu n'empêcheras rien. Peut-être n'est-il qu'un agneau qu'on mène à l'abattoir...

— Oh ! Mon Dieu.

— ... Ou peut-être est-ce sa nature.

— Non ! Ne dis pas cela ! Tu ne le connais pas.

— D'accord. Calme-toi maintenant. Calme-toi, je veux que tu dormes. »

Elle se réveilla au milieu de la nuit et son corps se raidit contre lui si violemment qu'on eût dit qu'elle avait des convulsions. Il la tint serrée contre lui pendant près d'une demi-heure. Puis, presque automatiquement, il déboutonna son chemisier. Il ne pensait pas à une chose sexuelle, il voulait simplement la calmer en lui caressant le cou et les épaules mais Jane, qui avait toujours répondu à ses avances avec une certaine timidité, réagit à ses premières caresses avec une agressivité qui le stupéfia.

Elle arracha son corsage et son soutien-gorge, s'empara des mains de Nicholas et les frotta si violemment contre sa poitrine qu'au début il interpréta les petits bruits qu'elle faisait comme des cris de douleur. Lorsque ses seins se durcirent sous ses caresses — elle qui n'avait jamais fait aucun bruit — elle se mit à gémir en le suppliant : « Fais-le, fais-le, Nick. Fais-le. » Un instant plus tard, elle dénoua sa jupe portefeuille et serra ses jambes autour de ses cuisses. « S'il te plaît. Je veux que tu le fasses. » Elle se frotta contre lui. A travers son pantalon, il sentait l'excitation qui mouillait son slip en nylon. « Fais-le. » Il retira sa culotte et glissa son doigt en elle jusqu'à atteindre la preuve irrécusable de sa virginité. Lorsqu'il retira son doigt, il la massa de la paume de la main. Ses cris se firent si violents qu'il lui mit l'autre main sur la bouche, mais elle la repoussa. « Déshabille-toi, le supplia-t-elle, je te veux ce soir, Nick. Je t'en prie. »

Elle était superbe. Ses cheveux noirs s'étaient échappés de sa queue de cheval et répandus sur l'oreiller et, comme elle s'agitait, de longues mèches soyeuses tombaient sur son visage et ses bras. Tout en elle paraissait impressionnant.

Sa poitrine était si imposante qu'elle se gonflait dans sa main, et ses tétons si longs qu'ils semblaient pointés vers lui comme pour en redemander. Ses hanches larges s'évasaient en corolle et ses cuisses étaient si puissantes qu'on aurait dit celles d'une statue grecque.

Mais le plus extraordinaire, c'était sa peau. Un velours soyeux. Il ne pouvait se rassasier d'elle, même s'il savait qu'il ne la prendrait pas.

Elle tentait sans arrêt d'ouvrir sa chemise ou son pantalon, mais il repoussait ses mains et il finit par les maintenir le long de son corps. « Non. » Il avait son visage contre le sien et sentait ses larmes. « Pas ce soir.

— S'il te plaît. Je te jure qu'il n'y a pas de problème. Je ne veux plus attendre.

— Je n'ai pas de capote.

— Ça m'est égal.

— Non. On ne peut pas. » Elle se cambra sous lui et il sentit qu'il n'arrivait presque plus à se maîtriser. Il libéra les mains de Jane et caressa la peau de velours de ses épaules presque jusqu'à la griffer. Il l'enlaça et frotta son sexe contre son ventre. « Jane, je ne peux pas me retenir, s'exclama-t-il. Je ne peux pas ! » Enfin, dans un hurlement de soulagement, il jouit. Il resta sur elle un long moment et, lorsqu'il roula enfin sur le lit, il murmura : « Je suis désolé.

— Ça ne fait rien. »

Il passa la main sur sa poitrine et entre ses seins. « Demain, dit-il. Je te le promets. Je le ferai pour que ça soit bien pour toi. »

Ils se marièrent le lendemain après-midi à quatre heures devant un juge de paix qui leur demanda dix dollars de plus que son tarif habituel. « C'est pour la bonne cause, n'est-ce pas ? Si on n'était pas dans le Maryland, vous resteriez sur vos envies, car vous avez tout juste vingt ans et dans tous les autres Etats, on exige que l'homme ait au moins vingt et un ans. Bon, maintenant, vous avez l'alliance ? Enfin, les alliances. Parfait. Vous les avez achetées à Sherwood, je vois. C'est une bonne affaire, si vous me permettez l'expression, parce qu'avec un bijou de Sherwood, votre petite dame peut être sûre que c'est vraiment de l'or. Je ne vous raconterai pas combien il y a d'endroits dans le coin qui vendent des alliances qui deviennent vertes avant même la fin de la lune de miel. Bon, vous êtes prêts ? Alors, vous voulez tout le bastringue, c'est ça, avec le " Mes bien chers frères " et le " Pardonnons à tous " ? Parfait, alors nous allons sceller ce lien et à vous la belle vie. »

13

... et bonjour à vous aussi. Le grand sujet de conversation ici en Californie concerne toujours le combat courageux que mène Jane Cobleigh contre la mort. Malheureusement, d'après les dernières nouvelles, son état est toujours critique mais nous avons appris de source plus qu'autorisée que Nicholas avait fait venir à son chevet deux des meilleurs neuro-chirurgiens américains, le Dr Ronald Fischetti du Massachusetts General Hospital de Boston et le Dr Martin Merschetz du Mont-Sinaï à New York. Ils vont se consulter avec les spécialistes anglais. Jane, nous sommes auprès de toi par la pensée et par la prière. Les autres nouvelles du jour...

Barbara K. Halper
de « Good Morning America » sur *A.B.C.*

L'ail des hot dogs flottait dans l'air et se mêlait aux relents douceâtres des jus d'orange dans ce restoroute du New Jersey. Cela leur coupa franchement l'appétit.

« Tu veux savoir ce qu'il y a de mieux dans cette situation ? Je veux dire dans le fait d'être marié ?

— Oui, dans la mesure où tu as tant d'expérience en la matière », dit Nicholas. Il regarda sa montre. « Ça fait vingt-six heures. Tu es donc une experte.

— C'est exact, tu sais donc que je ne te ferai pas une analyse superficielle de la situation. Elle sera parfaitement raisonnée et très, très profonde, exactement comme moi. Sans parler de son côté pénétrant, sensible et dans la grande tradition humaniste des...

— On ne t'a jamais dit que les épouses, on devait les voir mais jamais les entendre ?

— Non, ce sont les enfants.

— Oh ! Dommage.

— Ce qu'il y a de mieux dans le mariage, c'est qu'on m'appellera Jane Cobleigh jusqu'à la fin de mes jours. Peu importe ce qui arrivera. Tu peux t'engager dans la Légion étrangère ou t'enfuir avec une jolie danseuse, mais je n'aurai jamais plus à être Jane Heissenhuber.

— Et c'est pour ça que tu m'as épousé ? Pour mon nom ?

— Oui.

— Pas pour ma personnalité ?

— Tu plaisantes ?

— Pas pour mon physique ? » Elle secoua la tête. « Pas pour mon corps ?

— Non. Il est si parfait que ça en devient ennuyeux.

— Continue. Allez. Je sais que ce n'est pas vrai, mais j'adore entendre ce genre de choses. Que préfères-tu ? Arrête de rougir. Regarde-toi, une vraie betterave. Tu es supposée être une femme mariée, raffinée...

— Voilà vos praires, monsieur, dit leur serveuse à Nicholas en roucoulant. Et votre thon », lança-t-elle à Jane, puis elle s'éloigna d'un pas alerte.

Ils se regardèrent par-dessus la table. La conversation tomba. Ni l'un ni l'autre ne pouvaient manger.

C'était la dernière soirée qu'ils allaient passer ensemble avant deux mois et demi. Le lendemain matin, Nicholas déposerait Jane au Westport Country Playhouse dans le Connecticut où elle allait travailler cet été et il se dirigerait ensuite vers le nord-ouest pour rejoindre le Guiderland Summer Theater près d'Albany.

« Jane, dit enfin Nicholas, je ne veux pas partir sans toi.

— Tu dois y aller.

— Je ne veux pas être loin de toi.

— Tu crois que moi j'en ai envie ? Cela ne fait qu'un mois que tu m'as embrassée pour la première fois.

— Cinq semaines.

— Nick, je t'aime.

— Je n'irai pas.

— On a été stupides de se marier. On aurait dû attendre. Tu l'as fait uniquement parce que tu voulais me réconforter à cause de ma famille et maintenant ce sera encore plus difficile que ça aurait été. Mais tu dois y aller. Tu ne peux pas débarquer à New York tout simplement et leur dire : " Eh bien voilà, j'ai participé à quatre spectacles à l'université et j'ai conduit un camion à Westport. " »

Nicholas se leva, contourna la banquette et s'assit à côté de Jane. Il prit sa main gauche et tourna inlassablement son alliance autour de son doigt. « Je ne peux pas y arriver sans toi. Ecoute-moi. Tu m'as aidé pour tous les rôles que j'ai joués. Ritter a de la valeur, mais tu sais que si j'ai été bien, c'est grâce à toi.

— Tu as besoin de faire ce festival.

— Je ne te quitterai pas. »

Jane regarda Nicholas. Ce fut l'un des rares moments où elle le vit comme au premier jour, comme s'il venait de sauter du balcon sur scène pendant la répétition de *Hamlet*. En cet instant, elle vit en lui ce que tant d'autres femmes voyaient et qui les attirait : le charme raffiné et presque glacé qui réfrigérait bien peu le feu de sa virilité. En cet instant, elle se sentit une fois de plus surprise qu'il se donnât la peine de lui parler ; le fait qu'il l'ait épousée et qu'il ait besoin d'elle était irréel, inquiétant et suffisamment drôle pour paraître n'être qu'une mauvaise plaisanterie. « Je vais venir avec toi, dit-elle.

— Comment ? Tu ne peux pas. Tu as un boulot en or. N'importe quel acteur qui sort de l'université donnerait tout pour cela.

— Je veux être avec toi.

— C'est hors de question. Tu ne peux pas renoncer à Westport.

— Nick, moi je peux attendre jusqu'à l'automne. J'ai travaillé pendant quatre ans à l'université, j'ai une expérience solide. Ça pèsera dans la balance.

— Non. C'est mon dernier mot.

— Ecoute-moi. Tu as besoin de moi. Juste pour cet été. Pour te prouver à toi-même que tu peux y arriver tout seul. Je ne t'aiderai absolument pas. Je serai là, tout simplement, pour que tu constates que je ne suis pas nécessaire.

— Je ne te laisserai pas sacrifier Westport. Cela peut être le début d'une chose importante pour toi.

— Les choses importantes arriveront plus tard, pour nous deux, quand nous serons ensemble. Je t'en prie, Nick, c'est vraiment ce que je veux. Tu as raison. On ne peut pas être séparés. »

De loin, le Guiderland Summer Theater semblait être le lieu idéal pour une compagnie de théâtre de répertoire. C'était une grange dont les tons rouges foncés complétaient à merveille le spectacle bucolique des collines environnantes et du ciel bleu.

Elle paraissait tout à la fois digne et innocente, le triomphe de l'architecture rurale, exactement le genre d'endroit idéal pour attirer les vacanciers et les citadins en quête d'Amérique authentique : du vrai théâtre dans une vraie grange.

Mais, comme l'avait fait remarquer l'attachée de presse à Jane, le Guiderland avait été construit en 1957 au titre de théâtre et non de grange. Les planches rouges étaient en aluminium. On avait acheté l'affiche aux bords dentelés qui datait du montage de *The Poor Little Rich Girl* en 1913 dans la même boutique de souvenirs de théâtre dans la 48e Rue Ouest que la robe longue — exposée dans une vitrine fermée à clé — portée par Helen Mencken en 1933 dans *Mary of Scotland*.

Pour ce qui était du côté vrai, Carla Brandom, l'attachée de presse, confia à Jane : « André Shaw ne connaîtrait pas un seul bon comédien s'ils ne se mettaient pas au cul... au propre comme au figuré. Tout ce qu'il connaît, c'est l'argent. C'est pour ça que ce petit morveux vous a engagé. Il savait que vous étiez pris à la gorge et qu'il pourrait vous avoir pour moins cher qu'un salopard complètement nul, dégueulasse et lèche-cul. Ça ne vous gêne pas que j'aie une grande gueule ?

— Oh non ! » dit Jane. Au cours de la première journée de dix heures qu'elle avait passée à travailler avec Carla, elle avait entendu plus de mots grossiers que dans toute sa vie.

« Qui a mis ces pommes ici ? » hurlait la vedette.

L'estomac de Nicholas se noua violemment. Il venait de bousiller son premier engagement professionnel. Ce n'était pas une grosse faute, il le savait. Ils n'étaient qu'en répétition. Un autre acteur aurait pu laisser passer cela, mais pas Ron Lipscomb.

« Qu'est-ce que je suis supposé faire ? » La rage de Lipscomb décuplait. « M'arrêter au moment le plus dramatique et déplacer les pommes ? »

Lipscomb n'arrivait pas à retenir son texte. Certaines pages du script étaient punaisées aux dossiers des fauteuils et sur d'autres meubles pour qu'il puisse y jeter rapidement un coup d'œil pendant le spectacle ; d'autres étaient collées dans les livres qu'il feuilletait : il jouait le rôle d'un professeur d'université. Les pages en question étaient étalées sous le dessus en verre d'une table basse devant le canapé où était assis Lipscomb. Nicholas, qui devait s'occuper des accessoires, avait été appelé en coulisses et, sans y réfléchir, avait posé une coupe de fruits au milieu de la table et non sur les marques, privant ainsi Lipscomb de son texte.

La vedette se leva, se dirigea d'un air furieux vers l'avant-scène et leva la tête comme le roi Lear défiant la tempête. « Qu'attend-on de moi ? Je veux le savoir. Que je me rappelle chaque ligne de ce texte ? » Il rejeta la tête en arrière permettant ainsi à sa chevelure sombre et bouclée d'onduler à son avantage. « C'est au-dessus de mes forces. » Nicholas releva les yeux. Les crises d'hystérie de Lipscomb étaient si disproportionnées au regard des bévues qui les provoquaient que Nicholas estimait que tout le monde aurait dû — maintenant — en sourire. Mais lorsqu'il vit l'expression tragique des autres novices du Guiderland et le régisseur qui essayait de se faire oublier, son appréhension douloureuse le reprit. Les stagiaires semblaient terrifiés par la tirade de Lipscomb et se lançaient des regards furtifs pour se rassurer mais, lorsque leurs regards croisaient celui de Nicholas, ils détournaient les yeux. Le régisseur, qui faisait partie du spectacle depuis sa création, s'abandonna à toute une série d'émotions qui se lisaient sur son visage : l'inquiétude, le dégoût, la lassitude et enfin la circonspection. Pas une seule personne ne sourit.

« Est-on dans un théâtre ici ? hurla Lipscomb. Un théâtre ? Je veux voir l'imbécile qui est responsable de cette débâcle. »

Nicholas ne bougea pas, non par crainte — bien qu'il eût peur — mais parce qu'il était stupéfié. Il n'avait jamais entendu quelqu'un parler ainsi. Et certainement pas à lui. Un homme adulte ne devenait pas hystérique sous prétexte qu'une coupe de fruits se trouvait à quelques centimètres de l'endroit où elle aurait dû être. Et, au moment même où il s'apprêtait à traverser la scène pour affronter Lipscomb, le régisseur lui chuchota : « Excusez-vous. » Nicholas secoua presque imperceptiblement la tête. Le régisseur se rapprocha d'un pas : « Excusez-vous, insista-t-il. *Allez*, il s'agit de Ron Lipscomb, pas d'une espèce de petit ringard de New York. Vous vous prenez pour qui, bon Dieu ? » Il n'y avait plus qu'eux en coulisses, les autres stagiaires s'étaient éclipsés, abandonnant Nicholas.

Nicholas prit une aspiration profonde. « Excusez-moi, monsieur Lipscomb, dit-il.

— Vous ! lança la vedette. Il fallait que ce soit vous, n'est-ce pas, Blondie ? Ça ne vous suffisait pas d'avoir à moitié éraflé ma valise hier en la posant, non ? Non ? Vous êtes muet ? Vous entendez ce que je vous dis ou vous êtes sourd ?

— Je suis vraiment désolé », arriva à répliquer Nicholas. Il lui était si difficile de s'excuser qu'il en avait mal à la mâchoire.

« Je ne vous entends pas ! »

Le pire, c'est que tout cela reviendrait aux oreilles de Jane. Il se sentit humilié car il sentait qu'il avait le choix et il avait décidé de se conduire comme un lâche. Il avait envie de pleurer mais il n'avait pas de larmes à verser sur quelqu'un comme lui. Il se força à relever la tête. Sachant ce que Ron Lipscomb attendait de lui, il projeta la voix pour que tout le monde puisse l'entendre dans le théâtre : « Excusez-moi, monsieur Lipscomb.

— Milo ! » Le régisseur se rua des coulisses. « Si jamais je vois cet imbécile quelque part, Milo, que ce soit sur scène, dans les coulisses ou même dans les parages, vous n'aurez plus qu'à vous chercher un nouveau Pr Braintree. Me suis-je bien fait comprendre ? Je n'ai pas l'intention de commencer une tournée d'été avec un ulcère à cause d'une espèce de connard de pédé. Renvoyez-le. Tout de suite ! Et allez me chercher du thé au miel pour ma gorge. »

« Où allez-vous ? » Carla Brandom attrapa Nicholas par l'épaule et le fit entrer dans son bureau. « Voir André ? Pauvre con. Il va vous virer sans l'ombre d'un regret, cette tête d'abruti. Laissez tomber. Il ne compte pas. Il croit seulement qu'il compte. Alors réglons tout cela avant que Jane ne revienne. Elle est partie à votre recherche pour vous remonter le moral. Evidemment, elle est au courant. Tout le monde a entendu. El stupido Lipscomb a besoin d'un public pour *tout* ce qu'il fait, si vous voyez ce que je veux dire. Lipscomb, c'est du tape-à-l'œil cent pour cent servi sur un plateau. Asseyez-vous. Bon, on n'a pas le temps de discuter et de toute façon votre version des choses ne m'intéresse pas. Si vous croyez que j'ai le temps d'écouter encore un acteur me raconter l'histoire de sa vie ? Arrêtez de me regarder comme ça. Je vais vous aider. J'aime bien votre femme et elle a une véritable vénération pour vous, alors si vous partez elle va partir aussi et je vais me retrouver coincée avec toute cette merde jusqu'à la fin de l'été. Oubliez André. Il ne lèverait le petit doigt pour personne. Je sais très bien ce qui se passe ici. Je sais que Lipscomb est complètement fou. Vous le savez aussi. Ils sont tous dingues. Vous aussi, vous êtes sans doute givré et, si ce n'est pas le cas, je vous donne deux ans. Mais lui, c'est un dingue célèbre et il va rester ici une semaine, alors je vous conseille de vous faire oublier pendant ce temps-là. Vous m'entendez ? Faites-moi un signe. Dites oui. Montrez-moi que vous avez un Q.I. à peu près normal. C'est mieux. Vous voulez prendre une semaine de vacances ? Vous avez besoin d'argent ? Très bien. Allez voir

Dizzy. Demandez à n'importe qui où il est. C'est le concierge.
Vous lui collez au cul et vous ne montrez pas le bout de votre nez
dans les parages après six heures. Dizzy va vous coller à quelque
chose. Sans doute aux chiottes. Il déteste faire les chiottes. Vous
pourrez dégueuler dans les toilettes pour dames. Et il déteste
faire les parquets aussi, mais sous les fauteuils il est bon. Il retire
les chewing-gums, on ne peut pas en dire autant de tout le
monde. Ecoutez, ne me remerciez pas, c'est pour elle que je le
fais, pas pour vous. De toute façon, ce n'est pas Shakespeare que
je vous propose, c'est les chiottes. Mais, qu'est-ce que ça peut
foutre ? Dans vingt ans, vous me remercierez peut-être. »

Après l'été, leur premier nid d'amour fut un appartement avec
eau froide à quarante-cinq dollars par mois dans la 45ᵉ Rue
Ouest situé dans un quartier d'immigrés, le Hell's Kitchen, qui
en 1961 avait perdu son potentiel de délinquance et sombré de
l'insalubre à la décrépitude totale. Leur appartement se compo-
sait d'une cuisine, de toilettes de trois mètres carrés et d'une
pièce sur la cour. (En dehors des toilettes, il ressemblait étonnamment à l'appartement qu'avait habité la grand-mère de
Jane, Rivka Taubman, dans le Lower East Side.)

Jane fit leur lit, un simple matelas posé sur un sommier
métallique, avec les draps bleu pâle et les taies d'oreillers
marqués du monogramme JCN qui étaient arrivés avec six jeux
de serviettes ornées du même monogramme, lorsque Maisie
avait appris par Win que la famille de Jane ne lui avait pas fait de
trousseau.

Ils avaient rendu la majorité des autres cadeaux, des saladiers,
des sucriers, des pots à crème, des vases, des théières et des
cuillers à moka offerts par des parents et des amis des Cobleigh,
le tout représentant environ un millier de dollars. Avec une
partie de cet argent, ils avaient acheté leur lit, une table de
cuisine, quatre chaises et équipé la cuisine ; ils étaient convenus
de mettre le reste à la banque. Il leur restait soixante-dix-huit
dollars en liquide. Jane pensait qu'ils étaient vraiment fauchés.

Elle savait, tout comme Nicholas, qu'ils n'auraient pas un sou,
mais, lorsqu'ils s'étaient retrouvés face à cette réalité, ç'avait été
plus qu'un choc pour lui. Il avait soudain compris qu'il ne
pourrait plus rouler en taxi qu'à la place du chauffeur.

Il n'était pas cupide et ses exigences n'étaient pas grandioses,
mais il ne lui était jamais arrivé de ne pas avoir ce qu'il voulait.
Un simple regard sur les étagères et les tringles installées en face

du lit (les toilettes occupaient le seul placard de l'appartement) montrait bien leur différence de niveau de vie.

Du côté de Jane, on apercevait quelques livres et les rares vêtements qu'elle avait accumulés pendant ses années à Pembroke. Ses tenues allaient toutes par deux : deux jupes d'été, deux chemisiers, deux pull-overs et deux paires de chaussures. La seule chose qui prouvait qu'elle avait eu une vie avant d'aller à l'université, c'était la photographie, toujours pas encadrée, de Rhodes le jour de la remise de son diplôme de fin d'études, appuyée sur son *Source Book in Theatrical History*.

Nicholas, lui, avait une garde-robe pour toutes les circonstances, adaptée à tous les lieux et tous les climats. Elle était à l'image de son éducation. Tout l'espace vide laissé par Jane était bourré des vêtements de Nicholas.

Lorsqu'elle entra dans la cuisine, Nicholas était nu devant l'évier ; il finissait juste de se raser devant la glace escamotable qu'il avait clouée au mur. Il jeta son rasoir sur la paillasse en faisant un vacarme superflu. Deux grandes casseroles se trouvaient sur la gazinière pour l'eau du bain. Il tapait du pied en attendant que l'eau soit chaude. Depuis une semaine et demie qu'ils étaient à New York, il était légèrement souffrant, bien qu'il se fût refusé à l'admettre en prétendant qu'il était juste un peu nerveux. Mais, pendant la seconde nuit dans l'appartement, et ce pour la première fois depuis leur mariage, puis de nouveau pendant la quatrième et la cinquième nuit, il s'était réfugié auprès d'elle. Il l'avait réveillée à plusieurs reprises en tirant la couverture vers lui et, le matin, il était d'humeur maussade bien qu'il lui expliquât ensuite qu'il avait mal dormi. Il n'était pas habitué au nouveau lit et aux bruits du voisinage.

L'humeur de Nicholas ternissait la joie qu'elle avait de se trouver dans cet appartement. Elle avait voulu ce deux-pièces-cuisine-eau-froide ; elle le trouvait romantique, raffiné et suffisamment excentrique pour leur conférer un statut spécial et elle se sentait ainsi davantage une vraie New-Yorkaise.

Mais, même s'il essayait de le lui cacher, Jane savait que Nicholas trouvait presque tout atterrant dans cet appartement : l'évier de porcelaine, sale et ébréché, avec des taches de bleu et de rouille autour des tuyaux, les murs qui s'étaient écaillés à la minute même où la peinture qu'ils avaient posée avait séché, ainsi que les cafards et les fourmis dont on n'arrivait pas à venir à bout. Il détestait prendre son bain dans le vieux tub usagé. Elle voyait comment ses orteils se rétractaient de dégoût lorsqu'il l'enjambait. Contrairement à elle, il n'arrivait pas à se glisser dedans, à laisser pendre ses pieds par-dessus le bord, à fermer les yeux et à savourer les bruits de Manhattan.

Elle se versa un verre de jus d'orange. « L'eau est assez chaude ? lui demanda-t-elle.

— Parfaite ! » Il lui fit un sourire de commande.

« Tu es nerveux ?

— Non. » Elle vit qu'il faisait un nouvel effort. Il sourit. « Ça a peut-être l'air complètement fou, mais je me sens plus nerveux à l'idée de conduire un taxi que pour ma première audition. Je n'arrête pas de penser que je vais réduire la voiture en bouillie ou que je vais oublier où se trouve Coney Island. Ou qu'un type avec qui j'étais à l'école va monter. D'abord il va m'ignorer complètement, mais ensuite il verra mon nom sur la licence. Je l'entends comme si j'y étais : " Nick ? C'est bien toi ? " Tu peux me passer la serviette ? Je l'ai laissée sur la chaise. »

Les serviettes, comme les draps, étaient bleu pâle avec un monogramme bleu marine. « Sors de ton bain, dit Jane. Je vais être ta geisha. » Elle lui sécha d'abord les jambes avant qu'il n'ait fait une mare sur le sol de la cuisine. Lorsqu'elle s'attaqua à son dos et à ses épaules, elle lui demanda : « Tu crois qu'ils te donneraient un très gros pourboire s'ils savaient qui tu étais ?

— Arrête de faire de l'ironie, Jane. » Il partit dans la chambre d'un air furieux et laissa les traces de ses pas sur le sol en linoléum criblé de taches.

Elle essaya de boire son jus d'orange et de rester calme mais, un instant plus tard, elle le rejoignit. Il était en slip devant les étagères et se demandait quelle chemise il allait mettre pour l'audition qu'il devait passer : il s'agissait d'une pièce off Broadway. « Nick, je ne donne pas dans l'ironie. Je suis réaliste. On a de l'argent à la banque auquel on ne peut pas toucher au cas où on en aurait besoin pour une urgence. Parfait ! O.K. ! Mais tu n'arrêtes pas de me dire que tu ne veux pas que je travaille. Je veux juste savoir une chose, comment allons-nous faire pour tout payer ?

— Inutile de hurler.

— Je ne hurle pas ! Tu refuses de t'asseoir pour étudier de près un budget avec moi. Si tu le faisais, tu comprendrais que nous sommes incapables d'assumer tous les frais indispensables, plus tes cours d'art dramatique si je ne prends pas un travail à plein temps et c'est ridicule de prétendre qu'il en est autrement. Nick, écoute-moi, nom d'un chien. Tu n'as jamais eu à penser à l'argent, moi si. Ecoute ! Je sais comment répartir...

— Ça m'aide vraiment ce que tu fais, Jane. De hurler sans arrêt pour que je sois d'une humeur fantastique à mon audition.

Allez, continue. Tu as envie de me dire que j'attends tout simplement que ma famille constate combien nous sommes pauvres pour nous sortir d'affaire ? Hein ? » Il arracha un polo de coton vert foncé d'une pile, l'enfila par la tête, tira sur les manches, et redressa son col devant le petit miroir qui pendait entre les deux rangées d'étagères. « Allez, Jane. Regarde-moi en face. Et si tu me disais ce que je pense au fond de moi, que j'ai peur de passer le cap du professionnalisme et que je fais tout pour être obligé d'abandonner et d'entrer en fac de droit ? Ça te dirait un petit coup de cette vieille rengaine ? Tu as le texte déjà tout prêt. C'est une excellente chose que la fille qui partageait ta chambre ait été étudiante en psychologie. »

Elle s'assit au pied du lit. « Je dis simplement que nous devrions organiser... » Elle s'arrêta, car elle sentit les larmes lui monter aux yeux et comprit qu'elle ne pourrait poursuivre. Elle essaya de se calmer mais s'aperçut qu'elle espérait aussi le réconfort des bras de Nicholas.

« Allons, continue. Mets-toi à pleurer maintenant. Comme ça, tu me donneras l'impression d'être vraiment un type minable. Parfait. C'est très bien. Plus fort. Plus fort ! Allez, tu vas y arriver. De profonds sanglots. Sers-toi de ces bons vieux muscles du ventre. Très bien. Expire avec ton diaphragme. » Elle sanglotait trop violemment pour relever les yeux, mais elle tendit la main vers lui. Celle-ci resta tendue dans le vide. Elle entendit alors un patatras, puis un autre et encore un autre. Il était retourné vers les étagères et donnait des coups de poing dans les livres de Jane, les renversant tous par terre. « Tu es bourrée de tout cela ! dit-il. Mademoiselle Maturité, il-faut-organiser-nos-vies, et dès que je ne suis pas d'accord avec ce que tu dis, tu me sors la scène des pleurs. Alors laissons couler le torrent de larmes. Continue. C'est un vrai talent de pleurer sur commande.

— Nick...

— Allez. Tu es géniale pour comprendre les problèmes d'autrui. Psychanalyse-moi encore un peu. Dis-moi que la vraie raison qui me pousse à tout faire rater, c'est que je suis mou. Tu me l'as dit hier soir. Tout a été trop facile pour moi. »

Elle arriva juste à murmurer : « Je ne voulais pas dire... », puis perdit sa voix.

Nicholas arracha un pantalon à un cintre. « Tu es la seule qui ait jamais souffert. Tu es la seule qui sache ce qu'est l'argent. Tu es la seule qui sache ce que veut dire jouer la comédie. Ma mère n'est qu'une femme du grand monde complètement frivole, alors que ta mère... à côté d'elle, Sarah Bernhardt avait l'air d'un amateur. Et à partir du moment où tu crois tenir ton don de la grande Sally Tompkins — dont tu ne te souviens même pas — qui suis-je pour me permettre de me mêler des projets que tu fais pour nous ? Tu es la seule qui ait le théâtre dans le sang. Allez, Jane, accouche. Balance-moi la vérité. Tu penses que je n'y arriverai pas, n'est-ce pas ? Tu n'arrêtes pas de dire que mon physique va me faciliter les choses et, en fait, tu veux dire que c'est la seule chose qui jouera en ma faveur.

— Non, Nick !

— A moins pour le physique. Je ne suis pas Rhodes Heissenhuber, après tout. Et C plus pour le talent. Dis ce que tu penses. Toute ma famille estime que les comédiens sont des malades et des excentriques et au fond de moi, c'est ce que je pense aussi. Alors, j'essaie de tout gâcher. Exact ? C'est vrai ? Mais au moins, *au moins*, tu espérais me prendre en charge, compenser toutes mes faiblesses et me faire devenir celui que tu voulais que je sois. Tu croyais que je serais malléable, mais il s'est avéré que je pensais par moi-même.

— Nick, je te jure que je n'ai jamais...

— C'est dur à avaler pour une grande organisatrice comme toi, non ? Je ne passerai pas l'audition pour cette connerie de spectacle d'époque moralisateur avec tous ces autres lèche-bottes. Je n'irai pas au cours de ce professeur à moitié débile que Ritter et toi estimez que je devrais suivre... " Faites croire que vous êtes une bougie et fondez " : quelle connerie ! Je ne te laisserai pas travailler et jouer les femmes nobles qui se sacrifient..Je ne ferai pas une seule de ces foutues choses que tu veux me faire faire. Dommage, n'est-ce pas ? Tu n'as pas eu ce que tu voulais. Tu sais ce que tu veux ? Tu veux tout diriger. Tu veux être l'homme. Et je ne te laisserai pas faire. C'est vraiment dommage, hein ? »

Le metteur en scène et l'auteur se disputaient, l'audition ne commença donc pas avant deux heures et, dans la mesure où pour sa première semaine de chauffeur de taxi il devait faire l'horaire de quatre heures à minuit, il dut partir à trois heures et demie sans avoir pu auditionner. Sa dernière course le mena dans le centre de Queen's et, vu qu'il n'était venu dans ce quartier que pour assister à quelques matches de tennis et aller à l'aéroport, il était plus de minuit lorsqu'il arriva enfin au garage. Puis il dut encore attendre le métro vingt minutes. Il n'avait pu appeler Jane car ils n'avaient pas encore le téléphone.

Mais il avait pensé à elle toute la journée.

Au garage, les chauffeurs lui avaient conseillé d'encourager la conversation des clients bavards ; ils donnaient souvent de plus gros pourboires. Mais sa première journée de chauffeur de taxi fut très silencieuse. Il ne pensait qu'à une chose : depuis qu'il l'avait rencontrée, il était plus heureux qu'il ne l'aurait cru possible. Elle ne voulait rien lui prendre, elle l'aimait tout simplement.

Dans le métro, il songeait combien il la désirait, même si c'était la femme la moins experte en la matière qu'il ait jamais rencontrée. Elle faisait l'amour avec maladresse et s'arrêtait à chaque instant pour s'assurer qu'elle faisait les choses correctement. Elle était si pudique qu'elle ne se déshabillait que dans le noir et il savait que, même si elle avait des moments de grande passion, elle ne s'abandonnait jamais complètement. Pourtant, il savait que c'était la femme la plus désirable au monde. Il était amoureux de son corps, de ses cheveux, de sa peau de velours. Il était amoureux d'elle.

Il courut pendant tout le chemin du métro à leur appartement et monta à toute allure les cinq étages.

Elle l'avait entendu arriver. Elle ouvrit la porte et dit : « Nick, je suis désolée », mais son visage trahissait un tel chagrin qu'on aurait pu croire qu'elle n'osait espérer se faire pardonner. Il l'entraîna dans l'appartement et referma la porte. Il l'enlaça. « Je suis vraiment désolée, murmura-t-elle. S'il te plaît, Nick, pardonne-moi.

— Jane, il n'y a pas de raison de...

— *S'il te plaît*, Nick.

— Je te pardonne. »

La semaine suivante, il finit par admettre qu'il ne pouvait pas conduire un taxi cinq jours par semaine, prendre des cours d'art dramatique, passer des auditions et jouer dans un spectacle... si cela arrivait un jour, ajouta-t-il. Il accepta que Jane trouve un emploi pour une période de six mois à un an jusqu'à ce qu'il gagne assez d'argent pour pouvoir subvenir à leurs besoins.

Au bout de trois semaines, elle fut engagée au service du courrier des lecteurs de *Deb*, qui se proclamait le « magazine des jeunes dans le coup », pour répondre à des lettres du style : *Chère Deb, j'ai peut-être besoin d'un conseil, je suis peut-être enceinte, comment le savoir ?* Ou bien, *Chère Deb, pourquoi ne parlez-vous jamais du groupe de rock le plus génial de tous les U.S.A. ? Anthony Monte et les Starshines !!! Tony, Tony, je suis folle de ce type. S'il ne peut pas faire un truc, personne ne peut le faire !*

Le premier jour où Jane travailla au journal, le chef du service du courrier des lecteurs, Dina, une diplômée de Radcliffe qui approchait de la trentaine, lui demanda si son mari avait quelque ami célibataire qui fût sorti de l'Ivy League ou d'Amherst. Dina avait des traits si marqués que son visage semblait crispé comme dans un portrait maniériste. L'autre responsable du service, Marge, une diplômée de l'université de Chicago, mesurait moins d'un mètre cinquante et pesait environ cinquante kilos ; elle était si obsédée par sa petite taille que c'était son principal sujet de conversation. Le premier jour elle raconta à Jane que, lorsqu'elle rentrait chez ses parents à Lake Forest dans l'Illinois, elle dormait toujours dans le même lit d'enfant qui était le sien depuis qu'elle avait abandonné son berceau à deux ans et demi. Elle lui avoua aussi que les cuisses de son père étaient plus larges que son tour de taille.

Jane songea que toutes les trois, tout comme la vingtaine de jeunes femmes qui travaillaient à *Deb*, étaient vraiment surqualifiées pour leur emploi et qu'une licence d'une université réputée n'était pas nécessaire pour répondre à des lettres leur demandant de réimprimer des articles du genre : « Comment maîtriser l'art le plus délicat : écrire une lettre à un garçon. »

Cependant, le travail était plutôt amusant. *Deb*, c'était la maison des étudiants de Pembroke en talons hauts et en robes sombres. La majorité de ses collègues vivaient aux crochets de leurs familles fort aisées, mais cela ne la changeait guère de l'université ; elle était habituée à jouer le rôle de la boursière de service.

L'intérêt qu'elles lui portaient se manifesta après que Nicholas fut venu la chercher un soir au bureau. Dina resta presque muette en présence de Nicholas, mais le lendemain, elle lança à Jane : « Vous feriez bien de faire attention, madame Nicholas Cobleigh. Toutes les filles vont se mettre à piquer des épingles dans des petites poupées avec de longs cheveux noirs. » Marge dit à son tour : « Je parie que s'il me serrait la main très fort, il l'écraserait. »

« Tu as fait un tabac, annonça Jane à Nicholas. Même Charlotte, la responsable des pages beauté, était impressionnée. Elle a dit que tu étais un sacré morceau. Normalement, elle n'adresse la parole qu'aux responsables de rubrique. Et la rédactrice en chef a entendu parler de toi et elle a dit que la prochaine fois que tu venais me chercher, il fallait que je te la présente.

— Tu veux savoir ce qui ne paraît pas mal non plus ? Regarde sur la table le truc que j'ai entouré dans *Backstage*.

— Oh ! waouh ! " Jeune avocat, physique séduisant, genre Ivy

League. " Oh ! Et quand est l'audition ? Oh ! Mon Dieu, demain. J'espère, j'espère... non, ça ne fait rien. Je ne veux pas le dire.

— Dis-le. Je ne t'en tiendrai pas rigueur si tu te trompes.

— Ça a l'air parfait, Nick. Je ne sais pas pourquoi, mais j'ai le pressentiment que ce sera peut-être le bon coup. »

La lettre que Jane attendait arriva le lendemain, juste après que Nicholas fut parti passer son audition.

« Chère Jane,

« Nick et toi avez-vous déjà pris Broadway d'assaut ? Sinon, pourquoi ?

« Je suis content que tu aies retrouvé ma trace. Les deux lettres que j'avais envoyées au théâtre de Westport sont revenues et je n'arrivais pas à comprendre pourquoi, mais je ne m'inquiétais pas trop, car je sais qu'une grande gigue comme toi, ça ne risque pas de se perdre.

« Mais on ne peut pas dire que ton amie Lynn ait fait preuve d'une grande discrétion pour me contacter. Hier, au moment où je suis sorti de la maison, j'ai aperçu sa MG d'un rouge criard et, au volant, une femme qui avait l'air d'être enceinte d'au moins quatorze mois. Elle n'a pas arrêté de klaxonner tout en appelant : " Rhodes ! Rhodes ! " jusqu'à ce que tout le comté d'Hamilton, sans parler de maman, l'ait remarquée. Elle m'a dit qu'elle avait " le cœur brisé " de t'avoir ratée en juin, mais l'éminent toubib et elles étaient en Europe avec toute une bande d'oto-rhino-laryngo- et compagnie... Elle voulait savoir si Nick était assez bien pour toi et je lui ai répondu, beaucoup mieux que ce que tu mérites.

« Puis elle m'a annoncé les nouvelles ! Waouh ! Je n'arrive pas à croire qu'il t'a vraiment épousée. Houps. J'ai pas dit ce qu'il fallait ? Il a repris ses esprits et il t'a quittée pour une fille digne de lui ? Enfin, s'il est toujours dans le coin, transmets-lui mes amitiés et ma pitié.

« Maintenant, des précisions sur le super E, autrement dit l'Europe. Je suis allé là-bas ! Je suis parti la deuxième semaine de juillet avec les Gray... Monsieur et Madame, plus Amanda. Amanda était très brillante, comme d'habitude. Elle a prononcé deux mots par pays.

« Nous avons passé une semaine à Londres et cinq jours à Paris, puis on est partis dans le sud de la France où on est allés voir des gens dans des petits villages si smarts que tu n'en as sûrement jamais entendu parler. Après, monsieur G. et moi, on est reparti dans le nord et on a passé une semaine et demie à voir des vignobles : c'est sa dernière tocade en matière d'investissement. On a séjourné dans un vieux château !

« Maintenant, promets-moi que tu ne vas pas en faire un fromage. Je ne vais pas aller à Lafayette. O.K. Arrête de hurler. Je n'y vais pas parce que j'ai un superboulot que j'adore et que j'apprends plein de trucs sur la haute finance. Je vais aller à l'université de Cincinnati.

« De plus, si je reste à Cincinnati, monsieur Gray paiera mes études dans la mesure où je suis son employé, ce qui sera *nettement* mieux qu'à Lafayette, parce que, contrairement à certaines personnes très intelligentes, je n'ai pas obtenu de bourse.

« S'il te plaît, écris-moi chez Philip Gray à l'adresse ci-dessous. Il s'arrangera pour que je reçoive tes lettres. Je *pourrais*, vu que je gagne quelques dollars, avoir mon propre appartement, mais il pense que ça risquerait de contrarier papa et maman car je n'ai que dix-huit ans. Ce serait pourtant agréable de ne pas avoir à rentrer à la maison pour être interrogé sur tout ce que j'ai fait pendant la journée : où j'ai déjeuné, quel genre de sauce il y avait sur les légumes, etc.

« Je te souhaite un joyeux Noël, une bonne année et transmets mes amitiés à Nick. Et ne t'inquiète pas, lady Covetous, je t'envoie ton cadeau dans un paquet séparé. En fait, nous allons sans doute bientôt venir à New York. Je te dirai quand pour que tu puisses m'inviter à dîner. Ne sois pas fâchée contre moi, s'il te plaît. Je sais que tu penses peut-être que je n'ai pas choisi le bon chemin pour moi, mais je n'ai jamais été aussi heureux de toute ma vie. *Très franchement.* »

Naturellement, la lettre était signée :

« Je t'embrasse, Rhodes. »

« Nick, tu sens comme le talc pour bébé.

— Je ne suis pas Nick. Je suis Harding Claybourne, de l'université de droit de Yale et je suis mauvais et dépravé jusqu'au fond de l'âme.

— Harding, j'adore les méchants avocats.

— Je n'arrivais pas à y croire. J'avais lu deux phrases, quand j'ai entendu — je ne sais pas si c'était l'auteur ou quelqu'un d'autre — s'écrier : " C'est lui, mon Harding ! " Le metteur en scène m'a dit qu'il voulait un accent très distingué et une sensualité glacée. Je suis supposé parler comme ça : " Je ne puis outrepasser complètement les règles de la morale, Lorraine chérie ", pendant que je glisse ma main sous sa jupe... la jupe de la mère. Je viens juste de sauter la fille en la poussant à contester l'héritage légué à sa mère par son père. La fille arrive ensuite et, pendant que la mère passe sournoisement un coup de téléphone pour exiger de faire révoquer tout le testament, je me tiens derrière la fille et je commence à l'embrasser dans le cou.

— Tu ne pourrais pas leur serrer la main seulement ?

— Jane, je suis l'incarnation même de la décadence capitaliste.

— Je le sais bien, Harding.

— Je suis le poison de l'amour lubrique. Je suis l'avarice. Je suis peut-être même Satan en personne. Le metteur en scène a dit qu'il déciderait ça d'ici lundi.

— Ce serait bien d'avoir un petit feu de l'enfer à domicile à chaque fois que la chaudière tombe en panne.

— Tu arrives à le croire ? Un vrai rôle dans une vraie pièce. Pour un salaire énorme de quarante dollars par semaine.

— Nick...

— Harding.

— Harding, je vous aime. Oh !

— Détends-toi. Je répète pour apprendre à glisser ma main sous la jupe d'une femme. Comme ça. Lentement. Dis-moi si je ne suis pas convaincant. On dirait que je joue ? Hum ? Ou on dirait que c'est vrai ? »

14

J'aimerais la citer. Elle a dit un jour : « Si mon mari éternue, on déclare dans la presse qu'il a une double pneumonie. Le *Times* met aussitôt à jour sa rubrique nécrologique, le *Village Voice* ouvre le débat pour savoir si le fait d'éternuer relève de la déclaration politique ou artistique et les journaux à scandale proposent des pots de vin pour obtenir son Kleenex et l'analyser pour y rechercher de la cocaïne. » Je ne peux m'empêcher de me demander ce que dirait cette femme si directe sur tous les articles et toutes les émissions qu'on lui consacre aujourd'hui.

Pr Edmond Coller
de l'école de journalisme de Columbia,
interviewé à la *National Public Radio*.

Les seules chaises de l'appartement étaient celles de la cuisine. Ils passaient donc la majorité de leur temps sur leur lit. Pour les discussions sérieuses, ils s'asseyaient l'un à côté de l'autre au pied du lit. Lorsqu'ils bavardaient ou détaillaient les événements de la journée à l'intention de l'autre, ils s'allongeaient.

Quand Nicholas parla à Jane des conquêtes de son père, leurs corps formaient un T ; la tête sur son ventre et les yeux fermés comme une personne hypnotisée, il lui raconta comment Lucy Bogard, la chanteuse d'opéra et maîtresse de James, l'avait séduit.

Jane ne pouvait parler que de son enfance, lorsqu'elle se blottissait contre Nicholas, la tête au creux de son épaule.

Pour les conversations à bâtons rompus, ils adoptaient des positions plus improvisées, bien que Jane eût tendance à s'asseoir en tailleur sur son côté du lit. Nicholas, toujours étouffé par l'étroitesse de leur appartement, préférait s'allonger bras et jambes écartés, mais il bougeait sans arrêt les jambes en parlant. Il attira l'attention de Jane lorsqu'il resta immobile sur le dos, les mains posées sur la poitrine.

« Tu veux un œillet et ton costume bleu marine ? demanda-t-elle.

— Je pense à Harding Claybourne. Je me demande pourquoi il est si pourri.

— J'abandonne.

— Non, c'est à toi que je pose cette question. Je n'arrive pas à cerner ce personnage. » Nicholas se redressa et regarda Jane en face. Lorsqu'il était perplexe, il avançait sa lèvre inférieure et suçait l'autre. Elle trouvait que cela lui donnait l'air d'un petit garçon qui voulait paraître sérieux. « Chaque fois que j'en parle au metteur en scène, Dave me dit de le jouer complètement insensible et très distingué. Mais il n'arrive pas à m'expliquer pourquoi Harding est un salaud pareil. Il dit juste que Harding a perdu toute notion des choses en dehors de la volonté de pouvoir. Il a besoin de dominer.

— Harding Claybourne ?

— Oui. Dave ne pourrait pas dominer quoi que ce soit. Chaque fois que je lui demande ce qu'il veut, il me répond : " Que veux-tu, *toi* ? " »

Sa première réaction la poussait à le prendre dans ses bras pour le réconforter. Elle se retint uniquement parce qu'elle savait que cela lui était impossible. Il se trouvait face à un problème qu'il ne pouvait résoudre. Pourtant, il était difficile de ne pas tenter de lui venir en aide ; il y avait quelque chose en Nicholas qui donnait envie aux gens de le rendre heureux. Elle ne savait au juste si c'était à cause de son charisme, quelque chose qui attirait les gens vers lui, ou si c'était simplement à cause de son physique.

Nicholas soupira de nouveau.

« Dis-moi quel est le problème, commença Jane.

— Ça m'ennuie.

— Dis-le quand même. Nous discutons de Harding Claybourne, pas de Nicholas Cobleigh. Tu peux dire la chose la plus atroce du monde et ajouter ensuite : " Ce n'est pas ce que je pense, c'est le rôle qui est ainsi. "

— Le problème dépasse le personnage. Le problème, c'est la pièce. Je croyais sincèrement qu'elle était bonne. Mais je l'avais mal lue. La pièce ne nous apprend rien sur lui. *Pourquoi* veut-il les détruire ? Qui est-il ? Je ne sais absolument pas où il est né ni quelle fut sa vie. Tout ce que je sais de lui, c'est son nom et le fait qu'il est allé à l'université de droit de Yale. Ah oui, et qu'il joue au squash. Au premier acte, il dit : " Je vais faire un squash. " Allez, Jane. Aide-moi.

— D'accord. » Ils se glissèrent inconsciemment au pied du lit et s'assirent par terre, adoptant leur position réservée aux situations sérieuses.

« Allez, Nick, ne prends pas un air si déprimé. On va travailler. On va psychanalyser Harding Claybourne. Bon, il est maniéré ou précieux, enfin appelle ça comme tu voudras. De toute façon, c'est le dessus du panier. Ou est-il né ? De toute évidence, pas à Cincinnati. »

Deux heures plus tard, lorsqu'ils eurent terminé de construire la biographie du personnage qu'il allait jouer, Nicholas fit l'amour à Jane. Il la retourna sur le ventre et, doucement, fit courir sa langue sur ses jambes, remonta le long de sa colonne vertébrale puis sous ses bras, remuant avec une volupté paresseuse qui ne lui était pas coutumière. Lorsqu'il la pénétra enfin, il était allongé sur le dos et lui léchait l'oreille et la joue. Il ne l'avait jamais prise ainsi jusqu'alors, mais elle ne savait pas au juste qui faisait cela : était-ce Nicholas Cobleigh ou Harding Claybourne ?

La cuisine de Jane était si épouvantable que cela aurait pu en devenir drôle si Nicholas n'avait pas eu à la manger. Pour tenter de masquer les morceaux de viande bon marché qu'elle achetait, elle les avait nappés d'une sauce faite d'une crème de céleri de chez Campbell qu'elle n'avait pas diluée. Cela laissait sur la langue et la bouche une couche blanche que même la gelée hypersucrée (elle avait mis une demi-tasse d'eau de moins que dans la recette pour la rendre plus ferme) ne pouvait attaquer.

Cependant, il adorait la voir cuisiner. Lorsqu'elle rentrait du bureau, elle se déshabillait et enfilait un peignoir en prétendant qu'elle leur faisait ainsi économiser des milliers de dollars de nettoyage à sec et, donc, à six heures, ses bretelles de soutien-gorge lui lacéraient les épaules. Pour que ses cheveux ne tombent pas dans les plats, elle coinçait sa queue de cheval dans son peignoir et ainsi l'éclat de ses cheveux noirs qui se balançaient ne le distrayait plus de ses traits bien dessinés et de ses yeux incroyables. Parfois il mettait le couvert et, tout en prenant les assiettes dans le placard, il jetait des coups d'œil vers son décolleté en V en espérant entrapercevoir l'ombre de ses seins. Il était presque toujours récompensé : il devinait au moins la peau dorée de sa poitrine qui contrastait avec le blanc de son peignoir.

Il l'interrogeait sur les détails de sa journée car il adorait l'entendre parler. Tout chez elle le passionnait. Elle lui donnait l'impression d'être plus intelligent qu'il ne croyait l'être. Elle avait même éveillé en lui un sens de l'humour qu'il n'avait jamais soupçonné. Comparées à Jane, toutes les filles avec qui il était sorti étaient, au mieux, charmantes.

« Tu te rends compte que dans une semaine, dit-elle, l'histoire du théâtre se sera enorgueillie d'une nouvelle victoire ? Je parle sérieusement. Quand ils auront dressé la liste de tes mérites, *Last Will and Testament* va devenir le triomphe de la saison et les gens vont payer des centaines de dollars pour acheter le programme. Je vais en garder plein. Ça va faire un tabac. » Son accent du Middlewest le réconforta.

Lorsque le téléphone sonna, il contemplait les œufs durs qu'elle préparait. « Tu peux le prendre ? demanda Jane. C'est probablement Hollywood. » Lorsqu'il raccrocha le combiné, il s'assit à table. Il fixa une assiette posée au milieu. Les œufs étaient éventrés et les jaunes saupoudrés de piment semblaient faire une attaque de rougeole. « Nick, qui était-ce ?

— Mon père.

— Tout va bien ?

— Il nous invite à dîner la semaine prochaine.

— Tu plaisantes.

— Il nous emmène au restaurant pour fêter Noël à l'avance.

— Mais dans une semaine, on ne sera que...

— Il va passer les fêtes à Paris.

— Non, ce n'est pas vrai ! Comment peut-il ?

— Il a dit...

— Quoi ? Dis-le-moi, Nick.

— Ma mère l'a viré. »

James Cobleigh annonça au sommelier quelle marque de champagne il voulait pour déguster les huîtres et, avant qu'il ne lève son premier verre, Jane comprit qu'il était déjà ivre. Ses yeux semblaient flotter dans une mare rouge injectée de sang et ils ne restaient pas posés sur elle mais dérivaient en direction de son fils.

« Portons un toast ! rugit-il en levant péniblement son verre. A ta tendre mère. » Les autres clients de L'Huître lancèrent un coup d'œil vers leur table et détournèrent rapidement les yeux, car l'expression qui se lisait sur son visage n'avait rien d'enjoué.

Naturellement, Nicholas avait l'air distant et son père, dur. Mais, échauffé, son verre à la main et s'adressant à son fils, James paraissait méchant. Tous ses traits étaient déformés. Il avait les yeux plissés, les narines dilatées et la bouche pincée.

« Joyeux Noël, papa, dit Nicholas.

— Joyeux Noël », ajouta Jane. Contrairement à sa femme qui avait demandé à Jane de l'appeler Winifred, James n'avait jamais été précis sur le sujet et elle ne s'adressait donc jamais à lui en le nommant. Si elle lui avait dit « Monsieur Cobleigh », elle pensait qu'il ne lui aurait pas répliqué « Appelez-moi Jim », et elle se serait retrouvée coincée dans ce code de bienséance marquant à tout jamais qu'elle ne faisait pas partie de la famille.

Mais, si elle se sentait comme une étrangère, cela avait sûrement été aussi le cas de James lorsqu'il avait épousé un membre du clan Tuttle avec leur vieille fortune, leurs vieux meubles et leur éducation dans les vieilles universités de l'Est. Nicholas lui avait dit que son père était issu d'une famille pauvre, qu'il était brouillé avec ses parents et qu'il refusait même de parler d'eux. Nicholas ne savait même pas si les parents de son père étaient encore de ce monde.

James porta une huître à sa bouche et aspira bruyamment le mollusque en l'arrachant brusquement de sa coquille. Elle en conclut que cela devait se faire ainsi, mais elle remarqua alors que Nicholas les mangeait avec la petite fourchette que le serveur leur avait donnée. Son beau-père engloutit six huîtres en une minute.

« Hum, dit-elle à James, comment allez-vous... comment se sont passés ces derniers jours ?

— Bon Dieu, comment voulez-vous qu'ils se soient passés ? » explosa-t-il. Cette fois-ci, les autres clients ne jetèrent pas un regard vers leur table. Comme Jane, ils se contentèrent de sursauter. « Un soir, elle a déclaré qu'elle en avait assez et le lendemain soir, je suis rentré à la maison et j'ai trouvé cinq valises dans l'entrée.

— Papa, s'il te plaît, murmura Nicholas, arrête.

— La ferme ! » Le maître de rang se dirigea vers leur table mais, changeant d'avis en chemin, se rua vers les tables de devant.

« Tu te sers toujours de ton appartement pour les clients dans les Waldorf Towers ? » demanda doucement Nicholas.

Jane scruta les environs et aperçut le serveur. Aussi discrètement que possible, elle lui désigna son assiette pour lui faire comprendre qu'il pouvait la débarrasser. Le serveur s'approcha lentement de la table mais la voix de James l'arrêta dans son élan.

« Je serais à la tête de la C.I.A. aujourd'hui si son père ne m'avait pas coupé l'herbe sous le pied, affirma-t-il.

— Papa, dit Nicholas. Tu devrais parler à Jane de tes aventures dans les O.S.S. » Nicholas se tourna vers elle. Elle bougea légèrement la tête en montrant la porte du restaurant — lui faisant signe de s'enfuir —, mais Nicholas poursuivit son propos. « Papa avait une couverture, il se faisait passer pour un boulanger français, dans le Pas-de-Calais. Il avait un accent si irréprochable que...

— D'après ce que m'a dit Nick... » Jane fut coupée par Nicholas qui lui donna un grand coup de pied dans la cheville. Le coude sur la table, Nicholas regardait son père droit dans les yeux. Elle n'arrivait pas à croire qu'il voulût faire semblant d'assister à un dîner de famille parfaitement normal. Tout le restaurant se trouvait sous l'emprise de James. La porte des cuisines était entrouverte et le personnel surveillait les désastres.

« Le psychiatre et la vieille. Tous les deux. Ils n'ont pas arrêté de la travailler au corps jusqu'à ce qu'elle ne sache plus du tout où elle en était. Et avant, c'était son père. Ils lui ont tous sauté dessus depuis le jour où on s'est rencontrés. »

Le serveur s'approcha prudemment de la table, s'arrêta un instant, puis débarrassa rapidement les trois assiettes et détala. James ne semblait pas l'avoir vu. Il ne vit pas non plus les lèvres de Jane murmurer en silence « Allons-nous-en ». Nicholas aperçut son signe, mais n'y répondit pas. Il prit un morceau de son petit pain et le beurra avec une lenteur exquise.

Le serveur revint avec le plat, marmonna « Les assiettes sont chaudes » et s'éloigna aussitôt. James resta muré dans son silence. Nicholas prit son couteau et sa fourchette, commença à manger et fit signe à Jane d'en faire autant. Elle savait qu'elle mangeait un plat de veau que James avait commandé pour elle, mais elle ne pouvait l'apprécier. Ce silence, qui portait en lui une violence implicite, pesait sur tout le restaurant. Aux autres tables, des hommes levaient le doigt ou faisaient mine de griffonner quelque chose dans l'air pour demander l'addition.

« Eh bien », dit-elle, comme si le fait de parler, d'établir un contact pouvait apaiser la colère de James. Mais la voix de Jane avait des accents stridents. « Eh bien, répéta-t-elle, en murmurant presque, c'est un grand mois. Noël et la première pièce en professionnel de votre fils. Vous savez, on a parlé du spectacle dans un article de... » Nicholas secoua la tête pour lui dire de se taire. Mais il était trop tard. Son beau-père s'avança. Elle se terra sur sa chaise. Nicholas détourna les yeux.

James se pencha par-dessus la table. Sa cravate pendait à moins d'un centimètre de la sauce rougeâtre qui nappait sa viande. « Celui-là est un acteur. Et l'autre va devenir ministre. Les deux seuls qui aient un sou de cervelle. Deux fils qui ont de la cervelle mais pas de tripes ! » Il frappa du poing sur la table. Sa petite cuiller rebondit et tomba par terre. « Des hommes qui seraient vraiment des hommes ne feraient pas ce genre de boulot.

— Papa », intervint Nicholas. Sa voix était si calme et si étouffée qu'il aurait pu parler dans une église. « Tu sais ce que je pensais à propos de l'autre jour ? Quand on est montés à la cabane et que...

— Olivia n'a pas été admise dans une université digne de ce nom et les autres... »

Il se renversa contre sa chaise, mais ne reprit pas un air absent comme Jane s'y attendait. Elle soupira puis concentra son attention sur son plat de veau et s'efforça de manger, bien qu'elle commençât à se sentir mal. Lorsqu'elle releva les yeux, elle vit que Nicholas n'avait pour ainsi dire pas touché à son assiette. Il tournait lentement le pied de son verre entre ses doigts. Il avait perdu son expression de parfait sang-froid. Il paraissait épuisé, comme quelqu'un qui endure d'atroces souffrances depuis long-temps.

Elle se tourna alors vers James. Il était assis, droit sur sa chaise, presque d'une façon agressive, mais il fixait Nicholas avec une intensité gênante, dévorant le visage de son fils. Lorsqu'il se mit à parler, elle dut prêter l'oreille pour l'entendre. « Je les ai tous appelés à leur école. » Il avait les larmes aux yeux et les laissa couler sur son visage. Il ne semblait pas savoir qu'il pleurait. Jane détourna les yeux. « Je leur ai demandé à tous de venir ce soir. Et tu es le seul... » Il s'éclaircit la gorge mais cela n'arrangea rien. D'une voix rauque, presque imperceptible, il ajouta : « C'est la vie[1]. »

Ça ne pouvait pas être le trac. C'était beaucoup plus atroce qu'il n'aurait pu l'imaginer. Aucun symptôme familier et rassurant : aucun battement de cœur, suée, tremblement ou maux d'estomac. Nicholas était suspendu entre deux mondes. Voyageur dans le temps ou dans l'espace qui avait poussé sur le mauvais bouton et qui était condamné à une solitude éternelle. Il

---

1. En français dans le texte. *(N. d. T.)*

était pris entre la pièce et le public et se sentait étranger à l'un comme à l'autre.

« Monsieur Claybourne ! C'est si gentil de votre part... » Tout comme il l'avait entendu au moins cinquante fois pendant les répétitions, il perçut la voix de Gina Hollander qui chevrota, puis s'estompa lorsqu'il fit son entrée. Elle effleura ses lèvres du bout des doigts et s'éclaircit délicatement la gorge, donnant exactement l'impression qu'elle était supposée rendre : une veuve d'une cinquantaine d'années riche et bien élevée, troublée par l'éveil soudain de ses sens. Elle passa la main sur sa coiffure laquée et tenta de dissimuler sa confusion derrière un écran de politesse, mais ses lèvres tremblaient tant que son sourire se tordit en une affreuse grimace. « C'est si gentil de votre part d'être venu. Je crains... enfin, je craignais... de ne pouvoir affronter une entrevue dans un cabinet. »

Il avait fait cela cinquante fois auparavant. Il posa l'attaché-case qu'il avait à la main et, avec l'insouciance calculée d'une call-girl, déboutonna lentement son pardessus et le retira. Tout comme aux répétitions, elle se précipita derrière lui et l'attrapa juste avant qu'il ne tombe à terre. « Pardonnez-moi mon manque de courtoisie, monsieur Claybourne, dit-elle en roucoulant. Permettez-moi de prendre votre manteau. » Elle répétait tous les gestes qu'elle avait faits en répétition. Elle posa son pardessus sur son bras et, dans un geste apparemment inconscient, se mit à le caresser. L'autre comédienne, qui jouait le rôle de la fille, fit son entrée, traversa la scène et se tint, comme elle était supposée le faire, tout près de lui, dévoilant sans ambages sa jeune beauté. Mais son mascara avait terriblement coulé et l'un de ses yeux paraissait comme perdu dans son orbite. « Julie, ma chérie, je te présente monsieur Claybourne, l'exécuteur testamentaire de papa. »

Il ne faisait pas partie du spectacle. Il avait un œil critique. La mère était excellente. La fille, dont le regard était face au public et qui devait donc ressembler plus au fantôme de l'Opéra qu'à une adolescente en mal d'amour, parlait avec un accent du Sud que le metteur en scène avait essayé de corriger pendant trois semaines. « Vous êtes Harding Claybourne, n'est-ce pas ? » lança-t-elle d'une voix traînante. Il aurait pu écrire l'article : *Jennifer Bowman, qui joue le rôle de Julie Donaldson, évoque plus une échappée d'un premier brouillon de Tennessee Williams que l'adolescente des quartiers chics de New York qu'elle incarne.*

Comme il était supposé le faire, Nicholas hocha la tête. Il savait qu'il devait le faire. Il savait qu'elle avait une autre réplique et qu'ensuite ce serait à lui de parler. Peut-être se rappellerait-il son texte, mais il serait incapable de dire un mot. Il n'était pas à sa place à côté de ces deux femmes. Son regard survola la jeune actrice et se posa sur le troisième rang ; il aperçut Jane, sa mère et sa grand-mère. « J'ai lu votre nom sur votre papier à en-tête, monsieur Claybourne, et j'en ai conclu que vous *deviez* avoir un feutre et des cheveux blancs. » Il sentait son souffle chaud sur son visage. Il s'en dégageait des relents de bains de bouche à la cannelle.

Son frère Thomas était assis à côté de sa grand-mère. Maisie tenait sa main serrée entre les siennes, comme s'ils assistaient à un spectacle capital : une inauguration ou une exécution. Et, à côté de Thomas, son oncle Jeremiah, qu'il n'avait pas vu depuis trois ou quatre ans, était assis au bord de son fauteuil, la langue pendante au point qu'on aurait dit une troisième lèvre. Nicholas parcourut le petit théâtre des yeux. Il ne vit pas son père.

Il n'était pas à sa place devant le projecteur. Il aurait dû être là, au troisième rang, en attendant que quelqu'un fasse une chose intéressante sur scène ; en voulant devenir acteur, il avait pris une très mauvaise décision. C'était fou. Il comprit tout à coup pourquoi ses parents s'étaient montrés si atterrés. La honte l'envahit. Même lorsqu'il serait devenu avocat, personne n'oublierait jamais ses tentatives comme acteur.

Les deux comédiennes le touchèrent en même temps, puis se raidirent, s'apercevant soudain du geste de l'autre. Au moment où elles se contractaient, il était supposé dire quelque chose. Une chose pour provoquer la compétition entre elles. Il n'avait aucune idée de ce que c'était. Il n'était bon à rien. La rivalité des deux femmes aurait tout aussi bien pu se porter sur un lapin invisible. Il ne pouvait pas les aider. Il n'était pas acteur. Même s'il arrivait à se rappeler son texte, il ne pourrait pas le dire. Il était arrivé quelque chose à sa langue. Elle avait tellement enflé qu'elle emplissait toute sa bouche. Il essaya de la remuer, mais il n'y avait pas la place. Elle s'enfonçait en arrière comme un doigt dans sa gorge. Il ne pouvait rien y faire. Il allait avoir un haut-le-cœur. Sa bouche s'ouvrit violemment pour soulager ses nausées.

« J'aimerais prendre un verre d'eau. » Les mots étaient sortis de lui. Un instant plus tard, tout comme aux répétitions, les deux femmes retirèrent leurs mains de lui et se précipitèrent à l'avant-scène vers un bar roulant et, de nouveau comme aux répétitions, se rentrèrent dedans. Comme il les regardait, un petit sourire éclaira automatiquement son visage et un mouvement dans le public lui fit comprendre que les spectateurs l'avaient remarqué. Il prit une profonde inspiration et souffla lentement. Puis, la voix forte et froide, il parla de nouveau : « Julie, pourquoi n'allez-vous pas le chercher pendant que j'échangerai quelques mots avec votre mère ? » La comédienne qui jouait la mère se précipita vers lui, s'empara de son bras dans un geste possessif et l'entraîna vers un divan situé de l'autre côté de la scène. Lorsqu'ils passèrent devant la jeune actrice, ses mains qui tenaient une carafe d'eau se mirent à trembler. Les cubes de glace cliquetèrent contre le verre. A ce moment-là, il prit l'autre femme par l'épaule et l'attira plus près de lui. Mais au même instant, il jeta un coup d'œil vers la jeune actrice et lui fit un signe de connivence presque imperceptible. « Je crains de ne pas m'y retrouver très bien dans tous les détails de la société, dit la veuve tout en le faisant asseoir sur le divan à côté d'elle.

— Je serai enchanté de tout faire pour vous être agréable... » Il s'arrêta juste la fraction de seconde qu'il fallait « ... à toutes les deux. » Il sentit l'étau de sa main moite sur son poignet tandis qu'elle essayait de le retenir. De l'autre côté du plateau, il percevait la présence de l'autre femme qui s'efforçait de se rapprocher de lui. Il les tenait toutes les deux en son pouvoir. Et le public aussi. « Tout ce que je pourrai pour vous faciliter les choses. »

« Pas encore, Jane. Tu l'as déjà lu cent fois, dit Nicholas.

— Il fallait que je m'entraîne. La cent unième fois, c'est toujours la meilleure. Tu es prêt ? » Elle prit le journal.

« Pas l'article en entier.

— Seulement le passage important. » Elle tenait le *Times* entre ses mains comme si elle donnait lecture d'un texte dramatique. « " Le personnage de Harding Claybourne, l'avocat beau parleur qui s'interpose entre les deux femmes, manque de consistance dans l'écriture. Cependant, Nicholas Cobleigh lui a donné une vraie densité et se montre très convaincant dans ce rôle de provocateur séduisant et de parfait sang-froid. " C'est une critique dithyrambique !

— Relis-la. Non, pas à haute voix.

— Ils te couvrent de fleurs, Nick. Ils ont juste fait une petite erreur typographique en écrivant " convaincant " à la place de " brillant ". Laisse-moi te lire l'article tel qu'il devrait être écrit. »

La lourde chaîne et le cadenas ne les arrêtait pas. Tous les soirs à cinq heures, les hommes et les gamins du quartier escaladaient le grillage de deux mètres cinquante de haut qui entourait le

terrain de jeu de l'école Sainte-Catherine dans la 48ᵉ Rue Ouest
et jouaient à la lueur des réverbères. En dehors de Nicholas, ils
avaient tous grandi dans Hell's Kitchen et la plupart étaient allés
à Sainte-Catherine ; ceux-là faisaient le signe de croix avant de
faire un coup déloyal.

Nicholas n'avait pas joué au basket depuis ses seize ans quand,
tout à coup, la moitié de sa classe à Trowbridge l'avait dépassé
de deux têtes, mais après huit heures coincé dans son taxi ou un
après-midi entier passé au cours d'art dramatique à prendre
quinze attitudes différentes pour exprimer la douleur, il escaladait le grillage plus vite que les autres.

« Ici, Nicky, par ici ! »

Il passa la balle à l'un de ses coéquipiers de la soirée. Il était le
canard boiteux du groupe. L'équipe était formée selon des
critères ethniques, les Irlandais d'un côté et les Italiens (plus un
Portoricain) de l'autre. Il s'intégrait au groupe car, à leurs yeux,
il n'avait pas d'identité réelle. « Tu *es* quoi ? » lui avaient-ils
demandé sans relâche le soir où ils l'avaient vu derrière la
palissade alors qu'il regardait la partie et qu'il leur avait
demandé s'il pouvait jouer avec eux. « Quel *genre* d'Américain ? »

Les pieds sur la ligne, un joueur fit un tir litigieux. La balle
ricocha hors des limites du terrain. « C'est toujours à nous,
braillà-t-il.

— Elle est out, espèce de connard, hurla l'un des adversaires.

— Tu pètes plus haut que ton cul, Parisi.

— Tu pètes plus haut que le cul de ta mère...

— Tu ferais mieux de fermer ta grande gueule, enfoiré.

— Nicky ! »

Il attrapa la balle. Il courut en esquivant les assauts et, au
moment où il lança la balle dans le panier, deux types lui
tombèrent dessus. Le plus petit lui donna un bon coup de pied
dans la cheville. Nicholas lui décocha un coup de coude dans le
flanc, mais il ne réagit pas assez vite et la balle tomba aux mains
du plus grand. « Fumier », lança Nicholas.

Il adorait jouer, malgré le vent glacial, la poussière et les bouts
de verre qui traînaient. Personne ne respectait les règles, ils ne
pensaient qu'à gagner. Et, au bout d'une heure, en sueur, sale et
presque ahuri, Nicholas reprenait sa veste, escaladait le grillage
et, deux heures plus tard, il se retrouvait sur scène dans son
costume trois pièces à fines rayures grises en face d'une comédienne de vingt-cinq ans qui jouait le rôle d'une femme de
soixante-dix et courait vers lui pour se jeter à son cou.

Un de ses coéquipiers, un homme trapu au cou si épais qu'il

semblait trop large pour sa mâchoire, allait tirer lorsque quelqu'un siffla et lança : « Fin de la partie. » Ils s'arrêtèrent et Nicholas tourna la tête en même temps que les autres pour regarder la silhouette qui se profilait derrière le grillage. « Ouais, jeune dame ? demanda l'un d'eux.

— Ça va, dit Nicholas. C'est ma femme.

— Oh ! j' savais pas que t'étais marié.

— Si. » Il se dirigea vers la pile de vestes entassées par terre, enfila la sienne et escalada le grillage. « A demain.

— Salut, Nicky.

— Je suis désolée de te déranger. » Jane serra le large col de son manteau contre elle pour se cacher la bouche et le menton. Le bout de ses oreilles virait au pourpre tant il faisait froid.

« Salut. » A l'instant même où ils furent hors de vue du terrain, il embrassa son bout de nez écarlate. « Tout va bien ?

— Oui, je crois.

— Comment ça, tu crois ? »

Jane haussa les épaules.

« La pièce s'est arrêtée et ils ont oublié de me le dire ?

— Non, Nick. Ce serait affreux.

— Une chose moins affreuse, alors ?

— Une chose... peut-être pas mal.

— Ta belle-mère est morte. Je plaisante. Alors dis-le-moi.

— Eh bien...

— Jane, tu m'as arraché à une bonne partie de basket.

— Je suis enceinte. »

Rhodes Heissenhuber ouvrit la porte de sa suite. « Bon anniversaire, idiote », dit-il. Il serra sa sœur dans ses bras, accepta son baiser et lui fit signe de s'installer au salon.

« Tu es superbe ! Encore plus qu'hier, dit Jane. Laisse-moi te regarder. » Elle l'entraîna vers une fenêtre. « Je savais bien que tu avais quelque chose de changé. Tu as maigri un peu ou tu as pris de la maturité.

— J'ai juste les cheveux un peu plus épais. Enlève ton manteau. Tu portais un sac à patates hier. » Elle avait mis sa plus belle robe en l'honneur de ce déjeuner. C'était une robe de laine blanche ras de cou dont le bas était évasé. Elle l'avait achetée pour Noël. Nicholas l'adorait. Elle lui allait encore, bien qu'elle n'aimât pas beaucoup la porter. Elle la serrait tant à la taille que Jane avait l'impression que le bébé en était étouffé. Il l'observa un moment. « Tu n'as pas l'air enceinte.

— Eh bien, si. J'en suis au début du quatrième mois. » Elle

s'assit dans un fauteuil club si profond qu'elle risquait d'avoir des problèmes pour se relever.

« D'un autre côté, tu n'as *pas* l'air de ne pas être enceinte. Mais ce n'est pas nouveau, non ? Tu as l'air enceinte depuis que tu as dix ans.

— Rhodes, je n'ai pas l'intention de rester assise ici à écouter tes histoires de grand bébé, alors que je pourrais tranquillement aller prendre un sandwich avec les gens civilisés de mon bureau.

— La ferme, dégueulasse. J'ai demandé qu'on nous monte du champagne et du caviar.

— Vraiment ?

— Oui, vraiment. » Rhodes s'assit sur l'accoudoir du divan en face de Jane. Il leva une jambe et posa la cheville sur son genou. Il s'assit bien droit avec élégance, comme s'il s'attendait à être pris en photo. « Et pour le déjeuner, saumon poché, chose que toi, tu n'as jamais mangé.

— Comment le sais-tu ?

— Parce que ça se verrait sur ton visage.

— Mais j'ai déjà bu du champagne.

— Où ça ?

— Le père de Nick nous a emmenés dans un restaurant français.

— C'était *après* ? Après qu'elle l'a eu viré ?

— Où as-tu appris cela ?

— Clarissa Gray est sa cousine, tu sais ? Et apparemment, tout le monde dit qu'elle aurait dû le faire depuis des années, qu'il a eu des aventures depuis tout ce temps et que c'est à cause de ça qu'elle a fait de la dépression. Je veux dire, il s'affichait en public avec toutes *sortes* de...

— Madame Gray t'a dit ça ?

— Calme-toi.

— Dis-le-moi.

— Non. Elle ne me parlerait pas de ce genre de choses.

— Alors, où as-tu appris cela ?

— Devine.

— Oh !

— Dans la mesure où il va t'offrir ton caviar, tu pourrais au moins éviter de faire la grimace.

— Je ne fais pas de grimaces. »

Rhodes répondit au coup frappé à la porte et un serveur entra en poussant une table roulante couverte d'une nappe blanche. « Je vais m'en occuper », dit-il au serveur et il griffonna quelque chose sur la note. Le serveur s'éclipsa et Rhodes s'affaira.

« Monsieur Gray sait-il que tu fais cela ? »

Elle essayait de s'extirper du fauteuil club ; il lui tendit la main et l'aida à se relever. Il mit une chaise devant la table et la lui tint. « Que je fais quoi ?

— Que tu mets ce déjeuner sur sa note.

— Tu parles sérieusement ? Tu ne sais rien à rien, mon pote. Je travaille pour lui, imbécile. J'ai des frais de représentation.

— Tu n'as même pas dix-neuf ans.

— Et alors ? » Il disposa une cuillerée de caviar sur un toast en triangle et se le fourra dans la bouche. « Tu n'as pas envie d'y goûter ?

— Non, merci. » Elle détourna les yeux.

« Jane, ne recommence pas. D'accord ?

— Où vas-tu ensuite ? lui demanda-t-elle gentiment.

— En Suisse pour quelques jours. Ensuite, il veut aller skier en Italie.

— En Italie ?

— C'est très chic. » Il lui servit un peu de champagne. « Evidemment, ce serait plus chic si je savais skier. Et je ne sais pas ce qu'il va faire, *lui*. Avec son horrible jambe. Il boite tout le temps. Tu l'imagines, descendant les pentes en traînant sa jambe derrière lui ?

— Arrête, Rhodes !

— Toi, arrête. Ils vendent peut-être des monoskis extra larges pour infirmes. Enfin, à propos d'infirmes, ça lui ferait plaisir de vous voir tous les deux demain soir. Nous partons le lendemain. Il veut nous emmener dans un restaurant de grand luxe après le spectacle de Nick. Pourquoi ne manges-tu pas de saumon ?

— Ça ne me dit pas grand-chose, le poisson.

— Le poisson *ne* ne dit *pas* grand-chose ? De te marier, ça te disait, non, lady Jane ? Allez, goûtes-y. Ça n'a rien à voir avec le poisson de maman et ses croquettes de pommes de terre. Un sort pire que la mort.

— Ce n'est pas mauvais.

— C'est bon, espèce d'andouille. A propos d'andouille, comment es-tu tombée... Tu n'as jamais entendu parlé de la contraception ?

— Au cas où ça te regarderait, si. Mais il se trouve aussi que rien n'est infaillible.

— Toi, sûrement pas, en tout cas. Je trouve ton organisation géniale. Ça va être merveilleux d'élever ce bébé dans ce charmant voisinage. Dans un appartement aussi agréable. Tu pourras lui offrir un petit cancrelas baptisé Tache. Ou bien tu iras le réveiller après toute une nuit sans chauffage et tu te précipiteras comme une maboule sur ton bébé tout bleu. Oh ! Jane, ne te mets pas à pleurer. *S'il te plaît.*

— Je ne vais pas me mettre à pleurer. » Elle se cacha le visage dans ses mains et se frotta les paupières de ses doigts gelés. Elle se sentait si lasse qu'elle aurait pu passer l'après-midi entier dans cette position. L'épuisement était le seul symptôme de son état de grossesse, mais il affectait profondément sa vie. Lorsqu'elle se réveillait après dix heures de sommeil, elle n'avait qu'une envie : se reposer.

Rhodes s'approcha d'elle et l'entraîna vers un divan de l'autre côté de la pièce. Il la prit dans ses bras, chose qu'il n'avait jamais faite, et lui tapota l'épaule. Puis ils restèrent assis un long moment en silence.

« Ça va si mal ? » lui demanda-t-il enfin. Elle se dégagea et hocha la tête. « Vous êtes vraiment fauchés ? »

— On a assez d'argent à la banque pour payer l'obstétricien et l'hôpital, et c'est tout. Ils m'ont dit que je devrais m'arrêter de travailler quand je commencerai à être vraiment grosse. Ils trouvent que ça ne fait pas bien. » Elle s'arrêta un instant. « C'est un journal de jeunes.

— C'est stupide. Comment peux-tu travailler avec des gens aussi bêtes ?

— Je n'avais rien prévu de tout cela, Rhodes.

— D'accord, excuse-moi. Et Nick ? Que fait Nick ?

— Il a arrêté ses cours d'art dramatique. Je l'ai supplié de n'en rien faire, mais il m'a dit qu'il n'en avait pas besoin. Moi, je ne veux pas qu'il arrête. Les gens qu'il rencontre là-bas peuvent être des contacts intéressants, mais il refuse de m'écouter. Il a repris son boulot de chauffeur de taxi dans la journée, sauf quand il a des auditions à passer. Sa pièce s'arrête dans deux semaines ; après, il va continuer à passer des auditions et à travailler la nuit. Il faut que nous déménagions. On ne peut pas rester là avec un bébé.

— Je sais.

— On n'a pas de meubles. Et il nous faut de l'argent pour payer la caution plus un mois de loyer pour prendre un nouvel appartement. On doit deux mois de téléphone, il faut que j'aille chez le dentiste et on a besoin d'un berceau. Ça n'a pas de fin, Rhodes.

— Et sa famille si friquée ? La pauvreté est-elle une chose de trop mauvais goût pour qu'on puisse en parler ? »

Jane renifla et s'assit bien droit. « Tu ne comprends pas. C'est le fait de *jouer* qui est de mauvais goût pour eux. Pas pour tout le monde. Je veux dire, ça ne fait rien si je suis comédienne, car qui suis-je? Mais que Nicholas, un parfait Tuttle-Cobleigh, soit acteur! Qu'il se montre *en public* et dévoile ses émotions! Qu'il passe délibérément son temps avec des gens du Bronx!

— Il ne leur demandera pas de l'aider?

— Il l'a déjà fait. Mon Dieu, c'était si affreux pour lui. Ils sont si... je les déteste. Non, je ne sais pas. Je ne les hais pas, mais ils ont un air si suffisant. Son père dit que, si Nicholas veut gâcher sa vie, il ne l'y encouragera pas. C'est incroyable non? Il a passé sa vie entière à faire une chose qu'il détestait... avocat dans une grande société... et tout ce qu'il souhaite, c'est que ses fils fassent la même chose. Oh! Et il a donné un bout de papier à Nick. Tu sais ce qu'il y avait dessus? Le nom d'un médecin qui fait des avortements.

— Sa mère n'est plus à la ferme, non?

— Non. Mais elle n'a aucun pouvoir sur l'argent que son père lui a laissé à cause de tous les problèmes qu'elle a eus. Sa grand-mère a un tas d'argent et elle l'adore, mais elle a plus de quatre-vingts ans.

— Il a essayé de lui en parler?

— Oui, enfin, à sa façon, et il est si indirect que tu sais à peine de 'quoi il s'agit. Mais elle ne peut pas comprendre. Elle n'a aucune notion de l'argent. Elle nous a fait son adorable sourire et nous a dit de ne pas nous inquiéter, qu'elle s'occupait de la layette. Elle a pris Nick à part et lui a annoncé qu'elle avait mis quelque chose de bien pour lui dans son testament.

— Il pourrait peut-être l'aider à passer de l'autre côté?

— Oh! Rhodes. » Elle posa la tête sur l'épaule de son frère. « Tout cela est si minable. Le dimanche, il travaille seize heures de suite et il est complètement épuisé. Lorsque j'aurai l'air vraiment enceinte, je crains qu'il ne sente une trop grande pression sur lui, qu'il s'effondre et qu'il finisse par céder aux exigences de sa famille. Ou qu'il fasse ce qu'il croit être le mieux pour moi. Mais je ne veux pas d'un avocat. Je veux un acteur. Il a tant de talent. Attends de le voir. Je ne veux pas qu'il gâche ses dons. Je ne veux pas qu'il gâche sa vie entière. » Elle prit une profonde aspiration et expira lentement. « J'ai pensé à me faire avorter, ajouta-t-elle. J'y ai beaucoup réfléchi.

— Tu pourrais le faire?

— Non. Mais j'ai affreusement peur. C'est vraiment trop pour lui.

— Pourquoi?

— Tu l'as vu. Il a toujours été le meilleur qui soit. Il suffit qu'il apparaisse et le soleil sort de derrière les nuages. Les gens se poussent pour être les premiers à faire quelque chose pour lui. Enfin, il en était ainsi jusqu'à aujourd'hui. Jusqu'à moi.

— Eh bien ? Tu crois qu'il va te plaquer ?

— Non. Bien sûr que non.

— Alors, où est le problème ?

— Il n'y en a pas, sauf que je comprendrais très bien qu'il ait envie de reprendre sa liberté. Il n'avait jamais imaginé que ce serait si dur.

— Tu es vraiment une imbécile, Jane. » Rhodes retira son bras et se retourna pour la regarder en face. « C'est ce que tu penses de lui ? Tu crois qu'il va plaquer sa femme enceinte pour aller en boîte avec une héritière à chaque bras ?

— Non. Mais, Rhodes, tu sais de quel milieu il est issu et comment il est.

— S'il passe encore quelques mois avec toi, avec ton fichu complexe d'infériorité et ta tête de chien battu, il saura vraiment ce que ça veut dire. Pourquoi ne fais-tu pas un peu confiance à ton mari pour savoir ce qui est bien et ce qui ne l'est pas ? Il se trouve qu'il va être le père de ma nièce ou de mon neveu et je compte beaucoup plus sur ses gènes que sur les tiens. Toi, tu es issue pour la moitié d'une demi-mondaine de bas étage et, pour l'autre moitié, ça ne vaut même pas la peine d'en parler. Je devrais le savoir.

— Rhodes ?

— Tu as confiance en lui ?

— Oui.

— Tu ferais mieux. »

Le mot arriva deux jours après le départ de Rhodes et de Monsieur Gray pour la Suisse. Le texte était le suivant :

« Chère Jane,

« Bon anniversaire et, au cas où mes affaires ne m'amèneraient pas à New York avant un moment, tous mes vœux de naissance. J'ai été ravi de vous revoir ainsi que Nick. Clarissa et moi espérons que vous vous servirez du chèque ci-joint pour acheter quelque chose de joli à notre nouveau petit cousin.

« Très sincèrement,
« Philip Gray. »

Un chèque de deux mille dollars accompagnait ce petit mot.

15

VOIX D'HOMME : J'ai près de moi le Pr Ritter de la section d'anglais de l'université de Brown. Il y a des années, le Pr Ritter a mis en scène le montage de *Hamlet* pendant lequel Jane et Nicholas se sont rencontrés alors qu'ils étaient étudiants. Professeur, vous rappelez-vous encore cette première rencontre entre Jane et Nicholas ?

PR RITTER : Oui, très bien. C'était, si ma mémoire ne me trompe pas, au cours de l'année scolaire 1960-1961 et...

WPRO Radio News, Providence.

Nicholas approcha sa fille tout près de son visage et frotta sa joue contre la sienne. « Petit bébé », lui murmura-t-il à l'oreille.

Jane, qui depuis cinq minutes essayait de maîtriser ses mains qui tremblaient pour pouvoir ouvrir les tout petits boutons de sa chemise de nuit, y arriva enfin. Elle tendit les bras vers le bébé. A contrecœur, car il trouvait apaisant de la tenir entre ses bras, Nicholas la lui passa. Puis, bien que ce soit contre le règlement, il quitta sa chaise en plastique et s'assit à côté de Jane. Le rideau blanc qui entourait son lit était tiré, donnant ainsi l'illusion d'une chambre privée.

Le bébé sembla trouver le sein de Jane sans problème ; elle émit un petit cri aigu, puis commença à téter. « N'est-ce pas incroyable ? demanda Jane. Ça marche vraiment ! » Son visage s'assombrit. « Mais tu crois qu'elle boit quelque chose ? » Il acquiesça d'un signe. « J'espère que je fais ce qu'il faut. »

Tandis que le bébé tétait, les paupières de Jane se baissèrent jusqu'à se fermer. Ses cils projetaient des ombres sur ses joues.

S'ils avaient été chez eux dans leur nouvel appartement, il se serait mis au lit avec elles et, allongé tout près de Jane, aurait peut-être ouvert quelques boutons de plus et caressé son autre sein. Ce qu'il voulait vraiment faire — il l'embrassa sur le front —, ce qu'il voulait vraiment faire, c'était sucer son sein. Mais il se garda bien d'émettre cette suggestion ; toute proposition dépassant les rapports sexuels conventionnels la contrariait facilement et il voulait qu'elle s'adapte à sa condition de mère en douceur et dans le plus parfait bonheur.

Au cours de leur second mois de mariage, au Guilderland, il avait essayé de la convaincre de le sucer un soir où elle avait tenté de repousser ses avances sous prétexte qu'elle avait ses règles. Il avait pris sa tête entre ses mains et l'avait guidée sous les draps. D'une voix qu'aurait adoptée Nanny Stewart pour convaincre les jumeaux de manger une purée de navets — à la fois ferme et cajoleuse — il avait insisté : « Essaie simplement. Ce n'est rien. Allez. Prends-la dans ta bouche. » Jane s'était arrachée à lui avec un « Non ! » sûrement assez violent pour traverser la faible cloison de la pension de famille. « Tais-toi », siffla-t-il puis, d'un ton plus doux, il lui expliqua qu'il n'y avait rien de mal à cela, qu'on le faisait tout le temps.

Persuader Jane devint une bataille, bien qu'il n'y arrivât que deux mois plus tard, et ce uniquement parce qu'après l'avoir suppliée, cajolée et fait la tête, il s'était mis en colère. Elle était un adversaire de taille jusqu'au moment où il élevait la voix ; alors, elle se soumettait. Il avait un peu honte de la manipuler aussi durement. Il eut encore plus honte, lorsqu'il tint sa tête entre ses mains, que le sentiment de triomphe suffisant fut presque aussi violent que son excitation et qu'au début, lorsqu'elle eut des haut-le-cœur, cela ne fit qu'émoustiller son désir. Il ne le lui proposait pas souvent et, après chaque nouvelle victoire, elle devint, si ce n'est enthousiaste, au moins mieux disposée.

Pendant son neuvième mois, quand les rapports sexuels étaient proscrits, il sentait qu'elle supportait à peine ses caresses. Sa main cherchait son pénis. Elle savait que plus vite elle le mènerait à l'orgasme, plus vite elle pourrait dormir. Lorqu'elle lui annonça que le médecin lui avait interdit tout rapport sexuel pendant les six semaines suivant la naissance, il eut l'impression qu'elle envisageait cela comme des vacances.

Elle n'était pas frigide. Malgré sa pudeur excessive, il savait qu'elle adorait le voir marcher nu dans l'appartement. Et, à son souffle court, à ses seins qui se durcissaient et à son sexe qui se mouillait, il sentait qu'il l'excitait. Mais ses orgasmes étaient bien mal joués. De toute évidence, elle n'était jamais arrivée jusque-là. Quand elle s'accrochait à lui, ce n'était pas pour lui manifester son abandon et son plaisir mais son manque de confiance en soi.

En ce moment même, il aurait été heureux de se blottir contre elle. Curieusement, la nuit précédente avait été très triste. Le bébé était né à dix heures et il avait passé la demi-heure suivante dans une cabine pour appeler toute sa famille. L'infirmière l'avait renvoyé chez lui après lui avoir fait voir le bébé. Le nouvel appartement paraissait mort.

Il effleura le dos de sa main. « Jane.

— Oh ! Excuse-moi. Je ne dormais pas. Mais c'est si relaxant. Dans ce cas-là, on commence à comprendre pourquoi les vaches sont contentes. » Elle observa le bébé. « Elle est toujours à l'ouvrage. Tu te souviens à quel moment je suis supposée changer de côté ?

— J'ai oublié ce qu'on t'a dit. Tu pourras le demander plus tard à l'infirmière. Ne referme pas les yeux maintenant. On doit trouver un nom pour cette gamine.

— Ça ne convient pas John ?

— Je ne crois pas.

— On devait passer toute la semaine à chercher un nom de fille.

— Eh bien, nous avons une demi-heure. J'ai promis à ma grand-mère de l'appeler à neuf heures pour lui annoncer le prénom. Elle veut sans doute faire broder un monogramme sur quelque chose.

— Selon toi, à quoi ressemble-t-elle ? Moi, je trouve qu'elle a l'air d'une Miranda.

— Non.

— Samantha ? Christiania ?

— Pas de noms exotiques.

— Ils ne sont pas exotiques ceux-là. Et Gwendolyn ?

— Et Mary ?

— Tu parles sérieusement, Nick ? Mais réfléchis. Mary Cobleigh. On dirait une serveuse. " Donne-moi une demi-pinte de ta meilleure bière, Mary Cobleigh. " Mais Maria ce ne serait peut-être pas mal. Maria Cobleigh.

— Ça fait trop catholique.

— Tu as peur qu'elle s'enfuie de la maison pour entrer dans les ordres ? Moi, je trouve cela joli, Maria. »

Le bébé s'était endormi. Sa bouche s'était relâchée. Nicholas s'approcha et effleura ses lèvres du doigt.

« Et Elizabeth ?

— J'aime bien, dit Jane. Mais je ne sais pas. Elle n'a pas l'air d'une Elizabeth.

— Laisse-moi réfléchir, dit-elle. Olivia et Abigail sont à écarter. Et Winifred aussi. » Nicholas fixait le bébé. Son nez, complètement écrasé la veille au soir, avait commencé à prendre forme, un parfait petit bout de nez. Elle avait le visage rond des Tuttle, le teint clair des Cobleigh et la bouche pulpeuse de Jane. « Je sais, lança Jane. Victoria.

— Victoria ?

— Victoria Cobleigh. C'est un peu imposant, mais ça ne fait rien. Elle est d'excellente famille. Qu'en penses-tu ?

— Tu ne l'appelleras pas Tory, hein ?

— Non ! peut-être Vicky si elle est aussi athlétique et énergique que toi. Mais à part ça, elle sera tout simplement ravissante, élégante, éblouissante, adorable, délicieuse, câline...

— Victoria. »

L'orage du petit matin n'avait guère rafraîchi l'atmosphère. A onze heures, en ce samedi de la fête du Travail, le soleil brillait et l'air était lourd. On n'était pas plus au frais dans Central Park. Cependant, Jane descendit péniblement l'allée en poussant le landau vers le terrain de jeu. Le médecin avait été explicite : le bébé devait prendre l'air.

Les bancs, où s'installaient les gouvernantes anglaises, étaient occupés par trois nurses dont les patrons avaient eu la malchance de ne pas prévoir cette vague de chaleur. Elles étaient assises, le visage en feu, le corsage impeccablement blanc et les mains posées sur l'imposant landau où dormait leur protégé. On avait sans doute promené Nicholas dans l'un de ces carrosses pour enfant. Jane trouvait amusant de penser que, d'ici un an, ces domestiques considéreraient sa fille comme un canard boiteux et entraîneraient, comme elle les avait vues faire, leur petit protégé vers l'autre bout du bac à sable.

Elle avait des élancements dans la tête. Au moins, les bonnes noires et les mères de famille avaient le bon sens de ne pas rester au soleil. Elle s'assit seule, à l'ombre, sur son banc habituel. De temps à autre, une goutte d'eau tombait d'une feuille et dégoulinait sur sa nuque ou ses bras. Un mois après la naissance, elle portait toujours ses robes de grossesse. Elle avait perdu presque tout le poids qu'elle avait pris, mais elle n'avait pas encore retrouvé sa silhouette. Elle savait qu'elle avait l'air lourde et affreuse, un rectangle de chair humaine. Tous ses anciens chemisiers étaient trop serrés car elle nourrissait sa fille au sein.

Elle craignait que ses vêtements d'hiver ne lui aillent plus et, dans la mesure où elle ne pourrait pas en acheter d'autres, elle se verrait condamnée à porter ceux-là jusqu'à sa prochaine grossesse. Les étrangers pourraient sourire de son ventre pendant des années.

Les autres mères lui manquaient. Fréquentant elles-mêmes le parc depuis peu, elles l'avaient bien accueillie et, dès le second jour, l'avaient éclairée en matière de couches et de dépression à la suite de l'accouchement. A la fin de la première semaine, elle avait repéré deux femmes qui lui plaisaient et qui lui rendaient sa sympathie et elle attendait avec impatience de les retrouver.

Cependant, en dehors du parc, elle ne fréquentait que des gens liés à Nicholas. Sa famille, ses amis de classe et une ou deux personnes qu'il avait rencontrées depuis qu'il jouait. Elle soupira et chercha les mouchoirs en papier qu'elle avait coincés entre le matelas et le landau. Son cou et son front étaient luisants de sueur.

Elle s'était rendu compte que Nicholas invitait plus souvent à la maison des étudiants en droit et des agents de change que des acteurs. Bien qu'il analysât ses rôles pendant des heures, les discussions sur le métier et les potins de théâtre, choses que Jane trouvait fascinantes, ne l'intéressaient pas. Lorsqu'il était assis avec des hommes qui parlaient de sport ou de politique, elle avait l'impression qu'il était le mari de quelqu'un d'autre.

Nicholas n'était plus chauffeur de taxi. Avec une partie de l'argent que leur avait donné Philip Gray, ils avaient pris un appartement à loyer modéré dans la 92ᵉ Rue Est, entre Madison et Park Avenue. C'était un trois pièces, officiellement, bien que la chambre du bébé ne fût guère plus grande qu'une alcôve. L'immeuble avait un air minable, comme s'il était conscient de sa condition : ce ne serait jamais une bonne adresse.

Depuis cinq mois, Nicholas vivait de son métier d'acteur. Il avait joué dans deux pièces off Broadway dont l'une s'était arrêtée après deux représentations. L'autre, dans laquelle il jouait le rôle d'un jeune prêtre irlandais, était restée deux mois à l'affiche. Il avait fait une publicité pour la télévision, pour Soothz un antiacide : portant un chapeau de cow-boy et des jambières en cuir, il avait passé une journée entière avec un autre comédien au petit galop dans un terrain vague de Brooklyn, répétant inlassablement les mêmes gestes et les mêmes mots. Nicholas jetait un tube d'antiacide à l'autre acteur et celui-ci lançait avec un accent texan : « Soothz ? Ça s'impose. »

Ils n'avaient pas un grand train de vie. Dans leur chambre, ils ne possédaient aucun meuble en dehors du sommier et du matelas ; ils n'avaient pas les moyens de s'acheter un divan, des vêtements neufs ou d'aller au restaurant, mais ils pouvaient payer leur loyer et aller au cinéma. Nicholas avait contracté une assurance vie et une assurance maladie. Et, lorsqu'elle était rentrée de l'hôpital, il lui avait offert une radio et un bon de vingt-cinq dollars pour s'acheter des livres. « Je ne veux pas que tu t'ennuies », lui avait-il dit.

Elle ne s'ennuyait pas. Mais la veille, tandis qu'elle pliait les vêtements du bébé, elle avait songé à l'audition que Nicholas devait passer pour une pièce à Broadway. Il s'agissait du rôle d'un capitaine de l'armée originaire d'Alabama et Nicholas était allé à la bibliothèque de la 42ᵉ Rue pour écouter des enregistrements que les auteurs du Sud avaient fait de leur propre pièce, simplement pour s'habituer à leur accent. Elle l'imaginait assis là-bas, les yeux fermés pour se concentrer et les mains posées sur les écouteurs. Elle avait pris une chemise, l'avait lissé... et était restée clouée sur place. Le corsage était tombé par terre. Elle l'avait ramassé et plié rapidement mais la vérité qu'elle venait de découvrir était trop forte pour qu'elle pût l'écarter.

Elle ne deviendrait jamais comédienne. Jamais. Maintenant, alors qu'elle était assise dans le parc, cette certitude la bouleversait autant que la veille. La tête lui tournait. Elle se pencha en avant, posa les coudes sur ses cuisses et se prit la tête dans les mains. Depuis le début, elle avait tout repoussé. Voilà ce qu'elle avait fait. Elle avait renoncé à son stage à Westport pour être avec Nicholas et choisi de bon cœur de collaborer au service des relations publiques du Guilderland. Elle avait insisté pour travailler au journal, libérant ainsi Nicholas qui pouvait suivre ses cours d'art dramatique. Lorsqu'elle était tombée enceinte, il avait voulu arrêter ses cours et reprendre son travail de chauffeur de taxi mais elle s'était mise en colère. Concentre-toi sur ta carrière, passe toutes les auditions qui se présentent, arpente le pavé, parle aux acteurs, aux régisseurs, aux caissiers, à tous les gens qui ont un rapport avec le théâtre.

Elle avait perdu toutes ses chances sans même le savoir. Elle avait abandonné son rêve, l'avait rejeté sans songer au but qui avait motivé sa vie entière... suivre les traces de sa mère : jouer. Cependant, Nicholas en était conscient. Il n'avait jamais abordé le sujet — d'ailleurs, y avait-il matière à discussion ? — mais, lorsqu'elle y songea, elle sut qu'il avait compris du jour où elle avait reçu les résultats de son test de grossesse. Il avait cessé de cocher les annonces de *Backstage* concernant les auditions pour les comédiennes. Lorsqu'ils regardaient un film ou une pièce, il ne lui murmurait plus à l'oreille qu'une autre actrice lui avait pris son rôle. Il n'y avait plus de rôle pour elle. Elle n'avait plus que deux rôles à jouer : celui de mère et celui d'épouse.

Elle ne supportait pas ce temps. Rien n'était comparable à la chaleur étouffante qui régnait à Manhattan l'été. Elle posa les mains sur la poignée du landau et se redressa. La tête lui tournait de plus en plus. Vraiment beaucoup. Puis son cœur se mit à battre violemment contre sa poitrine. Ce devait être une crise cardiaque. Elle avait un tel vertige qu'elle avait peur de tomber à la renverse et que le landau ne chavire. La poignée lui échappa des mains. Elle allait tomber. Elle s'accroupit pour éviter de se casser la main sur le sol en ciment. Elle s'appuya de tout son poids sur ses paumes et resta ainsi ; la tête lui tournait tant qu'elle ne distinguait plus le sol du ciel. Elle gémit de peur et d'humiliation. Les gouvernantes devaient la regarder. Devaient parler d'elle. Elle avait besoin d'aide. Si elle s'évanouissait, un policier s'occuperait-il du bébé, ou un étranger, voyant en passant le landau abandonné, s'en emparerait-il et après, cela prendrait tant de temps pour le retrouver que le bébé serait mort de chaleur ? Ses jambes se dérobèrent sous elle. Sa robe se souleva et elle tomba à la renverse. Quelque chose lui érafla la cuisse. Le choc lui leva le cœur. La douleur était lancinante. Elle passa la main sous sa cuisse. Lorsqu'elle la retira, elle était tâchée de sang.

L'une des gouvernantes s'approcha d'elle. Jane tendit la main, s'accrocha au banc et se redressa. Que pouvait-elle dire ? Elle saisit le landau et, encore sous l'effet des vertiges, se mit à courir, loin de la nurse, jusqu'à l'allée, et enfin à la porte du parc. Sa cuisse en sang se raidit et ralentit son pas. Lorsqu'elle atteignit la Cinquième Avenue, elle haletait pour reprendre son souffle. Les gens se retournaient sur elle. Il devait y avoir du sang sur sa robe. Elle s'efforça de respirer plus lentement.

Lentement, car elle craignait que la crise ne reprenne, elle rentra à l'appartement en vacillant. Elle laissa le bébé dans son landau, ouvrit toutes les fenêtres, mit le ventilateur et enleva sa robe. Elle était trempée de sueur. Une large trace rouge en marbrait le bas : tous les gens dans la Cinquième Avenue avaient dû penser qu'elle avait ses règles. Ses sous-vêtements étaient tout moites. Elle retira son slip et son soutien-gorge. Ils étaient trempés aussi.

Elle s'allongea sur le ventre et ferma les yeux. Le bébé se mit alors à geindre. Presque aussitôt, ses plaintes se muèrent en cris. Jane se leva et tituba jusqu'au landau. Un instant plus tard, elle était assise, nue, frissonnante, au bord d'une chaise de cuisine sur un tas de serviettes en papier et donnait le sein à Victoria. Sa cuisse lui faisait si mal qu'elle en avait des nausées. Elle n'entendit pas Nicholas rentrer. Elle leva les yeux et il était là, fixant sa nudité. « Fantastique », dit-il.

Il n'y avait que deux inconvénients à jouer dans ce spectacle *Goodbye Cousin Willy*. Le premier, c'est qu'il avait dû se faire couper les cheveux en brosse et, le second, c'est que la pièce était ennuyeuse. En fait, sa coupe n'était pas si affreuse que cela, même s'il était fort surpris le matin lorsqu'il se regardait dans la glace. Il avait l'impression de raser un étranger. Jane éclatait de rire chaque fois qu'elle le regardait, bien qu'il lui eût demandé d'arrêter. Ils étaient allés dîner chez sa mère la veille de son départ en tournée. Winifred lui avait caressé les cheveux en déclarant que cela lui donnait un air charmant et très gamin. Un peu plus tôt ce soir-là, il était allé prendre un verre avec son père et James avait dit : « Oh ! Mon Dieu », et secoué la tête. Quant à *Goodbye Cousin Willy*, c'était une autre affaire. Elle ressemblait à toutes les pièces de troisième ordre de Broadway : une famille se retrouve pour une raison quelconque ; dans ce cas, il s'agissait de l'enterrement d'un jeune poète alcoolique. Ils dissèquent le passé, des éclats s'ensuivent et, à la fin, des vérités sordides ou magnanimes en découlent.

Son rôle n'était pas long, mais important. Il jouait Bryce Thompson, un officier de carrière qui avait le même âge que son cousin Willy et qui, découvrait-on, s'était tellement moqué de Willy en le traitant d'efféminé que ce dernier n'avait pas eu le courage de déclarer son amour à sa cousine. Bryce était un tyran qui, naturellement, avait des doutes sur sa propre virilité. Nicholas s'inspira de son entraîneur de lacrosse à Trowbridge et il y ajouta un accent du Sud.

« Vous êtes un grand Bryce », lui confia la vedette du spectacle après la première à Philadelphie. Ils s'étaient rencontrés le lendemain matin au coffee-shop de leur hôtel et elle lui avait demandé de prendre le petit déjeuner avec elle. Beatrice Drew, que Nicholas admirait bien avant de songer à devenir comédien, jouait le rôle de la mère de Willy.

« Merci.

— Sincèrement, je sens votre rage sous votre masque de militaire. C'est assez facile de paraître enragé, dit Béatrice. Mais bouillir en silence, c'est autre chose. Vous bouillez à merveille. C'est dans votre nature de bouillir ?

— Non », répliqua-t-il. Il ne savait au juste si elle voulait être drôle, ou simplement faire la conversation, ou si elle flirtait avec lui. Il était stupéfié de voir combien de femmes fixaient son alliance et, dans un battement de cils, se mettaient à badiner avec lui. D'ailleurs, en ce moment même, Beatrice Drew contemplait son alliance.

« Votre femme va-t-elle venir ? lui demanda-t-elle.

— Non, nous avons un bébé de deux mois.

— C'est merveilleux ! » Il n'aurait pu dire si elle le pensait ou non.

« C'est un garçon ou une fille ?

— Une fille. Elle s'appelle Victoria.

— C'est un prénom ravissant. Mais je dois avouer que vous avez l'air très jeune. Puis-je me permettre de vous demander votre âge ?

— J'ai vingt-deux ans.

— Mon Dieu ! Vous êtes un bébé. Eh bien, vous êtes sûrement un rapide. Vingt-deux ans et en route pour Broadway.

— J'ai eu de la chance.

— Oui. Et du talent. Vous allez finir ce toast ? Merci. Et maintenant, écoutez-moi. Ma mère avait un dicton : la crème monte vers le haut. C'est très juste. Vous êtes un bon comédien. Vous avez un physique superbe et des manières délicieuses. Les gens vous aiment bien, et *ça* joue à quatre-vingt-quinze pour cent dans leur choix. Un producteur dira : " Bon, voyons, très classe, un rôle qui va de dix-huit à quarante ans... j'ai trouvé ! Ce charmant Nicholas Cobleigh. Un vrai pro. Pas de crise de colère. Il respecte les indications de la mise en scène. Et il a beaucoup de talent naturellement. "

— Merci. Vous voulez encore un peu de café ?

— Oui, s'il vous plaît. » Nicholas fit signe au serveur. « Laissez-moi vous dire quelque chose, Nicholas. La plupart des comédiens qui ont réussi à surmonter les obstacles jusqu'au bout de ce long chemin auraient pu réussir dans n'importe quoi : comme journaliste, dentiste, ce que vous voulez. Pourquoi ? Parce qu'ils jugent bien les choses. Ils savent juger leurs rôles, mépriser leur propre ego quand c'est dans leur intérêt et juger ceux qui les représentent. Je joue depuis trente ans et, en dehors des deux premières années où je vendais des bas chez Macy's, j'en ai toujours vécu. Vous savez pourquoi ?

— Vous êtes une grande actrice. » Le serveur qui remplissait leurs tasses de café fixa Beatrice, puis haussa ouvertement les épaules et s'éloigna.

« Je suis une excellente comédienne et je suis maligne aussi. Je crois que je ne me suis jamais fait d'ennemis dans le métier. Bon, j'ai peut-être provoqué quelques petites animosités, mais rien qui ait duré plus que le temps de la pièce. J'ai un bon agent et je sais reconnaître une bonne pièce quand j'en lis une.

— Vous pensez que c'est une bonne pièce, celle-ci ? lui demanda Nicholas.

— Et vous ? Oh ! Je vous en prie. Je n'essaie pas de vous tendre un piège. Je vous promets que ça restera entre nous.

— Je ne sais pas. Elle est...

— Elle est quoi ?

— Ennuyeuse. Elle ressemble à des tas d'autres pièces.

— Je suis d'accord avec vous. Ce n'est pas une très bonne pièce. Mais pas une mauvaise non plus. Et ça vous permet de vous montrer. Et d'en vivre. Vous devez penser à Victoria. Et à votre femme. Comment s'appelle-t-elle ?

— Jane.

— Eh bien, dites à Jane que j'ai dit d'elle qu'elle a beaucoup de chance. Quand nous rentrerons à New York... Au fait, qui est votre agent ?

— Je n'en ai pas encore. Deux ou trois se sont présentés et ont appelé une ou deux fois, mais je ne sais pas vraiment comment m'y prendre, comment savoir si c'est l'agent qu'il me faut.

— Quand nous rentrerons à New York, je veux que vous alliez voir Murray King. C'est mon imprésario.

— Bien sûr, j'ai entendu parler de lui. Je vous remercie. Je ne sais vraiment pas quoi dire, Beatrice.

— Inutile de dire quoi que ce soit. Gardez tout ça pour Murray. »

Murray King demanda à sa secrétaire de ne lui passer aucune communication. « Pour un peu plus d'un an, c'est pas mal », dit-il tout en suivant du doigt le curriculum vitae de Nicholas. Il regarda par-dessus ses lunettes posées au milieu de son nez. « *Stupeur*, ils donnent un titre pareil à une pièce et après ils jouent la surprise quand les critiques s'en servent pour les assassiner. Ça a tenu combien de temps ?

— Deux jours », répondit Nicholas. Il était assis dans un fauteuil identique à celui de Murray. La pièce semblait déconcertante car il n'y avait pas de bureau. On aurait dit le salon d'un invalide qui passait sa vie à lire. Les étagères qui couraient du sol au plafond étaient bourrées de piles de papier entourées d'un élastique, de pièces reliées et de livres.

Les grappes de raisin disposées dans la coupe à côté des deux téléphones non loin de la main de Murray étaient toutes poussiéreuses ou parfaitement lustrées.

Murray aussi avait l'air un peu lustré. Il n'avait l'air ni triste ni heureux. Nicholas aurait voulu lui dire quelque chose pour lui rendre le sourire. Il ne trouva rien mais, lorsque Murray releva les yeux de son curriculum vitae, Nicolas lui sourit. Murray parut un peu surpris et esquissa un petit sourire furtif comme s'il faisait un écart de conduite. « Beatrice m'a dit que vous étiez un type charmant, marmonna-t-il.

— Merci. »

Murray se replongea dans sa lecture. Son doigt suivait les lignes très lentement comme si un œil minuscule coincé au bout lisait chaque mot. « Soothz ? Lequel ?

— Celui pour la côte Ouest. On l'a tourné à Brooklyn.

— Vous montez à cheval ?

— Oui.

— Comment ? » Murray avait un teint de vieillard, plutôt blafard. Pourtant, Nicholas pensa qu'il ne devait pas être plus âgé que son père. « Excellent cavalier ou minable ?

— Convenable, mais je ne fais pas de trucs incroyables.

— Je ne vous demande pas de vous tenir sur la tête. Je parle d'un gentleman anglais de la campagne. Avec des bottes. Qui saute des taillis.

— Je ne m'entraîne plus, mais je pense que je pourrais y arriver.

— Parce que j'ai une pub pour un after-shave chez J. Walter Thompson. Ils font le casting la semaine prochaine... lundi ou mardi, quelque part à Westchester ; ils veulent voir les gens à cheval d'abord. Ça vous intéresse ? »

Nicholas acquiesça d'un signe.

« Mon assistante... elle s'appelle Toni... va vous donner un bout de papier avec l'adresse. » Murray posa les mains sur les accoudoirs de son fauteuil et se leva très lentement comme un homme paralysé par l'arthrite ou une crampe. « Tenez-moi au courant pour cette pub. »

Nicholas se leva. Bien qu'il ait répété avec Jane une série de questions professionnelles qui leur semblaient adaptées, la désinvolture de Murray le déconcertait. « Pour le contrat... vous voulez... » Il s'arrêta, gêné, craignant d'avoir violé une des règles élémentaires du monde du théâtre.

« Oh ! Non, non. C'est très bien de votre part de m'en avoir parlé, sinon je me serais précipité dans l'ascenseur à votre poursuite. Non, pas de contrat. Une parole, c'est tout. Je prendrai dix pour cent sur vos cachets. Et, quand j'entendrai parler d'une chose qui me paraît intéressante, je vous appellerai. Détendez-vous. Ecoutez, j'ai vu *Cousin Willy* combien de fois... trois, quatre ? Je sais que vous n'avez pas seulement une belle petite frimousse. Si une bonne pièce se présente, vous croyez que je ne vous appellerai pas ? »

Nicholas lui tendit la main. « J'aurais aimé trouver une chose originale à vous dire. Je vous remercie.

— C'est parfaitement suffisant. Au fait, Nicky, mettez un chapeau ou quelque chose pour aller à Westchester. Il ne faut pas qu'ils voient votre coupe de cheveux avant tout autre chose. Et laissez votre numéro de téléphone et votre adresse. On reste en contact. Si vous voulez m'appeler, n'hésitez pas.

— Merci.

— Merci à vous. Ecoutez, j'espère que vous allez nous faire faire fortune à tous les deux. »

... bien que la sœur de la vedette, Olivia Cobleigh-Gold de Chevy Chase, nous ait déclaré qu'elle avait discuté au téléphone avec son frère. « Il m'a assuré que les médecins n'avaient absolument pas perdu espoir », lui a-t-il dit. Madame Cobleigh-Gold, qui exerce le métier de tisserand, est la femme de Mitchell Gold, sous-secrétaire d'Etat pour l'Amérique latine...

Washington Post.

Lorsqu'elle venait les voir, et elle venait au moins une fois par semaine, Winifred Cobleigh portait toujours un tailleur différent.

« Je n'ose pas bouger », murmura-t-elle. Sa petite-fille avait passé une demi-heure à courir autour du salon, en traînant une oie en bois qui faisait des coin-coin épouvantables ; puis Winifred l'avait convaincue par la ruse de s'asseoir un instant sur ses genoux et Victoria s'était aussitôt endormie. Elle avait un gros rhume et faisait presque autant de bruit que le canard en respirant. « Vous pouvez prendre mon sac, Jane ? Merci. Fouillez dedans. J'ai fait une liste sur un papier bleu ou lilas. Oui, c'est cela. Oh ! Il est rose. Il semble que j'oublie tout. Il faudra peut-être qu'ils m'enferment de nouveau. Mais jetez la clé cette fois-ci.

— Je ne crois pas, Winifred.

— Vous trouvez que j'ai l'air bien ? Vraiment ?

— Oui, et vous êtes superbe. » Evidemment, c'était relatif. D'après les photographies que Jane avait vues, elle savait que Winifred n'avait jamais été une beauté ; cependant, elle paraissait beaucoup plus en forme que lors de leur dernière rencontre.

Elle semblait enfin avoir retrouvé le sourire. Et, pour une femme qui avait fait élever ses six enfants par des gouvernantes, Winifred faisait preuve d'une patience et d'une tendresse étonnantes avec sa petite-fille.

« Voulez-vous avoir la gentillesse de lire la liste ? lui demanda Winifred. Mes lunettes sont trop loin. » Elle jouait avec une mèche de cheveux de Victoria.

« Pem, dit Jane.

— Ah oui ! Cully Daniels m'a appelé pour me demander si vous aviez écrit à Pembroke. Cette lettre de recommandation pour sa fille.

— Il y a un mois environ. Je lui en ai envoyé une photocopie à son école.

— Très bien. Je vous remercie. Vous savez comment... enfin ces jeunes filles sont si vagues. Je suppose qu'elle n'a rien dit à sa mère. Je suis désolée de vous ennuyer de nouveau avec cela.

— Ce n'est pas grave.

— Vous ne la connaissez même pas. En fait, elle est vraiment délicieuse. Un visage à la Botticelli avec une silhouette à la Rubens. Costaud, sculpturale. Je suis sûre qu'elle va faire sensation auprès des garçons. Je crois qu'Edward a un béguin pour elle, mais évidemment elle ne lui accordera pas un regard.

— " Places. " Pour *Key to the City* ?

— Oui. Des clients de James arrivent de Paris. Il en voudrait six. Vous ne trouvez pas cela bizarre ?

— Ils comprennent l'anglais ?

— Non, je veux dire, ne trouvez-vous pas étrange qu'il ne puisse prendre son téléphone pour vous appeler, Nicholas ou vous, ou vous le demander quand il vous voit ? Je ne devrais sans doute pas dire cela, mais je crois, oh mon Dieu, il va demander le divorce pour pouvoir épouser cette fille éblouissante dont il s'est épris, ce mannequin, et je suis restée là, le téléphone à la main, tout en me disant : " S'il veut le divorce, je suis prête à lui accorder ", mais pendant tout ce temps j'étais si... je ne devrais pas parler ainsi. Et après, il a pris la communication et il m'a dit : " Win, les Frogy viennent à New York. J'ai besoin de six places pour la pièce de Nick. " Et ensuite il m'a donné les dates et il a ajouté : " Je veux qu'on les envoie *au bureau*. Assure-toi que ce sera bien au bureau. " Et après il m'a dit au revoir. N'est-ce pas étrange ?

— Il est seul...

— Jane, très franchement, il a un mannequin suédois de vingt et un ans qui lui tient compagnie. Il s'affiche en public avec elle.

— Winifred, je n'arrive pas à croire qu'il ait rien de bien

passionnant à dire à un mannequin suédois de vingt et un ans. Je pense que la famille lui manque.

— Mais il était si rarement là. Et quand il était là... Oh! Ma chérie, regardez dans quel état je suis. » Winifred avait le visage empourpré et paraissait très nerveuse. « Chaque fois qu'il m'appelle, je retrouve mes dix-huit ans. S'il me demandait de le reprendre, je ne suis même pas certaine... je comprends les choses, vous savez. Vraiment. Les rapports autodestructeurs. Le docteur veut toujours que je parle de cela. »

Jane essayait de garder son calme. Elle aurait voulu éprouver de la pitié pour Winifred. Mais elle n'avait que peur.

« Les rapports destructeurs. A chaque fois que j'essaie de parler d'autre chose le docteur me ramène à ce sujet. Oh! Enfin... Pardonnez-moi. J'ai oublié de quoi je parlais.

— Les places pour le spectacle.

— Ah oui! Vous pourriez en avoir six?

— Vous connaissez la date? demanda Jane calmement.

— Elle n'est pas sur la liste? Je dois l'avoir à la maison. Vous pouvez m'appeler ce soir? Je suis si étourdie.

— Oui. Bien sûr. Euh, il y a écrit " Mèr ", ensuite.

— Mèr? Ah, oui, " Mère ". » Winifred leva la main et la posa sur le nœud de son chemisier. « Cela vous ennuierait-il beaucoup d'aller voir ma mère pour lui faire la lecture? C'est une telle distraction pour elle. Elle dit que personne ne lit comme vous.

— J'en serai ravie. » Jane craignait d'avoir l'air faussement enthousiaste. « Vraiment, ajouta-t-elle d'un ton moins emphatique.

— On abuse de vous. Nous tous.

— Mais ce n'est pas une contrainte.

— Si. Michael et Abby vous ont pratiquement demandé de rédiger les brouillons pour leurs demandes d'entrée à l'université et moi qui vous ennuie avec mes listes interminables et mes bavardages, oubliant que vous n'êtes encore qu'une toute jeune femme.

— Il n'y a pas de problème. Franchement.

— Et ma mère qui vous appelle presque tous les matins pour vous donner lecture des éditoriaux et des nouvelles sociales du jour.

— Cela me fait plaisir. C'est agréable de faire partie d'une grande famille.

— Je suppose que nous devrions... il faut que vous me pardonniez. » Winifred tourna brusquement la tête vers l'entrée, comme si quelqu'un s'était emparé de ses pensées et enfui avec. Lorsqu'elle se retourna vers Jane, elle essaya de sourire. « J'espère que Nicholas n'abuse pas de vous. Je veux dire, ne vous donne pas trop de travail.

— Il est parfait », répliqua Jane en essayant de paraître sincère, tout juste assez enthousiaste et pas trop nerveuse. « Vous avez parfaitement réussi. C'est un mari merveilleux.

— Je l'espère.

— Je vous assure, Winifred.

— Vous savez, au début, je me suis inquiétée. » Winifred commença à enlever ses épingles à cheveux tout en parlant et tenta de se refaire un chignon bien net. « Il n'avait même pas vingt et un ans lorsque vous vous êtes mariés. Je me demandais s'il ferait un bon... il ressemble tant à son père, et toutes ces filles qui n'arrêtaient pas de téléphoner à la maison, même quand il n'avait que quatorze ans, qui lui couraient après, et je craignais...

— Il est parfait. » Le cœur de Jane commençait à battre la chamade.

« Je sais. J'en suis certaine. Mais il est si beau. Ses yeux sont comme ceux de James. Et les filles l'attendent devant l'entrée des artistes.

— Je sais. Il est *beau*, Winifred. Et c'est un acteur. Ça arrive très souvent. Croyez-moi, il s'en sort très bien.

— James était parfait au début.

— Winifred...

— Attentionné. Si attentionné. Il m'appelait pour me dire qu'il était obligé de rester travailler tard au bureau mais qu'il serait maudit s'il le faisait... Jusqu'à la guerre.

— Oh!

— Quand il est revenu de France... Vous ne devez pas laisser Nicholas partir en tournée avec ce spectacle. Vous êtes trop jeune pour comprendre ces choses-là. Il ne s'agit pas seulement des filles qui l'attendent à l'entrée des artistes. Vous savez ce qu'il fait avec cette actrice. Regardez les choses en face, Jane. C'est la vérité. Et tous les soirs.

— Winifred, il joue un rôle. C'est son métier.

— Mais quel genre de métier est-ce là! Elle s'assied sur ses genoux et met ses mains partout sur lui.

— Il n'y a pas de problème!

— Je vous en prie, pensez au bébé. Je vous en prie.

— Jessica est une de nos amies. Et c'est son métier. Je sais que ça paraît curieux. Mais elle est payée pour faire cela à Nicholas. Ça ne veut rien dire, ni pour l'un ni pour l'autre. Et il se trouve qu'elle est heureuse en ménage.

— Elle est si jeune et si belle.

— Elle a trente ans, Winifred. » Jane s'efforçait de parler

calmement. Son cœur battait si fort que sa poitrine lui faisait mal. « Et je connais Nicholas, et je sais qu'il ne ferait jamais...

— Jane, je vous en prie, écoutez-moi ! » Winifred se pencha soudain en avant. Son mouvement brusque réveilla Victoria qui se mit à pleurer.

« Excusez-moi, dit Jane, je vais juste la changer. » Elle se leva d'un bond et arracha l'enfant des genoux de Winifred. « J'en ai pour une minute. » La couche du bébé était trempée. Une tache sombre marquait la jupe de Winifred à l'endroit où Victoria s'était assise. Jane se précipita dans la chambre d'enfant. Le bruit des talons de Winifred sur le parquet résonna derrière elle.

Winifred se tenait tout près de Jane devant la table à langer. Elle se serrait contre elle comme des voyageurs dans le métro à l'heure de pointe. Winifred semblait tout aussi inconsciente de la présence du bébé que de la forte odeur qui se dégageait de sa couche. « Ils ont toujours été si liés tous les deux. Bornés comme des brigands, James et Nicholas. Ils se ressemblent tant et Nicholas s'assied exactement de la même façon et tient sa tasse exactement de la même façon, des deux mains, et...

— Winifred ! » Jane avait les mains mouillées à cause des gouttelettes qui s'écoulaient de la couche en plastique. Ses doigts semblaient avoir perdu toute force. Elle n'arrivait pas à ouvrir l'épingle à nourrice. Les quintes de toux de Victoria entrecoupaient ses cris. Jane se tourna vers sa belle-mère. « S'il vous plaît, pouvez-vous essayer de retirer cette épingle ? »

Les grosses mains rêches de Winifred cachaient son visage, étouffant le bruit qu'elle faisait, et il s'écoula plus d'une minute avant que Jane ne comprenne qu'elle sanglotait.

Nicholas détestait fréquenter les bars dans la journée. Celui-ci était pire que les autres. Il n'était pas situé dans le quartier des théâtres et il ne se trouvait donc personne à qui dire bonjour en attendant. Seuls quelques hommes de passage, silencieux, solitaires et vêtus de costumes bon marché étaient attablés çà et là. Ils lui rappelaient Willy Loman dans *Mort d'un commis voyageur* ou encore son beau-père.

Le serveur apporta le Bloody Mary de Nicholas. Un minuscule parapluie en papier était coincé entre deux glaçons. L'endroit s'appelait le Terry's Tiki Bar.

Murray King se faufila jusqu'à la table en adressant au barman et à l'un des patrons son salut habituel : de l'index il faisait presque un salut militaire. Pourquoi lui avait-il donné rendez-vous au Terry's Tiki ? Ça, c'était une autre affaire. Ce bar se trouvait dans un endroit sinistre près de la Penn Station.

Murray s'approcha de la table avec une coupe de bretzels qu'il avait ramassée sur le bar au passage. « Vous avez pris quelque chose, Nicky ? lui demanda-t-il en fixant le Bloody Mary. Vous voulez autre chose ?

— Non, c'est parfait. » Nicholas se leva, prit les bretzels, les posa sur la table et serra la main de Murray.

Ils s'assirent ; Murray mit aussitôt les deux coudes sur la petite table de bistrot et se pencha vers Nicholas. « Je voulais aller dans un endroit où il n'y ait pas quinze oreilles pointées sur moi pour écouter ce que je dis. Ça, c'est l'explication pour le choix du lieu. Et, maintenant, la vérité, Nicky. D'accord ? Dites-moi tout. Vous êtes heureux dans *Key to the City* ?

— Oui.

— Ah.

— Cela met-il un terme à la conversation, Murray ?

— Bien sûr que non. Vous croyez que je me serais traîné jusqu'ici juste pour vous entendre dire que vous étiez heureux ? Je sais que vous êtes content. Je voulais simplement savoir jusqu'à quel point. »

Key to the City avait débuté dix mois plus tôt à Broadway avec d'excellentes critiques. La pièce racontait l'histoire de deux jeunes journalistes qui se battaient pour obtenir un bon sujet, une rubrique et l'amour de la même fille.

« C'est un bon rôle pour moi, dit Nicholas. Ça me plaît de jouer le rôle d'un type bien. Pendant un moment, j'ai cru que j'allais enchaîner les salauds les uns derrière les autres.

— Intéressant », dit Murray.

Nicholas lui sourit. « Quelle est l'autre possibilité ?

— Beaucoup moins d'argent.

— Murray, avant de vous lancer dans vos explications, je tiens à vous rappeler quelles sont mes responsabilités. Je n'ai pas les moyens de jouer pour l'amour de l'art. Et c'est ce que vous me proposez, non ?

— " Roméo, Roméo ! Pourquoi es-tu Roméo ? " Ça vous dit quelque chose, non ?

— *Roméo et Juliette* ? Quel rôle me proposent-ils ?

— A votre avis, Bugs Bunny ? Roméo bien sûr et devinez quel est le metteur en scène qui a monté *Mesure pour mesure* la saison dernière et qui a téléphoné — et je suis prêt à parier cent dollars qu'il n'a appelé personne d'autre avant — pour vous demander ?

— Lester Green ? Vous parlez sérieusement ?

— Ecoutez, Nicky. Il pense que vous pouvez le jouer et il

estime qu'il doit y avoir deux ou trois acteurs dans tout New York qui sont capables de le faire. Il va vous demander de faire une lecture parce que vous n'avez joué que des trucs contemporains, mais si vous ne vous plantez pas sur les vers, vous êtes dans le bon créneau comme Errol Flynn. La seule chose, c'est que ça va se monter off Broadway, donc vous gagnerez moins de la moitié de ce que vous avez maintenant.

— Je ne vois pas comment je pourrais y arriver.

— Vous croyez que je veux que vous fassiez cela, parce que je pense que l'argent c'est de la merde ou quelque chose dans ce genre ? Sur des clopinettes, dix pour cent, ça fait combien ? Vous vous imaginez que je suis agent pour l'amour de l'art ?

— Oui.

— Vous me connaissez mieux que cela, Nicky. Je suis un homme d'affaires. Et c'est un bon investissement. »

Nicholas sirotait son Bloody Mary. Les glaçons avaient fondu et son cocktail avait un goût d'eau parfumée à la tomate. « Je ne sais pas.

— Moi, je le sais. Vous allez passer quelques mois à travailler avec un type qui est sans doute l'un des metteurs en scène les plus prestigieux de ce pays et je vous assure que Juliette et tous les autres rôles seront tenus par des comédiens de premier ordre. C'est une décision importante. Je ne dis pas le contraire. Si vous refusez à un type comme ça parce qu'il n'y a pas grand-chose à gagner dans l'affaire, il n'est pas prêt à revenir frapper à votre porte. Il n'est pas bon ce Bloody Mary ?

— Si, si, c'est parfait. Je ne suis pas d'humeur à cela.

— Prenez quelques bretzels. On n'a pas monté *Roméo et Juliette* depuis je ne sais combien de temps, donc on peut être quasi certain que ça va tenir l'affiche un moment. Et écoutez-moi bien. C'est la chose la plus importante. Vous n'imaginez pas à quel point la critique va s'y intéresser.

— Et si je ne suis pas bon ?

— Vous parlez comme les autres maintenant. Qu'entendez-vous par là, si je ne suis pas bon ? Si vous n'êtes pas bon, Lester Green va vous donner un bon coup de pied dans le derrière et c'est tout.

— Je veux dire, je serai peut-être bien, mais si je ne suis pas vraiment bon ?

— Si vous n'êtes pas vraiment bon, vous aurez des critiques dégueulasses et vous vous sentirez au trente-sixième dessous pendant deux semaines, et après il se présentera autre chose. Mais laissez-moi vous dire ceci. C'est important. Vous vous êtes taillé une jolie réputation en très peu de temps. Regardez-vous,

vous n'êtes qu'un gosse, et vous vous voulez que je vous dise ?
Vous pouvez travailler comme acteur jusqu'à la fin de vos jours.
Vous pouvez faire du théâtre, des pubs, de la télé. Vous arriverez
sans doute toujours à gagner votre vie. Combien de gens peuvent
dire ça ? Combien de gosses de votre âge ? Le problème, c'est que
vous pensez comme un homme d'affaires conservateur. Vous
auriez mieux fait de faire plaisir à votre famille et devenir
avocat. Même si le monde n'en a que faire d'avoir un nouvel
avocat. Nicky, vous êtes un acteur, un artiste.

— Je ne suis pas un artiste. C'est un métier de jouer, comme
d'être avocat ou agent.

— Si vous n'arrivez pas à payer votre loyer, je vous aiderai.

— Merci. Si je décide d'accepter, je suis sûr qu'on s'en tirera.

— Si ?

— Je veux y réfléchir jusqu'à demain matin.

— Vous avez une clause d'annulation valable sur trois
semaines dans ce contrat, Nicky. Et le metteur en scène ne va pas
partir en croisière en attendant que vous preniez votre décision.

— Il s'agit juste d'une nuit, Murray.

— Songez à quel point Jane va être excitée quand elle
apprendra ça. Jouer Shakespeare. J'adorerais voir la tête qu'elle
fera quand vous lui annoncerez.

— Je peux vous appeler demain matin ?

— Pourquoi pas ? Je vais dire à Green que votre téléphone
était en dérangement et que je vous ai envoyé un télégramme
mais que vous n'étiez pas là quand il est arrivé parce que vous
étiez parti à la banque pour jeter un coup d'œil sur votre compte.

— Murray...

— Nicky...

— D'accord. Je le fais. »

Le second enfant des Cobleigh fut conçu le 13 mars 1964, trois
jours après le vingt-quatrième anniversaire de Jane.

Bien des semaines avant cette nuit-là, Jane avait compris
qu'elle ne participerait pas à l'élaboration du nouveau rôle de
Nicholas. Après deux lectures, il avait déjà défini son interprétation. Dès la première répétition, il avait commencé à se mettre
dans la peau de son personnage.

Il avait à peine commencé à l'embrasser, glissant de force sa
langue dans sa bouche, lorsqu'il changea d'avis et lui arracha sa
chemise de nuit. Voilà ce qu'était le Roméo de Nicholas. Elle
n'arrivait pas à croire qu'elle avait attendu cela avec impatience.
Elle s'imaginait qu'il serait si imprégné de son personnage de

jeune noble italien qu'il lui ferait l'amour avec tendresse, en galant homme, et lui murmurerait peut-être à l'oreille quelques répliques de son texte qui lui feraient penser non à Juliette mais à elle. Il lui retira violemment sa chemise de nuit par la tête et la laissa se débrouiller pour dégager ses bras des manches. Il était trop occupé à s'emparer de ses seins. Elle sentait son souffle chaud sur son cou. Il ne faisait que commencer et ne se maîtrisait déjà plus.

Elle aurait dû le savoir. Pour lui, le personnage était plus important que le texte. Il lui titilla violemment le bout des seins, sachant que cela l'exciterait. Trop brutalement, mais cela l'enflamma tout de même. Son Roméo était un adolescent obsédé sexuel. Romantique mais mené, d'après l'interprétation de Nicholas, par sa queue et non par sa tête.

Il s'était mis à parler grossièrement ; lorsque Nicholas et Jeff, le comédien qui jouait le rôle de Mercatio, étaient ensemble, ils n'arrêtaient pas de faire des allusions ou des jeux de mots à double sens absolument répugnants. Il l'avait assommée une matinée entière en lui expliquant les jeux de mots à consonance sexuelle de la pièce. « Car j'en arrivais à toute la profondeur de mon histoire. » Tu *sais* ce que ça veut dire, non ? Oui, avait-elle répondu. Elle le savait. Personne ne pouvait passer quatre ans à étudier l'anglais à l'université sans le savoir. « Ça veut dire, voulut lui expliquer à tout prix Nicholas, l'enfoncer profondément jusqu'au bout. » Jeff, vautré sur le parquet du salon, tirait sur sa pipe en souriant d'un air narquois. Elle n'arrivait pas à croire que Nicholas lui parlait ainsi devant un étranger. Elle le lui dit ce soir-là : « Vous vous conduisez comme deux gosses de seize ans complètement immatures », et il eut un rire déplaisant tout comme un gosse de seize ans immature. Il baissa la tête et se mit à sucer l'un de ses seins, puis passa à l'autre, et enfin il se déchaîna, la dévorant inlassablement comme un fou. Il remonta vers sa bouche et recommença à l'embrasser, couvrant son visage de baisers enflammés. Elle détourna la tête et glissa sa langue dans son oreille pour justifier son geste. Elle posa ses mains sur les siennes et lui caressa les cuisses. Ça au moins, elle voulait bien le faire.

Il n'avait jamais été aussi en forme. Depuis deux mois, depuis le jour où il avait accepté le rôle, il s'entraînait presque tous les matins pendant deux heures dans une salle de gymnastique et suivait des cours d'escrime deux après-midi par semaine. Il était superbement musclé. Il était devenu un David de Michel-Ange en chair et en os. Quelques jours plus tôt, un soir avant de partir au théâtre, il s'était mis à quatre pattes pour jouer au cheval avec

Victoria. Ses biceps se gonflaient sous les manches de son tricot
de corps. Avant qu'elle n'ait pu se détourner pour cacher le rouge
qui lui était monté au visage, Nicholas s'aperçut qu'elle le fixait.
Quelques instants plus tard, il avait fourré Victoria dans son
parc, rejoint Jane dans la cuisine et l'avait coincée entre le mur et
le réfrigérateur. Lorsque la pièce avait commencé la semaine
précédente, les critiques les avaient encensés. Quelle jeunesse !
Quelle passion ! Quelle ardeur ! Roméo, Mercatio et Benvolio
bondissent et se battent comme de fougueux adolescents ! Roméo
et Juliette ne sont pas seulement deux amants qui minaudent.
Leur amour déborde de désir ! Enfin ! Une Juliette qui n'a pas le
rouge aux joues ! Un Roméo dans l'ivresse de son impétueuse
virilité ! Lorsqu'ils se déshabillent mutuellement, il est aussi
beau qu'elle ! Nicholas saisit la main de Jane et la mit sur son
sexe.

Elle détestait le parti pris de la mise en scène. Elle était allée à
une répétition et avait regardé le metteur en scène (un gros type
court sur pattes dont la chemise était maculée de taches de
nourriture) observer Nicholas et la comédienne qui jouait le rôle
de Juliette, baver quasiment alors qu'ils se déshabillaient. Elle
était convaincue qu'il avait insisté pour avoir des costumes
modernes uniquement parce que cela aurait pris trop de temps
de délacer un corset Renaissance. Le spectacle étant off
Broadway, le metteur en scène avait abusé de ses libertés et
demandé à Nicholas de caresser les seins nus de Juliette. Le soir
de la première, le public en était resté le souffle coupé. Charlie
Harrison, l'ami qui partageait la chambre de Nicholas au collège
et qui était venu de Boston, se trouvait assis à côté d'elle. Il s'était
tourné vers Jane pour voir sa réaction et elle avait hoché la tête
pour le rassurer. La pièce aurait aussi bien pu être écrite par un
chimpanzé car personne ne se souciait du texte ; Nicholas, qui
s'élançait, bondissait, faisait des cabrioles et des sauts périlleux,
avalait le tiers de ses répliques. Il n'y avait aucune poésie, aucune
beauté. Elle s'était sentie honteuse ; le montage était sordide. La
critique allait les assassiner. Vers la fin de la dernière scène, elle
avait tenté de trouver quelque chose de réconfortant à dire à
Nicholas. Ses pensées furent englouties sous le vacarme du
public qui se leva pour leur faire une ovation en hurlant des
bravos. Les critiques n'avaient émis aucune réserve. Nicholas
posa sa main sur les siennes et les serra plus fort autour de son
sexe.

Son dernier rôle dans *Key to the City* était si charmant et
délicat. Il la touchait comme si c'était un privilège. Et il lui
demandait toujours si elle en avait envie.

Il passa sa main entre les jambes de Jane et la massa avec deux doigts. Ses hanches se soulevèrent, s'offrant à lui. Il se glissa entre ses cuisses et saisit son sexe qu'il frotta contre elle. Un cri perçant lui échappa et elle chercha ses lèvres. Il prit son baiser pour une invitation. Il plongea aussitôt en elle. Il s'enfonça plus violemment et plus profondément, atteignant ainsi aux valeurs proclamées par Mercatio. Il s'agitait de plus en plus vite comme un gamin qui n'a jamais connu cela et ne veut à aucun prix rater l'occasion. Il la chevaucha encore plus hardiment et, une minute plus tard, manifesta son plaisir en hurlant si fort qu'elle écrasa sa bouche sur la sienne pour étouffer ce vacarme. Tout son corps se raidit puis il s'effondra sur elle en poussant un profond soupir. Il se retira, l'embrassa sur la joue et se glissa de son côté du lit où, presque aussitôt, il s'endormit.

Elle sombrait généralement sans problème dans le sommeil. Mais, cette fois-ci, elle était trop excitée. Ses seins étaient encore très sensibles et gonflés comme s'il s'était arrêté juste un instant de les caresser. Tout était allé trop vite. Quand il la prenait longuement, comme à l'époque de *Last Will and Testament*, elle se sentait épuisée et il lui était facile de se détendre. Elle se retourna sur le ventre et se frotta contre le lit. L'excitation était inconsciente et ne lui apporta aucun plaisir.

Elle n'avait jamais connu d'orgasme, ni cette nuit-là ni aucune autre nuit, alors qu'ils étaient mariés depuis bientôt trois ans. Parfois, elle croyait que cela allait arriver. Parfois, elle pensait que les femmes qui prétendaient en avoir n'étaient que des menteuses. Elle voulait jouir. Quelquefois elle disait à Nicholas qu'elle avait joui : c'était merveilleux, fabuleux; elle lui faisait des compliments dithyrambiques. Quatre ou cinq fois par semaine, elle attendait, toujours dans l'espoir que ce soir-là serait le bon. Mais elle n'y arrivait jamais. Pas même Roméo n'arrivait à la faire jouir.

17

LES YEUX CLOS dans un profond coma... les fils
du système de contrôle de tension artérielle appo-
sés sur son crâne... Jane Cobleigh à l'hôpital.

Légende de la photo
à la Une de *The Standard.*

Peut-être cela avait-il un rapport avec la mort soudaine de
Sally. La personne que vous aimez le plus au monde vous lance :
« Dors bien ! Fais de beaux rêves ! » Et après vous vous réveillez
et elle a disparu à tout jamais. Toujours est-il que Jane n'était
pas douée pour les adieux.

Tous les matins, elle était la dernière mère à rester devant la
grille en fer en disant au revoir de la main à Victoria bien après
qu'elle se fut perdue dans le flot d'écossais bleus qui se déversaient par la porte d'entrée de la Burnham Arnold School.

Dire au revoir à Nicholas lui était encore plus cruel. Lorsqu'il
commençait à répéter une nouvelle pièce, Jane se blindait en vue
de sa prochaine tournée en se concoctant un emploi du temps
surchargé. Elle imaginait des trains qui déraillaient, des voitures
qui s'emplafonnaient et des décors qui s'écroulaient. Partir, cela
voulait dire qu'il ne reviendrait peut-être jamais.

Ne supportant pas les adieux, il était compréhensible que,
lorsque Maisie Tuttle était morte d'une crise cardiaque au début
de février 1968, Jane ait fort mal pris ce dernier au revoir. Bien
qu'elle n'ait jamais dépassé le cap du fameux charme de Maisie
pour avoir des rapports vraiment étroits avec elle, l'amitié que

lui avait témoignée la vieille dame lui avait donné l'impression d'être admise au sein du meilleur club.

Depuis 1963, depuis que la vue de Maisie s'était troublée à la suite de sa cataracte, Jane allait la voir deux fois par semaine pour lui faire la lecture. Leurs livres préférés étaient les mêmes et, pendant près de cinq ans, Jane avait alterné la lecture de *Pride and Prejudice* avec celle de *Jane Eyre*; elles avaient décidé de commencer *Anna Karénine* si jamais elles s'en lassaient, mais elles ne s'en lassèrent jamais.

Maisie lui donnait des conseils. C'était Maisie qui avait fini par la mettre à l'aise auprès des amis de Nicholas, Maisie qui lui dictait ses invitations à dîner qu'elle envoyait à leurs épouses, Maisie qui planifiait les menus et toujours Maisie qui lui disait comment s'habiller et quels propos tenir. « Dis tout ce qu'il te plaira. Tu m'entends, Jane? Le pire qui puisse t'arriver, c'est qu'ils ne veuillent plus jamais avoir affaire à toi. C'est aussi ce qui pourrait t'arriver de mieux, mais je suppose que tu ne peux pas dire cela à Nicholas. Pour l'amour de Dieu, n'essaie surtout pas de ressembler à ces filles! »

C'était Maisie qui avait dissuadé Jane de se faire couper les cheveux qui lui tombaient jusqu'à la taille. « Les cheveux courts, c'est bon pour les garçons, ma chérie. De plus, les hommes aiment voir les femmes lâcher leurs cheveux. »

C'était Maisie qui avait persuadé Jane de venir passer leurs vacances à la ferme. « Ne t'inquiète pas pour les meubles. Ancien, ça veut simplement dire vieux. C'est du bon bois, du robuste érable du Connecticut et du pin blanc. Ils ont résisté cent cinquante ans, alors ils résisteront bien à Elizabeth. S'il te plaît. Je sais que vous vous amusez beaucoup, Nicholas et toi, là-bas. »

Il n'était donc pas étonnant que, deux semaines après l'enterrement, lorsque Nicholas rentra en fin d'après-midi à la maison après un long déjeuner avec deux de ses oncles, les frères de Winifred, il découvrit Jane qui pleurait tout en montant des blancs en neige. Il prit un torchon qui était posé sur la poignée du réfrigérateur et lui essuya les yeux. « Elle te manque toujours ?

— Oui, répliqua Jane. Elle était comme ma grand-mère. » Elle posa le bol et le fouet sur le plan de travail.

« Je sais.

— Mieux même. Ma grand-mère n'était pas une dame très bien. Quand elle est morte, j'ai trouvé une photo porno dans une boîte à chapeau sur le haut de son placard.

— Tu l'as gardée ?

— Oh non ! Nick. Ça me manque de ne plus lui faire la lecture. Ça me manque qu'elle ne soit plus là pour me dire ce qu'il faut faire. Quand je me préparais pour l'enterrement, je n'arrêtais pas de penser qu'elle était la seule personne qui aurait pu me dire si je devais m'habiller en noir ou en bleu marine et me mettre à l'aise. » Nicholas la prit dans ses bras et elle se serra contre lui. « Tu seras un réconfort pour moi quand je serai vieille, lui murmura-t-elle à l'oreille.

— Et maintenant, je ne suis pas un réconfort ?

— Si. » Ils s'écartèrent soudain l'un de l'autre lorsqu'ils entendirent des gloussements de rire. Victoria et Elizabeth se tenaient dans l'embrasure de la porte de la cuisine et les regardaient. « Bien, les filles, dit Jane. Euh, comment vont tes oncles ? Ils ne prennent pas la chose trop mal ?

— Ils vont bien. Le testament a été expertisé. »

Jane reprit le bol où elle avait abandonné ses blancs d'œufs à moitié battus. Dans la famille de Nicholas, les allusions à l'argent étaient toujours déguisées. Elle risqua : « Ont-ils discuté de tout cela ?

— Oui. C'est pourquoi ils m'ont invité à déjeuner.

— Oh ! » Elle prit le fouet et battit les blancs d'œufs jusqu'à en avoir une crampe dans l'épaule. Nicholas la regardait. « Est-ce là une chose que toi, un Tuttle-Cobleigh, ne peux discuter avec moi, une Heissenhuber-Cobleigh ? demanda-t-elle.

— Non. Je veux juste que tu finisses. Vicky, Liz, voulez-vous aller voir ailleurs ? C'est une conversation de grandes personnes. »

Elle reposa le bol sur le plan de travail. « J'ai terminé.

— Tous mes frères et sœurs ainsi que mes sept cousins héritent d'un joli paquet. Elle ne m'a pas laissé un centime.

— Nick, tu plaisantes ! Je n'arrive pas à croire qu'elle ait pu faire une chose pareille. *Pourquoi ?*

— Tu es prête ? » Jane acquiesça d'un signe. Nicholas glissa la main dans sa poche arrière et en retira une liasse de papiers. « C'est une photocopie du testament. " A mon petit-fils bien-aimé, Nicholas Tuttle-Cobleigh... "

— Je croyais que tu disais...

— Ecoute : " ... je lègue tous mes droits, titres et intérêts de la propriété connue sous le nom de ferme Tuttle... " »

Jane se mit à pleurer.

« Cela continue et il y a ensuite toute la description du plan enregistré au cadastre. Attends : " ... y compris les bâtiments, le cheptel, le matériel, les installations et les machines ainsi que tous les autres biens personnels et les meubles faisant partie de la propriété au moment de ma mort. " Tu sais ce que ça vaut ? Une ferme de soixante-quinze acres dans le comté de Fairfield ? Ce n'est qu'à une heure cinquante du centre. On pourra vivre là-bas, Jane. Tout est à nous. La maison. Les écuries. Je pourrai monter tous les matins. Ça va être formidable.

— C'est trop.

— Non.

— Nick, écoute-moi, s'il te plaît. Ce n'est pas juste. On ne l'a pas mérité. Je sais ce que tu vas dire mais, s'il te plaît...

— Chut. Tu vas l'adorer. Ecoute-moi, Jane. Je sais que c'est écrasant. Je sais combien cela t'est difficile, une fois que tu as fait ton nid quelque part, de t'en aller. Si cela ne tenait qu'à toi, on serait toujours dans cet appartement avec l'eau froide et le tub au milieu de la cuisine.

— On ne le mérite pas.

— Jane, ils t'ont bousillée jusqu'au trognon et tu n'as pas la moindre idée de ce que tu mérites. Je suis désolé, mais c'est la vérité. Laisse-moi décider de ce que tu mérites. D'accord ? Laisse-moi m'en occuper. Nous allons être si heureux là-bas. Tu verras. Au lieu d'être coincés dans cette cuisine minuscule, on s'installera confortablement devant la table du petit déjeuner pour prendre le café avec un grand feu qui brûlera dans la cheminée. Et, en été, on nagera dans le bassin et on emmènera les filles faire des pique-niques sur la colline qui surplombe ce champ de fleurs sauvages. Ce ne serait pas formidable ? Tout ira très bien. Fais-moi confiance. Je sais ce qui est bien pour nous. »

Trois mois plus tard, après la dernière représentation de *House and Fire*, Iris Betts, la comédienne qui, depuis six mois que durait le spectacle, n'avait pas arrêté d'essayer d'attirer Nicholas dans sa loge, l'attrapa par le bras et s'approcha si près de lui que ses seins se frottaient contre son bras. « Ne te retire pas tout le temps comme ça. Je ne vais pas te mordre, dit-elle. Vraiment, Nicky, tu es impossible. Tu es l'homme le plus incorrigiblement soumis à sa femme que j'aie jamais rencontré. Mais qu'est-ce qu'elle a, hum ? Un petit truc qu'elle se colle derrière les oreilles ? Le problème, c'est que tu as l'air d'un tel coureur. Un vrai bourreau des cœurs. Sexy et glacial et voilà ce que tu es : le mari de l'année, du siècle. »

« Jane », dit Nicholas. Elle se trouvait dos à lui. Elle se tenait devant la porte d'entrée, affairée à astiquer le marteau en cuivre pour la troisième fois. Le heurtoir avait la forme d'un aigle. Sa chemise de travail était zébrée de traînées grises.

« Arrête-toi une minute. Viens ici. » Il s'était allongé sur la pelouse devant la maison dans un vieux jean et un maillot de corps déchiré. Ses vêtements et son visage étaient maculés de taches de peinture vert foncé car il venait de repeindre les cadres des fenêtres et les volets. Elle s'approcha de lui. Il tendit la main et l'attrapa par la cheville. « Un petit câlin dans l'après-midi ?

— Non.

— Donne-moi une bonne raison.

— Je dois finir de lustrer le marteau. On a la moitié du deuxième étage à faire. Le quincaillier nous livre la décolleuse pour enlever le papier peint et les filles doivent rentrer d'une seconde à l'autre. Ça suffit ?

— Non.

— Tu empestes l'essence de térébenthine et tu as les cheveux tout verts.

— Tu n'aimes pas les cheveux verts ?

— Oh si ! J'adore ça. Mais pas sur toi. Désolée, tu n'as pas le nez pour ce genre de proposition. » Elle se laissa tomber à côté de lui et croisa les jambes. Elle portait un short. On était fin juin, cependant ses jambes étaient déjà très bronzées. « Tu es plutôt du genre ennuyeux. Mielleux. Blond. Assommant. Tu vois ce que je veux dire. » Elle se pencha et l'embrassa sur le front. « Du type qu'on oublie tout de suite.

— Merci. Oh ! Je sais ce que j'allais te demander. Tu trouves que j'ai l'air froid ?

— Non. Pourquoi ?

— Iris Betts dit que j'ai l'air glacial.

— Iris Betts n'est pas contente quand elle ne voit pas tous les hommes à qui elle parle s'embraser sous ses yeux.

— J'avais oublié combien tu es objective à son égard.

— Eh bien, quel genre de femme s'approche de l'épouse de quelqu'un pour lui dire : " C'est vraiment un *sacré* type que vous avez là ? " Avec ses robes en jersey moulantes et ses talons de quinze centimètres, on dirait une prostituée de 1958.

— Comment sais-tu de quoi a l'air une prostituée de 1958. Hum ? » Il tendit la main et frotta son mollet. « C'était du cinéma ton numéro de vierge de Cincinnati ?

— Nick, sois sérieux une seconde. A cette soirée, elle a fait comme si je n'existais pas, comme s'il lui suffisait de lever le petit doigt pour que tu passes sur mon corps pour te jeter dans ses bras.

— Elle ne mérite pas qu'on s'inquiète à cause d'elle.

— Si. Tu es mon mari.

— Si tu te mets dans cet état à cause d'elle, alors il faut que tu ailles te faire examiner. Je le pense sincèrement, Jane. Elle est vraiment moche. Ils l'appellent tous le Grand Canyon.

— Nick !

— Mais elle sait jouer.

— Oui, elle sait jouer. Elle sait tortiller des hanches.

— Elle était très bonne.

— Elle joue très bien les catins. Si elle jouait le rôle d'une religieuse, le public se précipiterait vers la sortie en hurlant de rire. C'est la vérité.

— Allonge-toi. Allez. J'ai envie de te serrer dans mes bras.

— Je ne trouve pas que tu sois glacial. »

Elle se rapprocha de lui et leurs nez se touchèrent. Il prit sa main dans la sienne. « N'est-ce pas merveilleux ? » demanda-t-il. « Notre propre gazon, notre propre maison, notre propre marteau en cuivre parfaitement lustré. C'est le paradis.

— On en est si près, dit-elle. Ce sera le paradis quand on aura mis du papier peint dans toutes les salles de bains. »

Peut-être était-il entièrement dévoué à sa femme. Il y avait réfléchi : il était fou de tendresse pour sa femme. Il n'était pas fou d'elle. Il l'aimait. La folie serait d'avoir une liaison avec Iris Betts ou n'importe quelle autre.

Que voulaient-elles de lui : une partie de jambes en l'air dans le foin ? Et pensaient-elles que le meilleur moyen d'arriver à leurs fins, c'était de se glisser furtivement derrière lui quand il attendait sa prochaine entrée en coulisses — comme l'épouse du producteur de *Roméo et Juliette* — et de lui fourrer la langue dans l'oreille ? Avec trois ou quatre personnes dans les parages. Cela lui était-il égal ? A quoi pensait-elle arriver ainsi ? Ou comme cette autre fille qui s'était précipitée vers lui après une réunion des acteurs protestant contre la guerre et qui, au lieu de lui dire : « Salut, je m'appelle Mary Smith », ou n'importe quoi de ce genre, lui avait lancé : « Je veux te sucer jusqu'au bout » ? Il ne l'avait jamais vue avant. Elle portait des chaussures plates, un cardigan avec des poches et avait l'allure d'une assistante sociale. Il était sûr de l'avoir mal comprise jusqu'à ce qu'elle ait ajouté : « Je veux avaler jusqu'à la dernière goutte. » Etait-ce pour ce genre de choses qu'il était supposé mettre son mariage en péril ? Ou pour un boudin qui se trémoussait comme Iris Betts, qui débarquait dans sa loge, se tournait dos à lui, remontait sa robe et lui demandait : « Accroche-moi mon soutien-gorge, Nicky », et qui ensuite se mettait dans tous ses états parce qu'il sortait de ses gonds et lui disait de débarrasser le plancher ?

Objectivement, il savait que la majorité des femmes se contentaient de lui dire : « Bonjour, comment allez-vous, le temps a été vraiment épouvantable ? » Mais maintenant, il se sentait presque tous les jours assailli par les autres. A l'école et à l'université, les filles badinaient avec lui, mais il ne répondait pas à leurs avances et elles allaient minauder ailleurs. Alors que maintenant, s'il gardait ses distances, elles repartaient à l'assaut et se faisaient de plus en plus insistantes. Et elles ne commençaient plus par battre des paupières. Elles l'attaquaient en lui tendant la main et en le griffant sauvagement avec leurs ongles.

Elles attendaient toutes tant de lui. Il le voyait à leurs yeux. Elles semblaient toutes savoir exactement ce qu'il ne faisait pas. Et, très précisément, ce qu'il aurait dû faire pour elles. Parfois il lisait entre les lignes. Il avait reçu une lettre au théâtre. Le papier était imprimé au nom de *Mme Floyd Childers III* avec un astérisque rajouté à l'encre à côté ; au bas de la page, l'astérique renvoyait à *alias Diana Howard*. Elle lui disait qu'il était « fantastiquement bien » dans *The Importance of Being Earnest* et que Floyd et elle seraient absolument ravis de le voir avec Jane s'ils étaient libres un soir. *Nous sommes à Darien, c'est à peine à une minute de chez vous, très cher* — mais si jamais leur calendrier était plein, elle — *folle de théâtre comme je suis* — serait enchantée de le voir un mercredi avant ou après sa matinée, *pour nous rappeler nos merveilleux moments ensemble, si ardents et si délicieux*. Il n'arrivait pas à croire qu'il avait failli épouser une personne aussi stupide. Il avait voulu la montrer à Jane car il la trouvait vraiment drôle et épouvantable, mais il avait pensé que cet humour risquait de lui échapper. Il avait envoyé un mot à Diana en lui disant qu'il était très occupé à cause de ses répétitions, mais que Jane et lui espéraient les voir dans un très proche avenir. Un pur mensonge.

Et que voulaient les inconnues ? Elles lui écrivaient au théâtre en lui déclarant qu'elles l'avaient adoré dans son rôle et demandaient : *Vous vous souvenez de moi ? C'est moi que vous regardiez (je crois ! ? !) au quatrième rang, jeudi dernier. J'ai les cheveux mi-longs et je portais une robe chemisier lilas avec un col mandarine.* Ou elles lui écrivaient qu'elles adoreraient discuter avec lui de son interprétation d'Algernon Moncrieff. Pensaient-elles qu'il allait leur téléphoner pour leur dire : « Salut. C'est Nicholas Cobleigh. Si on prenait un verre ensemble pour discuter de mon interprétation de Algernon Moncrieff ? »

Les femmes qui l'attendaient à l'entrée des artistes espéraient-elles plus qu'un sourire et son autographe ? Que voulait celle à l'appareil photo ? Elle était là presque tous les soirs avec un appareil et un flash et elle le prenait en photo avant de disparaître vers la Neuvième Avenue. Elle avait les cheveux si clairsemés qu'on apercevait son crâne au travers. Elle ne le regardait que cachée derrière son objectif. Il n'avait jamais vu ses yeux. Une fois, il avait essayé de sortir avec une demi-heure de retard, et elle était là, seule, elle l'attendait et elle l'avait pris en photo.

Son métier d'acteur provoquait-il ces situations ? Il s'était lancé dans le sujet avec véhémence mais, les deux ou trois fois où il en avait discuté avec Jane, elle avait allégué que cela avait peut-être un rapport avec le fait qu'un comédien était un interprète. Et, de même que les acteurs deviennent les personnages que les auteurs ont imaginés, le public se les approprie pour incarner des rôles dans leur imagination. Jane avait ajouté : « Tu n'as rien à craindre, tu n'es pas réel pour eux, tu es sur scène. »

Mais elle pensait à ses admiratrices. Pour Iris Betts, il était bel et bien réel. Il ne pouvait s'imaginer que, s'il était avocat, une secrétaire ou une avocate rentreraient dans son bureau, refermeraient la porte et lui lanceraient : « Accroche mon soutien-gorge. »

Il ne savait pas ce qu'elles voulaient vraiment. Et il pensait que, s'il tentait de les satisfaire, ce ne serait pas assez. Il n'arriverait jamais à être aussi extraordinaire que l'image qu'elles avaient de lui. Et, en fait, s'il couchait avec Iris Betts, par exemple, elle serait forcément déçue. Et probablement en colère aussi.

Il les repoussait toutes, gentiment ou brusquement. Généralement, il les oubliait dès qu'elles avaient quitté la pièce. Mais il arrivait parfois qu'une fille lui fasse de l'effet. Il se souvenait de la journaliste du *Washington Star* qui était venue l'interviewer pendant la tournée de *House on Fire*; elle portait une minirobe rose et s'était assise en face de lui dans un fauteuil club dans sa chambre d'hôtel. Sa robe s'était légèrement retroussée et il voyait le haut de ses collants en dentelle blanche. Elle avait des jambes superbes et n'arrêtait pas de les croiser et de les décroiser. Il entendait le bruissement de la dentelle. Il s'était mis à bander et avait croisé les jambes en posant les mains sur son pantalon ; il s'était alors aperçu qu'elle savait pertinemment ce qui lui arrivait. Elle avait allongé les jambes légèrement écartées pour qu'il puisse voir le haut de son collant. Qu'attendait-elle de lui, qu'il lui saute dessus et la jette sur le lit ? A la fin de l'interview, elle avait laissé tomber son stylo et, lorsqu'elle s'était penchée pour le ramasser, il avait carrément vu son cul. Son collant lui rentrait entre les fesses, elle ne portait pas de slip ; il voyait la chair rose briller sous le tissu blanc. Voulait-elle qu'il la prenne ? Ou l'aguichait-elle simplement pour voir dans quel état elle pouvait le mettre ? Il l'avait raccompagnée jusqu'à la porte et, alors qu'il lui disait au revoir, elle avait mis son stylo dans sa bouche et n'avait pas arrêté d'enfoncer et de relever le petit bouton avec sa langue. Il avait refermé la porte derrière elle, s'était précipité dans la salle de bains et s'était masturbé dans une serviette. Il avait joui au bout de trente secondes, mais il lui avait fallu plus d'une demi-heure pour retrouver son calme et appeler Jane.

Il avait le droit d'être un homme dévoué à sa femme. Elle était une épouse merveilleuse. Et une bonne mère. Il s'était un peu inquiété car Dorothy Heissenhuber était le seul exemple qu'elle eût connu. Mais, chez Jane, la mère était égale à la personne : aimante, drôle, empressée à faire plaisir et cruellement peu sûre d'elle-même. Il devait tout le temps la rassurer et lui dire qu'elle faisait les choses comme il fallait. Bien sûr qu'elle devait crier contre Vicky. Elle s'était conduite comme un vraie petite emmerdeuse. Allez, Jane. Elle s'en remettra.

Elle était si mauvaise cuisinière qu'un jour, pour la Saint-Valentin, il lui avait offert un livre de cuisine français en espérant qu'elle saisirait l'allusion. Et elle ne lui avait pas échappé. Au bout de quelques mois, elle aurait pu se faire embaucher dans un restaurant trois étoiles à Paris. S'il ne l'arrêtait pas dans son élan, elle passait une journée entière à préparer une sauce. Jusqu'à ce qu'ils quittent New York, son père avait pris l'habitude de passer une ou deux fois par semaine vers l'heure du dîner, soi-disant pour voir les enfants, mais en fait parce qu'il aimait la cuisine de Jane... Et Jane aussi.

Tout le monde l'aimait bien. Murray King ne s'adressait jamais à elle en employant son prénom mais des petits mots doux en yiddish. Murray lui soumettait les pièces avant même de les montrer à Nick, car il avait plus confiance dans le jugement de Jane. « Nicky, disait-il, elle a du nez. »

Pendant la première année que son frère Tom avait passé à Syracuse comme pasteur congrégationniste, il avait envoyé tous ses sermons à Jane pour qu'elle les lui corrige.

Les comédiens avec qui il était devenu ami appelaient Jane non seulement pour discuter avec elle de leurs rôles, mais aussi pour bavarder. Ils adoraient sa franchise. Ses amis de l'université blêmissaient parfois devant sa spontanéité que les gens de théâtre aimaient tant. Ils trouvaient au contraire qu'elle était bohême et audacieuse. Mais éblouissante.

Même Charlie Harrison, dont les femmes étaient toujours si exquisement bien élevées, était séduit par Jane.

Nicholas enlaça Jane et l'attira contre lui. Charlie savait ce qui était bien. Elle était ravissante. Elle avait une beauté secrète que seuls de rares privilégiés discernaient. Ses yeux incroyablement bleus illuminaient son visage au teint mat. Il l'embrassa et caressa ses seins. Ils avaient perdu de leur élasticité depuis qu'elle avait allaité ses filles. Ils étaient plus lourds, s'affaissaient un peu dans ses mains et les aréoles avaient viré du rose parfait à un brun rouge. Mais cela les rendaient plus émouvants, plus siens. Il ne voulait pas qu'elle soit trop désirable. Il ne voulait pas que la tête lui tourne. Il ouvrit le bouton du haut de sa chemise.

« Eh ! » s'exclama Jane en s'écartant de lui. Elle se redressa d'un bond et retira l'herbe collée à sa jupe.

« Qu'y a-t-il ?

— Une voiture. Une voiture. Nick, tu es dans le brouillard. V-o-i-t-u-r-e. Tu l'entends ? C'est le quincaillier qui vient apporter la décolleuse ou tes enfants, mais dans les deux cas il ne me semble pas approprié d'être découverts dans une étreinte avancée sur la pelouse devant la maison.

— Jane.

— Quoi ?

— Tu m'aimes ?

— Bien sûr que je t'aime. Comment pourrais-je ne pas t'aimer ?

— Pourquoi ?

— Pourquoi je t'aime ? Je ne sais pas. Un caprice sans doute. J'ai le choix entre toi et le quincaillier. Ne crois pas que je n'aie pas été tentée. Je n'ose pas te raconter ce qui se passe dans le hangar où l'on range les tondeuses. Des scènes obscènes et lubriques.

— Jane...

— Hé, ce n'est pas un cabinet d'avocat qui débarque ? » Jane jeta un coup d'œil vers la voiture qui remontait l'allée en gravier. « Oh ! Mon Dieu ! Je n'en crois pas mes yeux ! Nick, regarde qui arrive ! »

Elle termina la vaisselle vers neuf heures, mais il fallut encore près d'une heure pour mettre les filles au lit. Elles étaient complètement surexcitées par la visite de leur oncle Rhodes.

Il lui fit un large sourire lorsqu'elle entra au salon. Vautré dans un fauteuil, il leva son verre de brandy.

« *Cheers*, dit Jane.

— Maintenant je sais que je suis de retour aux Etats-Unis, dit Rhodes. *Cheers.* Je suppose que c'est l'invocation officielle à tes déjeuners du P.T.A.[1]. Un petit Bloody Mary. Un peu de céleri au fromage blanc. » Il s'était habillé pour dîner comme un Européen : un pantalon de lin blanc, une chemise en soie blanche très fine — presque ouverte jusqu'à la taille —, des espadrilles blanches et une longue écharpe rouge nouée autour du cou comme une cravate.

« Dans dix minutes, tu pourrais bien te retrouver à faire du stop sur la R 7 pour rentrer à New York, dit Jane. Si quelqu'un veut bien de toi.

— Mais tout le monde veut de moi, tu le sais très bien d'ailleurs. Contrairement à toi. Tu crois que la star de Broadway va continuer à te traîner partout encore combien de temps comme ça ? »

Nicholas sourit. Il était affalé sur le divan et avait un air désespérément provincial dans son pantalon de madras et sa chemise de golf bleu. Mais Jane pensait que la moitié des hommes du sud de la France avaient sans aucun doute l'air désespérément provincial à côté de son frère. Elle s'approcha du canapé, souleva les jambes de Nicholas, puis les posa sur ses genoux en s'asseyant. « J'ai raté une conversation intéressante ?

— On parlait d'investissements, répondit Nicholas.

— D'immobilier dans le sud-ouest, précisa Rhodes. Voilà comment il est, il est nominé au Tony, il est dans *Vogue* dans " People Are Talking About " et ce qui le fait vibrer de plaisir c'est qu'on reçoit le plan de financement de son centre commercial et qu'il a le choix trépidant entre investir son argent dans un complexe immobilier à Houston ou un autre centre commercial à Tucson. Savais-tu que tu avais épousé un capitaliste ?

— Maintenant, je le sais », répliqua Jane. Son frère fit tourner son brandy dans son verre. Rhodes était la seule personne qui ait compris ce que Jane avait fini par découvrir : Nicholas était un homme d'affaires. Il passait plus de temps au téléphone avec son oncle Caleb, un banquier, son père et son agent de change qu'avec son imprésario. Nicholas feuilletait *Variety*, mais il dévorait *Barron's*. Cette évidence avait laissé Jane abasourdie : Nicholas se consacrait à poursuivre la tradition familiale... faire fortune.

« Jane ne s'intéresse pas à l'argent. Elle pense qu'il y a quelqu'un comme la petite souris qui vient la nuit déposer de l'argent sur son compte en banque, dit Nicholas.

1. Association de parents susceptibles de remplacer éventuellement des professeurs qui manquent. *(N. d. T.)*

— Oh! Les investissements, c'est mon sujet préféré, rétorqua Rhodes. Et tout spécialement dans l'immobilier. C'est si excitant. Enfin, mon sujet préféré en dehors de l'avenir des produits agricoles. C'est *palpitant*. Je n'entends parler que de ça. Philip s'est découvert un nouveau génie des produits agricoles à Chicago et il lui parle au minimum huit heures par jour. Et, pendant les huit heures suivantes, il veut revivre toute la conversation pour en savourer chaque syllabe qui a son pesant d'or. »

Jane massait les pieds nus de Nicholas. « Au moins, Nick garde ça pour lui, dit-elle. De temps en temps il me sort quelque chose sur la baisse des actions pétrolières, mais généralement il fait semblant d'être du genre fort et muet.

— Tu lui fais tout le temps cette chose répugnante avec ses pieds ? demanda Rhodes.

— Il adore ça.

— C'est très agréable, ajouta Nicholas.

— Avec vous deux, le mariage paraît toujours si alléchant. Oh! A propos de fric, Philip va se lancer dans la production de films. Je lui ai demandé de pistonner Nick auprès du producteur bigleux, un fétichiste des godasses, qu'il finance. Celui qui a fait *Blackwell* et *Close to Rome*.

— Je te remercie, dit Nicholas.

— Comment va-t-il ? lui demanda Jane. Philip, pas le fétichiste.

— Philip ? Oh! Merveilleusement éblouissant. Après deux semaines au cap d'Antibes, il a passé un mois au téléphone avec Monsieur Produits agricoles et avec un soudoyer de Berne qui fait dans le métal précieux. Il est encore plus pâle que lorsqu'on a quitté Cincinnati.

— Eh bien, toi, tu es superbe.

— Tu t'attendais à quoi ? A Quasimodo ?

— Je veux dire, tu es bien bronzé.

— Un bronzage somptueux. Pas tout noir comme le tien. Mais je n'ai pas ton pedigree.

— La mère de ma mère était espagnole.

— C'est ce que tout le monde dit.

— Arrête, Rhodes.

— Comment vont tes parents ? » coupa Nicholas.

Rhodes tendit la main jusqu'à la bouteille de brandy posée sur la table à côté de lui et se pencha pour remplir son verre. Il se servit copieusement. « Ils vont bien. »

Nicholas retira ses jambes des genoux de Jane et s'assit, regardant Rhodes en face. « Tu sais, je les ai appelés après la naissance de Vicky et après celle de Liz. Ils n ont jamais téléphoné à Jane à l'hôpital. Ils n'ont jamais manifesté le moindre désir de voir les filles. Ils n'ont jamais envoyé un cadeau ou une carte postale. Je ne les comprends pas. Jane est leur fille. Vicky et Liz sont leurs petites-filles. Que crois-tu que Jane puisse éprouver ?

— Je ne veux pas me retrouver dans une situation qui m'oblige à les justifier, dit Rhodes. Je ne peux pas. Ma mère et Jane... eh bien, disons que la mayonnaise n'a jamais pris. Mais c'est pour le moins compréhensible. C'est une belle-mère, même si elle n'a jamais été aussi méchante, loin de là, que Jane se plaît à le penser. Jane se conduit comme si elle lui avait mis des allumettes sous ses pieds tous les matins avant le petit déjeuner. Avec elle, tout prend des proportions qui n'ont rien à voir avec la vérité. Il se trouve que ma mère s'est montrée plus que correcte avec elle.

— Tu ne sais pas de quoi tu parles ! » hurla Jane. Nicholas et Rhodes se renversèrent dans leurs fauteuils, médusés par sa violence.

« Bon, dit gentiment Nicholas, abandonnons le sujet.

— C'est toi qui l'as abordé, nom d'un chien ! Tu étais si isolé entre tes gouvernantes et tes bonnes que tu ne voyais presque jamais tes parents. Tes parents n'étaient presque jamais à la maison. Tu disais...

— Jane, calme-toi.

— Calme-toi toi-même ! Tu n'as pas la moindre idée de ce que c'est que de vivre dans une maison où l'un de tes parents te déteste et l'autre est absolument indifférent ? Réponds-moi. »

La pièce semblait refouler son émotion. Tout était ancien, silencieux et sécurisant.

« Papa n'était pas indifférent », dit Rhodes. Il parlait d'une voix normale mais plus suave, calme, pondérée. Apaisante, comme le salon. « Tu ne devrais pas minimiser ce qu'il a fait. Il a été monstrueux. Je me souviens quand il t'emmenait au premier pour te battre...

— Tais-toi !

— C'est vrai. Mon Dieu, Jane, c'était horrible. On m'obligeait à rester en bas et je t'entendais hurler, et hurler encore. Je ne l'oublierai jamais. Je le haïssais tant.

— Il te *battait* ? demanda Nicholas. Tu ne m'en a jamais rien dit. Pourquoi...

— Ce n'était rien, rétorqua Jane.

— Tu es folle ? » lui lança Rhodes. Sa voix avait soudain les mêmes inflexions que celle de Jane ; il parlait fort avec un accent du Midwest, sans se laisser intimider par la classe du salon Nouvelle-Angleterre. « Ça s'est reproduit toutes les semaines, pendant des années, jusqu'à ce que j'aie neuf ou dix ans. Bon Dieu, comment peux-tu dire que ce n'était rien ? Comment peux-tu rester là à dire des choses horribles sur elle après tout ce qu'il t'a fait ? Tu n'as donc aucune mémoire ? Allons, Jane ! Nom d'un chien, tu sais qu'il est malade... »

Jane traversa la pièce d'un air furieux, se dressa contre son frère et hurla contre lui : « Fous-moi la paix ! Ou tu me fiches la paix ou tu sors de cette maison. Tu m'as bien comprise, Rhodes ? Tu m'entends ? Chaque fois que tu viens, tu n'arrêtes pas de me chercher et j'en ai marre ! »

Nicholas s'approcha d'elle et la prit dans ses bras. « Allons, Jane. Il ne te cherchait pas.

— Je suis de ton côté », dit Rhodes. Sa voix tremblait. « Jane, tu sais ce qu'il était. Ce type assommant avec ses disques d'opéra et ses magazines financiers était un sadique... »

Jane leva brusquement la main et frappa son frère au visage. « Arrête ! hurlait-elle. Arrête ! Arrête ! Arrête ! »

18

VOIX DE FEMME : Ecoutez, nous ne sommes pas...
on ne va pas se mettre à discuter de choses... vous
savez, du style elle est à l'hôpital et va-t-elle ou non
subir une opération au cerveau et toutes ces
choses-là. Ce qu'on va essayer de faire c'est de...
hum, de s'installer autour de la table pour essayer
de comprendre ce qu'est... je cherche le mot juste...
la quintessence du vedettariat. Je veux dire, on
n'aurait jamais entendu parler d'elle s'il n'existait
pas. Et qu'y a-t-il en lui qui fait qu'il demeure le
symbole de... de quoi ? Du dernier héritier des
W.A.S.P. ? Ce n'est pas si simple que cela. Et qu'y
a-t-il en eux qui fait que ce couple nous touche ? Et
elle ? Hier soir, je faisais la queue au Regency. Ils
passaient *Wyoming*, qui se trouve être le seul
western qu'il ait tourné, et quelqu'un a dit : ce
type, tout le monde a envie de le sauter ou de
l'avoir comme président.

S. W. Zises
W.B.A.I. Radio, New York.

En Californie, presque tout le monde lui avait demandé :
« Vous jouez au tennis ? » Et quand il leur avait répondu oui, ils
avaient répliqué : « Formidable ! Il *faut* qu'on fasse un match. »
Au bout de quelques jours, il comprit que c'était l'équivalent
pour la côte Ouest de : « Allons déjeuner ensemble un jour », et
donc, à une époque où courir dans la rue était suffisamment rare
pour paraître excentrique, tous les jours, après le tournage, il
mettait des chaussures de tennis et courait dans les rues de Los
Angeles. Il en avait besoin. Il souffrait du manque d'exercice que
lui imposait sa vie aux studios. Il s'était fait arrêter deux fois par
des voitures de police qui patrouillaient et avait dû leur montrer

la clé de son hôtel pour leur prouver qu'il n'était ni un psychopathe ni un violeur parti reconnaître le terrain. (Le producteur lui avait pris une chambre au Los Reyes, un petit hôtel bourré des grands manitous du cinéma marginal. Sa chambre sentait l'Air wick aux fleurs et les vieux mégots de cigares.)

Il vivait dans un quartier de Los Angeles qui ne portait aucun nom. Son hôtel était un cube jaune avec de minuscules terrasses qui était le seul charme de la façade parfaitement plate ; les terrasses, également peintes en jaune, ressemblaient à des pustules qui sortaient de la chair du bâtiment. De sa terrasse, il apercevait les magasins de l'autre côté de la rue : une boutique de sandwiches à emporter, un opticien, un teinturier et une pharmacie. Dans la vitrine de la pharmacie s'étalait une affiche immense représentant une blonde à la poitrine plantureuse dans un maillot de bain deux pièces. Une publicité pour une crème solaire. Mais elle était là depuis si longtemps que sa peau avait viré au vert clair.

Pourtant, Nicholas ne détestait pas Los Angeles, même s'il savait que c'était de bon ton. Il appréciait ce climat : se réveiller au mois d'octobre et prendre son café sur sa terrasse. Il était impressionné par l'absence de cérémonie presque agressive arborée par toute la ville. Tout le monde disait « Salut » et jamais « Bonjour ». Les gens s'exhibaient autant qu'il leur était possible. Les hommes, si jamais ils portaient une veste, la retiraient, retroussaient leurs manches et ouvraient leurs chemises pour que vous sachiez exactement qui ils étaient : des croix, des crucifix ou des étoiles de David pendaient au bout d'une chaîne sur leurs torses bronzés ou poilus. Les femmes portaient des robes dans des tissus aérés pour que vous puissiez jeter un coup d'œil sur la marchandise. Personne ne l'avait appelé « Monsieur » depuis son arrivée. Il lui était impossible de penser qu'il s'intégrerait à leur monde, mais il aimait les voir embrasser n'importe quelle connaissance avec une liberté désarmante ou s'enthousiasmer sans aucune retenue devant n'importe quelle nouveauté. « *J'adore* cette chemise », « *Où* as-tu trouvé ce stylo ? Où ça, à New York ? Mon Dieu, je l'adore ! » La plupart étaient bidons, il le savait pertinemment, mais certains étaient tout simplement plus naturels que les gens de l'Est.

Pourtant, il ne pouvait s'intégrer à leur univers. Peut-être était-ce perturbant d'être là juste pour un mois, en sachant qu'il manquait son premier automne dans le Connecticut, que sa famille lui manquait, que Murray lui manquait. Ce n'était pas comme dans une tournée où il connaissait des gens, où il pouvait

prendre le petit déjeuner ou aller boire un verre avec des
membres de la troupe. Ici, il était un acteur new-yorkais qui
jouait un petit rôle. En dehors de deux propositions pas très
enthousiastes, l'une d'un assistant metteur en scène et l'autre
d'une attachée de presse, personne ne lui avait manifesté le
moindre intérêt pour savoir ce qu'il faisait après le tournage. Il
avait répété, lu une biographie de Théodore Roosevelt et plusieurs policiers de John Dickson Carr et téléphoné à Jane.

Le coup de pouce de Rhodes par l'intermédiaire de Philip Gray
ainsi que le coup de téléphone de ce dernier au producteur qu'il
finançait, s'était révélés efficaces. Lorsque Rhodes était chez eux,
il avait contacté Nicholas pour lui proposer de faire des essais en
Californie. Avant même que le bout d'essai ne soit développé,
semblait-il, on lui avait proposé un rôle court mais intéressant
dans le prochain film du producteur. Le producteur en personne
l'avait même emmené au polo lounge du Beverly Hills Hotel et
lui avait dit qu'il avait vu Nicholas à Broadway et qu'il
s'apprêtait à le contacter lorsque Philip Gray lui avait téléphoné.
« C'est votre beau-frère ? lui demanda le producteur.

— Non. Mon beau-frère travaille pour Philip Gray », répondit
Nicholas tout en se demandant si le producteur avait remarqué
qu'il ne lui prêtait pas attention. Ce dernier, qui descendait son
quatrième gin-orange, ne s'en était apparemment pas rendu
compte.

« Oh ! Je ne savais pas quel était le lien au juste. » Le
producteur regarda derrière lui et fit un signe pour demander
l'addition.

« Eh bien, c'est une espèce de double lien. Philip est marié à
ma cousine.

— Permettez-moi de vous commander autre chose. »

La majorité des gens de théâtre avec qui Nicholas avait discuté
avaient une maxime à propos des tournages de cinéma : « Prends
l'oseille et tire-toi. » Le travail était si haché qu'il n'avait pour
ainsi dire plus aucun sens. On avait rarement plus de trois ou
quatre répliques à chaque prise. Et ensuite on attendait et on
attendait encore. Les gens se trouvaient des hobbies pour tuer le
temps.

Evidemment, les deux passe-temps les plus importants consis-
taient à courir le prochain cachet (lire des scénarios, téléphoner
aux agents, devenir ami avec les gens du studio qui risquaient de
devenir intéressants) et à avoir des aventures.

Cependant, songeait Nicholas, ce n'était pas aussi ennuyeux
qu'on le prétendait. Il avait passé la première journée à répéter

deux répliques et quelques gestes parcimonieux, mais c'était beaucoup moins lassant, et de loin, que de tourner des pubs.

Là, il avait un rôle. Il est vrai qu'il jouait, une fois de plus, un salaud au regard impassible, mais cela ne l'embêtait pas. Si quelqu'un acceptait de le payer dix mille dollars par mois, il acceptait de jouer la plus grande ordure au monde.

La côte des derniers quatre cents mètres qui menait à son hôtel était raide. Lorsqu'il arriva devant la porte, il haletait ; sa gorge lui faisait mal tandis qu'il essayait d'ouvrir grand la bouche pour respirer plus à fond. Dans l'ascenseur, un homme qui portait une veste sport à carreaux rouge et rose, le regarda d'un air dégoûté, l'œil fixé sur sa chemise qui lui collait à la peau. Après avoir pris sa douche (il adorait prendre des douches mais n'avait que des baignoires à la maison), il appela Jane. Elle lui dit qu'il avait l'air de s'ennuyer.

« Je ne m'ennuie pas », répliqua-t-il en essayant de mâcher en silence le sandwich jambon-fromage qu'on lui avait monté dans sa chambre un instant plus tôt. « Je suis un peu fatigué. Je suis arrivé aux studios un peu avant six heures et on a passé toute la journée sur une scène. Celle où je fais leur connaissance. Tu t'en souviens ?

— Bien sûr que je m'en souviens. J'avais raison. Tu as de quoi mourir d'ennui. Tu sais combien tu as besoin de relever des défis. Je veux dire, honnêtement, ça représente quoi ? Trois ou quatre répliques et, après, tu leur lances un regard lourd de sens. Ce n'est pas ça la scène ?

— Si. Mais ce n'est pas si dramatique.

— Oh ! Allons, Nick. »

Après l'avoir quittée, il sentit à quel point ses propos le contrariaient. Tous les soirs, elle lui rebattait les oreilles en lui disant que c'était vraiment épouvantable de jouer pour le cinéma. Lorsqu'elle ne lui disait pas que ce devait être ennuyeux ou déprimant de ne pas se servir de ses talents, elle lui lisait une mauvaise critique d'un vieux film qu'elle avait vu à la télévision. Il espérait qu'il n'aurait jamais à en affronter d'aussi sévères. Tous les acteurs se prostituaient et tous les scénarios étaient insipides ou ineptes.

Le script n'était pas brillant, mais il avait joué dans des pièces beaucoup plus nulles aussi bien à Broadway qu'off Broadway. Les protagonistes n'étaient pas mauvais. La comédienne, Julie Spahr, était trop clinquante pour le rôle qu'elle jouait, mais son interprétation sonnait assez juste ; son personnage de travailleuse au service des pauvres était sensible, dévoué et naïf à

souhait. Et la vedette, David Whitman, était un acteur de
premier ordre.

Mais deux semaines plus tard, il dut s'avouer que Jane ne
s'était pas montrée si injuste envers le script. Son personnage
était encore plus mince que le papier sur lequel il était écrit,
c'était un stéréotype, le fonctionnaire corrompu, le traître idéal
vu le thème « révolutionnaire » du film. Un sale type rusé qui
menait à leur perte deux êtres nobles et purs. Il jouait le maire
d'une petite ville de la Nouvelle-Angleterre ; les deux personnages principaux, un architecte et son épouse, une assistante
sociale, venaient lui demander de les aider à sauver des bulldozers un quartier abandonné de maisons victoriennes ravissantes
mais en ruine pour les relever et en faire une communauté pour
artistes. Le metteur en scène voulait que Nicholas soit sincère et
charmant, un genre de Kennedy en manches de chemise et aux
cheveux ébouriffés, qui suscite la confiance de l'architecte et
l'intérêt de l'assistante sociale. Les deux protagonistes ignorent
que le personnage joué par Nicholas a été acheté par des hommes
d'affaires qui veulent démolir le quartier pour y construire une
zone industrielle. La dernière scène ne comportait aucun dialogue. C'était un montage de plans rapides : on voyait les bulldozers, tels des tanks, avancer tout doucement le long des rues
ombragées du vieux quartier désert. L'architecte quittait la
capitale de l'Etat au volant de sa voiture, le visage brillant du
faux espoir que le maire lui avait inspiré ; l'assistante sociale, qui
se trouvait au bureau du maire pour un déjeuner de travail,
cédait à ses avances ; et les maisons délabrées, mais toujours
élégantes, étaient réduites en poussière et tombaient les unes
après les autres sous les assauts conjugués de la dynamite et des
bulldozers.

Hank Giordano, le metteur en scène, tenait Nicholas par le
bras et répétait son déplacement en suivant le chatterton bleu,
qui était la couleur de Nicholas — celui pour Julie était rouge —
scotché par terre autour du bureau jusqu'à la chaise où Julie
était assise. « Facile », dit-il, comme si Nicholas n'était qu'un
bébé qui risquait de courir trop vite, de tomber et de se faire mal.
« Très bien. Maintenant, tu te mets juste contre le dossier de la
chaise. C'est ça. Tu t'appuies très fort contre le dossier comme si
c'était elle. Tu es supposé être un type sexy. O.K. Bon, Nick,
retourne à ton bureau et on va recommencer toute la scène. Tu es
prête, Julie ?

— Hank, je trouve que mes cheveux sont trop ébouriffés. »

Nicholas rejoignit le grand fauteuil en chrome et cuir derrière
lequel se trouvait le bureau du maire et ravala son soupir. Il était

midi et demi et il n'avait pas mis en boîte un centimètre de pellicule. Julie Spahr avait passé la moitié de la matinée à démêler les émotions de son personnage, bien que Nicholas, Giordano et elle aient eu une longue conférence sur la scène la veille. Elle avait passé l'autre moitié de la matinée à discuter d'un autre sujet dont ils avaient débattu la veille à la réunion jusqu'à en avoir la nausée : devait-elle avoir du fard à paupières bleu ? Elle estimait qu'elle n'aurait pas dû en avoir. Le metteur en scène n'était pas d'accord avec elle et affirmait qu'elle s'était pomponnée, voulant inconsciemment se faire belle pour le maire.

« Julie, tu es une assistante sociale, tu portes un jean et une chemise en flanelle et il ne faut pas que tes cheveux soient comme si tu sortais de chez Madame Fifi's.

— Mais alors, pourquoi le fard à paupières ?

— Parce que tu n'es pas une photo de mode. Tu veux te bichonner un peu pour ce type.

— Mais tu viens juste de me dire que je ne savais pas encore que j'en pinçais pour lui. »

Elle avait dit tout cela sans jeter un coup d'œil vers Nicholas, mais elle ne lui avait pas accordé un regard depuis trois semaines qu'il était en Californie. Elle répondait de mauvaise grâce à ses bonjours comme si l'énergie qu'elle y mettait appauvrissait ses forces vitales. Après tout, il n'était qu'un acteur new-yorkais qui tournait son premier film et jouait un rôle secondaire.

« Tu en pinces pour lui inconsciemment, Julie.

— Je pense que ça va déprécier la scène.

— Julie...

— Hank, je n'en ferais pas toute une histoire si je ne pensais pas que ça remet en question toute l'intégrité du film. »

Hank Giordano croisa les mains sur sa poitrine. Il avait l'air d'un tonneau avec des bras et des jambes. « Je vais te dire une chose, on va tourner une version avec fard à paupières et une autre sans. Si ça ne colle pas, je te jure devant Dieu que je prendrai la version sans fard à paupières. »

Nicholas détourna les yeux. Le directeur de la photographie surprit son regard et articula en silence : « Quelles conneries ! »

« Je ne voulais pas... d'accord, on fait comme tu veux, Hank. Je mets toute ma confiance en toi.

— Tu ne le regretteras pas, Julie. » Elle porta ses doigts à ses lèvres et envoya un baiser au metteur en scène. « On y va. Tu es prêt, Nick ? Quand tu marches, ralentis le pas. Tu n'as rien, absolument rien, si ce n'est tout ton temps. Il faut que tu l'occupes tout l'après-midi pour qu'elle ne puisse pas retourner là-bas avant que tout soit rasé. O.K. ? »

« Silence sur le plateau, lança une voix. On tourne. »

Après trois déplacements jusqu'au dossier de la chaise de Julie Spahr, le metteur en scène fut satisfait. Nicholas refit le mouvement encore cinq fois pour faire le contre-champ sur la réaction de Julie, qui risquait d'être coupé au montage.

Une demi-heure plus tard, il fit ce qu'on attendait de lui. Il se tint derrière elle et s'appuya contre la chaise. Suivant les indications de la mise en scène, Julie se raidit. Nicholas baissa les yeux vers le sommet de son crâne. Il était d'un rose brillant et semblait endolori. Sans doute à cause des décolorations, pensa Nicholas. Les coins de sa bouche se retroussèrent légèrement. Il était inutile qu'il ait un sourire méprisant. On était au cinéma. La caméra piquait les moindres détails. Habitué aux gestes amples du théâtre, il se sentait inefficace, comme gêné aux entournures. Tous les jours sur le plateau, son corps souffrait de devoir maîtriser tous ses mouvements.

Il lui prit des mains sa tasse à café en plastique, se pencha en avant et la posa sur le bureau. Il lui laissa deux secondes pour marquer la panique qui l'avait saisie en ouvrant grand la bouche et en dardant un regard affolé. Puis il la prit par le menton de la main droite et lui renversa la tête en arrière pour l'obliger à le regarder dans les yeux. Et il scruta son regard pendant quatre secondes en comptant une banane, deux bananes... Il leva la main gauche jusqu'à son cou et lui massa la gorge, puis glissa les doigts sous le décolleté de sa chemise paysanne. Sa peau était grasse de sueur et de maquillage. Les projecteurs dégageaient une chaleur exceptionnelle. Elle devait avoir les oreilles toutes rouges. Ils avaient fait un éclairage très serré. Seuls les comédiens et la chaise étaient éclairés, le fond du décor était presque dans le noir.

Il plongea son regard dans le sien. Elle essaya de se détourner, mais il renversa sa tête encore plus en arrière en entrouvrant les lèvres dans une expression d'amusement et de mépris plus marquée. Le menton de Julie tremblait dans sa main, comme aux répétitions. Il resserra l'étau de son étreinte. Elle secoua la tête dans un geste de refus avec le peu de marge de manœuvre dont elle disposait. Elle avait un regard affolé. Celui de Nicholas était froid et intense comme s'il observait un papillon pris au piège qui battrait des ailes contre un pot en verre. Sa main gauche s'aventura alors plus avant sous son chemisier, tandis qu'il maintenait son menton pour qu'elle ne puisse pas se dégager. Tout en la regardant toujours dans les yeux, il lui décocha un sourire de triomphe glacial.

« Coupez ! On la tire !

— Mon Dieu ! explosa le directeur de la photographie un instant plus tard. Tu étais formidable !

— Merci », répliqua Julie Spahr.

Le directeur de la photographie hocha la tête, puis regarda par-dessus Julie et adressa un signe presque imperceptible à Nicholas : il lui tirait son chapeau.

« Quelle heure est-il en Californie, Vicky ? » demanda Elizabeth.

Jane observa Victoria assise de l'autre côté de la table de cuisine. « Il est un peu plus de six heures maintenant. Allons. Six moins trois.

— Ça fait trois, Liz, poursuivit Victoria. Trois heures de l'après-midi.

— Que fait papa ?

— La même chose que d'habitude, imbécile. Il tourne un film.

— Ne traite pas ta sœur d'imbécile », répliqua Jane. Victoria baissa la tête vers son assiette mais pas avant que Jane n'ait vu sa moue renfrognée, sa lèvre supérieure retroussée comme celle d'une adolescente agressive. « Allons, Vicky. On avait convenu de dîner ensemble tranquillement.

— Un vrai film, dit Elizabeth. Pas un dessin animé.

— C'est exact », répondit Jane. Elles avaient cette discussion tous les soirs depuis trois semaines et demie que Nicholas était parti en Californie. « Papa existe vraiment. Ce n'est pas un dessin. Donc il aura l'air vrai dans le film. » Elizabeth avait du mal à comprendre, et Victoria, d'un air exaspéré, se moquait d'elle. Jane finit par trancher : « S'il reste un seul morceau de poulet dans les assiettes, il n'y aura pas de dessert ce soir.

— Qu'est-ce qu'il y a comme dessert ? demanda Victoria.

— Une surprise.

— C'est sûrement des fruits avec des bouts tout écrasés.

— C'est quelque chose de très spécial et je ne dirai pas un mot de plus tant que je n'aurai pas vu vos deux assiettes vides.

— Tu veux qu'on mange les os ?

— Silence, on ne discute plus. »

Les filles s'emparèrent de leurs fourchettes. En un sens, c'était vraiment dommage. Entre Rhodes et Nicholas, de toute évidence le potentiel beauté se trouvait largement représenté dans le tableau génétique des deux familles. Mais Victoria et Elizabeth n'étaient que de charmantes petites filles, tout à fait banales.

Victoria avait des cheveux bruns, raides et courts, un visage grave et des yeux bleus très clairs, presque voilés. Elle mangeait mécaniquement en piquant des morceaux de poulet avec sa fourchette et en les portant à sa bouche sans quitter des yeux l'assiette de sa sœur. Soudain, elle s'éclaircit la gorge.

« Que se passe-t-il ? demanda Jane.

— Liz recommence.

— Ne joue pas les rapporteuses.

— Je ne suis pas une rapporteuse, je te dis juste où regarder. »

Elizabeth, qui avait presque quatre ans, était suffisamment habile avec sa fourchette pour faire sauter les légumes par terre sans attirer l'attention sur elle. Autour de sa chaise, le parquet était parsemé de morceaux de brocolis.

« Liz, dit Jane, mange tes légumes.

— Mais ils tombent. »

Jane soupira. « Eh bien, débrouille-toi pour que ça ne se reproduise plus.

— Je vais essayer, mais quelquefois...

— Elizabeth ! » Elizabeth ressemblait à Victoria, mais avec une permanente. Ses cheveux étaient tout crépus et formaient une véritable boule de frisettes autour de son visage. Ses yeux étaient plus ronds que ceux de sa sœur, si ronds que, si elle n'avait été blonde, elle aurait pu être le sosie de Betty Boop qui glapissait « Boop Boop, Bedoop ». Sauf qu'elle ne glapissait pas. Elle avait la voix grave et légèrement voilée comme celle de Nicholas et les grandes personnes lui disaient toujours de parler plus fort.

« Ils ne tombent pas, intervint soudain Victoria. C'est toi qui fais ça avec ta fourchette.

— Ce n'est pas vrai.

— Si. Tu crois qu'un brocoli peut sauter d'une assiette ? Et qu'à la fin l'assiette explose, espèce d'imbécile.

— Cornichon !

— Bécasse ! T'as qu'un petit pois dans la tête !

— Ça suffit, les filles !

— Idiote...

— Bon. Bien voilà. J'allais vous emmener chez Winkie pour manger une glace, mais...

— S'il te plaît, maman.

— Maman, on sera très gentilles.

— On va s'excuser. Pardon, Liz. Maintenant tu me dis la même chose à moi.

« — Pardon, Vicky.

— On peut y aller ? »

Le froid de cette soirée d'octobre était suffisamment vif pour lui rappeler que l'hiver approchait. Jane mit le chauffage dans le break. « Il fait assez chaud comme ça ? » demanda-t-elle. Les filles, assises sur la banquette arrière avec leurs ceintures de sécurité, gardaient le silence de peur de compromettre leurs glaces. Jane les vit acquiescer d'un signe dans le rétroviseur.

Une minute plus tard, Jane baissa le chauffage. Elle pensait qu'il allait rentrer dans une semaine. Il s'absentait pendant trois semaines à l'époque où il partait en tournée et elle avait réussi à le supporter. Mais, cette fois-ci, il ne s'agissait pas de Newhaven ou de Philadelphie. Il était en Californie. Si loin que lorsqu'il l'appelait il faisait beau et chaud. « Je suis installé sur la petite terrasse, je viens de faire un plongeon dans la piscine. » Alors qu'au Connecticut il faisait une nuit sans étoiles. Le vent du nord avait remplacé la brise de l'été indien. Jane ne quittait plus son pull irlandais.

Nicholas pouvait recommencer, se disait-elle. Si le film était bon, il pourrait accepter un autre rôle. Il pourrait partir trois ou quatre mois à l'étranger. Il y avait peu de chance. Mais il devenait nerveux s'il n'avait pas une pièce en vue bien avant que celle qu'il jouait ne s'arrête. Et s'il devait aller en Europe ou en Afrique ? Sa vie à elle consistait uniquement à rester dans l'ombre. Elle s'occupait des enfants et de la maison, lisait, faisait la cuisine et de la couture, mais avant tout, elle attendait que Nicholas rentre à la maison.

Installées autour d'une minuscule table en marbre, elles mangeaient leurs glaces chez Winkie. Le glacier trônait dans Main Street dans la petite ville de Farcroft depuis des générations. C'était une institution. Jane détestait cet endroit. Le patron, avachi devant sa vieille caisse en cuivre à côté de la porte d'entrée, la fixait toujours de ses yeux vitreux dès qu'elle arrivait comme si elle avait des vues sur ses rouleaux de pennies. Et l'odeur de lait tourné, aussi vieille que le miroir teinté et les glaces biseautées, devait dater de 1904 quand quelqu'un l'avait renversé en préparant une glace au pecan.

« On s'en va, dit-elle.

— On n'a pas fini.

— Je veux être rentrée à la maison quand papa téléphonera.

— Maman...

— Vous pourrez finir dans la voiture.

— Qu'y a-t-il, maman ?

— Rien. »

C'était une nuit sans lune. Le ciel était très bas. Elle quitta Farcroft, prit la direction du sud et obliqua à l'est vers la ferme. Seuls ses phares éclairaient la route. De temps à autre, des points luisants se détachaient sur le bas-côté, les yeux d'un lapin. Elle appuya sur l'accélérateur. Elle détestait le chemin qui menait du garage à la maison. Ce n'était pas un vrai garage. C'était une vieille cabane à outils située au fond du jardin. Elle était juste assez large pour le break et, pour sortir, Jane devait avancer tout doucement, le dos au mur, et son ventre frôlait la poignée de la portière. Elle était sûre d'avoir laissé la lumière du porche allumée. En tout cas, elle le croyait.

A la campagne, l'obscurité était terrifiante. Elle laissait toujours des bougies dans toutes les chambres. Elle redoutait toujours une coupure de courant. Et de se retrouver seule dans une maison noire. Sans même distinguer les murs.

« Ça va, maman ?

— Oui. »

Elle était restée dehors cet après-midi-là pour cueillir les derniers brins de thym et de basilic. Elle aurait dû mettre une veste. Elle avait mal au cou. Elle appuya sur le bouton métallique avec son pied pour vérifier qu'elle était en phares. La route lui semblait trop sombre. Sa gorge la brûlait. Peut-être l'une des enfants avait-elle ramené un virus à la maison. Elle avait l'impression que sa gorge était serrée à en étouffer. Elle se sentait vraiment mal. Dans un virage, la voiture dérapa légèrement sur un tas de feuilles mouillées, puis se redressa. Jane s'accrocha à son volant et retira son pied de l'accélérateur jusqu'à ce que la voiture n'avance presque plus.

« Maman ? »

Elle leur souffla de se taire, se pencha en avant et fixa les ténèbres pour mieux voir la route. Elle commençait à avoir des vapeurs. Une odeur de laine mouillée imprégnait la voiture. Elle tira sur son col ras de cou qui l'étouffait. Elle avait la gorge en feu. Elle avait la fièvre. Elle ne savait que faire. Devait-elle rentrer à la maison ? Mais si elle avait besoin de secours pendant la nuit ? Devait-elle se rendre chez un voisin ? Sa gorge se nouait. Si fort.

Elle fut soudain prise d'un vertige. Mon Dieu, pensa-t-elle, j'ai une crise. Comme autrefois dans Central Park. La tête lui tournait et son cœur battait la chamade comme l'autre fois, il battait à se rompre parce que sa gorge était serrée et qu'elle n'arrivait plus à absorber assez d'oxygène. Elle luttait pour ne pas s'évanouir. Elle dut arrêter la voiture, mais des arbres géants se massaient sur le bord de la route et formaient une barrière infranchissable. Il lui fallait se ranger avant de s'écraser contre un arbre. Oh! Mon Dieu, son cœur battait si vite.

« Maman! Maman! Tu as raté le virage. »

Elle réussit à faire marche arrière et s'engagea dans la longue allée de gravier. Elle s'arrêta devant la maison.

« Tu ne vas pas au garage?

— Maman? »

Tout le côté gauche de son corps palpitait sous les assauts déchaînés de son cœur. Son cou, sa poitrine et même sous son bras. Elle se plia en deux, ouvrit la portière de la voiture de la main droite et s'effondra presque par terre. Elle vacilla jusqu'à la maison, laissant à Victoria le soin de défaire la ceinture de sécurité d'Elizabeth et de la ramener jusqu'à la porte. « Je ne me sens pas très bien », murmura-t-elle.

Elle s'appuya contre le mur de l'immense hall d'entrée. Elle avait laissé la lumière allumée. L'éclat du lustre en cuivre baignait le vestibule et l'escalier dans une chaleur réconfortante.

« Maman?

— Maman? »

La porte du salon était ouverte et les boiseries qui encadraient la cheminée scintillaient sous la lumière qui filtrait du hall.

Victoria s'approcha d'elle et lui tapota le bras. « Maman? Ecoute, maman. Tu veux que je fasse le zéro? » Jane baissa les yeux vers elle. Pour la première fois, elle vit que les cheveux bruns de la petite fille renvoyaient des reflets auburn. « J'appelle?

— Non. Non, je me sens beaucoup mieux maintenant.

— Tu es sûre?

— Oui. Merci. Ça va beaucoup mieux maintenant. »

19

VOIX D'HOMME :... bien que son agent, Murray King, ait déclaré, je cite : « Je me fous de ce qu'ont dit les gens du studio, ils peuvent faire les pieds au mur ou faire pleuvoir des billets de cinq dollars, de toute façon Nicholas Cobleigh ne reprendra pas le tournage de *Guillaume le Conquérant* tant qu'il ne sera pas fixé sur l'état de sa femme et un point c'est tout. » Fin de citation. Je ne crois pas qu'on puisse faire une déclaration plus définitive. Ici Bob Morvillo, à vous les studios de *Today* à New York.

N.B.C. *Today* Show.

« Ecoute, Nicky, dit Murray King, ça fait... quoi ?... huit ou neuf mois depuis la fin du tournage et depuis bientôt sept mois, tu es en haut de l'affiche d'un triomphe de Broadway. Tu as à peine eu le temps de défaire tes bagages. Huit représentations par semaine et pour l'instant, on n'en voit pas le bout. Dois-je compter le nombre de canines que les autres acteurs donneraient pour être à ta place ? Je sais que tu n'as pas envie d'entendre ça. Mais tu devrais te mettre à genoux et baiser le sol pour remercier Dieu. Cette pièce est une bénédiction... Où as-tu appris à manger comme ça avec des baguettes ?

— C'est Jane. Elle s'est mise à la cuisine chinoise.

— C'est celle que j'aime le plus après la cuisine italienne. Ça pourrait être ma cuisine préférée s'ils avaient des desserts. Franchement ? On ne peut pas dire que les kumquats soient un dessert. »

Ils étaient installés à une table d'un restaurant à la mode dont le décor évoquait plus le Bauhaus que le style chinois. Cet endroit était devenu un lieu de rendez-vous pour les gens du monde du théâtre et de la publicité. La cuisine n'était pas mauvaise et ils goûtaient le plaisir grisant et subtil — une fois que leurs pupilles étaient suffisamment dilatées pour y voir, ce qui prenait au moins une demi-heure tant la lumière était tamisée — de découvrir si quelqu'un à une table voisine avait pour convive une vedette plus connue qu'à la leur.

« Pourquoi est-ce une bénédiction, *A Second Opinion* ?

— Ah ! On y revient.

— Murray, je ne peux pas vous dire à quel point je déteste cette pièce. J'en ai marre de courir partout avec une serviette autour des hanches. La plupart du temps, mon entrée provoque des vagues de sifflets. Et j'en ai marre de balancer : "Je croyais... ne m'aviez-vous pas dit que vous m'aimiez, Lois ? " Et que le public se mette à hurler de rire. C'est une réplique débile.

— Nicky...

— C'est une pièce débile.

— C'est un triomphe.

— Elle n'en est pas moins débile pour autant.

— Si. Attends. Ecoute-moi, Nicky, s'il te plaît. Je serais un menteur si je t'affirmais que c'est du bronze. Ce n'est pas le cas. C'est à deux doigts d'être de la merde, mais — j'ai bien dit *mais* — tout le monde l'aime. Elle est légère comme une ampoule de quarante watts. Ce n'est pas génial mais tout le monde rit, ha ! ha ! ha ! et tout le monde rentre content à la maison *et* — le grand et — tu es une vedette de boulevard. Un beau type bien balancé qui perd sa culotte et qui a toutes les filles à ses pieds parce qu'il a le cœur si tendre. Tout le monde est pour toi et quand tu vas chez la psychiatre...

— Mais c'est si évident ce qui va se passer.

— Ça, c'est à côté de la question. *A Second Opinion*, c'est aussi à côté de la question. La question, c'est que les gens commencent à parler du tabac que tu fais dans le film et que, d'ici deux mois, ils vont attaquer les projections.

— Mais si j'arrête *A Second Opinion* maintenant, je pourrai débuter dans *Lear* quand le film sortira.

— C'est justement ce que je ne veux pas. »

Nicholas se renversa sur sa chaise. « Pourquoi ? » Il ne remarqua qu'il pianotait sur la table que lorsqu'il vit Murray qui fixait sa main.

« Tu as un train à prendre, Nicky ?

— Excusez-moi.

— Tu débutes dans *Lear* et qu'est-ce qui se passe ? Si tout marche à la perfection, et il y a deux cents pour cent de chances

que ça se passe comme ça, tu commenceras à la mi-septembre
avec des affiches plein New York, juste au moment de la sortie du
film. Mais dans quel rôle ? Tu ne joues pas Lear, tu joues
Edmund.

— C'est un beau rôle.

— Pour quelqu'un d'autre. Pose-toi la question : Qui est
Edmund ? Qui est Edmund, Nicky ? Je vais te le dire. Edmund,
c'est une nouvelle ordure. Un salaud shakespearien, mais, écrit
par quelqu'un d'autre, ce serait une ordure tout court... Ecoute-
moi. Tu joues une ordure dans le film — à propos ils ont encore
changé le titre — et tu as joué tellement de salauds sur scène que,
si je ne te connaissais pas, je finirais par m'interroger sur ton côté
charmant et magnanime. Donc voilà Nicholas Cobleigh qui fait
une très forte — souligne le très forte — impression dans le film
et qui y joue un salaud cent pour cent et le voilà aussi sur scène
dans *Lear* où il joue la même chose mais en culottes bouffantes.
Tu vois où je veux en venir ? Tu veux qu'ils pensent de toi que tu
es Johnny-Une-Seule-Note, d'accord. Mais tu sais et je le sais
aussi que ton éventail est très large et je pense que tu serais un
imbécile de te limiter à cet emploi.

— Et si le film fait un bide ?

— Il va se ramasser et ce ne sera pas la première fois qu'une
chose pareille se produira. Tout ce que je sais, c'est que le bruit
court que tu es fantastique. Je pourrais me faire poser une autre
ligne juste pour entendre de vive voix ce qu'on dit sur toi... A
propos, tu as besoin de quelqu'un là-bas.

— Non, absolument pas.

— Nicky, je suis un agent de New York, de théâtre. Je ne peux
pas...

— Murray...

— Je ne peux pas te défendre correctement. Allons. Ce n'est
pas ton genre de jouer les sentimentaux quand il s'agit d'affaires.
Ecoute, j'ai gagné plus que mon dû sur toi. J'espère que je vais
continuer à te représenter encore sur New York pendant cent
vingt ans, mais...

— On en discutera une autre fois, Murray. »

Nicholas but son thé ; il était tiède et amer. Murray le poussait
à prendre un agent de cinéma et Nicholas trouvait toujours une
nouvelle excuse pour ne pas le faire : il ne ferait sans doute pas
un autre film avant des années, Murray avait négocié un contrat
parfaitement satisfaisant pour celui-ci et les rares imprésarios
qu'il avait rencontrés à Los Angeles ne lui avaient pas plu.

« Maintenant, tu m'écoutes à propos de *Lear* ? Mon avis — pour
lequel tu me donnes dix pour cent sur tes gros cachets, comme tu

le sais — c'est que tu devrais rester dans *A Second Opinion* parce
que ça fait de l'argent à la banque et que, lorsque le film sortira
en septembre, tout le monde dira que tu es drôle, vulnérable et
que tu cours partout à moitié nu avec tes muscles bien bombés et
qu'ils diront : " Hou ! hou ! ah ! ah ! c'est un type de première. "
O.K. ? Tu me suis, Nicky ?

— Oui, je vous suis, Murray.

— Tu veux aller prendre le dessert ailleurs ? »

Cecily Van Doorn était la première vraie amie que Jane se soit
faite au Connecticut, pourtant elle n'était pas venue chez Cecily
depuis longtemps. Deux ou trois mois, pensa Jane. Les énormes
coussins disposés par terre étaient neufs. Ils étaient recouverts
du même chintz imprimé que le divan et les deux fauteuils.

Elle avait envie de venir voir Cecily. Elle avait donc accepté
volontiers. « Ça me ferait grand plaisir », avait-elle répondu
aussitôt aux sourcils inquisiteurs de Cecily. Tout s'était bien
passé jusque-là. Mais elle n'aimait pas rester seule dans la
véranda alors que Cecily était montée dans sa chambre pour
répondre à un coup de téléphone. Elle se sentait bien cependant.
Elle déjeunait chez une amie par une belle journée d'été. On était
en juin 1969 ; cela faisait un an qu'ils s'étaient installés dans leur
nouvelle maison. Jane avait appris à bien la connaître. Tout
particulièrement depuis qu'elle n'aimait pas en sortir, tout au
moins lorsqu'elle était seule.

Avant le retour de Nicholas de Californie, elle avait eu trois
nouvelles crises : deux au volant de sa voiture et une autre en
faisant la queue à la caisse d'un supermarché. Cette dernière
avait été brutale, une attaque éclair, rien de progressif comme les
autres fois. Recroquevillée par terre au milieu de cette marée de
jambes qui l'entouraient, elle avait songé à travers son brouillard
que tous ces gens savaient parfaitement qui elle était, où elle
vivait et qu'ils n'oublieraient jamais qu'elle avait perdu tout
contrôle d'elle-même dans un lieu public. Jamais. Ils le raconte-
raient à leurs amis et, lorsqu'elle les croiserait à l'église ou à la
bibliothèque, ils feraient semblant de n'en avoir jamais entendu
parler. Ils ne laisseraient peut-être même pas leurs enfants venir
jouer avec ses filles chez elle.

« Des crises ? » lui avait demandé le médecin. Il l'avait
envoyée faire des examens. Pour le cœur. Le sang. Et le cerveau.
« Ce sont les nerfs, lui avait-il dit.

— Je ne suis pas nerveuse, avait-elle répliqué. Vraiment pas.

— Accordez-vous du repos tous les jours. Lisez ou faites une sieste dans l'après-midi. Votre état pourra s'améliorer si vous le voulez vraiment.

— C'était *physique*.

— C'est peut-être mental aussi. Essayez simplement de vous détendre. Et, pendant que vous vous relaxez — il referma son dossier — ça ne vous ferait pas de mal de perdre cinq kilos. »

Ce n'étaient pas les nerfs, avait-elle pensé. Et, même si c'étaient les nerfs, ça irait beaucoup mieux quand Nicholas serait rentré à la maison. Mais, moins de trois semaines après son retour, pendant qu'il était à New York pour répéter *A Second Opinion*, elle avait emmené les filles à la bibliothèque pour y lire des histoires et, comme elle parcourait les rangées de policiers à la recherche d'un livre pour Nicholas, cela se reproduisit.

Que m'arrive-t-il ? s'était-elle demandé. Que se passe-t-il ? Lorsque l'heure de lecture fut terminée, la crise était passée mais Jane était si faible qu'elle tremblait. Elle avait ramené les filles à la maison, étonnée et soulagée d'en avoir la force. Après cet épisode, elle ne reprit plus le volant.

Cecily la rejoignit sous la véranda. « Excuse-moi, mais celui-là est trop bien pour pouvoir raccrocher au bout de cinq minutes. Elles font la queue pour lui.

— C'est le chirurgien ?

— Non. Le rédacteur en chef. Un mètre quatre-vingt-cinq. Genre tweed depuis des générations.

— Il ressemble à quoi ?

— Irréprochable socialement parlant. Riche et grand.

— Il est gentil ?

— Je ne sais pas. Je ne suis sortie avec lui qu'une ou deux fois. Probablement pas. »

Au premier coup d'œil, Cecily Van Doorn n'était pas le genre de femme qu'un homme irréprochable socialement parlant, riche et grand, risquait d'appeler. Elle avait un visage rond, des yeux bruns et un sourire marqué. Elle paraissait — et avait — dix ans de plus que Jane. Ses cheveux courts, fins, raides et bruns, dégageaient son front : elle portait généralement un cerceau en écaille. Quant à sa silhouette, le mieux qu'on en aurait pu dire, c'est qu'elle était moyenne. Elle n'avait pas changé depuis le jour de son premier mariage, il y avait de cela vingt et un ans.

Pourtant, elle plaisait aux hommes. Son charme, quel qu'il fût, se doublait d'une intelligence, d'un humour, d'une insolence et d'un sens de l'indépendance très vifs et le mélange, Jane devait se l'avouer, était très efficace. Cecily était brillante et un nombre étonnant de soupirants succombait à son éclat.

« S'il n'est pas gentil, pourquoi sors-tu avec lui ? demanda Jane.

— Eh bien, il est gentil en ce sens qu'il est d'une politesse exquise. Il ouvre les portières de sa voiture et ne se gratte pas entre les jambes. Et c'est un homme de bonne compagnie. Mais simplement je n'arrive pas à croire que personne n'ait mis le grappin sur une occasion pareille depuis le temps — il est divorcé depuis bientôt dix ans — si quelque chose ne cloche pas chez lui. Ça ne doit pas être amusant de passer dix ans en rendez-vous galants. Combien de fois tu es obligé de demander : " Et à quelle université êtes-vous allée ? " Je pense qu'il n'a probablement pas un bon fond. »

Cecily, née Cecily Stettin, avait été mariée pour la première fois à dix-huit ans lorsqu'elle avait abandonné l'université du Connecticut après un trimestre pour épouser Chip Van Doorn, le fils de trente-trois ans du président de la Connecticut Sand and Stone, le citoyen le plus riche de Farcroft. Elle avait ainsi franchi un grand pas dans l'échelle sociale. Le père de Cecily était chauffeur de taxi. En ville, tout le monde, y compris les parents de Cecily, supposait qu'elle était enceinte et on ne comprenait pas pourquoi le père de Chip n'avait pas étouffé l'affaire en achetant son silence. Un an plus tard, lorsque Cecily et Chip donnèrent une soirée pour fêter leur premier anniversaire de mariage, tout le monde observa le ventre plat de Cecily. La plupart des gens pensèrent qu'elle avait fait une fausse couche bien que le président de l'école de Farcroft ait confié au dentiste le plus en vue de la ville : « On ne le croirait pas en la regardant, mais j'ai entendu dire qu'elle s'intéressait à des trucs très à la page. C'est pour ça qu'il l'a épousée. » Des choses de quel style ? Le visage du dentiste s'était soudain empourpré et trempé de sueur. Le président de l'école avait haussé les épaules. On était en 1949 et il s'était retrouvé à court de mots.

Le mariage tint plus longtemps qu'on aurait pu le penser. Il dura neuf ans, jusqu'en 1957, lorsque Chip fut tué dans un accident de voiture : il perdit le contrôle de son véhicule sur la Merritt Parkway.

Cecily Stettin Van Doorn se retrouva alors veuve à vingt-sept ans, sans enfant et plutôt riche car — en dehors de l'argent que Chip avait économisé sur son joli salaire comme vice-président de la Connecticut Sand and Stone — plusieurs de ses amis d'université étaient agents d'assurances et Chip s'était montré complaisant à leur égard.

Après l'enterrement de Chip, tout le monde à Farcroft, y compris les parents de Cecily, se calèrent dans leurs fauteuils et, avec le regard clairvoyant et peu discret des gens d'une petite ville, attendirent de voir ce qu'elle allait faire : allait-elle faire une croisière autour du monde, prendre un amant, retourner à l'université ou se mettre à boire ? Cecily avait été une fille formidable, très amusante, mais après cela... en fait, elle allait tout le temps aux musées et aux concerts avec Chip et qui sait si, maintenant, tout cet argent n'allait pas lui monter à la tête et si elle n'allait pas s'installer à Greenwich Village et épouser un beatnik qui dilapiderait toute sa fortune en un an ou deux et après, il ne lui resterait plus qu'à rentrer à Farcroft et à affronter les conséquences de ses actes.

Pendant un an et demi, elle ne fit rien. Elle resta la bonne vieille Cecily d'autrefois ; un peu plus calme cependant. Mais, même si elle avait perdu sa démarche pleine d'allant, elle était toujours la même jeune femme insouciante. Ce n'est pas parce qu'elle était veuve qu'elle se comportait comme une veuve.

Et, contrairement aux prédictions, Cecily ne changea rien à sa vie. Elle resta dans son superbe cottage d'Old Mill Road, acheta cinq livres par semaine chez le libraire du coin qui vendait trois manuels de jardinage pour un roman, remplaça sa vieille machine à laver par une Maytag, fit de longues promenades avec son retriever au poil doré et invita ses parents tous les dimanches. Sa vie était trop ennuyeuse, même pour Farcroft. Et les gens cessèrent de l'épier.

Ce fut à ce moment-là, à l'approche du second anniversaire de la mort de Chip, qu'elle épousa son beau-père qui avait perdu sa femme.

Elle avait vingt-neuf ans et Chuck Van Doorn près de quarante ans de plus qu'elle. Il vendit sa société à un groupe, prit sa retraite et resta à la maison avec Cecily. Une fois par semaine, il quittait leur somptueuse demeure sur les collines et passait l'après-midi à jouer au golf ; au club, les gens murmuraient qu'il avait la jambe alerte et le visage bien épanoui. Une seule question était sur toutes les lèvres : qu'avait donc Cecily ? Ou plus exactement deux questions : que faisaient-ils donc toute la journée dans cette grande maison ? Personne ne put rien tirer de Mme Greer, leur domestique, et on en conclut que les Van Doorn avaient acheté son silence. Les suppositions reprirent de plus belle. Et, en 1969, lorsque Chuck mourut d'une attaque dans son sommeil, il emporta la réponse avec lui.

Cecily resta muette. Elle s'acheta un colley — le retriever au poil doré était mort quelques mois avant Chuck — et continua de vivre dans la grande maison sur la colline. Ce fut l'épicier qui remarqua le seul changement intervenu dans sa vie : elle n'achetait plus d'Ovomaltine. Ce n'était guère satisfaisant, mais il fallut bien s'en contenter. Jusqu'à ce que Jane s'installât dans le Connecticut en 1968, Cecily n'eut aucune amie, ni à Farcroft ni dans les environs.

« Où as-tu rencontré ce rédacteur en chef ? lui demanda Jane.

— En fait, il jouait au golf avec Chuck de temps en temps. Son oncle fait partie du club. Après la mort de Chuck, il m'a envoyé un petit mot charmant, je lui en ai renvoyé un du même style et tout d'un coup, il y a deux semaines environ, il m'a téléphoné, m'a dit qu'il était au club et m'a demandé s'il pouvait passer me dire bonjour. Une chose en a entraîné une autre et voilà.

— Cecily », dit Jane. Puis elle se tourna vers son amie. « C'est pour cela que les gens n'arrêtent pas de parler de toi. Tu es toujours si vague et tu laisses galoper l'imagination des gens. Une chose en entraîne une autre ! On dirait que vous vous êtes serré la main, que vous vous êtes dit bonjour et qu'après vous vous êtes roulés sur le tapis.

— On a d'abord pris quelques verres.

— Oh ! Je ne voulais pas...

— Ce n'est pas grave. Tu crois que c'est pour cela que les gens parlent de moi ? Ils se tairaient si j'étais plus explicite ? Allons, Jane. Je vis ici depuis toujours.

— Je ne sais pas. Au fait, comment s'appelle-t-il ?

— Ted Treadwell. Il a une voix très grave et, lorsqu'il appelle, il dit toujours : " Salut ! C'est Ted Treadwell à l'appareil. " Je crois qu'il prend beaucoup de plaisir à s'entendre parler. Il abuse des mots inutiles. Il dit " Merci *beaucoup* ", " Tu es *vraiment* ravissante ce soir. "

— Cecily, tu cherches trop la petite bête.

— Sans doute. Je ne crois pas que ce soit l'affaire du siècle. » Cecily ramena ses jambes sous elle. Elle portait un jean et un pull-over de coton blanc et s'était barbouillé les lèvres de rose comme d'habitude. « A propos d'affaire du siècle, comment va la tienne ?

— Très bien. »

Le jardinier tondait la pelouse, caché derrière la colline ; les odeurs d'herbe coupée mêlées aux vapeurs d'essence parvenaient jusqu'à la véranda. C'était presque aussi agréable d'être avec Cecily qu'avec Nicholas : elle se sentait libre et savait qu'aucune crise ne risquait de se déclencher en sa compagnie. Elle n'aurait su dire pourquoi elle en était si convaincue, mais elle en était absolument certaine. Cela aurait été encore mieux d'être à la ferme avec Cecily, mais elle avait éludé son invitation depuis trop longtemps.

« Très bien ? » lui demanda Cecily.

La véranda était l'endroit que Jane préférait dans la maison de Cecily. Tout était blanc : le sol en bois était peint en blanc ainsi que les meubles en osier et il y avait des fleurs partout.

« Oui, très bien. Enfin Nick n'est pas très heureux dans la pièce, mais je t'en ai déjà parlé. Son agent dit qu'il doit continuer jusqu'à la sortie du film ; alors il reste.

— Et c'est tout ?

— Oui, enfin, il n'aime pas courir sur le plateau à moitié nu huit fois par semaine et il préférerait jouer *Lear*, mais il dit...

— Allons, Jane. » Cecily prit une cigarette dans le paquet qu'elle avait posé par terre à côté d'elle. Elle l'alluma d'une main en tenant la boîte dans sa paume et en grattant l'allumette avec son pouce. Elle rejeta une bouffée de fumée en un geste impatient. « Tu ne conduis plus ; tu ne vas même plus en ville. Nick rentre chez lui après un mois en Californie et il retrouve sa femme qui va de médecin en médecin...

— Ça lui est égal.

— ... Et qui ensuite n'y va plus parce qu'elle ne peut pas conduire et qu'elle n'aime pas se trouver dans la rue. Allons, Jane ! Ne me dis pas que ça lui est égal.

— J'ai cessé d'y aller parce qu'ils me disaient tous la même chose. Mais ça ne le dérange pas. Il a été très... » Elle aurait voulu pouvoir demander à Cecily de la reconduire tout de suite chez elle.

« Il a été très *quoi* ?

— Très compréhensif. Merveilleux.

— Ça ne l'ennuie pas de te servir de chauffeur ?

— Cecily, c'est toujours lui qui conduit quand on va quelque part. Je crois que je n'ai jamais pris le volant quand il était là. Je t'assure.

— Et ça ne le dérange pas de servir de chauffeur aux filles ?

— Non.

— Non ? Il ne trouve pas ça curieux que tu ne puisses pas conduire, que tu ne puisses pas aller à la bibliothèque et...

— Je *peux*. Je n'en ai pas envie, c'est tout.

— Jane...

— Il comprend. Il dit que je devrais m'appuyer un peu sur lui, qu'il est là pour ça.

— Est-ce qu'il comprend ?

— Que veux-tu dire ? » Jane avait les mains moites. Elle n'allait pas succomber à une attaque. Du moins, elle ne le pensait pas. Mais elle ne se sentait plus à l'aise. Cecily écrasa sa cigarette et le mégot fuma dans le cendrier, dégageant une odeur âcre. Jane se frotta les mains.

« Je t'ennuie ? lui demanda Cecily. Je suis désolée.

— Non, ça va.

— Jane, il sait que tu ne vas plus en ville ?

— Mais j'y *vais*. Hier soir, on est allés au cinéma.

— Tu y es allée avec lui. Il sait que tu ne vas plus nulle part toute seule ? »

Jane se leva. « Ce n'est pas vrai ! dit-elle. Ce n'est pas vrai !

— Et où vas-tu ? Allons, Jane. Je suis allée chez toi suffisamment souvent et j'y ai vu assez de camions de livraison. L'épicier. Le boucher. Tous les magasins. United Parcel pourrait remonter ton allée les yeux bandés. Tu commandes tout par téléphone parce que tu ne peux pas aller...

— Je peux. Je n'en ai pas envie, c'est tout.

— Oh ! Jane !

— Je t'assure, je me suis sentie beaucoup mieux ces dernières semaines. Je me facilite la vie, c'est tout.

— Et Nicholas approuve ça ?

— Il comprend que c'est plus simple d'appeler un grand magasin et de faire tout livrer que d'y aller et de perdre un temps fou. Ça ne le dérange pas.

— J'aimerais que tu en parles à quelqu'un.

— J'ai vu quatre médecins différents. Ils disent tous que c'est nerveux. Ils m'ont prescrit des tranquillisants au cas où j'en aurais besoin, mais je te le dis ce n'est pas le problème. Je suis bien. Je suis heureuse.

— Jane...

— Je suis simplement une vraie femme d'intérieur. Et tout est là. Je suis contente quand je prépare un grand dîner ou quand je me blottis sur le rebord de la fenêtre pour lire. C'est ce que je préfère. Je reste beaucoup à la maison parce que c'est là où j'ai vraiment envie d'être. »

La salle de projection du studio à New York était un petit auditorium étroit situé au neuvième étage d'un immeuble de bureaux. Les fauteuils étaient exceptionnellement confortables mais couverts d'un tissu qui donnait l'impression d'être un mélange de daim et de peau humaine.

« Pas de popcorn ? » murmura Winifred à Nicholas. L'homme, assis devant elle, se retourna et lui lança un regard réservé aux habitués à l'intention des étrangers qui étaient suffisamment naïfs pour se condamner par leurs propres réflexions : un regard morne rehaussé d'une note d'ironie.

« On n'aura pas l'impression de regarder ˙n vrai film », observa Nicholas.

L'homme en question travaillait sans doute pour le studio ; il portait une chemise de travail et une cravate sans veste et son allure avachie montrait qu'il s'était installé dans son fauteuil habituel. Il lança un coup d'œil à Nicholas, prêt à ricaner plus ouvertement, mais, lorsqu'il aperçut le visage de Nicholas, sa bouche se figea en un « Oh » muet typique de l'admirateur face à une vedette. De toute évidence, il l'avait reconnu. Cependant, à la façon dont il le fixa longuement, Nicholas sentit qu'il reconnaissait son visage pour l'avoir vu dans le film et non sur scène ; il n'avait apparemment aucun scrupule à l'observer ainsi car, dans son esprit, Nicholas n'était pas tout à fait réel.

Les gens continuaient d'arriver et cherchaient des visages familiers dans la salle, lançant des bonjours de la main ou feignant de s'ébaudir lorsqu'ils reconnaissaient quelqu'un qu'ils n'avaient sans doute pas vus depuis une semaine et demie. C'était la première projection à New York. La plupart des gens réunis dans le petit auditorium avaient travaillé sur *Urban Affairs*, le titre définitif du film. Nicholas et le comédien qui avait joué le rôle d'un artiste hippy étaient les deux seuls acteurs présents, mais il reconnut l'un des scénaristes et quelques personnes qu'il avait rencontrées en Californie. Le chef du service de publicité, un homme avec un bouc diabolique, l'avait salué avec force effusions et lui avait envoyé un baiser sonore et enjoué du premier rang. Cependant, Nicholas n'avait jamais vu l'homme assis devant sa mère.

« Oh ! Chéri, je me sens toute nerveuse », dit Winifred. Elle n'avait absolument pas remarqué l'homme en question. « Tout cela paraît si étrange.

— Enfin, tu m'as vu dans toutes les pièces que j'ai jouées. Même dans les plus mauvaises.

— Mais ce n'est pas la même chose, Nicholas. Ça, c'est du cinéma. »

Jane, assise de l'autre côté, avait dépassé le stade de l'agitation. Le regard fixe, elle semblait fascinée par l'écran noir. Elle paraissait ahurie ou même en état de choc comme si elle venait juste d'apprendre qu'il avait fait un film et qu'elle allait le découvrir. Son père, assis à la droite de Jane, était ainsi isolé au maximum de Winifred. Il y avait eu un moment de flottement lorsqu'ils s'étaient retrouvés tous les quatre devant la salle de projection. James et Winifred s'étaient salués avec la réserve qu'arborent des étrangers qui se retrouvent à un enterrement, puis James s'était tourné vers Nicholas pour savoir que faire ensuite. Nicholas avait invité son père à s'installer au bout du rang et, après une fraction de seconde d'hésitation, il avait poussé Jane derrière lui.

La salle fut plongée dans l'obscurité. C'était étrange. Ce n'était pas comme de regarder à la télévision, tranquillement installé à la maison avec Jane, une publicité qu'il avait faite. Là, c'était un vrai rôle. Le café qu'il avait pris deux heures avant ne passait pas ; il avait un peu mal au cœur. La caméra suivait avec émotion une longue route bordée de maisons victoriennes et le générique défila sur l'image. Sa mère saisit son bras lorsque son nom apparut sur l'écran. NICHOLAS COBLEIGH. Tout en majuscules. Cela lui paraissait singulier d'être assis parmi les spectateurs alors qu'il attendait sa propre entrée.

Le film commença alors. La caméra suivait en travelling Julie Spahr et David Whitman, qui descendaient la rue en courant, riant et se penchant pour arracher des poignées de pissenlits qui poussaient entre les pavés sur le trottoir et s'envoyant le duvet des plantes au visage ; puis on les voyait s'embrasser en gros plan et le soleil jouait sur les peluches qui scintillaient sur la chevelure auburn de Julie Spahr. Suivait une scène avec un groupe d'artistes. Puis on découvrait Spahr assoupie, pelotonnée sur un tapis à poils longs, et Whitman, le regard plein d'amour, qui la contemplait de sa table à dessin. Le film aurait tout aussi bien pu être en suédois, car les dialogues semblaient tout à fait superflus. C'était étrange. Rien n'allait ensemble. Nicholas tapa Jane sur l'épaule. « Chut », murmura-t-elle.

Et là, il apparaissait. Dans une chemise oxford bleue dont le premier bouton était ouvert, la cravate un peu lâche et les cheveux tombant sur le front. Il se levait, contournait son bureau et saluait Whitman et Spahr. « Je suis ravi que vous ayez pu venir », disait-il. Il s'asseyait au bord du bureau et la caméra passait sur Whitman puis faisait un zoom arrière pour reprendre sur Spahr. Il réapparut soudain sur l'écran. Un plan de coupe pour montrer sa réaction. Il hochait la tête tandis que Whitman parlait. Nicholas fixait son image. Il n'arrivait pas à y croire. Il était si beau.

Après la scène du grand banquet pour réunir des fonds, on le retrouvait en cravate noire dans des toilettes : il acceptait l'enveloppe qu'on lui tendait subrepticement (le pot-de-vin) et la glissait dans la poche intérieure de son veston. Le public retint son souffle : ils étaient réellement surpris.

Un peu plus tard, scène avec Whitman dans le bureau du maire pendant un week-end, tous deux vêtus de façon décontractée : Whitman dans un pantalon de velours côtelé et une chemise rouge qui avait l'air très rêche, et lui dans un pull-over blanc ras de cou et un jean si bien coupé qu'il semblait fait sur mesure. La caméra dévoilait le contraste entre les deux matières : la laine rouge rugueuse et le cachemire blanc, doux et luxueux. Ils étaient penchés sur des projets de construction et sirotaient des canettes de bière. Whitman semblait sincère et vibrant d'émotion. Nicholas l'observait attentivement ; c'était une vraie ordure : il cachait son ennui derrière un sourire de convenance. Puis il posait sa canette de bière sur le document. Dans ce seul geste, il exprimait tout son mépris pour le projet comme pour cette boisson. Ils avaient fait plus de vingt prises de cette scène. Whitman avait insisté pour qu'ils boivent réellement de la bière pour l'authenticité de la scène et ils avaient ingurgité canette après canette. A la fin, Nicholas avait titubé jusqu'à sa loge et on avait dû aider Whitman à quitter le plateau.

Le film continuait. Il regarda Jane. Les yeux rivés sur l'écran, elle suivait attentivement l'action mais elle avait une respiration lente et profonde comme lorsqu'elle dormait à poings fermés.

Arriva enfin la dernière scène. Il se tenait derrière Julie Spahr et renversait sa tête en arrière. Il y avait une telle force dans cette séquence. Vraiment. Peut-être pas. Peut-être tout paraissait-il capital dans ces éléments plus grands que nature. Mais il sentait vraiment la puissance de son interprétation : il percevait la cruauté, le triomphe, la méchanceté et enfin l'impassibilité qu'exprimait ce beau visage qui, incroyablement, était le sien. Et ce fut terminé, les gens se levèrent, étirèrent les bras. Les lumières se rallumèrent. Sa mère parlait. Jane serra sa main. Son étreinte était violente mais, lorsque la lumière revint complètement, il songea qu'il n'avait jamais vu son visage aussi pâle. Son père avait un sourire en coin un peu stupide et n'arrêtait pas de le taper sur l'épaule.

Il avait l'impression d'être encore dans le film. Tous trois lui parlaient mais il ne comprenait pas un mot de ce qu'ils lui disaient. Il n'arrivait pas à lire leurs pensées sur leurs visages. Il ne savait pas si c'était de la fierté, de la gêne ou de la courtoisie. Il aurait voulu être seul. Pendant une seconde, il se retrouva seul. On repoussa Jane et ses parents. Il était seul. Puis le public sembla exploser autour de lui. « Extraordinaire ! » « Sacré truc, mon vieux ! Superbe interprétation ! » « Nick ! Première classe ! » « Excusez-moi, je suis Mindy, l'assistant de M. Rosenthal et... » « Un rêve ! Un véritable rêve ! », « Monsieur Cobleigh ! Monsieur Cobleigh ! »

Peut-être était-ce normal. Les étreintes, les poignées de main, les grandes démonstrations d'amitié. Après, ils sortaient de l'immeuble et se lançaient : « Pas mal », « Comme ci, comme ça », « Huit sur vingt ».

Il finit par battre en retraite mais il entraîna avec lui le chef du service de publicité ; ce dernier le tenait si serré par l'épaule que Nicholas ne pouvait s'en défaire. Il retrouva Jane et ses parents au bureau d'accueil devant la salle de projection. Ils le fixèrent, tous les trois. Il leur présenta l'attaché de presse qui leur adressa un sourire éclatant et explosa : « Ce n'était pas extraordinaire ? Franchement ? Vous devez en être baba ! » Puis il se retourna vers Nicholas. « Première chose demain matin. Neuf heures. Grande réunion, Nick. Je veux dire, la grosse artillerie. La bombe A. Ça va pour vous, neuf heures ? » Nicholas acquiesça d'un signe. « Non, pas neuf heures. Ne vous tuez pas à arriver là si tôt. Dix heures. Qu'en dites-vous ? » L'homme retira enfin son bras de son épaule et se rua vers l'ascenseur.

Ils restèrent tous les quatre là où ils étaient, figés comme des statues. Jane finit par s'avancer vers lui. Timidement, comme si elle craignait qu'il ne lui lance une remarque cinglante, elle s'approcha de lui.

« Alors ? dit-il.

— Extraordinaire. » Sa voix claire et franche était étranglée.

« Vraiment ?

— Oui, vraiment. » Elle avait les yeux humides. Il la prit dans ses bras.

« Nick », dit son père. Il paraissait très nerveux. Il n'arrêtait pas de se lisser les cheveux de la main. Il ajouta enfin : « Beau travail. »

Nicholas se tourna vers sa mère.

« Je t'ai détesté », explosa Winifred. Elle serrait son sac contre sa poitrine. « Je veux dire, lui. Lui, je l'ai détesté ! Je n'arrêtais pas de me dire, cet être effroyable est un homme charmant et c'est Nicholas. Nicholas...

— Oui ?

— Tu es un très grand acteur.

— Merci. » Il tenait toujours Jane. Elle avait appuyé sa tête contre la sienne. Il ne savait si elle était toujours aussi tendue.

« Seulement..., poursuivit sa mère.

— Seulement quoi ? demanda-t-il.

— Nicholas, comment as-tu pu les laisser t'obliger à embrasser cette épouvantable fille aussi vulgaire ? »

20

L'arrivée à Londres de son frère, Rhodes Heissenhuber, conseiller financier à Cincinnati, semble
confirmer que son état est alarmant. M. Heissenhuber, qui était en vacances dans les îles grecques,
a reconnu devant les journalistes que son beau-
frère, Nicholas Cobleigh, lui avait déclaré que
l'état de sa sœur était « très grave ».

Cleveland Plain Dealer.

« Tu dois avoir l'impression d'être un peu comme le pape », dit
Jane. Elle s'attaquait à un énorme bloc de chocolat avec un
grand couteau et de petits morceaux tombaient sur la table en
bois.

« Que veux-tu dire par là ? lui demanda Nicholas.

— Tout le monde te demande des audiences. Sans doute plus
qu'au pape même, car que peut-il faire ? Donner sa bénédiction ?

— C'est plus que je ne peux faire. »

Il la regardait tandis qu'elle raclait la table avec son couteau et
rassemblait les morceaux de chocolat. Puis elle reprit sa tâche.
Elle préparait de la glace au chocolat pour cinquante personnes.
Il lui avait proposé de faire appel à un traiteur. Jane, lui avait-il
dit, tu ne vas pas t'épuiser. As-tu la moindre idée de ce que ça va
coûter ? lui avait-elle répliqué. On a les moyens, avait-il répondu.
Ses deux derniers films avaient si bien marché qu'ils pouvaient
pratiquement s'offrir tout ce qu'ils voulaient. Elle pouvait
s'asseoir dans sa cuisine et regarder un escadron de cuisiniers
préparer une soirée pour cinq cents personnes. Ou même pour
cinq mille. Mais elle ne voulait pas en entendre parler.

·« Le monde est divisé en deux catégories, dit-elle.

— Les bons et les méchants.

— Non.

— Les pro-chocolat et les pro-vanille.

— Non. Nick, écoute-moi et, pendant ce temps-là, va me chercher la grande casserole qui est tout au fond du tiroir ouvert. Il y a toute sorte de gens. Pas aujourd'hui. Aujourd'hui, ils sont tous bien. Mais les autres. Ceux qui veulent te parler pour pouvoir dire à leurs amis : " Eh bien, l'autre jour, j'étais chez Nick Cobleigh, à sa ferme, il a avoué qu'il avait très envie de faire un film de science-fiction et de jouer le rôle d'un androïde qui tombe amoureux d'une ravissante scientifique. "

— Ne te moque pas de ce script. Un pauvre scénariste a passé des mois, si ce n'est des années, à travailler sur ce truc.

— On devrait le fusiller pour abréger son supplice. Il y a aussi l'autre moitié qui ne veut pas te parler. Ils veulent juste te regarder, bouche bée, et monter au premier pour essayer de fouiner dans notre salle de bains et voir ce que recèle l'armoire à pharmacie. Que veulent-ils savoir ? C'est cela qui m'ennuie. Pourquoi est-ce si important que cela de savoir si Nicholas Cobleigh utilise un déodorant en stick ou en spray et si son blaireau a l'air tout pelé ? C'est le cas, d'ailleurs. J'en ai commandé deux neufs, un pour ici et un pour ta trousse de toilette. »

Nicholas mit la casserole sur la table à côté du bloc de chocolat, prit le couteau des mains de Jane, le reposa et la serra dans ses bras.

« Tu me dois un baiser », dit-il. Elle était superbe. Il aimait la voir ainsi, habillée de façon tout à fait décontractée : elle portait un jean délavé et un tee-shirt rouge qui se fermait devant avec de minuscules boutons assortis. Chaque fois qu'elle attaquait les blocs de chocolat, sa poitrine tressautait. Il l'embrassa délicatement sur les lèvres. Il la prit par le cou et l'attira plus près de lui. Il glissa son autre main sous son tee-shirt et lui frotta le dos. Sa peau était toujours aussi parfaite. Du velours. Il l'embrassa plus violemment jusqu'à ce qu'elle entrouvre la bouche, puis joua avec sa langue. Il perçut l'arôme du chocolat.

Elle saisit sa lèvre inférieure entre ses dents et la mordilla gentiment. De toute évidence, elle avait lu un de ces guides sur les pratiques sexuelles. La dernière fois qu'il était rentré, après trois mois et demi en extérieurs dans le Wyoming où il avait tourné un western, ils s'étaient mis au lit le premier soir et Nicholas s'était montré un peu plus brutal dans ses avances après toutes ces semaines de célibat. (Pendant le tournage, il était revenu tous les week-ends mais l'irritation provoquée par la selle, le décalage horaire et la fatigue due aux heures passées avec ses filles pour se faire pardonner son absence, avaient eu raison de ses forces. Il ne lui avait fait l'amour que très rarement, et encore, juste pour la forme.)

Cette première nuit avait été bien difficile. Il avait arraché sa chemise de nuit et s'était excusé tout en s'emparant de Jane. Nick, avait-elle dit. Nick. Il avait tenté de se calmer. Tu veux quelque chose de spécial ? lui avait-elle demandé. Il avait dû la regarder comme si elle était folle car elle s'était aussitôt expliquée : quelque chose de spécial qui t'exciterait ? Si tu préfères qu'on fasse autrement, tu n'as qu'à me le demander. Je veux dire, tu aimerais que je te suce ou autre chose... Elle avait essayé de détourner son attention pour cacher sa gêne : elle était montée sur lui à califourchon, ses cheveux caressant les épaules de Nicholas. Ses mains avaient suivi la ligne de ses bras, puis de ses épaules, tout en massant ses muscles de ses pouces.

Il avait dû cligner les yeux, sinon son regard se serait embué de larmes. Elle avait peur de le perdre. Si peur qu'elle avait sans doute commandé une pile de livres qu'elle avait compulsés : *Comment garder votre homme* ou une autre chose aussi stupide du même genre, *Derrière la porte de la chambre*, *Faites-le en toute liberté*, *Faites-le autrement*. Il l'avait serrée contre lui. Je t'aime, lui avait-il dit. Tu n'as pas besoin de trucs. Mais, Nick, s'il te plaît, si tu veux quelque chose. Alors, je te le dirai, Jane. Cependant il ne pouvait pas la condamner. Il aurait peut-être lu des guides sexuels s'il avait été à sa place.

L'année précédente, en 1970, après la sortie de *Jenny and Joe*, son second film, lorsqu'elle quittait encore la ferme et sortait avec lui, ils s'étaient rendus à New York. La soirée avait été un désastre. Deux filles dans une voiture décapotable l'avaient reconnu et les avaient suivis pendant tout le chemin depuis le Connecticut jusqu'au Bronx. Lorsqu'elles avaient enfin abandonné, il s'était tourné vers Jane. Elle avait les yeux fermés et ses mains serrées, posées sur ses genoux, tremblaient.

Ils allaient à un cocktail donné par le président de l'un des grands studios. La soirée avait lieu dans un superbe appartement avec terrasse, tout blanc, très peu meublé et abritant apparemment une collection exceptionnelle d'art expressionniste abstrait. Il avait disposé d'une minute pour l'apprécier. Puis les gens l'avaient entouré et lui avaient posé inlassablement les mêmes questions : qu'éprouve-t-on quand on est nominé pour l'oscar du meilleur acteur ? Quel sera votre prochain film ? Quel effet ça vous fait d'être un sex-symbol ? D'être devenu célèbre du jour au lendemain ? Jane avait été refoulée au bout de trente secondes. Malheureusement on l'avait repoussée dans un coin où deux femmes discutaient de lui. « Tu as couché avec Nicholas Cobleigh ? » demanda l'une. « Qu'est-ce que tu crois ? — C'est comment ? — Qu'est-ce que tu crois ? — Mon Dieu, ce corps ! La scène de la piscine ! Je n'en pouvais plus. Tu le vois toujours ? — Bien sûr. »

« Ecoute, lui avait-il dit tout en lui essuyant les yeux quand ils étaient partis, je ne fais pas ça. Tu le *sais*, et si tu te mets à croire ce genre de connerie — car ce *sont* des conneries, nom d'un chien —, nous allons avoir des problèmes. Crois-moi. Fais-moi confiance. Tu dois me faire confiance, car ça n'ira qu'en empirant. »

Une délicieuse brise matinale s'infiltrait dans la cuisine, très fraîche et un peu humide, une brise de la Nouvelle-Angleterre du début juin. Tous les gens qui essayaient de le convaincre de s'installer en Californie n'arrêtaient pas de lui dire : une fois que vous serez contaminé par ce climat, vous ne pourrez plus jamais retourner vivre dans l'Est. Mais ils avaient oublié dans leurs calculs cette brise si agréable. Il était impossible de ne pas s'en souvenir et de ne pas s'en languir.

Nicholas embrassa Jane sur l'oreille puis dans le cou. « Tu as un parfum de citron, ici, lui dit-il.

— C'est la limonade. Soixante-quinze citrons. J'espère que ça suffira. » Elle ajouta dans un soupir : « Oh ! Mon Dieu.

— Qu'est-ce qui ne va pas ?

— J'aurais peut-être mieux fait de préparer un buffet froid. Pâtés, poulets et jambons. Un barbecue, ça ne convient pas... C'est trop timoré.

— Ce sera formidable. As-tu jamais loupé un repas ?

— Et la première année de notre mariage ?

— J'avais oublié. Ça m'ennuie beaucoup de te dire ça, mais c'était vraiment atroce. Tu faisais des salades très bizarres.

— Chaque fois que j'y pense, j'ai envie de rentrer sous terre.

— Jane.

— Oui ? » Elle découpait le bloc de chocolat.

Nicholas, qui se trouvait à côté du réfrigérateur, leva un bocal de crème pour porter un toast. « Joyeux anniversaire. » Elle lui sourit. « A dix années de plus suivies de dix autres.

— Trente seulement ?

— Et encore dix ans, et encore, et encore... »

« Je ne suis là que pour te donner des conseils », dit Murray King. Il souffla un nuage de buée sur les verres de ses lunettes puis les nettoya avec sa cravate.

« C'est ce que je veux, Murray, un conseil. »

Nicholas se gratta la moustache qu'il s'était laissée pousser pour son nouveau film. Cet artifice était supposé lui donner une allure désinvolte. Jane disait qu'il ressemblait ainsi au portrait d'un général confédéré. « On devrait t'accrocher dans le palais de justice de Biloxi au Mississippi », lui avait-elle déclaré.

« Mon conseil est le suivant. Tu es deux personnes. Tu es Nicholas Cobleigh, l'acteur, et Nicholas Cobleigh, la vedette de cinéma. Le premier peut jouer la comédie. Il peut être un méchant, un pervers ou une nullité. Il peut se déplacer sur la palette au gré de ton talent. O.K. ? T'es d'accord ? Mais la vedette de cinéma, c'est une variation sur le même thème : le salaud impassible qui a le cœur chaud, mais pour y arriver, il faut briser la glace. Et le seul qui puisse briser la glace, c'est un bon copain, un gosse ou une fille. Et de préférence une fille, comme ça tu as plus de chances d'enlever ta chemise. Tu le sais aussi bien que moi.

— Je ne crois pas que ce soit vrai.

— Ecoute-moi. C'est la vérité. Tu veux jouer Franklin Roosevelt avant sa polio, un vrai drame profond, psycho-historique où, à la fin, on découvre que son cœur est un bloc de glace encore plus impénétrable que son allure. Eh bien, joue-le sur scène.

— Ça pourrait être une performance d'acteur, Murray.

— *Sur scène*, Nicky. Au cinéma, à moins qu'à la fin on ne le voie s'ébranler au soleil couchant dans un fauteuil roulant avec Eleonore sur ses genoux parce qu'il a enfin compris qu'il était fou d'elle, tout le monde va roupiller dans son fauteuil. Tu veux en faire une pièce ? Formidable, je t'approuve à cent pour cent. Arrête-toi six, huit mois, un an. Reste chez toi, ça te fera le plus grand bien.

— Je n'en ai pas les moyens.

— A qui t'adresses-tu ? A un sinistre imbécile qui n'a jamais vu un de tes contrats ? Allons, Nicky.

— Je n'ai pas les moyens de rester un an sans tourner. J'ai trente et un ans. Ça ne durera pas toujours.

— Comment ? Tu crois que tu ressembleras au portrait de Dorian Gray quand tu auras quarante ans ?

— Non, mais je ne peux pas me permettre de ne pas profiter à fond du créneau.

— Nicky, tu as le monde à tes pieds. Tu peux faire tout ce que tu veux. Ton avenir t'appartient.

— Je ne peux pas écrire une pièce. Tu as la moindre idée de la difficulté que ça représenterait ? Sans parler des risques. Tous les critiques seraient prêts à m'assassiner.

— Tu t'assassines tout seul. Eh, où vas-tu ? »

Nicholas se leva. « Je vais aller décider de mon avenir aux toilettes. Je peux avoir la clé ? »

Les toilettes étaient au bout du couloir. Nicholas défit sa braguette. La porte s'ouvrit et il aperçut, dans la glace sur sa droite, la personne qui entrait : un petit homme entre deux âges au visage mou et au costume bon marché, le genre de type qui gratte des papiers dans le bureau de quelqu'un d'autre. Nicholas commença à uriner. L'homme se mit à sa gauche et porta la main à sa fermeture Eclair.

« Oh ! Mon Dieu ! » L'homme en avait le souffle coupé. « Je sais qui vous êtes ! » Il se retrouva soudain juste à côté de Nicholas et fixa son profil. Un autre homme se trouvait dans les toilettes. Nicholas recula trop rapidement. L'urine éclaboussa ses chaussures et celles de son admirateur. Celui-ci ne remarqua rien. Nicholas referma sa braguette et se réajusta prestement. « Oh ! Nick ! » lança l'homme. Nicholas se rua dehors et faillit heurter le second type qui se précipitait des toilettes pour le voir. « Nick, hurla le premier. Tu ne m'as pas eu avec ta fausse moustache ! »

Murray prit une bouteille de scotch sur une étagère et en versa un peu dans un gobelet. « Tiens, Nicky, avale ça. » Il le lui mit entre les mains. « Allez, à la tienne. » Nicholas en but une gorgée, ferma les yeux et frissonna. Il avait toujours détesté le whisky. Il en but une autre gorgée. « Ecoute, Nicky, je suis désolé.

— Ce n'est pas grave, Murray. » Il termina son verre, prit la bouteille posée sur le bureau de Murray et s'en versa trois doigts. « Je ne sais pas pourquoi ça me touche plus que tout le reste.

— Tu plaisantes ? Tu as été élevé dans un milieu ultrachic, Nicky, où tous les gens étaient des gentlemen.

— Non, ce n'était pas des gentlemen.

— Mais je suis sûr qu'ils se conduisaient comme tels. Ils avaient le sens des limites, pas comme cette espèce de salopard. Un type qui pisse, c'est une chose sacrée. »

Dans la pièce voisine, une secrétaire engagée uniquement pour s'occuper des affaires de Nicholas était assise devant une pile de courrier. Nicholas ne lisait plus aucune des lettres de ses admirateurs.

« Cher Merdeux de Cobleigh,

« Quand tu ne regarderas pas, je vais t'attraper et t'enfermer au sous-sol pour t'enfoncer de la merde au fond de la gorge et te tuer à PETIT FEU. Je suis impatient de t'entendre t'étrangler, espèce de petite merde puante... »

« Il en est une autre, je le sais,
Qui comble tes nuits de baisers
Ardents et de griffes passionnées.
Une autre qui dort à tes côtés
Dans l'aube pâle et silencieuse, zébrée de rouge passion.
Et moi, je m'éveille, dans ma grise solitude... »

Ce qui ennuyait le plus Nicholas, c'était que la majorité des lettres étaient signées et portaient une adresse pour y répondre. Quelque part, des gens étaient impatients d'avoir de ses nouvelles.

Exactement un mois après le trente-deuxième anniversaire de son père, le 2 août 1972, Victoria Cobleigh fêtait son dixième anniversaire. Bien que Nicholas ait essayé de s'arranger, il lui restait encore trois semaines de tournage en Yougoslavie et il n'avait pu rentrer à temps dans le Connecticut.

« Laisse-moi te regarder, dit Jane à Victoria.

— Je suis très bien. » La fillette était bâtie comme sa grand-mère Winifred : grande, maigre et musclée. Cependant, contrairement à Winifred qui arborait presque toujours un demi-sourire hébété, Victoria avait un air sombre et concentré, comme si on lui avait demandé de faire une dissertation sur un livre d'un niveau supérieur au sien.

A côté de l'austère Victoria, Jane, dans une robe paysanne à fleurs, avait l'air douce et bouffie comme un gâteau trop décoré. Elle lissa les cheveux de sa fille. « Arrête, brailla la fillette, je les ai brossés.

— Vicky...

— Ils vont arriver d'un instant à l'autre. » Elle se dirigea d'un air furieux vers un grand placard. Il était aménagé de casiers spéciaux et bourré de matériel de sport, des raquettes de hockey et de lacrosse, des battes et des gants de base-ball et des patins à glace. Elle prit l'une de ses trois raquettes de tennis.

« Madame Platt peut ouvrir, Vicky. Je veux juste...

— Maman, allez.

— Je veux juste revoir une dernière fois l'organisation.

— Pourquoi tu en fais toute une histoire ? D'abord on va aller jouer au tennis, après on ira nager, après on va dîner, après on ira voir un film dans la salle de projection, après on se racontera des histoires de fantômes et après on ira dormir. Et, *s'il te plaît,* n'entre pas pendant le dîner pour demander si tout va bien comme l'année dernière.

— Je n'ai pas l'intention de te gêner devant tes amies, mais vu le temps et les efforts que...

— Qui te l'a demandé ? Je n'avais pas envie d'avoir encore une fête stupide où tout le monde reste coucher ! Je te l'ai dit et répété trente-six mille fois !

— Et moi je t'ai dit que, si tu ne changeais pas d'attitude, il n'y aurait pas de fête du tout. »

Victoria tapa sur la colonne de son lit avec sa raquette. On entendit un horrible craquement. « Je m'en fiche ! Vas-y. Descends. Dis-leur que tu as tout annulé et je ne veux même pas mes cadeaux. Tout ce que je voulais, c'était aller chez Winkie avec tous mes copains...

— Ce n'est pas le genre de fête que nous avions envisagée, ton père et moi.

— C'est juste parce que *tu* ne serais pas venue.

— Vicky !

— Non, tu ne serais pas venue !

— Vicky, je viendrais si je le pouvais. Tu le sais.

— C'est si affreux. De toutes les voitures, on est les seuls enfants qui sommes obligés d'avoir un chauffeur. Nous, on a un chauffeur et elles, elles ont leurs mères. Et quand papa est en extérieurs, on pourrait aussi bien être orphelines. Tu n'es pas venue voir la pièce pour Thanksgiving, tu n'es pas venue pour le Track and Field Day.

— Mais on a invité tous les enfants ici ! On a loué un bus et on les a tous amenés ici et il y avait l'orchestre et la grande tente. Tu sais, un tas de gens penseraient que tu es vraiment trop gâtée...

— Un tas de gens penseraient que tu es folle !

— Vicky, je te préviens !

— Pourquoi ne m'as-tu pas laissée aller en Yougoslavie pour être avec papa ? J'aurais pu y aller et bien m'amuser au lieu de devoir dire à mes amis : " Oh ! Maman a le rhume des foins, alors elle n'a pas pu venir avec nous jusqu'au bassin pour nous regarder nager et c'est pourquoi nous devons avoir un garde du corps. " Tu crois qu'elles ne savent pas que c'est un mensonge ? J'ai horreur de ça ! Dire que j'aurais pu être avec papa !

— Les petites filles de dix ans ne font pas de réflexions et ne vont pas en Yougoslavie pour leurs anniversaires.

— Elles font *aussi* cela si leur père est une vedette célèbre et qu'il a envie de les avoir avec lui. Il voulait qu'on y aille et tu as refusé parce que tu avais peur d'être obligée de venir avec nous. Murray aurait pu nous emmener ou oncle Ed, et tu aurais pu rester là à lire huit millions de livres. Pourquoi je dois être coincée là avec toi dans ce stupide Connecticut, dans cette stupide maison pour mon dixième anniversaire ? »

Pour ce film, il avait eu tout ce qu'il voulait et cela avait été si facile. Ils avaient rechigné lorsqu'il avait voulu leur imposer son frère Edward comme producteur associé — bon Dieu, il n'a que vingt-trois ans ! avaient-ils hurlé — et il avait suffi que Murray commence à ranger ses papiers dans son attaché-case pour qu'ils cèdent. Ils avaient aussi accepté d'engager son directeur de la photographie et un assistant costumier, le premier étant le technicien qui l'avait si bien éclairé dans *Urban Affairs*, et le second, un gosse qu'il avait rencontré pendant le tournage de *Wyoming* et qui était un excellent joueur de tennis. Lorsqu'il leur avait répété les critiques de Jane qui accusait son personnage — un play-boy blasé du monde qui, au cours du film, comprenait qu'il était amoureux de sa superbe femme — d'avoir une telle maîtrise de lui qu'il paraissait plus pathologique qu'intrigant, ils avaient aussitôt envoyé le metteur en scène et le scénariste dans le Connecticut et avaient ensuite accepté que Nicholas fasse la mise en scène de son prochain film. Ils avaient engagé son chauffeur-garde du corps, Ernie, et versé à Nicholas pour ses services une somme plus élevée que le salaire annuel d'Ernie.

Il lui avait loué une villa. Elle donnait sur l'Adriatique et disposait d'un court de tennis. Tous les matins, à l'aube, Ernie se rendait à l'hôtel du coin, prenait le gamin et Nicholas et lui faisait deux sets avant six heures et demie. Ils avaient aménagé une des pièces avec son trapèze et ses anneaux ; il pouvait ainsi s'entraîner tard dans l'après-midi avec la vue sur la mer. Le soir, il lui suffisait d'appuyer sur un bouton et la lumière inondait la plage privée. Deux ou trois fois par semaine, Edward et la fille avec qui il sortait, l'assistante maquilleuse, venaient les voir et tous trois allaient nager et pique-niquer sur le sable.

Ce qui le rongeait, ce qui le rongeait vraiment, c'est qu'on était en août. En été. Jane et les filles auraient pu passer l'été avec lui. Il essayait de comprendre. Il savait combien elle en souffrait. Un soir qu'ils lisaient au lit, elle s'était tout d'un coup tournée vers lui et lui avait dit avec une telle tristesse dans la voix : « Pourquoi ne puis-je pas être comme tout le monde ? Pourquoi ne puis-je pas aller jusque chez le libraire ? » Tu *peux*, lui avait-il répondu. Mais cela n'avait servi à rien. Il avait même déniché le nom d'un psychiatre mais celui-ci lui avait déclaré qu'il ne viendrait pas chez eux. Il fallait que Jane se rende à son cabinet pour les séances. Il fallait qu'elle désire faire le premier pas.

Il l'avait suppliée de venir. « Il n'y a que sept heures de vol et on peut se servir du jet personnel du studio. *S'il te plaît*. Tu peux prendre un cachet pour t'assommer et, quand tu te réveilleras, tu seras arrivée. — Je suis désolée, avait-elle répété inlassablement. Je suis désolée. »

Combien de sets de tennis pourrait-il faire ? Combien de meurtres commis dans des presbytères anglais pourrait-il lire ? Et combien de soirées avec Edward et sa petite amie de dix-neuf ans pourrait-il supporter ?

On avait tout fait pour qu'il soit heureux. Leur empressement éhonté à lui faire plaisir lui donnait parfois envie de dire : « Je sais, je ne suis pas raisonnable. » Et ils lui auraient répondu : « Eh ! Nick, il faut que tu aies cinq mille dollars de défraiement par semaine. Qui voudrait se trouver à court en Yougoslavie ? Franchement ? »

Ils avaient aménagé sa caravane comme il le leur avait demandé. La première fois qu'il y était entré, il en était resté stupéfait : ce décor ressemblait vraiment au bureau de son grand-père Samuel. Tous les matins, on déposait le *New York Times*, l'*International Herald Tribune* et le *Wall Street Journal* sur sa table. Cependant, depuis quelques jours, il avait fini par succomber à l'inertie, car il était certaines choses qu'ils ne pouvaient faire pour lui.

Le tournage était arrêté. Il pleuvait à torrents et lorsqu'il ne pleuvait pas, la plage disparaissait sous un épais brouillard. Il ne leur restait que deux scènes.

Nicholas était vautré sur son lit, une couverture sur les jambes. Il faisait froid dans la caravane. Il était en costume. Une veste de smoking blanc pendait sur la chaise à côté de lui. Ils attendaient que le ciel se dégage pour tourner la scène où il sortait Laurel Blake de l'eau. Il bâilla. Il était plus de dix heures. La nuit était très noire. Des trombes d'eau se déversaient sur la caravane. Il avait accepté de rester jusqu'à minuit pour en terminer avec cette fichue scène. La météo était favorable et le metteur en scène optimiste. Son frère l'avait quitté une heure plus tôt.

Le ruissellement de la pluie était assez bruyant pour étouffer le coup qu'on frappait à la porte de sa caravane, mais, lorsqu'on se mit à tambouriner violemment contre sa porte, il comprit enfin qu'il y avait quelqu'un. Il alla ouvrir. Il s'agissait de Laurel Blake, sa partenaire. Elle avait un trench-coat trempé et un sac poubelle en plastique vert sur les cheveux. Ses mules dorées à hauts talons étaient maculées de boue. « Je m'en veux de te déranger, dit-elle.

— Ce n'est pas grave, entre. »

En fait, elle ne l'avait pas dérangé beaucoup. Au début des douze semaines de tournage, elle lui avait fait des avances voilées, lui disant qu'elle aimerait bien voir sa villa en lui proposant sur le ton de la plaisanterie de répéter leurs scènes d'amour.

Elle retira délicatement le sac poubelle de sa tête. Ses cheveux noisette étaient tirés en arrière et retenus en une avalanche de boucles très étudiées par des barrettes ornées de pierreries. Les boucles n'étaient pas naturelles et les bijoux étaient faux. Laurel devait se débattre dans l'eau jusqu'à ce qu'il l'en sorte et, après chaque prise, on lui remettrait un postiche sec.

« Comment ça se présente ? » Elle parcourait sa caravane des yeux. Il supposa qu'elle la comparait à la sienne.

« Pardon ?

— Comment ça se passe ?

— Je m'ennuie.

— Ça peut devenir ennuyeux. Tu veux que je te prête un livre ?

— Non, merci. » Elle était d'une beauté régulière. Ses grands yeux sombres étaient bridés, ce qui donnait à son visage une note exotique. Cependant, elle avait le teint clair et la lèvre inférieure exceptionnellement charnue. Son nez en trompette était trop petit et trop mignon pour son visage sophistiqué, mais, curieusement, cela ne faisait qu'ajouter à son charme. « Qu'est-ce que tu fais quand tu t'ennuies ? lui demanda-t-elle.

— Je travaille sur mon prochain film. Je vais le mettre en scène. Et je lis. Je passe des coups de téléphone pour mes affaires et j'appelle ma femme et mes enfants.

— Tu crois qu'on va pouvoir tourner ce soir ?

— Non, mais je crois qu'il veut nous garder jusqu'à minuit, au cas où.

— Au cas où quoi ? »

Il ne pensait pas qu'elle lui jouait la comédie. Elle paraissait vraiment gourde. « Au cas où ça se dégagerait.

— Oh ! » Elle posa la main sur la ceinture de son trench-coat. « Je peux l'enlever ? Il est tout trempé.

— Oui. Bien sûr. Excuse-moi. Laisse-moi t'aider.

— Ça va. » Elle laissa tomber l'imperméable à ses pieds. Elle ne portait rien en dessous.

« Oh ! Seigneur ! »

Elle avait un corps magnifique. Il n'avait jamais rien vu de pareil, même dans les magazines pour hommes. Superbe, gra-

cieux et délicat. Ses seins étaient petits mais rebondis et
retroussés comme son nez. Elle avait la taille très fine comme si
on l'avait habilement sculptée pour retirer ce qui était en trop.
Les poils de son pubis formaient un triangle d'une épaisse
fourrure.

« Remets ton imperméable et déguerpis », dit-il.

Elle ramassa le trench-coat par terre et s'avança vers lui, ses
jambes étaient longues et superbement modelées dans ses mules
à hauts talons. Elle s'arrêta devant lui, les mains le long du corps,
sans bouger. Les barrettes de ses cheveux jetaient des reflets
verts et bleus. Il attendait qu'elle fasse un geste, qu'elle le prenne
dans ses bras et le serre contre elle, qu'elle l'embrasse ou
s'attaque à son pantalon. Il pourrait alors la repousser et lui
lancer : « Fous le camp ! » Mais elle ne fit rien. Ses épaules
étaient soyeuses et d'un rôse pâle scintillant comme l'intérieur
d'un coquillage. Si elle avait fait un demi-pas en avant, elle se
serait retrouvée contre lui. Mais elle resta immobile.

Je ne veux pas de cela, pensait-il. Je ne veux rien de tout cela.

Il leva la main et la posa sur son sein. Ferme. Trop chaud. Elle
garda les bras le long du corps. Il s'empara de l'autre sein et
titilla le petit téton entre ses doigts, puis sa main suivit la courbe
de son ventre vers le triangle délicat. Elle restait immobile et le
laissait faire tout ce qu'il voulait. Elle restait là, sans un geste.

Mais trop, c'était trop. Les choses allaient trop loin. Il sentit
qu'il allait perdre tout contrôle de lui. Il avait envie d'arracher sa
chemise et de sentir ses petits tétons durs contre sa poitrine. Il
fallait qu'il la jette dehors. Dehors.

Il plongea profondément la main dans le triangle de fourrure.
Une douce chaleur perlait entre ses jambes et brûlait le bout de
ses doigts.

« Embrasse-moi, dit-il. Allez. Fais-le. » Elle leva ses lèvres vers
les siennes. Ce fut son seul geste. « Embrasse-moi, nom de
Dieu. » Sa bouche attendait la sienne. « Tu as entendu ce que je
t'ai dit. Embrasse-moi. »

Il la saisit alors. Il la prit par la nuque, la serra aussi fort que
possible et l'attira vers lui, puis écrasa ses lèvres sur les siennes.
Il la tenait fermement et pressait ses seins contre sa chemise
amidonnée. Soudain, elle s'abandonna. Elle mit ses bras autour
de son cou, balança ses hanches contre lui, ouvrit la bouche,
s'empara de sa langue et la dévora. Il saisit ses fesses et les
caressa violemment. Un cri de plaisir lui échappa. « Maintenant,
dit-il tout en la jetant sur le lit, maintenant, je vais te donner ce
que tu es venue chercher, sale conne de pute. »

... bien qu'un porte-parole de l'hôpital ait déclaré que d'ici une heure, on déciderait s'il fallait pratiquer une opération au cerveau.

W.T.O.P. Radio, Washington, D.C.

« Tu fais toujours ça, dit Jane en posant le vieux sac de sport de Rhodes qui lui servait de valise sur un tabouret dans l'une des chambres d'amis. Tu ne passes jamais un coup de fil, tu débarques toujours à l'improviste. » Elle regardait le sac aux poignées élimées. « C'est chic, ça ?

— Pour moi, oui. Pour toi, non » Rhodes ouvrit le sac et lui tendit un paquet. Il était enveloppé dans du papier bordeaux et le long ruban mince qui se terminait en frisottis ressemblait aux boucles de Shirley Temple « Pourquoi devrais-je t'appeler ? Tu es toujours à la maison.

— Arrête.

— Je constate, c'est tout.

— Et si j'avais d'autres invités ? C'est vrai, Rhodes, il y a sans arrêt des gens qui viennent ici pour travailler avec Nick entre deux films.

— Primo, Nick n'est pas là. Secundo, si jamais on se bouscule au portillon, les parents liés par le sang passent avant le personnel. Tu vas ouvrir ton cadeau ? Quand tu auras vu ce que c'est, tu sera un peu plus gentille avec moi... si tu as une once de goût.

— C'est sublime ! » C'était un châle en dentelle à l'ancienne.

« Tout simplement magnifique ! Tu n'aurais pas dû. Ça doit être affreusement cher.

— Effectivement, mais j'étais obligé. Je risque de profiter de ton hospitalité pendant quelque temps. » Il avait une mauvaise voix, bien qu'apparemment il jouait la décontraction totale. Il était arrivé de l'aéroport en short — en fait un jean coupé et délavé — et dans un tee-shirt noir délavé.

« Oh ! dit Jane, je suis ravie que tu restes. » Rhodes referma le tiroir mais resta face à la commode. « Philip a beaucoup de rendez-vous à New York ? Où tu dois le retrouver... Rhodes, que se passe-t-il ? » Il retira ses sandales, étira ses orteils avec la nonchalance d'un chat et fléchit les jambes, tous mouvements en contradiction avec sa voix crispée ; elle en conclut qu'il lui jouait son numéro du type très froid. « Qu'est-ce qui ne va pas ?

— Je l'ai quitté.

— Tu l'as *quoi* ?

— J'ai dit, je l'ai quitté. » Il avait un chat dans la gorge. Il ne se retourna pas vers elle. Il posa un bras sur le dessus de la commode et enfouit sa tête dedans.

« Oh ! Rhodes. » Jane se leva. Elle voulait s'approcher de lui et le prendre dans ses bras, mais à ce moment-là elle vit son dos se raidir sous sa chemisette en coton. « Que s'est-il passé ? lui demanda-t-elle sans faire un pas vers lui.

— Rien.

— Rhodes, s'il te plaît. »

Son frère se redressa et se tourna vers elle. Il n'avait pas pleuré comme elle l'avait supposé, mais il avait abandonné son masque. Son regard était creusé comme celui d'un grand malade. « J'ai presque trente ans. Tu sais ce que ça signifie ?

— Oui, je suis passée par là. Mais je n'ai pas quitté Nick pour autant.

— Arrête. Tu ne pourrais pas quitter Nick. J'ai appris que tu ne franchissais même plus le seuil de la porte d'entrée.

— Rhodes...

— Je suis au courant de tout, d'accord ? Vicky m'a tout raconté avant même que je ne sorte de la voiture. Qu'est-ce qui ne va pas ? De quoi as-tu peur ?

— Tu essaies de détourner la conversation, non ?

— Je te pose une question, Jane. De quoi as-tu peur ? Ou bien as-tu peur de répondre ?

— Je n'ai pas peur.

— Tu as peur des guêpes ? » Il avait une voix cassante, qui s'aiguisait pour passer à l'attaque. « Tu as peur d'être allergique comme ta mère ? C'est ça ?

— Non. Et arrête maintenant.

— Une petite attaque et il est temps de passer à la caisse. Adieu Sally, bonjour Dorothy.

— A propos de passer à la caisse, Rhodesie, persifla-t-elle, tu paies toujours le loyer d'un sept pièces avec vue sur Eden Park ? Non, pardon, Philip Gray paie-t-il toujours le loyer ? Ou a-t-il arrêté de payer et...

— Et quoi ?

— Et t'a-t-il viré. » Le regard de Rhodes s'agrandit. Il paraissait surpris par ses paroles, mais aussi par sa colère. Surpris et blessé. Il recula d'un pas. « Comment peux-tu rire de la mort de ma mère ? » demanda-t-elle en radoucissant le ton car elle comprit qu'il souffrait beaucoup plus qu'elle. « Qu'y a-t-il, Rhodes ? » Il s'appuyait sur le rebord du tiroir ouvert comme s'il avait besoin d'un soutien. « Viens ici », dit Jane. Elle s'assit sur le lit. Rhodes hésita un instant puis vint s'asseoir à côté d'elle. Il coinça son pied droit sous sa cuisse gauche. Lorsqu'ils étaient enfants, ils s'asseyaient ainsi dans leurs moments de tendre complicité quand il se faufilait dans sa chambre avec un livre d'histoires. « Raconte-moi tout, Rhodes.

— Tu sais combien de temps ça a duré entre nous ? Onze ans.

— Je sais. C'était juste avant que Nick et moi...

— Je l'ai vu tous les jours depuis onze ans. Tous les jours. Même lorsqu'ils partaient en voyage ensemble, sans moi — et ça n'est arrivé que deux ou trois fois —, je les rejoignais et je m'installais dans un autre hôtel. Et il a été complètement... écoute, Jane, il faut que j'en parle. Tu sais de quoi il retourne, non ? Entre Philip et moi.

— Que vous êtes amants.

— Oui. Je veux dire, maman pense que je travaille pour lui, et je savais que tu le savais, ou plus exactement je pensais que tu le savais. Onze ans déjà. Quand on est en voyage ensemble, juste nous deux, c'est parfait. Même s'il passe la moitié de ses journées au téléphone. On ne s'ennuie jamais ensemble. Je ne parle pas seulement de sexe.

— Je sais.

— On appelle ça les livres, le cinéma, les gens, l'art, la musique. Même lorsque je n'étais encore qu'un gosse, j'avais dix-huit ans, on s'entendait bien sur tous les points. Et ça n'a fait que s'améliorer avec le temps. »

Il avait un sourcil en bataille. Jane le lissa. « Alors, pourquoi l'as-tu quitté ?

— Parce que... » Il s'arrêta dans sa phrase, incapable de continuer, et secoua la tête.

« Tu veux rester seul quelques instants ? »

Il secoua la tête. « Non. Ça va. Laisse-moi finir. » Il prit une profonde aspiration. « Quand on est partis, c'est le paradis. Et on voyage beaucoup. Tu sais, on a toujours des rendez-vous partout. Mais à Cincinnati... on doit être prudent. On sortait ensemble avant. Mais les gens se sont mis à parler et on a arrêté. *Lui*, il sort. Il sort avec elle.

— Il vit toujours avec elle ?

— Il vit avec elle. Ils sont Monsieur et Madame Philip Gray et ils sont invités *partout*. Et, quand leurs soirées sont terminées, il vient chez moi. Enfin, parfois. Quelquefois, il reste avec elle.

— Tu crois qu'ils font encore...

— Oui. La nuit et le week-end, la plupart du temps, ils vivent leurs vies chacun de son côté et on reste ensemble. Mais quand on est ensemble, c'est chez moi ou chez un ou deux de nos amis. Et c'est tout. Voilà quelle est ta vie, Rhodes Heissenhuber.

— Et pour le travail ?

— J'y vais deux jours par semaine, je m'assieds dans mon bureau et je passe quelques coups de téléphone. Je m'occupe de quelques petites choses pour nous. Je fais les réservations dans les hôtels, j'entretiens nos rapports avec nos amis en Europe, j'appelle le chemisier. J'ai vingt-neuf ans et c'est tout ce que je sais faire. Je ne suis jamais allé à l'université. Je n'ai jamais eu d'emploi. Je n'ai jamais eu de carnet de chèques. Il règle tout. Tout ce que j'ai fait... c'est d'être avec Philip. C'est intéressant comme curriculum vitae, non ?

— Rhodes, t'a-t-il demandé de partir ? »

Rhodes s'étrangla de rire. « Bien sûr que non.

— Tu ne lui a pas dit que tu partais ?

— Je lui ai laissé une lettre.

— Pourquoi es-tu parti ?

— Oh ! Jane ! s'exclama-t-il. Tu ne comprends donc pas ? Il ne la quittera jamais. *Jamais*. Je suis coincé à Cincinnati neuf mois sur douze à attendre de partir en vacances. Je ne peux pas avoir d'amis car nous devons être absolument certains que nos amis sont... très discrets, et il n'y a donc que *cinq* personnes que je puisse voir. Il me surveille. Il sait où je suis à chaque instant. Une fois, il m'a même fait suivre.

— Par des détectives ? » Rhodes acquiesça d'un signe.

« Pourquoi ?

— Devine.

— Je ne sais pas.

— Oh ! Merde, je ne suis rien. Je n'ai même pas de carnet de chèques. Il m'a ouvert des comptes courants dans des magasins.

Je roule dans une Lamborghini de quarante mille dollars, je porte des mocassins à deux cents dollars et j'ai deux dollars en poche. »

Jane le prit par l'épaule, se redressa et l'embrassa sur le haut de la tête. « Rhodes, il meurt de peur que tu ne le quittes.

— Je ne le quitterai pas. Il devrait le savoir. Il devrait me faire confiance.

— Il est terrifié. Il sait que tu pourrais... Il sait que tu as le choix.

— Le choix ? Jane, je lui *appartiens*. Tu sais comment j'ai eu l'argent pour venir ici et acheter ce truc en dentelle ? Hier soir, j'ai pris trois cents dollars dans son portefeuille. Ce n'est pas charmant, ça ? Ça me rend vraiment très fier de moi. » Rhodes se mit à pleurer. Les larmes coulaient de ses yeux comme si une autre personne pleurait. Il ne sanglotait pas plus qu'il ne frémissait, il était assis sur le lit, parfaitement immobile.

« Tout va bien, lui dit-elle en l'embrassant.

— Non. *Tout* ne va pas bien. Que vais-je faire ? Trouver quelqu'un d'autre pour s'occuper de moi ? Et puis un autre ; et encore un autre, jusqu'à ce que je sois si vieux que je ne puisse plus que...

— Parle-lui. Dis-lui ce que tu m'as expliqué.

— Tu crois que je n'ai pas essayé ? Il a éludé la question. " Oh ! Voyons, chéri, tu veux vraiment apprendre à lire un rapport annuel ? Si tu le souhaites, je serais ravi de te l'expliquer, mais tu sais combien cela va être ennuyeux. " Et il a raison, ça ne m'intéresse absolument pas. Ah ! Et ensuite il a dit : " Tu n'as pas besoin d'argent. Tu ne sais donc pas que je m'occuperai toujours de toi ? "

— Dis-lui que tu ne sais pas qu'il s'occupera toujours de toi. Que tu ne veux pas qu'il agisse ainsi. Dis-lui que tu es un adulte. Inspire-toi des mouvements féministes. Je le pense sincèrement, Rhodes. Tu existes en tant que personne. Dis-lui que tu veux être traité comme tel. Que tu veux un salaire. Que tu veux régler tes notes toi-même.

— Ne nous emballons pas.

— Rhodes, tu ne gagneras ni son respect ni sa confiance tant qu'il ne constatera pas que tu restes avec lui alors que tu pourrais te débrouiller tout seul. Il doit comprendre que tu restes avec lui parce que tu le veux et non parce que tu le dois. Tu es avec lui parce que tu tiens à lui. » Elle avala sa salive. « Parce que tu l'aimes. » Rhodes haussa les épaules. « S'il sait que tu ne peux pas te débrouiller sans lui, vous n'aurez jamais de rapports d'égal à égal. Tu devras toujours te plier à ses désirs parce que tu auras renoncé à maîtriser la situation. »

Rhodes prit sa main dans la sienne. Elle baissa les yeux. Leurs mains étaient si semblables de forme et de taille, avec leurs doigts longs et légèrement aplatis qu'elles auraient pu appartenir au même corps. « Regarde-toi », dit Rhodes. Il avait presque repris son ton cassant. Jane tenta de se reculer mais son frère tenait sa main bien serrée. « Tu donnes des conseils très judicieux, Jane. Maintenant, la question est la suivante : Et toi ?

— Que veux-tu dire par là ? Ne me sors pas ton vieux truc. Il se trouve que nous parlions de toi. Je vais très bien. Mon mariage...

— On s'est très bien débrouillés, vu d'où on sort. On s'est dégoté de beaux partis, non ? Et ils sont du même acabit. Oh oui ! Belle réussite. Riches, intelligents, belle position sociale, dynamiques, puissants. Ah! Ça, manifestement puissants. C'est toujours eux qui mènent la barque. Ils jouent le rôle du père. C'est si criant que ça ne vaut même pas la peine d'y songer.

— Je ne pense pas que tu puisses comparer...

— Moins dix.

— Je le pense sincèrement, Rhodes.

— Moins vingt. Jane, regarde où ils en sont et regarde où nous en sommes. Mais regarde. » Elle se dégagea brusquement de son étreinte. « Mais regarde, imbécile », insista-t-il. On fait exactement ce qu'ils veulent qu'on fasse. On joue le rôle qu'ils nous ont assigné et on est incapables de vivre sans eux. Tu comprends maintenant ? Non pas qu'ils soient des dieux au-dessus de tout qui consentent à jeter un peu de poussière d'or sur nous en reconnaissant notre existence. Non, ils ont désespérément besoin de notre amour et ils prennent tout ce que nous avons à donner. Mais ils sont assez habiles et assez puissants pour se servir de notre amour — de notre faiblesse — pour avoir la mainmise sur nous. Oui, ils sont bien de la même race, Nick et Philip. Et nous aussi. »

Il n'était qu'un porc en rut qui se vautrait dans la fange. Mais chaque fois qu'il essayait de s'en sortir, il s'enlisait et retombait dedans. Tous les matins, Nicholas décidait de mettre un terme à cette histoire. Et tous les soirs, Laurel se retrouvait dans son lit. Tout le monde le savait. Le troisième jour, la costumière était entrée dans la caravane de Laurel. « Oh! », s'était-elle écriée. Le costume de Laurel lui avait échappé des mains. Il était assis dans un fauteuil entièrement habillé. Enfin, presque. Laurel avait ouvert sa braguette et s'était assise sur lui à califourchon. Elle avait les fesses à l'air. Elle ne portait que des chaussettes et un petit tee-shirt rose. « Excusez-moi, je suis vraiment désolée », avait bredouillé la femme d'un ton pleurnichard. Puis elle s'était enfuie à toutes jambes.

Quelques minutes plus tard, quand il sortit de la caravane, tout le monde savait.

Lorsqu'il tournait en extérieurs, tout le monde le taquinait et l'appelait le vilain Nick à cause de sa conduite irréprochable ; on lui envoyait des messages pour lui signaler que les putains qu'il avait demandées étaient arrivées et qu'elles l'attendaient derrière l'hôtel ; tous les matins au maquillage, on accrochait des cartes postales pornographiques sur la glace ainsi dédicacées : *A Nicky. Merci pour tout.* Personne ne lui faisait plus ce genre de plaisanterie. Tout le monde était poli et faisait semblant de regarder ailleurs lorsque Laurel montait dans sa limousine avec lui tous les après-midi. Murray, qui devait venir de New York, l'avait appelé pour annuler son voyage. « Je suis vraiment débordé ici, Nicky. Ça ne t'ennuie pas ? » Il avait pris un ton faux, trop enjoué, et son débit était si précipité qu'on aurait dit qu'il voulait se débarrasser de cette conversation au plus vite. « Débordé, absolument débordé, c'est de la folie, ici, Nicky. » Murray avait eu vent de la nouvelle. Nicholas avait raccroché, paralysé de honte.

Elle était si bête. Il avait tenté de discuter avec elle, mais cela ne faisait pas partie de son répertoire. Elle ne connaissait que le sexe. Chaque fois qu'elle lui faisait une nouvelle gâterie, et elle ne manquait pas d'imagination, il se demandait combien de fois elle avait déjà répété ces gestes. Une nuit, alors qu'elle le léchait partout, il avait songé à tous les photographes, tous les rédacteurs en chef, les directeurs de boutiques de vêtements, les producteurs, les metteurs en scène et les journalistes qu'elle avait sucés avant lui. Sa langue, sèche et rugueuse, était experte et impersonnelle. Mais cette évidence ne l'aidait en rien. Il n'arrivait pas à s'en sortir.

Il se comportait si mal avec elle. Il avait essayé d'être agréable à une ou deux reprises et de plaisanter avec elle, mais il aurait aussi bien pu prêcher dans le désert. Elle semblait indifférente à ses attentions. Et, face à cette attitude, il n'en était que plus odieux. Mais rien ne paraissait la toucher. « Personne ne t'a jamais dit que tu n'étais qu'une garce et une sombre conne ? » lui avait-il balancé. Il n'avait jamais parlé ainsi à personne jusqu'alors. Et elle s'était mise à pouffer de rire. Tout cela le rendait malade.

Tout le monde savait. Le directeur du studio l'avait appelé et

Nick avait perçu dans son ton mielleux le plaisir qu'il en tirait : désormais, il connaissait son point faible et saurait en tirer parti à l'occasion. « Comment se débrouille Laurel Blake ? » lui avait-il demandé.

Son frère le savait aussi. Edward ne disait jamais un mot. Il informait juste Nicholas de ses projets chaque après-midi : « On va dans un restaurant qui est à environ une heure de route, Rosie et moi. Ça ne t'ennuie pas si je file ? » Et ainsi, Nicholas n'avait pas à lui fournir d'explications gênantes pour se justifier de ne pas passer la soirée avec eux.

Il n'arrivait pas à croire qu'il pût se conduire ainsi sous les yeux d'un membre de sa famille. Il avait fait d'Edward un complice muet, comme du temps où leur père rentrait à la maison ivre mort et souillé des parfums d'autres femmes.

Les journalistes savaient aussi. Dans les rubriques de potins mondains, on lisait des articles crédules, mais pas si crédules que cela. Dans les journaux anglais et italiens, on publiait des photos assez anodines. Mais les légendes n'étaient pas si anodines.

Il avait appelé Jane un après-midi. « Salut, tu es en avance aujourd'hui.

— Comment vas-tu ?

— Qu'est-ce qui ne va pas, Nick ?

— Rien.

— Allons, ça n'a pas l'air d'aller.

— Je ne sais pas. Je n'ai pas le moral.

— Pourquoi ?

— Il y a des tas de bruits qui courent sur Laurel Blake et moi.

— Oh ! C'est ça. Mais il y a toujours des bruits qui courent. As-tu jamais fait un film sans qu'on raconte des histoires ?

— C'est pire que d'habitude cette fois-ci. C'est sordide.

— Arrête de t'inquiéter.

— Je me sens affreusement mal.

— Il ne faut pas. Mais raconte-moi un peu comment elle est. Sublime ? Bâtie comme une déesse ? Dois-je abandonner tout espoir et appeler un avocat pour divorcer ?

— Elle est stupide.

— Ah bon ! Mais, maintenant, je ne veux plus t'entendre comme ça. Au trente-sixième dessous. S'il te plaît.

— Jane, je t'aime, tu sais que je t'aime.

— Bien sûr que je le sais. Moi aussi je t'aime. »

Il n'y eut pas d'été indien. Une semaine après le premier lundi de septembre, c'était déjà l'automne. Le magasin de Manhattan

qui, trois fois par semaine, livrait leurs fruits et légumes de
premier choix chez les Cobleigh à des prix exorbitants, avait
ajouté deux gallons de cidre nouveau première pression dans
leur dernier carton. Le cidre était arrivé dans des pots de terre
cuite et Jane avait fini par reconnaître qu'il revenait à dix dollars
le gallon.

« Si elle avait attendu une semaine de plus, elle l'aurait eu
pour moins d'un dollar à la ferme de Gil au bout de la rue, dit
Cecily Van Doorn à Rhodes Heissenhuber. Dans des bouteilles en
plastique. » Ils étaient assis autour de la table de la salle à
manger.

Jane beurrait un petit morceau de pain fait maison.

« Mais si elle achetait son cidre chez Gil, elle n'aurait pas ces
adorables petits pots en terre cuite, lui fit observer Rhodes. Le fin
du fin en matière de charme campagnard. Et si ce cher vieux
Gil... c'est un bon vieux fermier du Connecticut, non ?

— Non, répliqua Cecily, il a tout juste vingt ans et on dirait
qu'il sort tout droit d'une galerie de monstres. Des bras très longs
et des yeux un peu trop écartés.

— Enfin, de toute façon, même si elle s'était arrangée pour
qu'il livre son cidre, il risquerait de sonner à la porte et, si c'était
le jour de congé de madame Platt, Jane se retrouverait là face à
Gil et au *Grand Air*. Et si Gil lui disait : " Mince alors, m'dame,
ces bouteilles en plastique sont vachement lourdes. Vous pouvez
venir jusqu'à la voiture pour m'aider à les porter ? ", que
pourrait-elle faire alors ? Sortir ? *Jane ?*

— Ça suffit Rhodes », lança Jane. Elle releva les manches de
sa robe qui n'était en fait qu'un immense pull-over : un fourreau
de cachemire rouge qui lui arrivait à la cheville.

Ils pensaient tous que c'était si facile. Franchir le seuil de la
porte. Sauter dans la voiture et aller chercher du cidre et un pot
de gelée de pomme à la ferme du coin. *Allons. Fais-le.* Elle avait
juste à surmonter une petite névrose. Une petite peur.

Ils pensaient tous qu'elle ne faisait pas vraiment d'efforts, elle
qui avait un mari — hochements de tête approbateurs à la
ronde — qui faisait absolument tout ce qu'il pouvait pour elle.
Ne s'était-il pas acharné, contactant expert après expert, jusqu'à
trouver enfin un psychiatre faisant des séances à domicile ? Il lui
avait offert cinq fois son tarif normal et lui avait fourni une
voiture avec chauffeur pour le conduire chez eux quatre matins
par semaine. Allongée sur un divan du salon tandis que le
psychiatre était installé dans un fauteuil confortable derrière
elle, elle lui avait parlé de sa mère et de Dorothy, mais elle savait
qu'il attendait qu'elle lui parlât de son père, comme s'il savait

pertinemment ce qu'elle lui cachait. Elle craignait d'éprouver des sentiments pour lui, de déraper dans ses propos et de lui avouer soudain des choses affreusement révélatrices... de lui dire qu'elle voulait voir à quoi ressemblait son sexe ou même qu'elle aimerait qu'il porte des chaussettes plus hautes. Mais cela n'était jamais arrivé. Les séances avaient duré un an et demi. Lorsqu'il l'avait quittée, elle en était toujours au même point. Et deux autres psychiatres lui avaient succédé. Allons, Jane, disaient les gens. Si vous ne le faites pas pour vous, faites-le pour votre mari. Ce mari tendre, dévoué et patient. Allons ! Faites qu'il soit fier de vous.

S'imaginaient-ils que c'était amusant de ne pas le rendre fier de sa femme ? Je ne peux pas aller aux Academy Awards avec toi. Rester là, dans le salon, la tête baissée, pendant qu'il hurlait « Nom de Dieu ! Nom de Dieu ! » en frappant sur les notes du piano dans les graves. Je ne peux pas, je ne peux pas, je ne peux pas. Les regarder partir pour Los Angeles, une fois avec Vicky et une autre fois avec Liz, en acceptant son baiser déprimé. Porte-toi bien, Jane. Je t'appellerai. Regarder la télévision lorsque la caméra panotait sur le public et s'arrêtait sur les quatre autres acteurs, accompagnés de leurs femmes ou de leurs petites amies, puis faisait un plan sur Nicholas qui donnait la main à une petite fille.

Et s'imaginaient-ils que c'était amusant d'avoir du retard dans ses règles ? Se réveiller tous les matins presque folle d'angoisse ? S'imaginer enceinte ? Etre arrachée de chez elle en hurlant et attachée sur une civière pour l'emmener en ambulance au dernier moment ? Ou chercher le moyen d'éviter ça, de tuer l'embryon ? De s'empoisonner à moitié, d'assassiner un fœtus en prenant des pilules ou de provoquer une fausse couche au péril de sa vie parce qu'elle ne pouvait pas sortir de chez elle ? Pensaient-ils que cela l'amusait ? Croyaient-ils qu'elle prenait plaisir à éclater en larmes et à sangloter de soulagement jusqu'à la plus extrême faiblesse quand elle avait enfin ses règles ? S'imaginaient-ils que c'était amusant de vivre ses rapports sexuels comme un acte qui risquait de remettre en question sa santé et sa vie même ?

Pensaient-ils que cela lui était indifférent d'être devenue ainsi ? Une mère qui décevait quotidiennement ses enfants. Une femme qui ne pouvait pas s'asseoir sur le perron et contempler un coucher de soleil avec son mari. La copropriétaire d'une maison sur le Pacifique et d'un appartement de huit pièces à Manhattan qu'elle ne verrait jamais. Je ne peux pas rester à l'hôtel, lui avait expliqué Nicholas. Les gens finissent toujours par trouver ma chambre. Et ils tambourinent à ma porte au milieu de la nuit. Achète quelque chose, l'avait-elle supplié. Tu es obligé d'aller là-bas si souvent, c'est parfaitement justifié. Pas sans toi, Jane. *S'il te plaît*, l'avait-elle supplié. Très bien.

Cecily termina son cidre et jeta un coup d'œil vers Jane. « Cette robe est absolument ravissante sur toi. Sincèrement, je ne t'ai jamais vue si belle. Tu devrais la garder pour quand Nick...

— Tu détournes la conversation, Cecily, interrompit Rhodes.

— ... Pour quand Nick rentrera demain. Ne joue pas les emmerdeurs, Rhodes, je sais exactement ce que je dis.

— Nick a téléphoné juste avant que vous n'arriviez. Il ne sera pas là avant après-demain, dit Jane. Ou même avant le week-end. Il est coincé à Paris.

— Le pauvre, lança Rhodes.

— Il doit faire des repérages avec le scénariste pour son prochain film dans une ferme qui se trouve quelque part au sud de Paris et il m'a dit qu'il préférait s'en débarrasser tout de suite et s'arrêter quelques jours à Paris en rentrant de Yougoslavie, plutôt que de devoir y retourner dans un mois.

— Elle pourrait être à Paris en ce moment à choisir des modèles de chez Saint Laurent plutôt que de traîner dans ce truc en laine ; là-dedans on dirait une publicité pour Cœur croisé de Playtex.

— Elle est ravissante, répliqua Cecily.

— Tu sais, dit Rhodes, que *Newsweek* les ait baptisés le couple doré, c'est une chose, mais pour qu'elle ait le teint doré au sens propre du terme, c'en est une autre. Il est jaune, en fait. Son visage n'a pas vu le soleil depuis des mois. Elle est obligée de mettre du fond de teint, sinon les gens penseraient qu'elle a une hépatite.

— Rhodes, je ne te laisserai pas me mettre en colère, lança Jane.

— Tu ne peux plus te mettre en colère. Tu prends tellement de Valium qu'au pire, tu peux être légèrement irritée.

— Peut-être devrais-tu t'arrêter, tu ne crois pas ? » répliqua Jane. Elle se leva de sa chaise et s'approcha de la cheminée. Elle dégagea le pare-feu, se mit à genoux et ouvrit le conduit. « Tu crois qu'il fait assez froid pour faire un feu, Cecily ? demanda-t-elle.

— Pas encore, d'ici la semaine prochaine. » Cecily se tourna vers Rhodes. « J'ai appris que tu nous quittais bientôt. Tu en avais assez du Connecticut ?

— J'en ai eu assez du Connecticut à la minute même où j'ai franchi la frontière de l'Etat. A côté, l'Ohio paraît excitant. Non, le type avec qui je travaille a téléphoné dix fois par jour depuis mon arrivée et il ne me reste que deux solutions : arracher le téléphone ou retourner à Cincinnati. Alors, je rentre. J'avais vraiment envie de prolonger mes vacances, mais le bureau s'écroule sans moi. De toute façon, ça n'a pas été très folichon de traîner ici depuis plus d'un mois et de passer son temps à fêter la semaine de " Sois gentil ", suivie de celle des Invalides.

— Ne parle pas ainsi, Rhodes », dit Cecily.

Jane resta immobile, agenouillée devant la cheminée. Elle finit par refermer le conduit et se leva tout en se frottant les mains pour enlever la saleté. Rhodes se retrouva soudain à ses côtés. « S'il te plaît, Rhodes, dit-elle, j'en ai vraiment eu mon compte pour ce soir. » Il posa le coude sur le manteau de la cheminée. Jane le regarda. C'est lui qui devrait être vedette, pensa-t-elle. Son visage s'était affermi. Ses pommettes étaient plus marquées, sa mâchoire plus carrée et plus virile et cela ne faisait qu'accentuer sa beauté. Il lui fit un large sourire. Même ses dents étaient parfaites. « Rendons les armes, Rhodes. » Elle lui sourit, essayant en vain, elle le savait, de lui lancer un sourire aussi éclatant que le sien.

Le visage de Rhodes se voila soudain. « Tu as besoin d'aide, dit-il calmement.

— Mais j'en ai eu.

— Jane, s'il te plaît, écoute-moi. Avant de partir, je veux être sûr que tu es...

— Nous nous conduisons grossièrement avec Cecily. » Elle parlait d'une voix presque stridente. Elle s'éloigna précipitamment de lui et reprit sa place à table.

Rhodes la suivit, mais resta debout derrière sa chaise à la regarder. « Désolée, Cecily, dit-elle. On a été odieux tous les deux. Mais on a tout le temps envie de s'envoyer des piques pour vérifier si notre vieille rivalité fraternelle fonctionne toujours.

— *Jane*, commença Rhodes.

— Pas maintenant ! »

Le regard de Cecily passa de Jane à Rhodes et revint sur Jane, puis elle baissa la tête. Lorsqu'elle parla, ce fut d'une voix presque inaudible. « Ecoute-le, Jane.

— Pourquoi refusez-vous de me croire tous les deux ? Je vous ai dit et répété que je vais *bien*. Je suis heureuse. J'ai tout ce que je désire au monde, ici dans cette maison et je n'ai donc aucune raison de sortir. Mais tu ne peux pas t'empêcher de continuer, n'est-ce pas, Rhodes, tu... »

Cecily tendit le bras par-dessus la table et posa sa main sur celle de Jane. « Ton frère t'aime. » Rhodes détourna les yeux.

« Tu le sais. » Jane haussa les épaules. « Et ça lui fait de la peine de te voir ainsi. Jane, ne prends pas la mouche, ne te lève pas de ta chaise pour disparaître. Ecoute-nous. Tu as besoin d'une assistance médicale.

— Non ! Plus de psychiatres. Ça ne sert à rien.

— Le plus ironique dans cette histoire, dit Rhodes, c'est que quatre-vingt-dix-neuf pour cent des femmes échangeraient ta place contre la leur sans hésiter une seconde. Tu as tout ce qu'elles souhaitent.

— Oui ! C'est vrai. J'ai tout ce qu'une femme peut désirer, alors pourquoi ne me laissez-vous pas tranquille ?

— Parce que tu es malade !

— Je *suis* malade ? Et toi... »

Rhodes frappa du poing sur la table. Les verres tremblèrent. « Ecoute-moi, nom d'un chien. Je peux choisir de faire ce que je veux de ma vie. Mais toi, pas. Tu as besoin d'aide. Ton univers se réduit de plus en plus. Tu vas finir par vivre sur une tête d'épingle !

— Rhodes, tu ne sais vraiment pas de quoi tu parles.

— Jane, écoute-le, intervint Cecily. Ecoute-*moi*. La vie est trop courte. Je le sais. S'il te plaît, ne la gaspille pas. »

Laurel Blake était allongée sur le lit à baldaquin dans un mini-slip lavande. Elle approcha un pied de son visage pour examiner son vernis à ongles et pour avoir l'occasion de déployer ses jambes. Sa culotte était si collante et si fine qu'elle ne faisait que souligner ses lèvres et les teinter de lavande. On apercevait une minuscule tache humide d'un pourpre plus profond. « Les Français font vraiment du bon travail », dit-elle en observant ses orteils.

Le téléphone sonna. « Si c'est ma femme, tu fous le camp d'ici, lui lança Nicholas.

— Tu ne peux pas prendre la communication dans l'autre pièce ?

— Bon Dieu ! » s'exclama-t-il et il sortit d'un air furieux, claqua la porte et rejoignit le salon de leur suite. Il décrocha le combiné à la troisième sonnerie.

« Bonjour Nick ! Comment va Paris ? »

Il s'éloigna des baies vitrées qui allaient du sol au plafond. « Très bien », dit-il. Il était nu. Lorsqu'il s'appuya contre le mur, il sentit le crépi froid et humide contre son dos. Il se redressa. « Jack ?

— Bien sûr que c'est Jack ! Tu t'attendais à qui, à Louis

B. Mayer peut-être ? Mon vieux, tu ne dois pas t'embêter dans le Gay Paris. Je te laisse des messages depuis *des jours et des jours*. Enfin, voilà pourquoi je t'appelle. Tu m'écoutes, Nick ?

— Oui. »

Laurel Blake ouvrit la porte et attendit. Puis, comme il ne lui faisait pas signe de se retirer, elle entra d'un pas nonchalant dans la pièce. Elle avait enlevé son slip lavande. Il la fixa. Les rideaux à moitié tirés atténuaient la lumière du jour et il pensa qu'elle avait mis du rouge à lèvres sur le bout de ses seins.

« On a une affaire qui pourrait t'intéresser, Nick. On va partager ça juste entre les associés et les meilleurs clients. C'est une opération sur le pétrole. Les résultats des sondages sont très excitants dans l'Anadarko Bassin. Un tas de sociétés importantes investissent dans la région.

— Où est-ce ? »

Laurel se glissa derrière lui et posa les mains sur ses hanches. Il la repoussa.

« En Oklahoma. On a fait une découverte insensée. Plus que fructueuse. Et quand je dis fructueuse, Nick, c'est le mot. C'est vraiment impressionnant. Bigrement impressionnant. »

Laurel, tel un félin, le contourna. Elle s'agenouilla devant lui et prit son sexe dans sa bouche. Il leva la main pour la repousser, puis laissa retomber sa main. En quelques secondes, il eut une érection si violente qu'elle en était presque douloureuse. Elle passa la langue autour du bout de son pénis avec agilité et délicatesse.

« Ce qui ne veut pas dire pour autant qu'il ne s'agit pas de spéculation, dit Crowley. Tu le sais aussi bien que moi.

— Exact », répliqua Nicholas.

Laurel glissa ses bras autour de lui. Jack poursuivit ses explications d'un ton monotone. Les mains sur ses fesses, Laurel continua ses gâteries et enfonça son sexe plus profondément dans sa bouche. Elle planta ses ongles dans les muscles de ses fesses.

« Mais on peut le passer complètement en pertes et profits la première année.

— C'est un avantage, dit Nicholas.

— Bien sûr que c'est un avantage. En plus, et c'est là le grand truc, le rapport ne devrait pas se faire attendre.

— Très bien. »

Laurel glissa le doigt dans son anus. Nicholas suffoqua. Il posa aussitôt la main sur le combiné. Laurel tournait le doigt en lui, encore et encore, le retirant et le remettant, tout doucement.

« ... Mais ça, c'est si ça marche, poursuivit Crowley.

— Très bien, arriva à dire Nicholas.

— Moi, ça me paraît très bien, Nick. C'est pour cela que je n'ai pas arrêté de t'appeler. Je pensais que tu voudrais être dans le coup.

— Je te remercie. »

Chaque fois que Laurel le suçait, ses assauts se faisaient un peu plus agressifs.

« Ils sont vendus en parts de cent cinquante mille dollars minimum. »

Nicholas passa la main dans son dos, la saisit par le poignet et la força à enfoncer son doigt plus profondément en lui. Elle comprit son geste et agita son doigt à un rythme plus rapide. Sa bouche suivit la même cadence. Il ferma les yeux et renversa la tête en arrière contre le mur. Il ne pouvait en supporter davantage.

« Tu veux que je te mette sur le coup, Nick ?

— Oui, s'il te plaît.

— Combien de parts ?... Eh, Nick ? Tu m'écoutes ?

— Je réfléchissais.

— Mauvaise habitude.

— Laisse-moi une minute. »

C'était venu trop vite. Il allait jouir. Il avait l'impression que sa tête allait exploser. Il commença à éjaculer et serra à nouveau la main sur le combiné. Sa respiration se fit rapide et haletante et enfin, après un dernier sursaut, il s'abandonna.

« Certaines personnes prétendent que le pétrole, ça va être la même chose pour les années 70 que l'immobilier dans les années 60. Espérons-le. Pas vrai, Nick ? »

Laurel retira son doigt. Nicholas ouvrit les yeux et la regarda. Elle recrachait son sperme ; elle lui avait dit qu'elle en prenait pour deux cents calories à chaque fois et qu'elle préférait en profiter pour déguster un bon vin blanc. Elle s'essuya le menton sur son ventre.

« Je pense que deux parts, ce serait bien, Jack. Mais rends-moi un service, veux-tu. Parles-en à mon père et, s'il estime que je dois en prendre trois, c'est d'accord.

— Bien sûr. A propos, j'ai vu tes deux filles hier.

— Mes filles ? »

Laurel s'allongea sur le tapis. Elle attrapa son pied de façon si inattendue qu'il faillit tomber. Il s'arc-bouta contre le mur. Elle l'amena contre ses jambes et mit son gros orteil contre son clitoris.

« Oui. Elles sont venues à New York passer la journée avec ton père. Il fallait le voir, c'était le grand-père de l'année. Il leur avait donné un bloc de papier à en-tête et un paquet de crayons et elles se sont assises dans son bureau pendant qu'il passait ses coups de téléphone. Mignonnes comme tout, des vrais choux... »

Nicholas retira son pied et se redressa. « Merci.

— C'était grand-papa Jim tout d'un coup. Complètement gâteux. Faut le faire, non ? Je crois qu'il a dit qu'il les emmenait déjeuner et qu'ensuite ils allaient voir un spectacle de magie. Deux petites filles formidables, Nick. »

Après avoir raccroché, Nicholas se sentit gelé. Il leva les yeux vers le plafond pour voir s'il se trouvait sous l'arrivée de l'air conditionné. Il avait la chair de poule sur les bras et sur les cuisses. Il claquait presque des dents. Laurel l'attaqua par la cheville. Il se précipita vers la chambre. Il avait affreusement froid.

Il ne prit même pas de douche. « Je dois vraiment me dépêcher, lui dit-il. Il faut que je rentre. » Il enfila un slip. Laurel saisit une de ses chaussettes et la glissa doucement entre ses jambes. Il la lui arracha des mains puis l'enfila rapidement et mit aussitôt l'autre. Puis il ouvrit la porte de son placard. Laurel se faufila entre ses costumes. « Allez, Laurel, lui lança-t-il.

— Tu ne vas pas vraiment partir. Je le sais. » Elle repoussa les complets vers les deux extrémités du placard. « Viens ici, viens. Ferme la porte, je veux te le faire dans le noir. » Il sortit un complet gris foncé. « Debout, murmura-t-elle. Dans un noir d'encre.

— Je viens de te le dire. Il vient d'arriver quelque chose. Il faut que je rentre aux Etats-Unis.

— Comme ça ?

— Oui, comme ça », répliqua-t-il. Il choisit une cravate. Ernie s'occuperait des bagages et prendrait l'avion suivant. Il réserverait deux places pour que personne ne puisse s'asseoir à côté de lui. Murray prendrait des dispositions pour que quelqu'un vienne le chercher à l'aéroport à New York et lui fasse passer la douane.

Laurel sortit du placard. Lorsqu'il jeta un coup d'œil vers elle, il fut stupéfait : son visage trahissait sa colère. « Alors comme ça, au revoir et va te faire foutre, Laurel ? » Sa voix charmante s'était durcie. Il recula. Elle n'avait jamais manifesté aucune émotion. Son front était si sombre qu'il pensait qu'elle avait peut-être une attaque.

« Je suis désolé, dit-il.

— Sans avertissement. Avale ça, chérie. Je retourne à ma femme et à mes gosses.

— Allons, Laurel, tu le sais depuis le début... »

Elle posa ses mains sur ses hanches. Le bout de ses seins, d'un rouge éclatant, le fixaient comme des yeux en colère. « Tu vas me laisser la note d'hôtel sur le dos ?

— Bien sûr que non. Arrête. On a eu de bons moments...

— Tu as eu de bons moments, espèce de macho, en tirant ton coup deux ou trois fois par jour.

— Je n'ai pas dit le contraire.

— L'étalon dans toute sa splendeur. Tu t'es offert une belle partie de cul, hein ? M'as-tu jamais demandé si je m'amusais, moi ? Hein ? Tu étais trop occupé à te vider la cervelle, à t'envoyer en l'air.

— Ecoute-moi...

— Je vais peut-être appeler la petite Janie pour lui raconter comme tu en as bien profité. Pour *toi*, c'était la belle vie. Mais pas pour moi. Laisse-moi te dire une chose. Je connais une centaine de types qui font ça mieux que toi, espèce de supermâle. Ton ventre est plus dur que ta queue. C'est la vérité. Tu commences à te faire vieux, tu es... »

Il savait ce qu'il devait faire. Il se força à lui dire : « Que veux-tu, Laurel ?

— Qu'entends-tu par là ? Tu t'imagines que tu peux m'acheter simplement parce que tu es un grand ponte ? Une grande star de merde ? Un type important. Tu penses que je ne suis qu'une pute de bas étage qu'on jette après usage ? Je suis une actrice.

— Bien sûr. » Il n'avait jamais eu si peur de sa vie. Il fit un suprême effort pour lui sourire. Un petit sourire, sincère, un peu meurtri. « Tu sais, j'ai l'impression d'être un salaud, Laurel, mais il faut que je rentre au plus vite. » Il tremblait intérieurement et craignait que sa peur n'éclate au grand jour, s'il se mettait à trembloter. Il s'obligea à contracter ses muscles pour essayer de se maîtriser. « Tu sais bien que je ne partirais pas si ce n'était pas urgent. » Sa voix manquait de chaleur; il adoucit le ton. « S'il te plaît, toi, reste à Paris. Reste jusqu'à la semaine prochaine. Tu sais que je m'occuperai de tout.

— Et qu'est-ce que je suis supposée faire à Paris toute seule ? » Elle avait toujours les mains sur les hanches. « Aller au restaurant toute seule pendant que tu t'occuperas de la petite Janie à la maison ?

— Tu dois connaître encore des gens du temps où tu étais mannequin, dit-il. Peut-être... »

Elle ne l'entendit pas. « Me branler toute seule ? Tu lui lécheras la chatte pendant que je devrais me masturber toute seule ici ? »

Il prit une profonde aspiration et s'approcha tout près d'elle. Gentiment, tout en faisant un effort surhumain pour être sûr de ne pas la serrer trop fort, il la prit par les poignets et mit ses bras autour de lui. « Fais encore quelques courses », dit-il gentiment. Il l'attira encore plus près de lui. « Tu sais bien que tu n'as pas trouvé tout ce que tu voulais. Laurel chérie, je voudrais que tu t'achètes quelque chose de ma part. Quelque chose de joli. J'aimerais avoir le temps de m'en occuper moi-même. J'avais prévu de te faire une surprise en t'offrant quelque chose de joli, et maintenant je suis obligé de partir précipitamment. » Il frotta sa joue contre la sienne. Pendant un instant, il se vit mettre les mains autour de son cou, ses doigts sur son larynx, et serrer, serrer, et entendre les craquements de ses os qui se briseraient dans son cou et voir sa langue pendre et virer au noir. « Tu sais combien tu es exceptionnelle, Laurel. Tu connais ma réputation. Je ne sors pas avec n'importe qui. Tu es Laurel Blake et tu vas devenir une grande vedette.

— Tu dis ça, mais tu ne le penses pas.

— Tu sais que c'est vrai. Tu es exceptionnelle. On reconnaîtra ton talent. Tu le sais, n'est-ce pas ? Je sais que tu le sais. Maintenant, écoute-moi, chérie. Je veux que tu t'achètes un cadeau très spécial. Quelque chose pour te rappeler nos moments si rares. »

Elle ne dit pas un mot, mais elle resta immobile, appuyée contre lui. « Combien dois-je dépenser ? demanda-t-elle enfin.

— Je pense, dit-il lentement, je pense que tu pourrais trouver quelque chose qui te plairait pour dix mille dollars.

— Dix ?

— Vingt-cinq, ajouta-t-il aussitôt. Je pense que ça irait, tu ne crois pas ?

— Oh ! Chéri », murmura-t-elle et elle déposa trois petits baisers sur sa joue. « Tu es gentil », et elle lui en donna deux autres. « Merci.

— Je t'en prie. »

22

L'administrateur de l'hôpital a laissé son bureau à Cobleigh pour qu'il soit plus à l'abri de la presse. Cependant, des journalistes qui l'avaient repéré alors qu'il sortait du service des urgences, ont déclaré qu'il était pâle et avait paru fâché contre eux...

W.P.I.X. Action News, New York.

Nicholas était rentré la veille au soir avec deux nouveaux oscars, l'un pour le meilleur acteur et le second pour la meilleure mise en scène. Il les posa sur le dessus de sa commode, avec désinvolture, entre sa brosse à cheveux et la boîte en cuir où il gardait ses boutons de manchettes. Il jeta par terre la chemise qu'il portait, son vieux sweat-shirt d'Alpha Delta Phi et se gratta le ventre. Jane le regardait de son lit. Il leva les bras très haut au-dessus de sa tête, s'étira et bâilla, puis enleva son jean et son slip et les lança à côté du sweat-shirt.

Il pouvait se permettre d'être désinvolte. Il avait trente-six ans et demi et — après le champion de boxe catégorie poids lourds — il avait le visage le plus célèbre au monde. On le reconnaissait plus souvent que le pape ou le président des Etats-Unis.

Il était riche. Un quart d'heure avant, Jane avait signé leur déclaration d'impôts conjointe. « Tu sais quoi ? » lui lança-t-elle.

Il marmonna quelque chose de la salle de bains, mais ses mots se perdirent dans la pâte dentifrice. Quelques secondes plus tard, il apparut dans l'encadrement de la porte. « Quoi ? » Il s'essuya la bouche avec une serviette puis la jeta par-dessus son épaule dans la salle de bains, comme s'il faisait une passe de basket.

« Tu es la personne la plus riche que je connaisse.

— Tu es riche aussi. » Il regagna la chambre d'un pas nonchalant. « Tu es copropriétaire de la plupart des biens immobiliers et il y a plein de trucs à ton nom. Si je clamse, tu seras une veuve très joyeuse. » On devait livrer les nouveaux rideaux qu'elle avait commandés le lendemain. Les fenêtres étaient nues et la lumière froide des lampes au mercure installées avec le système de sécurité projetaient sur lui des lueurs bleuâtres cadavériques.

« Nick, ne dis pas des choses comme ça. Ça porte la poisse.

— Ah oui ?

— Enfin, si ce n'est pas vrai, ça devrait l'être. »

Il retira les couvertures. « Même si tu décidais de partir ce soir avec un type, tu serais dans une excellente situation financière.

— Si je m'enfuyais avec un type, je crois que je ne dépasserais pas la cuisine et je ne pense pas que j'arriverais à vivre une aventure passionnée avec les filles assises autour de la table qui me feraient des remarques narquoises sur mes exploits. » Elle sourit. Il pouffa de rire. Elle n'avait pas quitté la maison depuis plus de six ans.

« Tu pourrais avoir quelqu'un qu'on t'aurait envoyé. Les livreurs pourraient te l'amener directement dans ta chambre, dit-il en sautant dans le lit. On te livre tout le reste. Tu n'as qu'à choisir le genre d'homme qui te convient. Quinze, vingt, vingt-cinq centimètres. Vérifier l'emballage. Lycée, université, grande école.

— Tu n'es pas drôle.

— Je n'ai pas dit que j'étais drôle. » Il laissa les couvertures entassées au pied du lit.

« A propos de commandes par correspondance, c'est intéressant. Pour quelqu'un qui ne va jamais nulle part, tu as une sacrée garde-robe. Et tous ces petits casiers que tu as fait aménager juste pour tes chaussures.

— Si tu trouves que je dépense trop d'argent, pourquoi ne le dis-tu pas franchement ?

— Ça m'est égal. Dépense tout ce que tu veux. »

Elle sentait son souffle sur son épaule. Il n'était qu'à trois ou quatre centimètres d'elle. « Quand tu es à la maison, tu invites des gens trois ou quatre soirs par semaine, dit-elle. Si tu veux que je porte des petites robes d'intérieur mal fagotée pour ressembler à Madame American Gothic [1]...

---

1. Référence à un célèbre tableau représentant un couple de fermiers puritains typiques du Middlewest dans les années 30. (*N. d. T.*)

— On croirait entendre ton frère.

— Quel mal y a-t-il à ça ?

— Je n'ai pas envie de me mettre au lit avec un pédé de Cincinnati. »

Elle se tourna vers lui et lui lança un regard noir. « Tu peux aller te faire foutre, Nicholas. » Elle voulut se retourner, mais il mit une jambe sur elle. « Laisse-moi tranquille, dit-elle.

— Ne nous disputons pas.

— Ce n'est pas moi qui ai commencé. Depuis que tu es rentré de Los Angeles, tu es d'une humeur épouvantable. Tu as été absolument odieux avec moi et tu n'as pas arrêté de rembarrer les filles.

— Ça suffit, Jane. » Il avait toujours sa jambe sur elle. Il commença à remonter sa chemise de nuit avec son genou. Elle la remit en place. « Pourquoi fais-tu cela ? » lui demanda-t-il. Il se rapprocha et la releva jusqu'à sa taille.

« Tu penses vraiment que je suis d'humeur à ça ? Tu rentres à la maison pour jouer Nicholas Cobleigh superstar et je suis supposée tomber en pâmoison ? Tu t'imagines que quand tu te conduis de manière aussi désagréable, ça me met d'humeur à...

— Et dans quelle humeur crois-tu que j'étais avant-hier soir ? répliqua-t-il d'un ton cassant. Oh ! Jane ! Assis là avec ma mère. Monter sur scène et accepter les deux prix, faire les deux fois le même bon vieux sourire en disant : " Jane, c'est aussi le tien " ou je ne sais trop quoi. Nom de Dieu, c'est la cinquième fois que je vais là-bas sans ma femme. Tu ne crois pas que les gens commencent à jaser ? Ou tu n'en as plus rien à foutre ? Es-tu si emmurée dans tes problèmes que tu ne vois même plus ce que les autres ressentent ? Oh non ! Merde ! Ne te mets pas à pleurer. »

Elle ne pouvait s'en empêcher.

« Allez. Arrête de pleurer. Arrête. Tu n'as aucune raison de pleurer. » Elle avala sa salive et prit une profonde inspiration. Il attendit. Elle savait qu'il la connaissait si bien. Il sut exactement à quel moment elle retrouva son calme. Et à cet instant précis, il recommença à relever sa chemise de nuit.

Elle aussi le connaissait bien. Comme il la passait par-dessus sa tête et la laissait retomber par terre, il se pencha vers Jane et l'embrassa. Il allait l'embrasser pendant moins d'une minute. Puis, il caresserait ses seins et, quelques instants plus tard, il se glisserait dans le lit et commencerait à les sucer. Cela prendrait encore quelques minutes et, alors, son érection étant assurée, il remonterait vers elle, l'embrasserait de nouveau pendant moins d'une minute et monterait ensuite sur Jane pour se frotter contre elle et la caresser pendant dix à quinze minutes jusqu'au moment où il déciderait qu'elle était prête à subir ses assauts. Parfois il la faisait monter sur lui. De temps à autre, il la poussait vers le bas du lit, ce signal lui montrant qu'il voulait qu'elle le suce ou se redressait sur ses genoux pour lui faire comprendre qu'il voulait se retrouver à califourchon sur elle et éjaculer entre ses seins. Mais, la plupart des soirs, tout était prévisible, comme cette fois-ci.

Voilà. Ça y était. Il était sur elle. Ce corps que tout le monde désirait. Un corps magnifique. Puissant et gracieux. Fabuleusement musclé sans les excès grotesques des body-builders. Le corps idéal.

Ce n'était pas le corps qu'elle désirait. Ce n'était pas le corps qu'elle avait épousé. La beauté naturelle du corps de Nicholas avait disparu. Il était devenu un Adonis. Son corps était devenu une création. Tout comme une statue.

Il y travaillait sans relâche tous les jours. Depuis son deuxième film, il était apparu à moitié nu dans tous ceux qu'il avait faits. Son visage était sa première arme. Ses manières (le feu qui bouillonne sous la glace) la seconde, et ses talents d'acteur la troisième. Son professionnalisme, sa sagacité, sa réputation d'aristocrate et son charme froid ajoutaient à ses atouts.

Mais son corps lui avait taillé une place à vie. Il était devenu un critère de perfection reconnu dans le monde entier : il y avait le vin français, l'hospitalité du Sud et le physique de Nicholas Cobleigh. A trente ans, il avait commencé à faire une demi-heure d'exercices par jour. Maintenant, avec son entraîneur, il faisait deux heures aux anneaux, à la corde, au cheval d'arçons et au trapèze. Puis il consacrait encore une demi-heure au poids. Au début de leur mariage, son premier geste le matin avait été de se blottir contre elle en prétendant que ce n'était pas encore le matin. Maintenant, il se glissait hors du lit pour faire deux cents pompes.

Le célèbre torse de Nicholas Cobleigh, ferme et parfaitement musclé, se pressait contre sa poitrine. Combien de femmes en rêvaient ?

Parfois, elle rêvait de Charlie Harrison. Elle avait songé à coucher avec lui, à avoir un orgasme.

Elle ne hurla pas. Elle ne faisait plus semblant de jouir. Une nuit, elle était restée silencieuse et il avait tout simplement continué puis terminé, comme d'habitude, comme ce soir. Il ne semblait pas le remarquer. Cela lui était égal, apparemment.

Jane finit par s'endormir. Il aurait voulu la convaincre de laisser les fenêtres sans rideaux. Elle était si belle dans la pénombre.

Le mois précédent, elle avait eu trente-sept ans. Elle détestait ces quatre mois qui la rendaient plus vieille que lui. « A côté de moi, les vieilles sorcières ont l'air jeune, disait-elle.

— Tu es plus belle que lorsque je t'ai épousée.

— Non, ce n'est pas vrai. Tu es plus myope. »

Elle était encore plus belle, même s'il savait qu'elle ne le croyait pas. Elle prétendait devoir son éclat aux artifices du maquillage, mais il pensait que c'était autre chose, une aura qui l'avait transfigurée. C'était une chose effroyable à penser, mais les pressions de son trouble intérieur et les murs de sa prison avaient créé un parfait équilibre.

Pour la première fois de sa vie, après dix-sept ans de mariage, Jane était parfaitement épanouie. Plus elle devenait désirable, moins elle semblait attirée par l'amour. Plus il devenait désirable, moins elle le désirait. Parfois, las de sa solitude et tenté par le besoin de s'enfouir dans un autre corps, il avait lancé un signal : une main qui s'attarde une seconde de trop sur l'épaule d'une comédienne, un doux baiser pour remercier une hôtesse qui dérivait sur ses lèvres au lieu de sa joue, mais les réponses à ses avances s'étaient faites trop violentes ; elles l'avaient presque désarmé. Alors il restait là, là où était sa place, auprès de son épouse, la femme qui le connaissait le mieux, la seule qui ne le désirait pas.

A l'instant même où ils avaient fini de faire l'amour, elle s'était penchée par-dessus le lit, avait cherché par terre à tâtons sa chemise de nuit et l'avait rapidement enfilée comme pour éviter que leurs peaux ne s'effleurent pendant la nuit. Dans son sommeil, Jane avait mis les bras sur ses yeux comme pour se protéger de la lumière inhabituelle où baignait la pièce.

Il lui semblait indifférent qu'il parte dans une semaine pour passer deux mois en extérieurs en Alaska. Elle s'était contentée de lire et de faire des remarques sur chaque réécriture du scénario, mais elle n'avait pas dit un mot du film. Il avait dû lui rappeler d'appeler la librairie pour commander ses livres et elle n'avait pas parlé du traditionnel dîner où elle conviait Murray et sa famille avant chaque début de tournage en extérieurs. Vu la façon dont elle se conduisait, il aurait aussi bien pu être un concessionnaire de voitures qui s'apprêtait à partir une demi-heure pour montrer ses modèles à des clients.

Elle ne semblait plus le désirer. Maintenant, la plupart du temps, elle n'essayait même plus de faire semblant.

L'année précédente, le jardinier avait planté des centaines de bulbes, et aujourd'hui, de la cuisine, Jane apercevait les jacinthes — roses, pourpres et blanches — qui garnissaient le monticule du fond vers le bassin, qui s'étirait comme un œuf de Pâques géant sur un lit de pelouse. Leur parfum était puissant et extraordinairement sensuel, beaucoup trop voyant pour le Connecticut. Elle attendait, le téléphone dans une main et, dans l'autre, la coupure de presse que Cecily lui avait donnée la veille. Ses deux mains tremblaient.

« Bonjour. » Elle entendit enfin une voix au bout du fil. « Ici le Dr Fullerton. »

Son nom se trouvait sous ses yeux dans l'article. « Le Dr Judson Fullerton, le psychiatre qui a fondé... » Ce nom sonnait faux et prétentieux comme celui d'un jeune comédien qui aurait eu la folie de vouloir calquer sa carrière sur celle de Nicholas Cobleigh.

« Je m'appelle Jane Cobleigh. » Elle prononça son nom de famille très rapidement et il se transforma ainsi en Coe-bee. Ainsi, s'il ne lui plaisait pas, elle pourrait toujours raccrocher et il ne saurait jamais si la Cobleigh qui l'avait appelé avait un rapport avec elle. Il ne pourrait jamais raconter à tous les autres psychiatres : j'ai reçu un coup de fil — une femme complètement névrosée, absolument frustrée — mais j'ai eu la nette impression qu'il s'agissait de l'épouse de Nicholas Cobleigh.

« Excusez-moi, je n'ai pas compris votre nom.

— Cobleigh, répondit-elle. C-o-b-l-e-i-g-h.

— Que puis-je faire pour vous ? »

Elle attendit qu'il dise madame Cobleigh, mademoiselle Cobleigh. Elle pensait qu'on ne pouvait plus la prendre pour une demoiselle. Il ne dit pas un mot. Ils attendent qu'on parle à leur place. « J'ai lu un article sur votre clinique.

— Oui. »

Ils attendent que vous vous ridiculisiez. Elle allait probablement faire un lapsus freudien épouvantable, dire « mon père » à la place de « mon mari » et ensuite il lui demanderait : Voulez-vous en parler ? Non, répondrait-elle, non je ne veux pas.

« J'ai lu un article sur la façon dont vous travaillez avec des femmes, dit Jane. Avec des gens qui ne peuvent pas... » Elle ne savait comment s'exprimer. Il était absolument silencieux. Elle ne percevait même pas sa respiration au téléphone. « Les gens qui ne peuvent pas sortir de chez eux.

— Oui, effectivement. »

— Et vous avez réussi même après une analyse classique ou... comment appelez-vous ça... même si une thérapie a échoué.

— Oui.

— L'article dit que, si elles ne peuvent pas venir vous voir, vous leur envoyez quelqu'un.

— C'est exact. Vous avez du mal à sortir de chez vous ?

— Je ne suis pas sortie de chez moi depuis six ans.

— Ça fait longtemps.

— Je n'ai jamais vu l'école de mes filles.

— Et vous voudriez la voir ?

— Oui.

— Voulez-vous que quelqu'un vienne chez vous pour en parler ?

— Et si je ne le veux pas, et si je décide...

— Personne ne vous forcera à faire quoi que ce soit. Dites-moi maintenant, quelle heure vous arrangerait ?

— N'importe quelle heure.

— Cet après-midi ? lui proposa-t-il.

— S'il vous plaît. »

Nicholas se tenait devant elle dans un pantalon de jogging gris, une serviette autour du cou. Une heure s'était écoulée. Elle n'avait pas quitté la table de la cuisine. « Je ne dis pas que ça ne va pas, poursuivit-il. Je dis simplement que tu devrais être prudente. Sais-tu qui sont ces gens ?

— C'est un psychiatre. Tu as lu l'article.

— Mais quelle réputation a-t-il ?

— Je suis sûre qu'il a bonne réputation. On l'encense dans le journal. C'est la première clinique pour les cas de phobies dans cette région du Connecticut.

— Mais qui est-ce ? Et d'où sort-il ?

— Je ne sais pas. »

Nicholas s'essuya les mains sur son pantalon. « Tu ne crois pas qu'on devrait d'abord prendre quelques renseignements ?

— Cecily est allée consulter ses antécédents à la bibliothèque. Elle va appeler d'une minute à l'autre.

— Et Cecily Van Doorn est une experte en psychiatrie. C'est ça que tu es en train de me dire ? Elle a épousé le père après le fils et va maintenant se marier avec un employé de la mairie qui conduit cette saloperie de chasse-neige...

— C'est un poète.

— Un poète. Bon Dieu, il a vingt ans de moins qu'elle et c'est *elle* qui va juger de la valeur d'un psychiatre pour toi ? Tu parles sérieusement ? » Il tira une chaise et s'y assit. Son corps exhalait l'odeur âcre de la sueur séchée. « Jane, je ne peux pas te dire à quel point je suis heureux que tu veuilles à nouveau essayer. Mais c'est un problème que tu as depuis des années, et tout ce que je fais, c'est de te suggérer d'attendre encore un jour ou deux pour me permettre de prendre des renseignements sur lui et sur sa clinique.

— Je me rendrai compte lorsque je verrai la personne qu'ils vont m'envoyer. J'ai encore mon propre jugement.

— Jane, je ne dis pas le contraire. Je pense simplement que tu te trouves dans une position de vulnérabilité et je ne veux pas qu'un charlatan...

— Ce n'est pas un *charlatan*.

— Comment le sais-tu ?

— Relis l'article. » Elle poussa la coupure de presse vers lui. « Regarde toutes les déclarations des gens qu'il a soignés.

— Jane, il y a des gens qui se font soigner par des sorciers. Allons. Je veux juste te protéger. Tu n'es pas l'Américaine moyenne. Tu le sais. » Elle reprit l'article, le plia et le glissa dans la poche de sa jupe. « Tu es ma femme. Je ne peux pas me permettre de laisser des gens dont je ne sais rien fouiner dans ma vie.

— C'est ma vie.

— C'est notre vie. Il a entendu notre nom et un éclair a jailli dans son esprit. Si ce n'est pas un homme intègre, tu sais le mal qu'il peut faire ? Franchement ?

— Nick, s'il te plaît.

— J'ai fait tout ce que j'ai pu depuis deux ans pour qu'on ne voie pas mon nom dans la presse. Je n'ai pas accordé d'interview depuis plus de dix-huit mois. Et tout cela pour une seule raison. Nous étions tous les deux d'accord sur le fait que notre vie privée...

— C'est un psychiatre !

— Ecoute-moi. Ce sont tous des voyeurs. S'ils ne l'étaient pas, ils ne passeraient pas leurs journées assis là à trouver leur plaisir en écoutant les secrets d'autrui. Tu ne crois pas que ce serait très excitant pour un psychiatre de province de troisième zone de tout savoir sur Nicholas Cobleigh, le scoop sur la vie intérieure de Nicholas Cobleigh ? Ça serait un excellent sujet de conversation pour un cocktail. »

Elle se leva, posa les mains sur la table et se pencha vers Nicholas. « Tu ne peux penser qu'à ça, n'est-ce pas ? Moi, moi, moi.

— Ce n'est pas vrai.

— Moi, moi, moi », scanda-t-elle. Il se leva et lui fit face.
« Moi...

— Tais-toi !

— Moi, moi, moi. Laisse-moi *encore* six ans enfermée ici, laisse
moi pourrir ici, tant que ça ne te dérange pas. Continue à faire
venir des psychiatres qui te font leurs rapports et qui te disent
que j'ai une attitude rebelle.

— Ça n'est arrivé qu'avec un seul et il a dit qu'il avait ta
permission.

— Tu veux savoir quelle est la vraie raison qui fait que tu ne
veux pas que je le voie ? Tu pars en Alaska après-demain et tu
veux que je fasse tes bagages, que je t'écoute répéter ton texte et
que je joue les charmantes petites femmes dévouées. " Oooh,
Nick, tu es vraiment un immense, un superbe acteur, et ça va être
ton plus grand film, un grand classique du cinéma américain et
je suis honorée d'avoir participé, pour ma très modeste part, à
l'élaboration de ce chef-d'œuvre. Profondément et infiniment
honorée. " Voilà ce que tu veux.

— Mon Dieu, mon Dieu. Comment peux-tu parler ainsi ?

— Comment ? Mais facilement, parce que c'est la vérité. »

Ice allait être le triomphe de Nicholas. Il l'avait su à la minute
même où il avait lu une biographie de Sheldon Jackson, un
missionnaire qui était parti en Alaska à la fin des années 1870 et
qui s'était consacré à aider les Esquimaux à survivre. Jackson
était tombé amoureux de l'Alaska, le vrai, pas l'Alaska pillé par
les trappeurs et les mineurs. Choqué par les conditions de vie des
Esquimaux qui mouraient presque de faim, Jackson avait
combattu les pouvoirs établis dont il faisait partie pour défendre
les Esquimaux. Faisant preuve d'une extraordinaire ingéniosité,
il avait introduit le renne en Alaska pour remplacer les espèces
en voie de disparition. La dernière scène lui était venue comme
un éclair de génie : Jackson et ses amis Esquimaux complètement désespérés se trouvaient sur une immense étendue blanche
qui scintillait à perte de vue quand soudain, des centaines de
rennes les entouraient et ils se mettaient alors à rire, à pleurer, à
étreindre les animaux et à hurler de joie.

Nicholas s'était occupé de tout. Il avait acheté les droits de la
biographie comme si Jackson était encore en vie. Il ne voulait pas
risquer de poursuites ou de controverses. Il ne voulait pas ternir
la réputation d'*Ice*. Il avait passé un an et demi à travailler avec
les trois scénaristes pour que le script soit irréprochable. En tant
que producteur exécutif, il avait engagé les meilleurs techniciens

et choisi les meilleurs acteurs, décorateurs et cameramen. Il avait réuni des météorologues, des guides esquimaux et des experts en survie. Il s'était adressé à une société spécialisée dans l'équipement scientifique pour la recherche en Antarctique pour lui fournir du matériel destiné à protéger les caméras, les projecteurs et le matériel son. Il avait accordé généreusement deux mois de tournage en extérieurs et s'était arrangé pour que le reste du fim soit tourné en studio à Astoria dans Queen's pour qu'on puisse le reconduire chez lui tous les soirs et rester ainsi avec Jane pendant les deux derniers mois, chose qu'il n'avait jamais pu réaliser jusqu'alors.

Et, en tant que vedette, *Ice* serait son heure de gloire. Tous les critiques qui proclamaient toujours qu'il était « trop en retrait » ou « trop W.A.S.P. » auraient leur dose d'émotion : la colère, la terreur, la lubricité, la douleur et la gentillesse poignante. *Ice* prouverait aussi son sérieux à Jane car il savait qu'elle considérait le cinéma comme un art de second ordre, même si elle affirmait que ce n'était pas nécessairement vrai. C'était vrai. Elle voulait qu'il fasse son retour au théâtre. Depuis huit ans elle n'avait jamais cessé de le harceler : « Le public ne te manque-t-il pas ? », « Tu n'as pas envie de faire quelque chose de différent ?. », « Ce ne serait pas intéressant de te remettre en question ? », car elle n'avait jamais compris qu'il faisait désormais partie d'un tout autre monde. Il allait lui offrir un spectacle exceptionnel. Dans cent ans, dans deux cents ans, on étudierait encore *Ice*.

Mais rien ne se passa comme Nicholas l'avait prévu. Les météorologues avaient introduit toutes leurs données dans leurs ordinateurs et lui avaient affirmé qu'en avril et mai le temps serait encore suffisamment hivernal pour que le décor paraisse impressionnant, mais qu'il ne risquerait pas d'arrêter le tournage. Pourtant, il neigeait presque tous les jours. Et les vents cinglants réduisaient la visibilité à néant. Ils n'avaient pas pu quitter leur hôtel pendant cinq jours. Et, lorsqu'ils avaient enfin pu sortir, ils avaient découvert que les réflecteurs des projecteurs s'étaient brisés et que deux des micros étaient irrémédiablement cassés. Ils avaient téléphoné pour demander du matériel de remplacement, mais alors la neige avait recommencé à tomber et même les pilotes du cru les plus intrépides restaient au sol. L'inactivité minait l'équipe. Nicholas s'aperçut que près de la moitié des comédiens et des techniciens prenaient de la drogue. Il commença à boire six ou sept bourbons par jour : les réserves du bar de l'hôtel avaient été vidées et les livraisons étaient suspendues *sine die*. Bloqués dans cet affreux hôtel moderne où le plastique régnait en maître, les gens de l'équipe se disputaient, avaient des liaisons éclair puis traînaient dans les couloirs à la recherche d'une autre aventure, d'une autre bagarre.

Nicholas buvait encore plus, mais il n'arrivait pas à être ivre. Il songeait à son père qui sombrait si facilement et pour la première fois il l'enviait. Il ne sentait qu'un engourdissement dans ses bras et ses jambes. Il avait tout le temps froid. Il n'avait nulle part où aller et personne à qui parler. Il avait toujours eu l'habitude de parler à Murray tous les jours lorsqu'il était en extérieurs et maintenant, avec ce téléphone déficient, il ne pouvait que hurler quelques mots qui les laissaient frustrés. « Porte-toi bien Murray. — Je t'adore, Nicky ! Ne te les gèle pas. »

Avec Jane, il ne pouvait aussi que hurler : « Comment ça va ? — Très bien ! » hurlait-elle à son tour, bien qu'il sût que le volume ne reflétait pas leur enthousiasme. Il se sentait complètement déconnecté. Même après, lorsque le téléphone fut réparé, leurs conversations semblaient dénuées de vie comme si elles étaient affectées par le climat. « Tu as vu ce psychiatre ? » demanda-t-il enfin. « Pas encore, mais quelqu'un est venu plusieurs fois à la maison », fut tout ce qu'elle lui dit. « Comment ça marche, Jane ? — Très bien, répondit-elle. Je t'en parlerai quand tu rentreras. » Leurs conversations au téléphone avaient toujours duré une heure. Maintenant, elles étaient brusques et efficaces comme s'ils étaient les dirigeants d'une société bien organisée qui marchait presque toute seule.

Il avait appelé ses filles dans leur école du New Hampshire, la même que celle de ses sœurs. Elles non plus n'avaient pas une bonne voix.

Il y avait de tels dépassements de budget sur *Ice* que cela le rendait malade, au propre du terme. La nuit, il avait de violentes douleurs à l'estomac. Il n'était arrivé à dormir qu'en prenant la codéine et l'aspirine que l'assistant metteur en scène lui avait proposé. Le troisième soir, alors qu'il dînait dans sa chambre — on lui avait monté des œufs pochés froids servis sur un plateau orange de cafétéria —, il anticipa sur la douleur et songea à prendre ses cachets. Terrifié, il les jeta dans les toilettes et se coucha sous la lourde couverture de fausse fourrure, plié en deux de douleur, se tenant l'estomac et imaginant — à juste titre, comme l'avenir le lui apprendrait — les terribles concessions que le studio exigerait de lui désormais.

Lorsqu'ils purent enfin commencer à tourner, il comprit qu'*Ice* serait raté. Les scènes d'émotion capitales tournaient à l'hystérie. Les scènes supposées subtiles n'étaient que maladroites, ennuyeuses et moralisatrices. Il jouait faux et il n'arrivait même pas à tricher son jeu. Le dialogue — « Je ne le laisserai pas tomber mon ami. Pour rien au monde » — qui, au Connecticut, sonnait si vrai, si juste, semblait sortir tout droit d'un vieux western démodé.

Il se sentait vieux. Le projet était vicié à la base. Le studio envoya quelqu'un pour l' « assister », pour lui arracher la direction du film. Tous les jours, les rushes le plongeaient dans un désespoir plus profond. Tout, des cadres aux costumes, semblait minable comme dans un téléfilm tourné à la sauvette.

Nicholas regardait autour de lui, espérant qu'il était le seul à s'en apercevoir. Mais ce n'était pas le cas. La vérité se lisait sur tous les visages. Ils n'en étaient pas encore à la moitié du tournage et, déjà, toute l'équipe était consciente de ce qu'il savait : Nicholas Cobleigh avait échoué.

23

Dans cette maison se trouvent les deux personnes qui ont façonné Jane Cobleigh : ses parents, Dorothy et Richard Heissenhuber. Dans cette maison, juste devant moi. Et qu'éprouvent, dans leurs cœurs, ces deux personnes ce soir, nous demandons-nous, alors que la fille qu'ils ont élevée...

Lou Unterman
W.L.W.-T.V. News, Cincinnati.

Ellie Matteo avait l'allure d'un personnage présentant une publicité pour une sauce accompagnant des spaghettis. Ses sourcils noirs épilés formaient deux lignes fines et agressives qui ajoutaient à son attitude quelque peu intimidante. Elle n'avait pas l'air d'une femme qui avait passé vingt ans de sa vie coincée dans un seul pâté de maisons de Stamford, Connecticut, incapable de traverser la rue. Elle se tenait à côté de Jane dans le hall d'entrée, sous le lustre. « Bon ! dit-elle, aujourd'hui nous allons essayer de rester devant la porte ouverte. Si vous pouvez.

— Et si je ne peux pas ? lui demanda Jane.

— Nous irons à la cuisine prendre une autre tasse de café et je reviendrai dans deux ou trois jours. Maintenant, on y est. D'accord ? » Jane hocha la tête. La porte d'entrée était fermée. « Bon. Imaginez que la porte est ouverte et que vous êtes plantée au beau milieu et regardez dehors.

— Vous n'allez pas l'ouvrir ?

— Pas avant que vous ne me le disiez. Maintenant imaginez-le seulement. »

Jane ferma les yeux un instant, puis les rouvrit. Aucune image distincte ne se forma dans son esprit, mais elle imagina le froid piquant du matin sur ses bras. Elle portait un chemisier à manches courtes et, lorsqu'elle frotta le haut de ses bras, elle sentit qu'elle avait la chair de poule.

« Maintenant, poursuivit Ellie, comment vous sentez-vous par rapport à l'échelle des dix marques ? A un, vous êtes détendue ; à dix, vous êtes prise de panique.

— A trois.

— D'accord. Que diriez-vous si j'ouvrais la porte ?

— On peut attendre une minute ?

— Bien sûr. Aujourd'hui, on va juste se tenir dans l'embrasure de la porte. Rappelez-vous simplement qu'on ne fait qu'un pas à la fois. C'est tout. Vous êtes restée... combien, six ans chez vous ?

— Oui. Et deux ans de plus à être incapable de faire quoi que ce soit. D'aller en ville ou de conduire... Pendant un moment, je sortais avec mon mari ou un ami, mais... vous allez ouvrir la porte ?

— Vous voulez que je l'ouvre ?

— Pas encore », répliqua Jane. Elle avait les lèvres si sèches qu'elles étaient collées l'une à l'autre. « La première fois que vous avez essayé, qu'avez-vous fait ?

— Vous voulez dire, à propos de mon agoraphobie ? Je suis restée trois quarts d'heure à l'angle de ma rue avec la femme qui m'aidait.

Vous pouvez ouvrir la porte ? » Ellie s'exécuta puis revint à ses côtés. Il faisait plus chaud qu'elle ne l'aurait cru. Elle se rappela un jour du même genre — un jour de printemps si doux que l'air était presque sirupeux —, peu après qu'ils eurent hérité de la maison. Les filles et elle avaient fait des plantations sur les massifs situés à gauche de la maison.

« D'un à dix ? demanda Ellie.

— Toujours à trois. Quatre. Quatre parce que je sais que je dois...

— Vous n'êtes pas obligée. »

Jane fit un pas vers la porte. Ellie resta à côté d'elle. « Toujours quatre. » Elle se tourna vers Ellie. « Et si je me précipite soudain au premier en hurlant ?

— Vous vous précipiterez au premier en hurlant.

— C'est ça qu'on vous apprend à dire ?

— Très souvent, oui.

— Oh ! Vous êtes très honnête.

— Je dois l'être. Vous devez avoir confiance en moi.

— Qu'a dit votre mari lorsque vous lui avez appris que vous aviez mis un pied dans la rue ?

— Une chose du genre " chapeau, Ellie ". Il a piqué ça aux gosses. Il est professeur de maths, mais il entraîne l'équipe de natation féminine.

— Chapeau », répéta Jane tout doucement. Elle s'approcha vivement de la porte comme si elle faisait ça plusieurs fois par jour, mais s'arrêta brusquement lorsqu'elle se retrouva à trente centimètres.

« De un à dix ?

— A cinq. » Son cœur se mit à battre. Elle était si près de l'air frais. Il fallait qu'elle lève la tête pour humer les odeurs. Le long de l'allée qui menait à la maison, elle vit un énorme massif de géraniums blancs. Elle ignorait que le jardinier les avait plantés car pour cela elle aurait dû regarder d'une fenêtre du premier, chose qu'elle n'aimait pas faire. « A quatre.

— Vous voulez essayer de faire un pas de plus ? »

Elle s'apprêtait à dire : pas encore, lorsque son corps bougea pour elle. Ses pieds avancèrent, ses bras se jetèrent en l'air et ses mains saisirent l'encadrement de la porte. « A sept ! hurla-t-elle. Je n'arrive pas à retrouver mon souffle. Mon cœur... à huit. Je ne peux pas.

— Voulez-vous reculer ? lui demanda Ellie qui se trouvait juste derrière elle.

— A sept.

— Bien.

— Je peux respirer maintenant. » Jane avala sa salive. « Mais mon cœur... » Il martelait sa poitrine et battait avec des à-coups terrifiants. Les joints métalliques de la porte lui lacéraient les paumes, mais elle ne pouvait baisser les mains, sinon elle risquait de tomber, de dégringoler dehors. « A huit à nouveau. Ça remonte. A huit.

— Huit, répéta Ellie.

— Oh ! Mon Dieu. C'est une journée superbe et je ne peux même pas l'apprécier. Je devrais sentir la chaleur et...

— Un pas à la fois.

— Respirer le parfum des fleurs.

— D'un à dix ?

— Comment ? A six. Mais je ne peux pas ! Je ne peux pas le faire. Oh ! Mon Dieu, à sept.

— Jane, vous êtes dans l'embrasure de la porte.

— Quoi ? » La tête lui tournait. Elle avait peur de se retourner vers Ellie, peur de perdre l'équilibre.

« Vous êtes là depuis plus de deux minutes. Vous l'avez fait.

— Vraiment ? »

Murray King s'appuyait contre la clôture du paddock. « Qui nettoie les boxes des chevaux ? demanda-t-il.

— Nous avons une palefrenière, répondit Nicholas. Elle s'occupe de tout.

— Je n'arrive pas à croire où en est arrivée Janie », dit Murray.

Nicholas cogna ses bottes l'une contre l'autre pour retirer la boue séchée. « Elle fait des progrès.

— Toutes ces années. Et maintenant, tout d'un coup, en deux, trois mois... Je n'arrive pas à le croire, Nicky. Elle est venue jusqu'à la voiture pour m'embrasser. J'en suis resté pantois. Elle a un sacré docteur.

— C'est une clinique. La plupart du travail est effectué par d'anciens malades. C'est un genre de psychologie behavioriste. Ça ne les intéresse pas d'arriver aux racines du problème.

— Qui a besoin de racines ? Elle sort. Elle monte en voiture.

— Juste pour aller à la clinique deux fois par semaine, pour sa thérapie.

— Quand même. C'est presque un miracle. » Nicholas hocha la tête. Il racla ses semelles sur le bas de la barrière. « Il y a quelque chose qui ne va pas, Nicky ?

— Non.

— Ça veut dire non, il n'y a rien, ou non, ce n'est pas le genre de choses dont on parle en bonne compagnie ?

— Murray, s'il te plaît.

— Très bien. Je dis seulement que je ne l'ai pas vue plus heureuse depuis... Tu as l'air plus en forme, Nicky.

— Ce n'est que temporaire. On a commencé le montage d'*Ice* lundi. Mary Rooney, ma monteuse...

— Oui ?

— Elle a dit que ça allait faire un tabac.

— Vraiment ?

— Avec les obsédés du blanc. Elle a dit qu'il y avait une telle lumière à cause de la neige qu'il lui faudrait porter des lunettes de soleil.

— Elle n'est pas trop optimiste ?

— Elle estime qu'on peut jouer avec. Tu sais ce que ça veut dire.

— Au moins elle n'a pas pris de cyanure. Ecoute, Nicky, ne te laisse pas miner à ce point par cette histoire. Tout le monde fait un navet de temps en temps. Tu n'es pas Dieu le Père.

— Ça va toucher tous mes contrats. Tu le sais.

— Nicky, ils vont te forcer un peu la main, mais c'est tout. Ce n'est pas comme si tu étais mort. Tu as juste fait un film un peu tape-à-l'œil. Pas très personnel.

— Merci », répliqua Nicholas d'un ton cassant.

Murray se redressa. « Tu as lu le scénario de Steve Greenlick ?

— Oui.

— Tu as le droit de répondre autrement que par oui ou non, Nicky.

— Oui, je l'ai lu, Murray. Il ne m'intéresse pas.

— Pourquoi ? C'est bon.

— Il veut le mettre en scène.

— Et alors ? Allons. Tu ne peux pas mettre en scène tous tes films. Et si tu acceptais de faire le film de Greenlick, un tas de gens des studios retomberaient fous amoureux de toi à l'instant même et t'enverraient des crèmes au chocolat et des mots doux. C'est un bon coup. Tu sais que c'est un bon coup.

— Il aura le cut final ?

— Il est le metteur en scène, Nicky.

— Je suis la vedette.

— Nicky, tout ce que je te demande, c'est d'être réaliste. Prends les choses un peu plus à la légère. Tu peux te le permettre. Tu n'es pas un gosse des rues qui vient de gagner son premier million et qui est fou à l'idée de le perdre. Allons. C'est le rôle idéal. Amuse-toi simplement à jouer. Tu as une position bien établie. Ça se présente parfaitement. Trois mois de tournage. En extérieurs à New York. Comment peux-tu refuser ça ?

— Et si je décline leur proposition ?

— Je crois que tu leur ferais grand plaisir en acceptant. Ecoute, Nicky, un film raté c'est un film raté. O.K. Terminé. Mais maintenant tu as besoin de faire un tabac.

— Sinon ?

— Alors, tu prendras un risque. Tu veux prendre un risque, je ne suis pas contre. C'est toi le conservateur, mais servons-nous de tes critères conservateurs. D'accord ?... Je vais te dire une chose. Si tu prends un risque, les regards seront fixés sur toi. Et si tu te casses la figure, Nicky, ils applaudiront. Mais si tu replonges une nouvelle fois, ils vont se mettre à te donner des coups de pied pendant que tu seras à terre. Et ils frapperont fort, tu les connais. Ils feront tout pour que tu ne puisses jamais te relever. »

Jane reconnaissait qu'elle ne pouvait appeler cela une colline. La maison se trouvait sur une hauteur. Du fond du jardin, on l'apercevait presque de partout : du bassin et des bois sur la droite ou des écuries, de la grange et des terres cultivées sur la gauche. Devant la maison, la pente était plus inclinée et, à trois cents mètres au bout de l'allée en gravier qui serpentait entre les arbres, on ne distinguait plus que les deux énormes cheminées en pierre.

Lorsqu'elle atteignit la boîte aux lettres, à près de huit cents mètres de la propriété, l'allée s'incurvait si fort vers la gauche que la maison semblait avoir disparu. Il n'y avait qu'une boîte aux lettres grise, cabossée, avec le nom BENSON inscrit dessus en lettres d'imprimerie peintes en noir. Ils n'avaient jamais eu l'occasion de changer le nom de « Tuttle » en « Cobleigh » car Nicholas était devenu célèbre trop vite et on les importunait sans cesse. Jane avait suggéré de choisir Austen ou Brontë, mais Nicholas les trouvait dangereusement révélateurs et avait donc opté pour Benson, le nom d'un personnage d'un scénario qu'il lisait.

Le drapeau rouge était baissé, rouillé dans cette position inutile. Pendant quelque temps, on leur avait volé du courrier dans leur boîte aux lettres. Maintenant, le mari de la bonne, qui travaillait comme homme de peine et garçon de courses, se rendait en ville tous les matins pour prendre leur courrier à la poste.

Jane resta à côté de la boîte vide, le regard fixé sur la route comme si elle attendait la lettre la plus importante de sa vie. C'était son exercice : descendre l'allée, rester cinq minutes entières à côté de la boîte aux lettres, puis remonter l'allée. Elle portait une vieille montre de Nicholas avec une trotteuse. Trente-cinq secondes s'étaient écoulées.

Ses jambes tremblaient. Ce ne sont pas les nerfs, se dit-elle. Pas les nerfs. Manque de forme. Son genou droit se déroba sous elle et elle se raccrocha à la boîte aux lettres, la serrant contre sa taille comme une enfant chérie.

Ses chaussures la serraient. Une minute et quarante-cinq secondes. Un léger vertige. Très bien. La tête allait lui tourner. Parfait. Son cœur allait se mettre à battre. Personne n'est jamais mort d'une crise de panique, lui avait dit le Dr Fullerton. Elle le croyait. Affrontez l'événement. Donnez-lui une note. Elle était à cinq.

Cinq, c'était haut, mais elle était fatiguée. La promenade l'avait fatiguée. Elle se tenait toujours à la boîte aux lettres. Les taches de rouille tachaient sans doute son pull-over. Un énorme pull-over en angora très pelucheux, tricoté à la main, français. Beige et blanc. La semaine précédente, la femme du président du groupe qui détenait le plus grand ensemble de théâtres du pays en portait un. Une femme encore plus grande qu'elle et plus mince, d'une dizaine de kilos, qui avait regardé le pantalon en daim de Jane comme si elle cherchait à lui faire un compliment, mais ne le trouvait pas. Une salope chic et glaciale dans un pull-over de cinq cents dollars. Une salope, mais une femme moderne qui travaillait.

Tout le monde travaillait. Cecily avait acheté et agrandi la librairie de la ville. Elle s'y affairait six jours par semaine maintenant. Abby, sa belle-sœur, était l'assistante d'un avocat de New York. Son amie de Pembroke, Amelia, avait obtenu son doctorat et enseignait la psychologie à North Eastern. Son amie de lycée, Lynn, qui pendant des années avait été la femme d'intérieur la plus heureuse du monde, avait ouvert une boutique à Cincinnati baptisée La Table élégante : elle vendait du linge, des sets de table et des ronds de serviettes. Même sa belle-sœur Olivia travaillait. Elle avait un métier à tisser dans son salon et faisait des modèles en laine afghane qui se vendaient de six cents à mille dollars pièce.

Deux minutes vingt. Sa belle-mère faisait du bénévolat quatre jours par semaine. Elle convoyait de chambre en chambre la bibliothèque ambulante à Sloan-Kattering, l'hôpital spécialisé dans le cancer.

Personne ne restait plus à la maison. Tout le monde avait trouvé sa voie. Lorsqu'elle appelait Cecily le soir, elle tombait souvent sur son nouveau mari. Cecily, épuisée après une journée de travail — et, Jane le supposait, par l'amour d'un homme de vingt ans son cadet qui lui avait dédié un livre de poèmes —, se couchait de bonne heure. Vous voulez que je la tire du lit ? lui demandait son mari. Elle a l'air de respirer encore. Non, disait Jane. Laissez-la dormir. Je la rappellerai demain au magasin. La plupart du temps, lorsqu'elle lui téléphonait à la boutique, Cecily lui disait qu'elle la rappellerait mais ne le faisait pas.

Et si son traitement marchait ? Si elle arrivait enfin à dépasser la boîte aux lettres, à dépasser le prochain stade ? Un pas à la fois. Un pas à la fois et elle aurait quarante ans. Et que pourrait-elle faire ?

Trois minutes quinze.

Elle était restée fermée au monde. Et maintenant ? Si elle arrivait à s'y réinsérer ? Il n'y avait pas de place pour elle. Elle préparerait des gâteaux inutiles ou suivrait Nicholas de tournage en tournage et remplirait ainsi les deux rôles traditionnels que les femmes abandonnaient partout de par le monde.

Ses jambes tremblaient. Elles se dérobèrent sous elle. Elle

tomba sur le côté, entraînant presque la boîte aux lettres dans sa chute. Elle resta assise là, les yeux fixés sur sa jambe. Elle avait filé son collant et ses sandales étaient tachées de boue. Des traces de sang maculaient sa jambe. Elle fut saisie de nausée. De petits points rouges entourés de gravillons noirs. Elle baissa la tête. La tête lui tournait. Affreusement. Donnez-lui une note. Elle ne pouvait pas donner une note. Son cœur battit la chamade puis il s'arrêta. Oh! Mon Dieu. Elle se redressa péniblement. Son cœur s'arrêtait plus qu'il ne battait. Elle s'entendit geindre. Un cri terrifié et lointain. Puis elle se rua vers l'allée et la remonta en boitant, en hurlant et en gémissant : je ne peux pas! je ne peux pas! je ne peux pas!

« Vous avez déjà eu des rechutes, dit Judson Fullerton. Vous vous souvenez de cette première fois devant votre boîte aux lettres ? Ce n'est qu'une de plus.

— Sans doute », répliqua Jane. Ses mains étaient délicatement posées sur les bras en chrome du fauteuil. Elle combattait son instinct qui lui dictait de les serrer aussi fort que possible. Elle détestait ce bureau. Les fauteuils étaient en chrome et en cuir. Le bureau était nu, hormis un téléphone, un porte-crayons en bois de rose et un cadre en chrome tourné vers Fullerton.

« Ce n'est pas la première rechute et ce ne sera pas la dernière, vous le savez. Voulez-vous parler de ce qui s'est passé ? demanda-t-il.

— Eh bien, je suis allée en ville. Je devais marcher d'un bout de Main Street à l'autre et m'arrêter au moins devant quatre vitrines. Ellie Matteo m'a déposée puis elle est repartie m'attendre au bout de la rue. Et, au début, tout s'est bien passé. Je me suis arrêtée devant un magasin de chaussures.

— Que s'est-il passé ? »

Il l'avait interrompue. Ce n'était pas comme dans sa thérapie habituelle avec cette vieille psychanalyste qui venait remplir sa bourse à domicile.

« J'ai commencé à me sentir très mal à l'aise. Les gens me fixaient. Je sais que vous pensez que je suis paranoïaque, mais c'est la vérité.

— Je ne pense pas que vous êtes paranoïaque. Vous avez été très souvent photographiée avec votre mari. La plupart des gens doivent savoir que vous habitez dans la région. Cela n'a rien de surprenant qu'on vous regarde.

— Et je n'y étais pas allée depuis des années.

— Savent-ils pourquoi ?

— Non. La plupart des gens l'ignorent. Mon amie Cecily dit qu'ils croient que je fais toutes mes courses à New York. J'imagine que c'est le cas. Tout ce que j'ai à faire, c'est de téléphoner et de dire " Ici madame Nicholas Cobleigh ", et aussitôt quelqu'un dans les grands magasins, les boutiques de Madison Avenue et les comestibles de luxe se met au garde-à-vous.

— Comment avez-vous réagi en sentant qu'on vous observait ?

— Comme d'habitude. » Judson Fullerton attendit.

« J'étouffais, la tête me tournait. J'ai dû m'accrocher à un réverbère.

— Comment avez-vous essayé de surmonter cela ?

— Oh ! J'ai juste rejeté la tête en arrière et j'en ai ri. »

Il ne sourit pas. Elle ne savait pas encore s'il n'avait aucun humour ou si cela faisait partie de sa thérapie. Depuis quatre mois qu'elle le voyait, il ne l'avait jamais laissé croire qu'elle le charmait ou l'amusait ou même qu'il la trouvait agréable. « Je n'ai pas essayé de le surmonter, c'est ça le problème. J'ai tout simplement oublié tout ce que j'ai appris et j'ai cédé à la panique. »

Il la regardait droit dans les yeux. Elle baissa la tête. Non qu'il eût un visage à la faire rougir. Il était Monsieur Tout le Monde.

« Vous n'avez pas laissé venir les sensations ?

— Non, je les ai combattues, je les ai fuies. Tous mes vieux réflexes. Et aussitôt que j'ai pu, je me suis ruée dans Main Street pour rejoindre la voiture. Les gens ont dû penser que j'étais folle.

— Peut-être ont-ils cru que vous étiez pressée ?

— Je ne crois pas.

— Je pense que vous vous jugez un peu trop sévèrement, Jane. » Qu'était-elle supposée faire ? L'appeler Judson ? Ou Jud ? « Vous n'avez jamais vu personne courir dans la rue ?

— Docteur Fullerton, avant de courir, je me suis agrippée désespérément à un réverbère.

— Désespérément ?

— Eh bien, l'empreinte de mes doigts n'est pas gravée dans le métal, mais je le tenais très serré.

— D'une main ou des deux ?

— D'une main.

— Je reconnais qu'il est possible que les gens vous aient fixée et aient trouvé votre attitude curieuse. Maintenant, admettrez-vous qu'il est tout aussi possible qu'ils aient pensé que vous vous étiez arrêtée et que vous aviez posé la main sur un réverbère ? »

Elle expira lentement. « Sans doute. »

Il la regardait toujours droit dans les yeux. Malgré les stores vénitiens, un rayon de soleil filtrait dans le bureau et se reflétait sur ses lunettes. Il portait une cravate estivale à fleurs. Anglaise. Il s'habillait de façon classique, mais élégante, dans un style très proche de celui de Nicholas. Le costume de lin beige qu'il portait ressemblait beaucoup à celui de Nicholas bien qu'elle supposât que celui de Judson Fullerton n'était pas fait sur mesure.

« Vous vous débrouillez très bien, dit-il. Mais les rechutes, ça arrive. Ça arrive à tout le monde. Vous ne devriez pas vous laisser miner par cela. » Il ne bougeait jamais. Il ne prenait jamais un stylo, pas plus qu'il ne feuilletait des papiers dans son dossier. « Vous attendiez vos règles ce jour-là ?

— J'en étais à trois semaines. » Elle lui adressa un petit sourire qu'il ne lui rendit pas.

« Vous étiez particulièrement tendue ?

— C'était... voyons... mardi. Ah oui ! La veille au soir, mon mari et moi nous étions un peu disputés. Rien de grave.

— Voulez-vous en parler ?

— C'était à propos de nos rapports sexuels. » Elle n'en avait jamais parlé jusqu'alors. Lui non plus. Elle supposait qu'il voulait en entendre parler, étant psychiatre. Il continua à la regarder sans lui montrer un intérêt plus marqué. Pourtant, elle se demanda s'il ne mourait pas d'envie d'apprendre des choses sur la vie sexuelle de Nicholas Cobleigh. Qui se trouvait être également sa vie sexuelle. « Il a dit que je n'ai plus l'air de m'y intéresser.

— Et c'est exact ? »

Jane haussa les épaules. « Je ne sais pas jusqu'où je suis supposée aller dans mes révélations », lui dit-elle. Elle avait déjà parlé de sexe, mais elle n'avait jamais pu dire à aucun autre psychiatre qu'elle n'arrivait pas à jouir. Ni cela, ni parler de son père. Elle ne pensait presque plus jamais à lui, mais la présence d'un psychiatre le lui remettait en mémoire. Elle détourna les yeux. Puis elle se rappela comment son père, lorsqu'il avait soulevé les couvertures pour se glisser dans son lit, les avait écartées un instant avant de la rejoindre et l'avait regardée se détourner de lui, relever les jambes dans une attitude de défense et se cacher les seins en se croisant les bras. Elle baissa les yeux. Le médecin observait ses réactions. Elle portait une robe de lin bleu. Elle se sentait troublée. Elle faillit céder à un rire nerveux. Lorsqu'elle était entrée dans son bureau, elle avait failli dire : « Eh ! On est pareils aujourd'hui. » Ils étaient tous deux vêtus de lin. Mais elle s'en était abstenue.

« Le sexe ne m'apporte pas tant de choses que cela, dit-elle. Enfin, parfois. Pas grand-chose ces derniers temps. » Elle attendit qu'il lui demande : Qu'entendez-vous par ces derniers temps ? Mais il resta muet. Il ne bougea même pas. « Je n'ai jamais eu d'orgasme, dit-elle enfin.

— Jamais ? » Elle aurait tout aussi bien pu lui déclarer que sa couleur préférée était le rouge. Sa voix ne s'altéra pas plus que son regard.

« Non.

— Vous êtes-vous jamais masturbée pour jouir ?

— Non. »

Judson Fullerton ne prit aucune note dans son dossier. Il ne s'empara même pas de son stylo. « Vous voulez peut-être envisager une thérapie complémentaire ? » furent ses seules paroles.

« Tu es sûre que tu veux mettre ça ? lui demanda Nicholas.

— Qu'est-ce qui ne va pas ? » répliqua Jane d'un ton cinglant. Elle se détourna de la glace. Elle mettait une boucle d'oreille. Diamant et rubis. Il les lui avait apportées un mois avant pour fêter sa première escapade à Manhattan.

« Rien. Oublie ce que j'ai dit. »

Sa robe, un fourreau de soie rouge, était absolument parfaite de dos. De face, elle arborait un décolleté plongeant jusqu'à la taille. Elle se regarda dans le miroir. « On ne voit pas grand-chose finalement », dit-elle. Elle glissa ses pouces sous ses oreilles, redressant ses lobes pour voir si les boucles d'oreilles étaient bien placées.

« J'ai dit : oublie cela », répondit Nicholas. Sa robe découvrait la naissance de ses seins et au moins le tiers de la poitrine. « Que vas-tu faire pour ton soutien-gorge ?

— On dirait que j'en porte un ?

— Certainement si on sait ce qu'il y a là-dessous. »

Jane fit volte-face. « Si tu ne veux pas y aller, d'accord. Dis-le, c'est tout. Mais tu n'as pas à m'insulter.

— Arrête. Je plaisantais. » Il traversa la grande chambre de leur appartement de Manhattan et se tint derrière elle. Il plongea dans son décolleté. « Tu sais que je les adore. » Il prit son sein dans sa main et le souleva encore plus haut que ne le faisait le soutien-gorge cousu dans la robe.

« Tu ne trouves pas qu'ils tombent trop ? lui demanda-t-elle.

— Bien sûr que non. »

C'était vrai. Elle était dans une forme effroyable. Son corps pouvait encore paraître séduisant, surtout dans une robe comme celle qu'elle portait, mais, musculairement, elle avait autant de tonus qu'un fruit blet. Lorsqu'il lui faisait l'amour, il évitait d'effleurer son ventre. Il se gonflait comme à la recherche de sa main, mais il était flasque.

Elle tira ses cheveux derrière son oreille gauche et les maintint par des épingles qu'elle cacha sous une boucle ancienne en diamant. Il détestait ses cheveux maintenant. Elle les avait coupés la semaine précédente sans même le prévenir. Elle avait juste dit : « Tu peux demander à Ernie de venir me prendre chez Kenneth ? » Lorsqu'elle était rentrée dans le Connecticut et sortie de la voiture, sa superbe chevelure qui lui arrivait à la taille avait disparu ; ses cheveux lui tombaient sur les épaules, noirs, raides, banals. Elle était venue vers lui en souriant et lui avait dit : « Je sais que c'est un choc, mais il fallait que je les coupe. Tu t'y feras. »

« Ça va, mon maquillage ? » demanda-t-elle.

Il regarda la glace plutôt que son reflet. « Parfait.

— Prêt à aller danser le rock and roll ?

— Tu ne veux pas prendre quelque chose ? Un châle ou un tricot ?

— Nick. » Elle souffla. Il perçut son impatience, comme si elle avait affaire à un enfant difficile. « Tu m'as demandé ce que je voulais faire et je te l'ai dit. Si tu ne veux pas...

— Allons-y. »

« Comment veux-tu fêter cela ? lui avait-il demandé. Cinq mois et tu es une nouvelle femme. Tu veux aller en Europe ? Nick, je ne peux pas prendre l'avion. Je ne pourrai sans doute jamais prendre l'avion. Un pas à la fois. C'est tout ce que je peux faire. Il avait réprimé un soupir. Très bien. Alors quoi ? Une grande soirée ? Une croisière ? Dois-je louer tout un équipage ? Tu sais ce que je veux ? avait-elle dit. Je veux entrer à ton bras dans le meilleur restaurant de Manhattan et passer dans une robe décolletée avec plein de bijoux devant les gens les plus chics dans le genre côte Est et je veux que tout le monde dise : Qui est cet homme avec cette femme éblouissante ? ... D'accord, Jane, si c'est ce que tu veux. C'est ce que je veux. »

« Je suis si excitée, dit Jane. Un peu nerveuse, mais c'est très agréable, une nervosité merveilleuse.

— Très bien. » Il lui tendit son sac du soir. « Allons-y.

— Nick ?

— Quoi ? » demanda-t-il. Elle était si tape-à-l'œil. Les gens allaient la regarder puis le découvriraient. Ce serait épouvantable. Il redoutait cette soirée. Il la prit par le bras et l'entraîna vers la porte.

« J'ai l'impression que ma vie ne fait que commencer. »

24

Presque tout le monde a envie de discuter des Cobleigh et, en dehors des remarques dans le genre couteau dans le dos, chose endémique dans le monde du spectacle, la plupart des personnes interviewées parlent du couple en termes élogieux. On retrouve souvent les expressions suivantes « le dessus du panier », « le meilleur et le plus brillant », « un couple parfaitement assorti ». Cependant, peu d'entre eux parlent de leurs dons, comme si le prix de leur amitié...

Boston Globe.

« Vous seriez plus confortable là-bas ? » lui demanda Judson Fullerton. Elle ne l'avait pas vu depuis deux mois. Au premier coup d'œil elle avait cru qu'il avait grandi, mais elle avait ensuite songé qu'elle ne l'avait jamais vu debout, sauf la première fois qu'elle était venue dans son bureau, quand il s'était levé pour lui tendre la main. « Sur le divan.

— Merci. » Jane se leva du fauteuil réservé aux patients où elle s'était assise automatiquement pour s'installer sur un canapé en chrome et cuir. On aurait dit que quelqu'un avait trouvé deux autres fauteuils exactement semblables à celui qu'elle venait de quitter et qu'il les avait collés ensemble. Elle ne se sentait pas plus à l'aise.

Le Dr Fullerton souleva le fauteuil et le plaça juste en face d'elle, assez près, à un mètre environ. Elle se sentait plus que mal à l'aise. Son regard se posa derrière lui à l'autre bout de la pièce. Sur son bureau se trouvait une pile de documents. « J'étais plongé dans des travaux de sécrétariat, dit-il. Le seul moment où j'ai vraiment du temps, c'est pendant le week-end. » C'était un

samedi en fin d'après-midi. Il était habillé d'une façon décontractée, d'un pantalon et d'un pull-over terre de Sienne. Il avait
ouvert la porte de la clinique lui-même et elle avait été aussi
stupéfaite par sa tenue sport que s'il avait été nu. « J'espère que
vous ne vous sentez pas gênée, poursuivit-il, de mettre de côté
nos rôles de médecin-patient.

— Pas du tout, répliqua Jane, je veux dire, je ne suis pas en
analyse ou quoi que ce soit et beaucoup de volontaires étaient des
patients. Comme Ellie. C'est exact ?

— Oui. » Il ne portait pas ses lunettes et il avait l'air d'une
autre personne. Plus jeune, moins sérieux, moins digne de
confiance. Ses yeux, dont elle avait enfin décidé qu'ils étaient
brun clair, étaient noisette en fait, bien que le gauche ait une
ligne de brun marqué de la pupille au fond de l'iris.
« Non. Je veux dire je suis heureuse d'être ici.

— Bien. D'abord, je veux vous remercier personnellement
pour votre donation à la clinique. C'était très généreux de votre
part.

— Je vous en prie, répondit-elle. C'est pourquoi je voudrais
faire partie du prochain groupe d'entraînement pour les volontaires. Pas seulement pour des raisons altruistes. Nous sommes
en 1978 et toutes les femmes de mon âge ont eu l'occasion de
devenir des personnes indépendantes. J'ai trente-huit ans et je
suis pratiquement la dernière femme d'intérieur qui reste en
Amérique. » Il croisa les jambes et posa sa cheville droite sur son
genou gauche. Elle fixa son visage pour éviter d'être attirée par le
sommet du triangle formé par ses jambes. « Et je suis une femme
d'intérieur dont les enfants sont en pension et qui dispose de
personnel pour entretenir la maison, s'occuper du linge, conduire
et faire les courses. Je ne suis pas ce que l'on pourrait appeler une
femme surchargée.

— Je serais ravi de vous avoir dans le prochain groupe.

— Oh ! s'exclama-t-elle, merci. Je ne pensais pas que ce serait
si facile. » Il ne dit pas un mot. « Je ne peux toujours pas aller à
Manhattan en voiture, ajouta-t-elle.

— Un pas à la fois.

— Mais je n'ai pas à conduire, c'est une partie du problème.
Mon mari... » Elle chercha le bon mot. « La position de mon mari
a vraiment contribué à m'éviter grand nombre de confrontations
que j'aurais dû supporter des années plus tôt. Je n'avais pas à
conduire les enfants à l'école. Je pouvais disposer d'un coiffeur
qui venait me couper les cheveux à la maison. » Elle s'aperçut
qu'elle parlait comme un malade. Un patient ennuyeux. Elle se

sentit rougir. « Enfin, bref, je vous remercie de m'accepter au sein du programme, je veux dire, j'apprécie votre confiance.

— Je voudrais que vous m'offriez plus que cela, dit le Dr Fullerton.

— Comment ? » Elle ne pouvait regarder son visage. Elle examina les losanges marine et marron de son pull-over.

« J'aimerais que vous ne soyez pas seulement une volontaire. Permettez-moi d'être franc avec vous. La chose la plus importante que nous puissions entreprendre, c'est de nous faire connaître auprès des patients que nous pouvons aider. Qu'ils ne soient pas condamnés à rester chez eux, incapables de monter dans leur voiture, tenus à l'écart de tous les lieux où se trouvent des chats ou des ascenseurs ou tout ce que vous voulez jusqu'à la fin de leurs jours. On peut les aider d'une façon relativement simple et non agressive. Non agressive dans la mesure où ils n'auront pas l'impression de devoir fouiller leur passé pour extirper leurs traumatismes d'enfance et les offrir à un psychiatre. »

Elle acquiesça d'un signe. Elle ne l'avait jamais entendu parler autant.

« Et quel est le meilleur moyen pour les toucher ? »

Ses vêtements, d'une élégance surprenante pour un psychiatre, qui ressemblaient tant à ceux de Nicholas, étaient trop parfaits. Il portait les mêmes mocassins en cuir souple mais ceux de Nicholas n'étaient pas aussi impeccables.

« Je suppose que le mieux serait d'obtenir le maximum de publicité. Les journaux, la télévision.

— C'est exact. »

Il semblait attendre qu'elle se manifeste. Elle ne savait que dire. « Eh bien, j'imagine que c'est la meilleure solution. » Elle ne pouvait respirer à son aise. Elle avait suivi un régime et remettait enfin du quarante, mais son pantalon la serrait à la taille et le bouton du haut lui rentrait dans l'estomac. Elle avait envie de se toucher le ventre pour voir s'il était gonflé, mais elle craignait qu'il ne comprenne exactement ce qu'elle faisait. Il savait qu'elle pensait à lui et attendait qu'elle reprenne ses esprits pour lui dire quelque chose. « C'est comme ça que j'ai découvert la clinique. Dans le *Record*.

— Oui. Mais ce n'est qu'un petit journal local. Nous voulons toucher tout le comté de Fairfield et le nord du Westchester. Toutes les banlieues et grandes banlieues. Il y a d'autres cliniques à New York et à Long Island. Tout revient à cette question, Jane. L'intérêt du public. Présentons-nous un intérêt pour le public ?

— Oui. Bien sûr. Regardez le travail que vous faites. Regardez comment vous avez transformé ma vie. » Il lui adressait son regard posé de psychiatre, moins déconcertant sans ses lunettes. Elle voulait toujours fixer son œil zébré de brun et s'efforça donc délibérément de se concentrer sur l'autre. « Oh! dit-elle, vous voulez que je... vous voulez que je m'adresse aux médias. Pour faire de la publicité.

— J'aimerais que vous y réfléchissiez. Je sais que c'est beaucoup vous demander. » Il décroisa les jambes et se pencha vers elle. « Et croyez-moi quand je vous dis que je comprendrai si vous refusez.

— Je peux y réfléchir?

— Bien sûr. Jane, je sais que vous subissez des pressions énormes vu votre situation et que votre besoin de sauvegarder votre vie privée doit être très, très fort. » Il semblait avoir repris des couleurs, comme inspiré par la compassion. Il n'avait jamais paru aussi humain. Son visage était si près d'elle qu'elle apercevait les marques d'acné qui marquaient le haut de ses joues. « Je ne veux pas que vous ayez l'impression qu'on se sert de vous.

— Je vous en remercie.

— C'est la dernière chose que je souhaiterais. Mais il y a tant de gens qui souffrent, et vous pourriez nous aider à les toucher. Réfléchissez-y simplement. C'est tout ce que je vous demande.

— Je veux vraiment aider les autres, dit-elle.

— Je le sais, Jane. »

« Lâche-moi le bras, hurla Jane.

— Comment as-tu pu faire une chose pareille? hurla Nicholas. Comment? »

Il n'était que neuf heures du matin et il était déjà anéanti. Ils se disputaient depuis sept heures et demie. Une bagarre déchaînée où les cris avaient fini en grognements et les hurlements en plaintes. « Comment as-tu pu? » répétait-il inlassablement. Que Jane puisse le trahir, c'était plus qu'il n'en pouvait supporter.

« Comment as-tu pu faire cela? » Il parlait d'une voix plus calme maintenant. Cela durait depuis près d'une heure. Mais il était épuisé. Sa main tremblait tant que son étreinte se relâcha. Jane retira son bras et s'appuya contre le lavabo. Quatre traces de doigts se dessinaient sur son bras. « Pour l'amour du ciel, arrête, je ne t'ai pas fait mal. — Si. Regarde. »

Le journal était toujours roulé dans sa poche. Il le sortit et l'agita devant elle. « Toi plutôt, regarde! » Il le déplia. Il était

ouvert à la page si calomnieuse. « Regarde, je te dis ! » Elle lui
tourna le dos et ouvrit l'armoire à pharmacie. Il lui colla le
journal sous le nez. « Lis ça, nom d'un chien ! Cette saloperie de
New York Times. Non ? Très bien. Alors je vais le lire. " En 1969,
Nicholas Cobleigh débuta sa carrière cinématographique et son
ascension vers la gloire. La même année, pour Jane Cobleigh, sa
pauvre femme, commençait sa descente dans ce qu'elle appelle
son enfer personnel. " »

Jane essaya de lui prendre le journal des mains. Elle réussit
seulement à lui en arracher les deux tiers. « Arrête ! S'il te plaît,
Nick. Ecoute-moi. Ce n'est rien. C'est...

— Dix-huit ans de mariage, dit-il. Ce n'est rien pour toi. Tu
fous ça en l'air pour avoir la page féminine du *New York Times*.

— Non. »

Il jeta les lambeaux du journal par terre. « Tu avais promis que
nous en discuterions avant de parler à un journaliste. Tu avais
promis. Tu savais ce que je pensais de ce salaud de médecin qui
t'exploite.

— Il ne m'a pas exploitée, absolument pas. » Elle essaya de se
faufiler pour passer devant lui. « C'est un psychiatre dévoué et il
aide les gens. Et, *moi*, j'aide les gens en me servant des médias. »
Elle portait un slip noir. Dans cette tenue et avec un rouge à
lèvres très vif, elle ressemblait à une starlette vieillissante des
années cinquante. « Nick, s'il te plaît, calmons-nous. Je t'en prie.
Lis l'article *calmement* et tu verras qu'il n'y a rien de mal sur toi
là-dedans.

— La ferme, va te faire pendre ! » Il s'était remis à crier.

« Mais écoute-toi ! hurla-t-elle à son tour. Ecoute-toi.

— Tu m'as menti, nom d'un chien. Tu avais dit que tu ne ferais
rien...

— Ils préparaient tout un sujet sur l'agoraphobie.

— Alors ils n'avaient pas besoin de toi. Hein ? Hein ? Réponds-
moi, nom de Dieu.

— *Si*, répliqua-t-elle. Je servais d'appât. »

Il voulut la gifler pour mettre fin à ses conneries de discours de
relations publiques. Il serra la main droite et se donna des coups
dans la gauche. Elle eut un mouvement de recul. « Pourquoi ne
m'en as-tu pas parlé ? demanda-t-il.

— Tu étais en Californie.

— Et le téléphone, ça existe ? Tu m'appelais deux ou trois fois
par jour. »

Elle le gifla si violemment que ses dents se collèrent à ses joues.
Puis elle se rua hors de la salle de bains. Avant de pouvoir la
suivre, il cracha du sang dans le lavabo.

« Je n'ai pas à justifier mes actes ! » hurla-t-elle en entrant dans la chambre. Elle se tenait de l'autre côté du lit, s'en servant comme d'une protection. « Moi aussi j'existe ! J'ai le droit de dire ce que je veux. »

Il s'appuya sur le montant du lit comme s'il pouvait, à lui seul, le supporter. Il avait encore le goût salé du sang dans la bouche. « Même quand tu me détruis ? » Un filet de salive rougeâtre coula sur son menton. Il l'essuya sur son peignoir.

« Je ne te détruis pas. » Elle recula tout doucement, sans le quitter des yeux.

« Mais, bon Dieu, qu'est-ce que tu crois que je vais te faire ? hurla-t-il. Te sauter dessus ? » Elle entra dans son dressing-room et en sortit avec une robe sombre. Elle la tint devant elle. Son air effarouché, sa fausse modestie le rendaient malade. « Où vas-tu ?

— J'ai un déjeuner en ville.

— Avec qui, si je peux me permettre de te le demander ?

— Avec le Dr Fullerton et quelqu'un... » Elle s'arrêta un instant. « Avec quelqu'un de *Newsweek*. » Elle enfila la robe par la tête. « Tu n'as pas à t'inquiéter. Ton image ressortira comme dans le *Times*, un homme au goût de rose. C'est mieux que tu ne le mérites.

— Que veux-tu dire par là ? »

Elle ne le regarda pas. « Je veux dire que tu n'as jamais vraiment voulu que j'aille mieux.

— Quoi ? »

Elle leva le menton pour fermer le bouton de son col Mao. Elle parlait les yeux au plafond. « Je le sais maintenant. J'étais juste là où tu voulais que je sois. Ton prisonnier dévoué et aimant.

— Tu sais que ce n'est pas vrai.

— Si j'avais travaillé, tu crois que j'aurais eu le temps d'être une mère parfaite, de passer des heures et des heures avec les filles à lire et à critiquer leurs devoirs comme s'il s'agissait d'un chef-d'œuvre impérissable comme *Ulysse* et à préparer cinq millions de petits bonshommes en pain d'épices ? Et tout ça pour que tu puisses partir pendant quatre ou cinq mois la conscience tranquille, en sachant qu'elles ne souffriraient pas de l'absence de leur cher papa. Et aurais-je eu le temps de préparer des dîners pour tes milliers de relations d'affaires ? Oh ! Et j'oubliais, d'inviter la liste interminable des petites amies de ton père. " Père, comme c'est gentil d'être passé. — Jane, je voulais te présenter Prissy. Oh ! Pardon. Missy. Je ne faisais que plaisanter. Je sais que c'est Sissy. " Et moi de répondre : " Mais *restez* donc tout le week-end, papa. " Et si j'avais eu une vie personnelle — non, écoute-moi, nom d'un chien — aurais-je pu lire tous les scénarios qui arrivent dans cette maison ? Travailler des heures et des heures avec toi sur tes personnages ?

— Tu le *voulais !*

— C'était la seule chose que j'avais.

— Et tu crois... tu penses, Jane, que je t'ai tenue dans mes bras, quand tu pleurais, que je t'ai suppliée, s'il te plaît, laisse-moi t'aider, laisse-moi trouver quelqu'un d'autre pour t'aider, je t'aime, je veux t'aider... »

Elle retourna vers le dressing-room. « Tu n'étais peut-être pas conscient de ce que tu ressentais. Je ne dis pas que tu m'as traumatisée *consciemment.*

— Qu'est-ce que tu racontes ? »

Elle revint avec des sandales noir et rouge à hauts talons, le genre de chaussures que porte une call-girl de luxe. « Le Dr Fullerton dit — tu vas m'écouter oui ou non ? — il dit que parfois les époux des agoraphobes trouvent leur intérêt à mainte-nir ce genre de dépendance révoltante.

— Tu es folle ! Tu déformes tout. Qu'est-ce qu'il t'a fait ? Je me pose sincèrement la question ! Que t'a-t-il fait ?

— Il m'a guérie, voilà ce qu'il a fait. Il a réussi à me faire sortir de la maison et tu ne le supportes pas, n'est-ce pas ? Je ne suis plus obligée de vivre par procuration. Je ne suis plus obligée d'attendre trois, quatre, cinq mois, pendant que tu tournes en extérieurs, que tu rentres à la maison pour t'aider à préparer ton prochain film. De lire des milliers de livres pour que tu puisses trouver le sujet idéal. De lire et de relire vingt, trente fois, des scénarios pour être sûre qu'ils te conviennent parfaitement. » Elle s'assit sur le lit et ferma la lanière de sa chaussure.

« Nom de Dieu, personne ne t'a jamais forcée à faire tout ça.

— Non ? Et comment étais-je supposée exprimer mes talents alors ?

— Je ne te comprends pas.

— Ce n'est que trop évident. Tu ne vois plus rien ni personne en dehors de toi. Laisse-moi te rafraîchir la mémoire. Il se trouve que je faisais du théâtre bien avant toi.

— Je ne vois pas le rapport avec tout ça.

— Tu parles sérieusement ? » Elle ferma son autre chaussure et se leva. « Es-tu devenu à ce point égocentrique que ton univers se réduit à toi et seulement toi ? »

Il la fixa. Elle portait de gros peignes rouges qui retenaient ses cheveux en arrière et d'énormes boucles d'oreilles noires. Tout en coordonnées rouges et noires avec sa bouche rouge vif. « Je ne sais pas de quoi tu parles », dit-il. Et c'était vrai. Elle avait un air dur, théâtral : une pute de luxe. Les hommes allaient la remarquer.

« Je dis, poursuivit-elle d'une voix monocorde avec une patience exagérée, que si je n'avais pas été là, aujourd'hui tu serais une bête de somme dans un cabinet d'avocats. Je t'ai guidé pas à pas tout le long du chemin. »

Il était comme paralysé devant le lit. Il ne pouvait parler. D'un pas nonchalant, elle s'approcha de sa coiffeuse, ouvrit un flacon de parfum et s'en mit un peu sur le cou, les bras et derrière les genoux.

« J'ai renoncé à ma carrière pour toi, dit-elle.

— Jane !

— C'est la vérité.

— C'est toi qui...

— Je ne dis pas que je l'ai fait à contrecœur. C'était un choix délibéré. J'avais tant d'admiration pour toi et je voulais que tu sois heureux...

— Jane, je t'ai supplié de ne pas abandonner le métier. Je faisais le chauffeur de taxi, tu t'en souviens ? Tu ne te le rappelles pas ? Je t'ai suppliée de continuer.

— Mais il valait mieux que j'abandonne. C'est vrai, non ? C'était ton désir profond, pour que j'ai tout le temps de travailler avec toi, de nourrir ton talent. Tu as eu le rêve de tout acteur : un coach à demeure. Et elle faisait aussi la vaisselle et tout ce que tu voulais. Pas mal pour le prix ? »

Il n'allait pas se remettre à pleurer. Il n'allait pas lui faire ce plaisir.

« Juste une seule fois, après la naissance de Vicky, une seule fois, si tu m'avais dit : " Bon, je gagne assez d'argent maintenant, pourquoi n'essaies-tu pas d'aller passer une audition ? On pourrait prendre une baby-sitter. " »

Il n'allait pas pleurer. « Tu veux savoir pourquoi je ne te l'ai pas proposé ? » demanda-t-il. Elle s'appuya contre sa coiffeuse et le regarda. « Vraiment, tu veux le savoir ?

— Oui, répondit-elle. Je veux le savoir.

— Je ne voulais pas que tu passes d'auditions parce que je ne voulais pas que tu souffres. » Les grands yeux trop maquillés de Jane s'écarquillèrent. « Tu m'obliges à dire ça, je ne le souhaitais pas, Jane. Tu n'as jamais eu de talent. »

Jane passait des myrtilles dans la passoire et enlevait les feuilles et les queues. « Sais-tu que lorsqu'on cuisine avec amour on fait des plats fantastiques ?

— Et alors ? demanda Cecily.

— Ce n'est pas vrai. Je suis pleine d'agressivité, j'ai préparé la sauce pour le *vitello tonnato* et elle est parfaite. Délicieuse. Et la salade aux pâtes sera parfaite. Et la tarte aux myrtilles aussi. Il va avoir un dîner d'anniversaire absolument exquis.

— Peut-être n'es-tu pas aussi agressive que tu le crois ? » Cecily s'installa devant la table de cuisine et dessina ses initiales sur la buée qui s'était formée sur un verre de café glacé. « Inconsciemment, tu es peut-être encore folle amoureuse de lui.

— Eh bien, répondit Jane, c'est mon mari. » Elle retira deux myrtilles encore vertes et les mit sur le tas de feuilles et de queues. « Je ne peux pas dire que je ne l'aime *pas*. »

Mais elle ne pouvait plus dire qu'elle l'aimait. Elle se sentait comme vide. Elle évitait de le regarder. Lorsque cela lui arrivait, elle voyait le visage familier d'un acteur qu'elle avait vu dans de très nombreux films. Ils se montraient polis et distants comme s'ils n'étaient que deux touristes dans un pays étranger qui, par un hasard extraordinaire, étaient condamnés à partager la même chambre d'hôtel. Ils dormaient si près du bord du lit qu'ils risquaient de tomber pendant la nuit. Il ne l'avait prise que deux fois en six semaines. La première fois, il ne l'avait pas embrassée. La seconde, son excitation était tombée et il avait dit : « Ça ne fait rien. »

Quand l'article de *Newsweek* sur la psychologie behavioriste avait fait la Une du journal avec sa photo en couverture, il ne lui avait pas adressé la parole de la semaine. Il s'était contenté de lui donner les pages arrachées avec des passages soulignés à l'encre rouge.

« Je me sentais complètement désespérée, a déclaré Jane Cobleigh. Je ne savais vers qui me tourner. Mon mari restait absent pendant trois ou quatre mois... » Elle a eu sa première crise en 1968, quand Nicholas était en Californie pour tourner son premier film... Et elle a subi des pressions qui excèdent de très loin celles de la femme moyenne américaine, victime de ce genre d'attaque. Son mari est l'un des hommes les plus recherchés au monde, un objet de désir quasi universel. Il a la réputation d'un homme glacial, parfois même d'un aristocrate inabordable. C'est aussi un homme d'affaires très occupé et plus que prospère dont le jugement en matière d'investissements le place au niveau des hommes d'argent les plus avisés du pays. Ses associés disent qu'il consacre autant de temps à ses intérêts financiers qu'à ses films. »

Cecily alla jusqu'au congélateur, prit une poignée de glaçons et les mit dans le café déjà glacé. « Jane, tu ne peux pas maintenir un climat de tension pareil.

— Tu paries combien ?

— Arrête de faire de l'esprit, d'accord ? J'ai été mariée trois fois. J'ai connu des disputes les trois fois. Et de sévères. Je suis experte en la matière. Mais au bout du compte, ça finit toujours par s'arranger.

— Qu'est-ce que je suis supposée faire, la boucler ?

— Je ne sais pas.

— Depuis toujours, c'est Nicholas qui compte. N'ai-je aucun droit ?

— Bien sûr que si. Mais tes intérêts sont en complète contradiction avec les siens, son obsession à préserver sa vie privée.

— Mais je ne parle pas de *lui*. J'ai eu des occasions de violer sa vie privée et je ne l'ai jamais fait. Quatre éditeurs m'ont contactée pour que j'écrive un livre sur l'agoraphobie, mais je sais qu'en fait ils désirent quelques trucs croustillants sur notre mariage. Je ne suis pas naïve. Je ne ferai jamais une chose pareille. Je le lui ai *dit*.

— Et qu'a-t-il répondu ? »

Jane se mordilla la lèvre inférieure un instant. « Il a dit que la seule raison pour laquelle on s'intéresse à moi, c'est que je suis sa femme, et que si j'étais Madame Joe Blow, personne ne me prêterait la moindre attention. Et c'est partiellement vrai. Mais ce n'est pas entièrement exact. J'ai quelque chose à dire et je le dis bien.

— Je le sais.

— Mais Nick dit qu'ils se servent de moi pour obtenir les interviews qu'il ne leur accorde pas. Et il déforme tout pour tout récupérer à son compte. Nicholas Cobleigh est le centre du monde. Il dit que j'étais malade et que l'intérêt de Judson n'était pas de me voir guérir.

— L'intérêt de *Judson* ?

— Cesse de me regarder comme ça. On a travaillé ensemble pour la publicité et la conférence sur l'agoraphobie. Et il dit que ça faciliterait les choses si on s'appelait par nos prénoms.

— Je pense que tu éprouves quelque chose pour lui.

— Absolument pas.

— Je pense que tu devrais oublier un peu Judson. Et te concentrer sur ton mariage, pour résoudre les problèmes.

— J'apprécie l'intérêt que tu me portes.

— A ton service. Jane, ne m'envoie pas promener. Ecoute-moi. C'est normal d'en pincer pour un psychiatre, mais...

— Je n'en pince pas pour lui. Nous avons de bons rapports de travail. J'ai beaucoup de respect pour lui. Et un point c'est tout.

— D'accord, c'est ton collègue. Très bien. Formidable. Mais, et ton mari dans cette histoire ?

— Mon mari a hurlé contre moi hier soir parce que j'ai osé inviter sa famille pour son anniversaire sans lui en parler. Comme si c'était une énorme surprise. Je fais ça tous les ans. »

Cecily sirota son verre. Les glaçons avaient fondu et le café ressemblait à de l'eau teintée de brun. Elle fit la grimace et le repoussa. « As-tu jamais songé que ton mari se trouve dans une situation difficile, émotionnellement parlant ? Toute sa vie a changé. Tu es sortie du placard, si j'ose dire. Pour la première fois dans la vie de votre couple, tu le défies. Tout l'équilibre politique de votre mariage est remis en question. Il lui faut du temps pour s'y adapter.

— Cecily, il n'essaiera même pas. Il ne me parle pas. Si par hasard je l'effleure en passant, il a un mouvement de recul. Je lui ai dit : *S'il te plaît*, parlons-en et il m'a répondu : Pourquoi ? Tu as les médias pour t'exprimer, ça te suffit.

— Il est blessé.

— Il est remis en question. Je ne peux pas te raconter ce que cela représente. Le monde entier veut lui faire plaisir. Je suis la seule qui ne le veuille pas. Et donc, je suis malade.

— Il a vraiment dit ça ?

— Oui. Et si je ne suis pas malade... quand on est allés à ce bal en faveur des enfants attardés mentaux, je portais cette robe bleu glacier avec un décolleté dans le dos, il m'a dit que j'avais l'air d'une pute ; oh non ! pardon, d'une pute sur le retour. Je suis sur le retour. Il est si débordé à courir chez tous les dermatologues pour avoir différentes crèmes pour le visage à cause d'une ride qu'il a sur le front qu'il n'a pas le temps de respirer. As-tu jamais connu ça ? Te mettre au lit avec un homme et sentir les effluves de crème hydratante qui se dégagent de lui ? C'est vraiment excitant. »

Cecily tendit la main par-dessus la table et la posa sur celle de Jane. « Jane... » Elle retira violemment sa main.

« Et il est d'une sensibilité si extraordinaire. Mon mari ne peut plus rencontrer une femme sans lui adresser son fameux sourire en demi-teinte. Il allume des feux chez toutes les femmes qui passent par là. Et tu sais quoi ? Quand j'ai dit à mon époux chéri que ça m'ennuyait de le voir flirter ainsi, que ça m'humiliait, tu sais ce qu'il a dit, Cecily ? Il a dit : " Pourquoi ne parles-tu pas de tes angoisses avec le Dr Fullerton ? " »

... que Nicholas Cobleigh est aussi originaire de
Long Island. En fait, le Tuttle Pond, situé juste à
l'ouest de Lockhust Valley, est baptisé ainsi à
cause de son...

Newsday, Long Island.

Judson Fullerton était assis dans un fauteuil rembourré qui
semblait sortir tout droit d'un salon de coiffure des années 50.
« Je me sens mal à l'aise », dit-il. Une serviette en papier, coincée
dans son encolure, couvrait le devant de sa chemise.

« Docteur, dit le maquilleur, normalement je n'oblige pas les
hommes à se maquiller lorsqu'ils ne le veulent pas, mais vous
serez assis à côté de madame Cobleigh. » Il se tourna et sourit à
Jane. Elle lui rendit son sourire et il redoubla de courtoisie,
espérant sans doute qu'un jour il sourirait ainsi dans la loge de
Nicholas Cobleigh. Il se retourna vers le psychiatre et étala du
fond de teint sur son nez avec une éponge humide. « Vous voyez,
elle a ce teint éclatant et vous serez assis entre Gary et elle. Gary
est superbronzé et, en plus, il est maquillé, alors vous auriez l'air
d'un cadavre. » Le maquilleur tourna le fauteuil pour que Jane
puisse le voir. « Qu'en pensez-vous ?

— Peut-être un peu plus d'ombre à paupières bleue », dit-elle.

Judson rougit et retira la serviette en papier. Le maquilleur eut
un air moqueur puis éclata de rire, un vrai ha ! ha ! ha ! de père
Noël, beaucoup plus chaleureux que nécessaire. « Vous êtes une
sacrée blagueuse ! » lui lança-t-il. Puis, baissant la voix pour

prendre un ton de connivence, il lui demanda : « Vous êtes taquine comme ça avec votre mari ?

— Parfois », murmura-t-elle. Elle remarqua que Judson esquissait un sourire forcé.

Le maquilleur continua à la flatter et s'ébaubit devant ses yeux superbes. Jane resta froide. « Et c'est votre premier show télé ? lui demanda-t-il.

— Oui.

— Vous allez être fabuleuse. La caméra va tomber amoureuse de vous. » Il tendit la main et lui caressa la joue. « Vous n'êtes pas nerveuse, n'est-ce pas ? Oh ! Allez, c'est dans la poche. »

Une fille assez petite avec le script sous le bras et deux crayons coincés dans ses cheveux crépus les conduisit derrière le plateau. « Attendez ici, murmura-t-elle. Je viendrai vous chercher et je vous ferai asseoir pendant la coupure. »

Elle ne s'était jamais trouvée vraiment à côté de Judson. Il était plus grand qu'elle, environ un mètre quatre-vingts. Le maquillage et la lumière tamisée des coulisses adoucissaient ses traits et il paraissait ainsi dix ans de moins. Mais il n'en était pas plus séduisant pour autant. Il avait des traits très doux et trop petits pour son visage carré.

« Vous êtes nerveux ? » lui demanda-t-elle. Elle se sentit aussitôt gênée. Elle ne lui avait jamais posé de question personnelle.

« Un peu. »

Au lieu d'abandonner le sujet, elle insista. « Quelle est votre plus grande crainte ?

— C'est vous le psychiatre, maintenant ? »

Elle rougit. « Vous êtes évasif », dit-elle. Effrontée. C'est ce que sa belle-mère aurait dit : Tu es si effrontée.

Il lui tapota le bras. Elle dut faire appel à toute sa maîtrise de soi pour ne pas tressaillir sous ce choc. « Je suis évasif, dit-il. Laissez-moi réfléchir. Je suis passé plusieurs fois à la radio et je me suis assez bien débrouillé, mais c'est beaucoup plus intimidant. » Il regarda le projecteur et les perches qui pendaient des cintres sur le plateau. « J'ai sans doute peur que ma voix ne se casse. Oui, c'est cela. Je crains de passer dans " Talk ", sur une chaîne de télévision nationale, et de parler dans les aigus comme un garçonnet.

— Et le monde entier vous entendra glapir ainsi et, avant la fin de l'émission, ils vont débarquer et vous lancer : " Salut, docteur Fullerton. " » Elle imita une voix stridente. « C'est ça ? »

Il lui tapota à nouveau le bras. « Je suis sûr qu'on sera très bien tous les deux.

— Allons-y », dit soudain la fille au script. Jane bondit sur ses pieds. « Aussi vite que possible, et ne trébuchez pas sur les câbles. »

« Merci, docteur Fullerton », dit Gary Clifford. Il avait une si belle voix de baryton que, pendant tout le temps où il posa des questions à Judson, elle se demanda s'il n'allait pas se mettre à chanter. Il regarda face caméra. « Alors, *c'est* la consécration », enchaîna-t-il. Il avait l'air d'un chanteur italien. Les traits puissants, le teint bronzé, les dents d'un blanc éclatant et des boucles brunes qui brillaient sous les projecteurs. Le genre de boucles qui donnent envie aux femmes de passer les doigts dedans. Le type même du présentateur. D'un instant à l'autre, il allait lancer : « *Arrivederci Roma.* » Au lieu de cela, il se tourna vers elle. « Très bien, Jane Cobleigh. Maintenant c'est à vous. Etes-vous prête à nous parler des phobies pour " Talk[1] " ?

— A moins que je ne sois prise soudain de panique et que je me rue hors du plateau en hurlant », dit-elle. Elle le regarda droit dans les yeux.

« Ha ! ha ! ha ! » pouffa Gary Clifford. Dans « Talk », les gens riaient trop fort.

« Comme cela, ils pourront le repasser au journal de six heures.

— Ha ! ha ! ha !

— Excellente publicité, je suppose. »

Elle lui sourit. La seule chose que Nicholas lui avait conseillé sur l'attitude à adopter était de regarder directement la personne qui l'interviewait et de ne jamais regarder la caméra ou le matériel. Quand elle lui avait demandé de faire semblant d'être le présentateur, il avait soupiré : « Seigneur » et avait quitté la pièce en laissant son assiette pleine sur la table de la cuisine.

« Etes-vous nerveuse en ce moment, Jane ? lui demanda Gary Clifford.

— Oui, bien sûr. Mais cela n'a rien à voir avec la phobie, du moins je ne le pense pas. Je suis nerveuse parce que je passe à la télévision. Généralement, les femmes au foyer ne s'assoient pas devant une caméra l'après-midi pour être interviewées par Gary Clifford. »

Gary Clifford lui adressa un sourire éclatant. Elle s'efforça de ne pas regarder l'écran de contrôle. Elle lui rendit son sourire. Du

---

1. Jeu de mots : *talk* signifie « parler ». *(N. d. T.)*

coin de l'œil, elle aperçut la manche du veston gris de Judson Fullerton.

« La phobie est une chose différente des peurs normales, raisonnables, poursuivit-elle. Je veux dire, je suppose qu'il est normal que je sois nerveuse d'être ici aujourd'hui. »

Gary Clifford lança la main par-dessus la table basse et tapota celle de Jane. Tout le monde la tapotait aujourd'hui. Sauf Nicholas. Il était parti la veille avec son père et son frère pour pêcher au Canada en lui disant d'un ton plein de sous-entendus qu'il voulait être tranquille : il n'y aura ni radio ni télévision là-bas, lui avait-il lancé.

« Cependant la phobie n'est pas une réaction normale à n'importe quoi, enchaîna-t-elle. Aucune raison rationnelle ne peut expliquer pourquoi j'ai passé deux ans pour ainsi dire incapable de monter dans une voiture et évitant d'aller en ville : nous vivons dans une toute petite ville du Connecticut. Ce n'est pas comme s'il s'agissait de Manhattan, une ville immense, bruyante, impressionnante. C'est tout le contraire. Ensuite, j'ai passé six ans sans pouvoir sortir de chez moi. Au sens propre du terme. Je ne pouvais pas rester dans l'embrasure d'une porte. Je ne pouvais même pas faire un pas dans mon jardin.

— Vous appelleriez ça une maladie mentale ? lui demanda gentiment Gary Clifford.

— Absolument pas. Mais je l'aurais désigné ainsi effectivement si vous m'aviez posé cette question il y a dix-huit mois. Je vous aurais dit : Oui, je suis une femme malade. Je ne peux pas faire les gestes les plus simples de la vie de tous les jours. Je ne peux pas sortir dans le jardin et couper des roses. Je ne peux pas aller voir une amie. Je ne peux pas faire une promenade avec mon mari. » Les larmes lui montèrent aux yeux. Elle n'arrivait pas à croire qu'elle pouvait être si émotive à la télévision. Elle cligna des yeux. C'était épouvantable. A moitié atroce seulement. La femme au foyer était humiliée. La comédienne leva un doigt, essuya sous ses yeux une larme qui n'était pas encore tombée, et dit : « Lorsque ma fille a joué Pocahontas en huitième, j'ai dû lui dire que je ne pouvais pas y aller. » Elle renifla deux fois, mi-troublée, mi-stupéfiée par son audace. « Et elle m'a répondu : S'il te plaît, maman, essaie. Pour moi. Et je *n'ai pas pu.* » Jane se cacha un instant le visage dans les mains puis se découvrit. « Excusez-moi, dit-elle. Tout va bien maintenant. »

Le regard de Gary Clifford était voilé d'émotion. « Jane, lui dit-il tendrement, racontez-nous autre chose. »

« Très franchement, déclara Jane, ce n'était que le côté exagéré des gens du spectacle. Quand ils disent génial, ça veut dire passable. Brillant, ça veut dire pas trop mal. Au moins, ils ne m'ont pas dit : " J'en reste sans voix. " Cela signifie que vous avez été si mauvais que ça en devient indicible. »

Judson Fullerton et elle se trouvaient dans une petite oasis de marbre entre quatre portes d'ascenseur. Des deux côtés, d'étroites bandes de moquette de tweed brun s'étiraient le long des couloirs de la chaîne de télévision jusqu'à l'infini.

« Mais vous avez été bonne », dit Judson. Son visage brillait tant qu'il paraissait endolori. Aussitôt après l'émission il était allé aux toilettes et avait enlevé son maquillage en se frottant le visage, mais il avait oublié le fond de teint au-dessus de sa lèvre supérieure et il semblait ainsi porter une moustache couleur abricot.

« Vous aussi », répliqua Jane. Elle appuya sur le bouton pour appeler l'ascenseur bien qu'elle l'ait déjà fait un instant auparavant. « Il est long à monter ici. S'il n'arrive pas dans une seconde, je vais sûrement faire une crise. » Elle jeta un coup d'œil vers Judson. Son expression variait rarement. « Au moins ce serait pratique. Je veux dire, si j'ai une crise avec vous juste à côté. Je serais guérie avant d'arriver au rez-de-chaussée. »

De toute évidence, il estimait qu'il n'avait pas à répondre. Ils attendirent. Un *ding* strident annonça l'arrivée de l'ascenseur. Il était assez bondé pour qu'elle ne soit pas tentée de parler de nouveau. Jane se détendit. Elle lança un rapide coup d'œil vers lui. Il fixait le signal lumineux annonçant l'étage. L'épingle en or de son col de chemise maintenait les deux extrémités arrondies de son col dans une symétrie parfaite. Il aimait les choses précises et maîtrisées. Il n'aimait pas le babillage.

Dehors, il faisait inhabituellement sec et frais pour la fin de juillet en ce début de soirée, comme si, en guise d'ultime courtoisie, la N.B.C. s'était arrangée pour que l'atmosphère autour de Rockefeller Center dispose de l'air conditionné. Les retardataires qui quittaient leur bureau percevaient l'ambiance spéciale de cette soirée et, au lieu de se précipiter vers le métro, ils se promenaient d'un pas nonchalant en balançant leur sac à main ou leur attaché-case. Cependant, Judson glissa son doigt sous le col de sa chemise comme s'il faisait une chaleur caniculaire. Ils n'avaient pas échangé un mot depuis qu'ils étaient sortis de l'ascenseur. Elle ne savait si elle devait juste lui dire au revoir ou lui serrer la main en lui disant une chose du genre merci pour tout ou encore lui murmurer j'ai été ravie de vous revoir.

« Où allez-vous maintenant ? lui demanda-t-il.

— Vous voulez dire ce soir ?

— Oui.

— Je ne savais pas si vous me posiez une question d'ordre normal, ou une question d'ordre cosmique, du style " où s'en va ma vie ". » Elle se remettait à babiller. Il ne la regardait même pas. Les yeux baissés, il arrangeait l'une des pointes de sa pochette. « Ce soir. Eh bien, nous avons un appartement en ville. Dans la Cinquième et la 75ᵉ. » Elle lui donnait trop de renseignements. « Je crois que je vais tout simplement rentrer à pied, enlever mes chaussures et m'écrouler. Je veux dire nerveusement, à cause de l'émission. Je n'étais pas nerveuse pendant, mais avant et après.

— Votre mari vous regardait ?

— Non. Il est parti pêcher au Canada. » Elle remonta la bandoulière de son sac et enfonça les mains dans les grandes poches de sa jupe. « Il ne veut pas me voir à la télé. C'est directement proportionnel. Chaque fois que je parle, sa rage décuple. Il trouve cela de très mauvais goût. Comme ces actrices de seconde zone qui étalent leurs aventures minables devant les caméras pour promouvoir leurs autobiographies.

— Et qu'en pensez-vous ?

— Je crois qu'il a tort. »

Ils commencèrent à marcher ensemble, sans parler, ils remontèrent vers la Cinquième Avenue, puis vers le nord. Il regardait droit devant lui, comme si cela lui demandait autant de concentration de parler que de marcher et cela permit à Jane de l'observer. Bien qu'il eût le teint clair et des cheveux grisonnants, il avait une barbe sombre. De temps à autre, elle sentait des effluves de parfum au pin. Elle ne savait au juste s'il s'agissait de son after-shave ou des odeurs qui se dégageaient des arbres de Central Park. Elle aurait voulu qu'il lui dise quelque chose pour savoir s'il avait la courtoisie de la raccompagner chez elle ou s'il se rendait à un rendez-vous.

« Voulez-vous aller prendre quelque chose ? » lui demanda-t-il brusquement.

Jane s'efforçait de marcher au même rythme que lui, bien qu'elle fût convaincue qu'elle allait trébucher sur une fissure du trottoir, *splat*, et s'écraser par terre. Sa jupe se soulèverait. « Oui, dit-elle. Très bien. » Le très bien était superflu. Si elle ne se surveillait pas, elle allait ajouter : Formidable, ça me plairait beaucoup. Oui. Génial.

L'ironie de la situation, c'est qu'elle se maîtrisait très bien en public. Dix-huit ans au contact de la délicatesse de Nicholas, cela marquait. De plus, comme sa gloire s'affirmait, les personnes les plus raffinées lui avaient fait du charme. Le monde entier voulait dîner à sa table. Et elle avait appris ainsi, un peu, à faire du charme à son tour. Mais tout cela semblait ne plus compter. Elle se sentait plus à l'aise dans ses rapports sociaux en dernière année de la Woodward High School qu'avec Judson Fullerton.

« J'ai un studio dans l'East End.

— Oh! » murmura Jane. Il fallait qu'elle trouve quelque chose à dire. Elle ne pouvait se contenter de ce « oh ». « Je croyais que vous viviez dans le Connecticut.

— C'est exact. A Westport. Mais je donne des cours à la Cornell Medical School une fois par semaine, alors j'ai un studio.

— Des cours de quoi? »

Il la regarda comme si elle était folle. « De psychiatrie », répliqua-t-il.

« Du vin blanc », lança-t-elle. Il avait disparu dans le réduit qui lui servait de cuisine. « Si vous en avez. »

Il ne semblait pas avoir grand-chose. Apparemment, le studio avait été loué meublé ou, en tout cas, décoré par quelqu'un qui avait encore moins d'imagination que la personne qui s'était occupé de son bureau tout en chrome et en cuir.

« J'ai un montrachet, annonça-t-il de la cuisine.

— Ce sera parfait. »

Il avait retiré sa veste quelque part et enlevé l'épingle de son col de chemise. Il revint avec deux verres de vin et lui en tendit un. « Vous avez arrêté les tranquillisants? » demanda-t-il. Il s'assit sur l'autre fauteuil et mit les pieds sur l'ottoman.

« Oh oui!

— A la vôtre. » Il leva son verre. « Eh bien, ça s'est très bien passé. C'est dommage que ça ait été en direct.

— Je l'ai enregistré. J'ai un de ces... » Elle recommençait à babiller. Elle allait continuer sur sa lancée et lui décrire tous les boutons de son magnétoscope. Elle dégusta son vin à petites gorgées pour masquer son silence.

Il glissa le doigt sous son nœud de cravate, la défit, la retira et la jeta sur la table basse, puis ouvrit le premier bouton de sa chemise. Elle pensa qu'il allait se lever pour la plier, mais il n'en fit rien. « Je pense qu'on va vous faire des tas de propositions. Toutes les émissions de ce style vont vous demander.

— Vous aussi, répliqua-t-elle, vous avez été très bon.

— On pourrait faire une tournée, comme les vaudevilles. » Elle le fixa. Il avait dit une chose amusante. Tout du moins, elle

pensait qu'il avait voulu faire de l'humour. Elle sourit. Lui non.
« Qu'allez-vous faire si on vous propose d'autres émissions à la
télévision ? lui demanda-t-il.

— Je ne sais pas. » Elle avala une seconde gorgée de vin. Il
avait vidé son verre. Elle était si habituée à jouer le rôle de
l'hôtesse qu'elle faillit lui demander s'il en voulait encore. « J'ai
ce problème avec mon mari.

— C'est vraiment grave ?

— Assez grave. » Elle voulait lui parler de Nicholas. Elle
voulait lui demander : Qu'ai-je donc fait pour en arriver là ? Pour
qu'il ne se déshabille même plus devant moi, il porte toujours un
peignoir, comme pour me priver de son corps. Son célèbre corps.
Elle voulait lui parler, mais il n'était plus le psychiatre. Au lieu
de cela, elle lui dit : « Je ne sais pas quoi faire. Je voudrais aider
les autres, mais jusqu'à quel point ? Est-ce que je tourne au
vaudeville ?

— Je ne l'ai pas dit dans un sens péjoratif.

— Je le sais, mais c'est un risque. Pour vous, il s'agit juste d'un
nouveau pas dans une très longue carrière. Mais pour moi... »
Elle soupira. « Je ne veux pas être un grand invalide professionnel.

— Vous n'êtes pas un grand invalide.

— Eh bien, disons un ex-grand invalide professionnel.

— Y a-t-il une chose particulière que vous brûlez de faire ? »
Elle haussa les épaules. « Vous souhaitez toujours faire partie du
prochain programme d'entraînement ? D'aller travailler avec des
patients comme Ellie Matteo lorsqu'elle était auprès de vous ?

— Je ne sais pas », dit-elle. Et soudain, ces mots lui échappè-
rent : « Je ne crois pas. Je ne sais pas pourquoi. Je me rappelle
simplement la patience d'Ellie qui se tenait à mes côtés jusqu'à
ce que j'arrive à monter en voiture. Juste à monter en voiture,
même pas à conduire. Je ne pense pas que j'aurai cette patience,
même si j'ai connu cela. J'aurai sans doute envie de pousser cette
personne dans la voiture en lui disant : " Oh ! Allez, ne soyez pas
stupide. " N'est-ce pas affreux ?

— Non. » Il passa son doigt sur le bord de son verre. Elle but la
fin de son vin si vite qu'elle se sentait un peu éméchée. « Je vais
aller en chercher d'autre », dit-il.

Il revint de la cuisine avec le bourgogne, les servit, puis posa la
bouteille. Elle se pencha pour prendre son verre. Il s'assit sur le
bras de son fauteuil.

Elle n'osait pas toucher au verre. Elle allait se mettre à
trembler. Le renverser. Sa cuisse se frottait contre son bras. Ce
n'était vraiment rien. Elle l'interprétait mal. Il était juste

décontracté. Il avait retiré ses chaussures. Elle se pencha en arrière. Son bras était là pour la recevoir. Sa main semblait si chaude sur son bras. Il se pencha vers elle et l'embrassa.

Un baiser délicat. Un long baiser. Ses lèvres erraient sur les siennes comme pour les déguster. Il fallait qu'elle dise quelque chose, pensa-t-elle pendant une seconde. C'était le moment.

Mais elle tendit le cou et rapprocha son visage pour mieux sentir sa bouche. Judson se recula, l'embrassant toujours délicatement en une lente exploration de ses lèvres. Elle les entrouvrit pour sentir sa langue mais il garda la bouche fermée, frottant ses lèvres sur le haut puis le bas de ses lèvres entrouvertes.

Ses mains, posées sur ses genoux, gauches et guindées, s'élevèrent comme dans un ballet au ralenti pour se tendre vers lui. Il les repoussa : « Doucement », murmura-t-il. Il continua de l'embrasser délicatement, baiser de supplice.

Elle était trop excitée. C'était si humiliant. Elle n'arrivait pas à rester immobile. Ses hanches ondulaient en des cercles déchaînés sur son fauteuil. Il prit sa lèvre inférieure entre ses dents et la mordilla. Puis la suça. C'était trop. Elle tenta de se retirer. Il continua de jouer avec sa bouche. Elle posa sa main sur sa cuisse.

Il la repoussa. « Du calme », dit-il. Et il reprit sa lèvre.

« S'il te plaît, laisse-moi me déshabiller. » Elle n'arrivait pas à croire qu'elle avait dit une chose pareille. Il se redressa, la prit par le poignet et la fit se lever. Le fait de se lever sembla la calmer un peu, assez pour sentir poindre un léger malaise, mais cela ne dura qu'un instant car il recommença à l'embrasser, toujours délicatement, s'emparant de ses lèvres mais gardant une distance entre leurs corps. Elle tira violemment sur son pull-over de coton pour le sortir de sa jupe.

« Tu as la permission de minuit ? lui demanda Judson.

— Comment ?

— Tu dois être rentrée à une heure précise ?

— Non, murmura-t-elle.

— Alors pourquoi es-tu si pressée ? »

Son baiser sembla durer une éternité. Quand il l'attira enfin violemment contre lui, un cri de plaisir lui échappa. Gênée, elle essaya aussitôt de se dégager de son étreinte.

Il ne parut pas le remarquer. Il la tint serrée contre lui et ses lèvres abandonnèrent les siennes pour glisser sur son visage, puis plus bas, sur son cou. Il restait immobile. Elle n'y arrivait pas. Elle se vautrait contre lui.

« Jane, dit-il enfin, c'est si bon. »

Elle était si excitée qu'elle ne pouvait même plus penser. Elle essaya d'arracher ses vêtements mais il maintint ses mains derrière son dos et lui dit : « Non. » Il la déshabilla tout doucement et s'attarda si longtemps à embrasser son cou, ses épaules et même à glisser sa langue sous ses bras que, lorsqu'il dégrafa son soutien-gorge, elle cria presque de gratitude comme s'il la soulageait d'un terrible fardeau. « Caresse-moi », le supplia-t-elle en saisissant ses mains et en tentant de les écraser contre sa poitrine. « Judson, caresse-moi. » Il s'y refusa. Il lui caressa le dos, puis s'agenouilla et caressa son ventre. « Caressemoi ! Comment peux-tu me refuser ? » Il l'entraîna par terre. La moquette était rugueuse. De minuscules pointes lui lacéraient le dos.

Il l'empêcha d'enlever son slip. « Non. » Lorsqu'il le lui retira enfin, il le glissa tout doucement le long de ses jambes, l'aguichant comme une strip-teaseuse.

Il s'allongea à côté d'elle, l'embrassa et la caressa. Lorsque sa langue parcourut son ventre, ses muscles se contractèrent si violemment que c'en était douloureux. « Tu aimes ça ? lui demanda-t-il. Dis-moi ? »

Sa barbe l'irritait partout où il l'embrassait et son pantalon se frottait sur ses jambes. « Je ne peux pas supporter ça », dit-elle. Il se refusait à lui caresser les seins ou le sexe. Elle s'empara de ses mains.

« Arrête », dit-il.

Elle était trempée. Il frotta ses doigts sur les gouttes qui avaient coulé entre ses cuisses. Puis il passa ses doigts sur ses lèvres jusqu'à ce qu'elles brillent. Et il l'embrassa.

Des larmes coulèrent sur son visage. Elle tendit les mains, à moitié aveuglée, pour sentir son sexe sous son pantalon. Il se cambra pour lui échapper.

« Pas ce soir. »

Elle écarta complètement les jambes et projeta ses hanches vers lui. Il ignora son invitation.

« Pourquoi ? Oh ! S'il te plaît, pourquoi ?

— Parce que, dit-il lentement, ce soir on ne fait que commencer. »

26

VOIX DE FEMME : ... et nous avons la chance
d'avoir avec nous Beatrice Drew. Mademoiselle
Drew est l'une des grandes dames du théâtre
américain et elle se trouve actuellement à Houston
pour reprendre le rôle qu'elle a créé dans le célèbre
drame *Starry Night*. Mademoiselle Drew, avant de
parler de la pièce, je crois savoir que vous êtes une
amie très proche de Nicholas et de Jane Cobleigh
et que vous avez joué avec Nicholas il y a des
années. Pouvez-vous dire à nos téléspectateurs si
vous avez eu des nouvelles de l'état de Jane ?

Patricia Obermaïer,
Journal télévisé de *K.T.R.K.*, Houston.

Nicholas avait déjà vu la fille à l'université de New York. Au
printemps dernier, la veille de la remise des diplômes où il avait
reçu un grade *honoris causa,* elle errait dans un coin du
President's Lounge, en sirotant ce qui devait être un soda. Elle
paraissait minuscule et il l'avait remarquée uniquement parce
que, étant issu d'une famille de roux, il avait été époustouflé par
ses cheveux. Ils étaient d'un roux qui n'avait rien à voir avec
celui des Tuttle : brillant, soyeux, un roux éblouissant avec des
reflets dorés. Elle les portait lâchés jusqu'à la moitié du dos et
elle était si jeune et délicate — beaucoup plus frêle que ses filles
— qu'elle lui rappelait une Alice rousse au Pays des Merveilles.
Chaque fois qu'il avait jeté un coup d'œil vers elle, elle avait
baissé la tête, de toute évidence honteuse qu'il l'ait surprise à le
fixer. Il avait songé qu'elle devait être la fille d'un des profes-

seurs, puis il l'avait oubliée ; ce genre de rencontre lui arrivait tous les jours.

Il avait accepté une chaire provisoire à l'université de New York pour ce mois de juillet uniquement parce qu'il ne savait pas trop quoi faire de lui entre deux films. Bien que Jane puisse quitter la maison maintenant, il s'était avoué qu'il ne voulait pas passer un mois seul avec elle, soit en voyage soit dans le Connecticut. Ils avaient besoin d'être un peu séparés. Lui, en tout cas. Ses remarques, toujours piquantes, étaient devenues mordantes. Elle lui avait brandi un scénario qu'il admirait en lui disant : « Tu *aimes* ça ? C'est une caricature de tous les films que tu as tournés. Je veux dire, ça pourrait faire un sketch à la télévision, joué par un comique qui te pasticherait avec une perruque blonde et sa chemise qui sortirait de son pantalon. » Elle avait ouvert le scénario et lut : « " Je t'ai donné tout ce que j'avais, Janie. Je n'ai plus rien à donner. " S'il te plaît, Nick, c'est gênant. Pense aux enfants. Toutes les filles à l'école vont les montrer du doigt et se moquer d'elles. » Il lui avait arraché le script des mains, s'était rué dans sa voiture, rendu à Manhattan et avait passé la nuit dans l'appartement. Il adorait profiter du lit immense pour lui seul et il avait beaucoup mieux dormi que toutes ces dernières semaines.

Mais cette fille était là de nouveau, dans son séminaire, avec sa superbe cascade de cheveux. Il avait été surpris de la voir dans sa classe car on lui avait dit que son cours serait composé d'étudiants préparant le doctorat. Elle n'avait pas l'air d'avoir plus de seize ou dix-sept ans. Elle était très calme et, le nez toujours penché sur ses feuilles, elle griffonnait des notes comme si elle devait retranscrire l'intégralité du séminaire.

Lors du troisième cours, il leur avait dit qu'il désirait connaître l'orthographe de leurs noms et avait lu les cartes qu'ils lui avaient remises. Elle s'appelait P. MacLean.

« Monsieur Cobleigh », intervint l'un des étudiants. Nicholas ne savait pas s'il s'agissait de B. Nussbaum ou de L. Drutman. Il avait le teint encore plus mat que Jane. Il ressemblait à un musicien de jazz aveugle avec son attitude toujours guindée et ses lunettes de soleil miroir.

« Oui.

— Quel parallèle faites-vous entre votre œuvre et celle d'Orson Welles ?

— Je ne...

— Ne tenez pas compte de *Citizen Kane* ; pensez à *La Splendeur des Amberson*.

— Eh bien, il est difficile de juger Welles sur ce film car, quel qu'ait été le studio pour ce film...

— R.K.O., dit l'étudiant d'un ton las.

— R.K.O. a coupé environ une heure du film et a supprimé des scènes que Welles considérait comme les plus importantes.

— Voyez-vous une quelconque ressemblance entre votre travail et celui de Welles ? demanda B. Nussbaum ou L. Drutman.

— Non, pas vraiment.

— Pas du tout ? » Il paraissait stupéfait de la stupidité de Nicholas.

« Non. Et vous ?

— Pour répondre à cette question, répliqua Nussbaum Drutman, il me faudrait dix heures. » Il semblait attendre une invitation.

Nicholas se tourna vers les quatre autres étudiants. « Il y a d'autres questions avant de commencer ? »

P. MacLean garda la tête baissée. Elle ressemblait plus que jamais à Alice au Pays des Merveilles. Elle avait une robe bleue dans le style des chasubles démodées que portaient ses sœurs autrefois, sans le tablier blanc mais avec les mêmes petites manches bouffantes qui ne faisaient que souligner ses bras décharnés. Il se demanda ce que représentait le P. : Patty, Penny, Polly. Il espérait qu'elle n'était pas affublée d'un prénom trop encombrant pour elle comme Phoebe.

Un quart d'heure plus tard, alors qu'il expliquait comment lui, en tant que metteur en scène, avait travaillé avec les différents directeurs artistiques, il surprit son regard posé sur lui. Pas sur son visage. Sur sa braguette. Chère petite Alice au Pays des Merveilles. Il voulut rire, mais il se retint : elle s'était rendu compte qu'il n'était pas dupe de son manège. Avant qu'elle ne baisse la tête, il vit son visage virer quasiment au pourpre. Mortifiée, elle se mit à écrire avec acharnement, mais elle devait trembler car son stylo lui échappa des mains. Quand elle se baissa pour le ramasser, sa chaise faillit se renverser. Il aurait voulu lui adresser un regard pour la rassurer. Elle était si jeune, il avait pitié d'elle, mais elle ne leva plus la tête jusqu'à la fin du cours.

Les yeux fixés sur le grand miroir qui couvrait un mur entier de leur appartement de Manhattan, Nicholas contemplait son image. Il avait une tête effroyable. Il était parti pêcher trois jours au Canada et y avait attrapé de si mauvais coups de soleil que ses paupières étaient gonflées et il avait l'air de loucher. La peau de son nez et de ses joues était desséchée. Il y avait eu une invasion de mouches sur le lac et son cou et ses mains le démangeaient tant que cela lui faisait mal. En revanche, pensait-il, l'avantage c'est qu'il était si défiguré qu'il pourrait sans doute aller à pied de chez lui à l'université de New York sans être reconnu.

Il ne mangerait plus jamais de truite. Il en avait attrapé tant. Il semblait qu'ils n'avaient qu'à lancer leurs lignes dans l'eau et, après le plaisir grisant des premières heures, cela avait cessé de l'intéresser.

C'était encore moins amusant dans la mesure ou Michael, qui avait trente ans maintenant, arborait toujours un air si réprobateur qu'il paraissait plus vieux que James. Il était banquier, mais il manquait tant d'humour et d'imagination et il était si conservateur qu'il tournait à la caricature.

Nicholas et James burent jusque tard dans la nuit ce soir-là. Juste avant l'aube, dans la brume encore plongée dans les ténèbres, James dit : « Ça fait seize ans et demi.

— Comment ? demanda Nicholas.

— Seize ans et demi. Ta mère m'a viré le 1ᵉʳ décembre 1961. Jeté dehors. C'est le psychiatre qui l'a poussée à faire ça.

— Papa... dit Nicholas.

— Ça ne fait rien. Mais fais attention à toi. Avec ce type qui est tout le temps interviewé à la télévision avec Jane.

— Tout va bien.

— Parfait. » James se versa un autre verre. Ils buvaient de la vodka dans des gobelets en carton. « Ecoute, tout se passera très bien.

— Je sais », répliqua Nicholas. Il avait mal à l'estomac. « Tout se passera très bien.

— Je veux dire avec Win.

— Oh ! Oui, elle va bien. Excellent moral, ajouta Nicholas. Elle fait du bénévolat à Sloan-Kettering. Elle s'y donne beaucoup et elle a l'air en forme.

— Je *sais* qu'elle a l'air en forme.

— Tu l'as vue ?

— Je suis allé là-bas. La bonne ne voulait pas me laisser entrer. Elle ne me connaissait pas. Nouvelle bonne. Nouveau papier peint. Mais alors Win, ta mère, est venue à la porte.

— Elle n'a pas paru surprise de te voir ? » Nicholas ne trouva rien d'autre à dire. Il ne pouvait pas demander : T'a-t-elle jeté dehors ? Il ne pouvait pas lui demander : Après seize ans et demi de séparation et toutes les femmes que tu as connues, comment as-tu eu le courage, le cran, d'aller la voir ?

« Oui, elle a été étonnée », dit lentement James. Nicholas se sentait gêné comme s'il allait apprendre sur ses parents quelque chose qu'un fils ne doit pas savoir. « Mais ça s'est bien passé, finalement.

— Tant mieux », répliqua Nicholas, soulagé. Il était appuyé contre le mur rugueux de la cabane et s'était redressé. « Eh bien, je vais essayer d'aller dormir une heure ou deux. Et toi, papa ?

— Elle m'a *repris*, dit James.

— *Quoi ?*

— Ne dis pas *quoi*. On n'est pas au cinéma. Inutile de nous faire un numéro dramatique.

— Papa...

— Tu as bien entendu. On va aller passer le mois d'août en France et, après, je vais me réinstaller dans l'appartement. Seize ans et demi, et même si elle n'a jamais cessé de m'aimer, tout cela à cause de ce psychiatre.

— Tu ne crois pas... commença Nicholas.

— Tu ferais mieux de ne pas laisser ce salopard mettre le grappin sur Jane », avait dit son père.

Dans la salle de bains, Nicholas passa un gant sous l'eau froide, renversa la tête en arrière et le posa sur son visage en feu. Il ne se sentait pas d'humeur à retrouver Murray au Village pour le déjeuner et ensuite aller donner son cours. Il avait les lèvres gercées et cela lui faisait mal lorsqu'il devait sourire.

Il ne souriait pas tant que cela. « Comment va ma Janie, ma vedette ? » lui demanderait Murray. Nicholas jeta le gant dans le lavabo et regagna la chambre. Les fauteuils et la chaise longue étaient surchargés de boîtes. Avant de partir au Canada, il avait commandé une petite garde-robe complète ; ainsi, il ne serait pas obligé de retourner dans le Connecticut uniquement pour aller chercher un costume propre. Il voulait mettre une chemise sport à carreaux. Il ouvrit un carton de chez Saks qui ressemblait à ce qu'il cherchait mais c'était un pyjama en coton. Il passa au suivant. Il ne s'agissait pas non plus de chemises sport.

C'était de la lingerie pour Jane. Pas les coordonnées habituelles, blanc, beige et les deux ou trois choses noires qu'elle portait généralement. C'était des ensembles sexy pleins de dentelles et dans des coloris agressifs : gris, bordeaux et vert bouteille. Il était si en colère contre elle. Chaque fois qu'il pensait être arrivé au bout de ses limites, elle trouvait une nouvelle chose pour le mettre encore plus en colère. Qu'imaginait-elle ? Que cette lingerie allait tout arranger ? Qu'elle pouvait tout se permettre et qu'ensuite elle n'aurait qu'à se dandiner en slip vert foncé dans la chambre pour qu'il ait envie d'elle ? C'était si stupide, si simpliste. La Jane d'autrefois se serait moquée de ce genre de truc. Mais la nouvelle Jane sautait dessus : vulgaire, irréfléchie et absurde.

Elle était dans le Connecticut à une réunion de travail avec ce salaud de psychiatre pour préparer une conférence sur les cas de phobies. Il avait envie de l'appeler au bureau du type en plein milieu de la réunion pour lui dire : « Tu sais quoi, Jane ? Tu as perdu ton argent. Mon argent. Ça ne marchera pas le coup de la lingerie. »

Nicholas repéra presque aussitôt ses cheveux. Mais elle avait déjà traversé la moitié de Washington Square Park lorsqu'il fut certain que c'était elle. De dos, avec son short, ses tennis et son tee-shirt, elle avait l'air d'une adolescente. On aurait dit une enfant de dix ans. Elle portait un énorme melon d'eau dans les bras et paraissait si chargée que le melon semblait peser aussi lourd qu'elle. Elle faisait de tout petits pas irréguliers. Il sut que c'était elle quand elle s'arrêta sur un banc, posa le melon et se détourna légèrement. Elle était trop loin pour qu'il puisse voir son visage. Il ne distinguait pas non plus le portrait imprimé sur son tee-shirt. Mais le nom d'Alice Guy-Baché — la première femme metteur en scène — était collé dessus. Ça devait être P. MacLean.

Il traversa le parc avant qu'elle n'ait eu le temps de récupérer son melon. « P. MacLean, lui dit-il. Exact ? » Son visage pâle et piqué de taches de rousseur sur son long nez, devint si blême qu'il crut qu'elle allait s'évanouir sur le banc en écrasant le melon d'eau. « Ça correspond à quoi le P ? demanda-t-il.

— A Pamela. »

Il prit le melon. Il était lourd, même pour lui. « Vous mangez tant que cela d'habitude ? » lui demanda-t-il.

Elle secoua la tête puis sentit qu'elle devait dire quelque chose. « C'est pour une corbeille de fruits, pour une soirée d'anniversaire.

— Le vôtre ? » Elle secoua de nouveau la tête. « Permettez-moi de vous le porter. Vous allez chez vous ? » Elle acquiesça d'un signe. « Vous habitez dans le coin ? »

Elle avala sa salive. « Bank Street », dit-elle. Sa voix était aussi fluette qu'elle. « Inutile de vous embêter avec ça.

— Il n'y a pas de problèmes. »

Ils traversèrent le parc. Lorsqu'ils arrivèrent dans la rue, un taxi fit une embardée et faillit les renverser sur le bord du trottoir quand le chauffeur reconnut Nicholas. Pamela avait l'air terrifié. « Ce n'est pas grave, dit-il. Ça arrive tout le temps. On ne m'a pas encore tué. »

Quelques mots finirent par lui échapper. « J'ai vraiment honte de vous voir faire ça. Une amie me l'a acheté pour six cents la livre et ils sont à quatorze au Key Food près de chez moi, c'est pour ça que je suis obligée de le porter. De chez elle à... » Elle jeta un coup d'œil vers lui. « Ça me rend très nerveuse de vous parler.

— Je sais, dit-il. Mais il ne faut pas.

— Je peux garder le silence quelques instants ? demanda-t-elle. Juste le temps de m'habituer à l'idée que vous portez mon melon d'eau ?

— Bien sûr », répliqua-t-il. Elle marchait comme une enfant, les pieds tournés en dedans. Il était touché par son mélange de timidité et de candeur.

Elle n'était pas jolie du tout. Son nez était trop long, ses lèvres trop minces et son visage rond se terminait par un menton trop pointu. Pourtant, il y avait quelque chose d'attirant chez une fille qui savait qu'elle n'avait qu'un atout et, avec un désespoir charmant, en tirait le maximum. Sous son tee-shirt Alice Guy-Blaché, elle ne portait pas de soutien-gorge, mais elle n'en avait vraiment pas besoin. L'ébauche de ses seins se limitait à deux petites taches sombres sous le *l* et le *h*.

« Où avez-vous trouvé ce tee-shirt ? lui demanda-t-il. Oh ! On peut parler, ou bien vous observez toujours vos quelques minutes de silence ?

— Ma mère me l'a fait faire. Je fais mon mémoire sur le travail de Guy-Blaché en Amérique. Ça vous dit quelque chose ?

— Non. En fait, je connais juste son nom et je sais qu'elle a été la première femme metteur en scène.

— Tout le monde me demande ce que j'ai choisi comme sujet, et quand je leur réponds, ils me disent : " Alice *qui* ? "

— Alice *qui* ? répéta Nicholas. Non, je plaisante. Elle a fait des films parlants ?

— Non. Son dernier film, c'est *Vampire*, en 1920. » Elle souleva ses cheveux un instant comme pour se rafraîchir la nuque. La manche de son tee-shirt bâilla. Elle avait une touffe de poils roux sous les bras.

« A titre de curiosité, enchaîna Nicholas, comment se fait-il que vous soyez dans mon séminaire ? Je n'ai pas commencé avant 1969.

— Non, répliqua Pamela.

— Non ?

— Vous avez commencé en 1940.

— C'est exact, répondit-il. Comment le savez-vous ? »

Pamela détourna les yeux et fixa le melon d'eau. « Parce que, dit-elle, je suis amoureuse de vous depuis huit ans. »

« Vous avez le téléphone ? » lui demanda Nicholas. L'appartement était si vide qu'il craignait qu'elle n'en eût pas les moyens. Il y avait deux chaises dans le living-room mais tous ses livres étaient éparpillés sur la moquette grise, et il comprit que cela lui servait de bureau. La moquette était si usée qu'à certains endroits on apercevait la trame.

« Dans la cuisine, répondit Pamela.

— Et pourquoi pas ici ?

— Parce que c'est si petit que je suis obligée de rester debout et comme ce n'est pas confortable, je ne parle pas pendant des heures. Comme cela, je n'ai pas de grosses factures de téléphone.

— Vous êtes très maligne. »

Il se sentait si détendu, allongé sur son lit étroit dont les draps étaient imprimés de minuscules bouquets noués de rubans roses et jaunes. Elle avait posé la joue sur sa poitrine. Il lui caressa les cheveux et se pencha pour l'embrasser sur le haut de la tête. Pamela glissa ses bras autour de lui et l'embrassa. « Pas très maligne, juste maligne, tout bonnement », dit-elle.

Sa main parcourut son dos nu. Elle était si menue. Sa délicatesse le ravissait. C'était comme de jouer avec une poupée. Une poupée avec des seins parfaits pas plus longs que deux articulations de son doigt. « Même si tu es maligne, tu sais que, si tu m'embrasses comme ça, tu ne feras que me pousser à recommencer et je ne donnerai jamais mon coup de fil. J'en ai pour deux minutes. J'avais rendez-vous avec mon agent il y a une heure et il doit m'attendre encore au restaurant. Attends-moi. Ne bouge surtout pas.

— Il faut que je bouge parce qu'il ne nous reste qu'une demi-heure avant le cours. Vingt minutes exactement, parce qu'il faut dix minutes pour y aller. »

Nicholas se mit à masser ses vertèbres délicates et saillantes dans le bas de son dos. « Laissons tomber le coup de téléphone, dit-il. Toi et moi, nous devons discuter de choses beaucoup plus importantes. »

Nicholas regardait Jane de la chambre. Elle se tenait devant le miroir de la salle de bains, qui occupait tout un mur et éventait ses cils de la main. Dès que le mascara fut sec, elle s'en mit encore une nouvelle couche.

« Tu peux t'arrêter une seconde ? lança Nicholas.

— Non. Je n'ai pas le temps. Mais tu peux parler. »

Elle ne paraissait plus vraie, mais fabriquée. Une femelle boursouflée, grotesque. Il savait que cela tenait en partie à la comparaison avec Pamela.

« Je n'ai plus que cinq minutes », dit-elle. Elle sortit de la salle de bains en enfilant un chemisier de soie blanc. Il constata qu'elle était bien, objectivement, même belle. Quand ils sortaient ensemble, les hommes se retournaient sur elle. Pas comme les femmes sur lui, mais on la remarquait. Cependant sa beauté, son charme, étaient artificiels. Ils n'avaient rien de réel. On aurait dit qu'on pouvait les supprimer en grattant la première couche. Ils n'étaient pas à l'image de ce qu'elle était intérieurement. Celle qui avait été belle c'était la Jane simple, celle qu'elle avait été autrefois.

Elle garda le menton levé pour ne pas mettre de fond de teint sur son chemisier tout en le boutonnant. Elle ne pouvait plus faire un seul geste naturel.

« Où vas-tu ? demanda-t-il.

— Déjeuner avec le rédacteur en chef de *Redbook*. Ils veulent me proposer une rubrique.

— Sur quoi ?

— C'est pour en discuter qu'on déjeune ensemble. Et il est inutile que tu prennes un ton aussi sarcastique. Ce serait une rubrique d'intérêt général. Un sujet différent tous les mois. Tu n'as donc pas à craindre que j'écrive des choses sur notre mariage ou que je viole ta vie privée. Cela ne t'est peut-être pas venu à l'esprit, mais ce que *j'ai* à dire intéresse les gens.

— Si tu t'appelais Jane Heissenhuber, tu crois que les gens de *Redbook* en auraient quelque chose à foutre de toi ?

— Je me suis fait un prénom.

— Dans le rôle de la femme névrosée d'un acteur célèbre avec une grande gueule. » Il s'attendit à recevoir une gifle. Il était prêt à la lui rendre. Au lieu de cela, elle se dirigea vers sa commode, prit un sac blanc, le vida et transféra quelques objets dans le rouge. « Tu m'as entendu ? » tonna-t-il. Son dos se raidit, mais elle ne lui répondit pas. Elle ouvrit un tiroir, en retira une boîte à bijoux et mit une paire de boucles d'oreilles en perles. « Tu te rends compte que les gens se moquent de toi ?

— Laisse-moi tranquille.

— Donnez-lui un micro et elle fera n'importe quoi. Tu ne comprends pas à quel point c'est navrant. J'essaie juste de t'éviter de t'enfoncer plus bas. Tu es devenue la risée du public. Tu passes à la télé et...

— C'est toi qui es malade. » Elle parlait d'une voix fausse et mielleuse. « Il se trouve qu'après mon passage dans " Talk ", N.B.C. a reçu plus de cinq cents lettres, et ils veulent que je revienne dans quelques semaines pour que j'explique comment j'organise mes dîners.

— Tu es atterrante. Vraiment. Ce petit con va te demander : " Alors, Jane, quelle impression cela vous fait-il de réunir autour de votre table les stars les plus connues et les plus éblouissantes ? " Et tu répondras... »

Elle lança le sac blanc sur le lit. « Tu n'as rien de mieux à faire ? Fiche-moi la paix.

— Non, je ne te ficherai pas la paix. » Le sang lui montait à la tête. Elle faisait ça tout le temps. Elle le mettait si en colère qu'il ne se maîtrisait plus. Sa tête allait exploser. « Tu n'es qu'une saleté de parasite, voilà ce que tu es. Ce que tu as toujours été. Tu te sers de moi...

— Absolument pas !

— Tu te sers de moi comme tu l'as toujours fait. Tu sais foutrement bien pourquoi tu m'as épousé. Et tu as obtenu exactement ce que tu voulais.

— De quoi parles-tu ? » Elle gardait la bouche pendante. Elle avait l'air stupide.

« Tu m'as épousé pour mon argent.

— Ton argent ? Tu parles sérieusement ? On n'avait pas un sou. J'étais obligée de travailler et...

— Tu savais foutrement bien que ça ne durerait pas toujours. L'idée de mon argent et de ma position sociale t'attirait. N'essaie pas de le nier. Tu es très ambitieuse. Mais tu n'avais pas cinq *cents* à ton nom et nulle part où aller. Ta charmante famille ne voulait rien avoir à faire avec toi. Alors tu t'es jetée sur cette alliance inespérée. Bon Dieu, qu'est-ce que je savais de la vie ? J'avais vingt ans.

— Il se trouve aussi que je t'aimais. » Son ton était si doux qu'il savait qu'elle se forçait. « Je t'aimais beaucoup.

— Oh ! roucoula-t-il. Merci infiniment, ma chère. Et moi, naturellement, je t'aimais aussi.

— Nick, je t'en prie, je ne peux pas en supporter davantage.

— Je me souviens comment mon cœur s'est mis à battre la chamade la première fois que je t'ai vue. Toi, l'actrice brillante, si talentueuse, et moi un pauvre crétin du club d'étudiants. Et comment tu as condescendu...

— *Arrête.* Il faut qu'on s'arrête. Quel genre de mariage est cette parodie ? Au moins, on peut...

— Au moins on peut reconnaître que tu étais une aventurière.

Une aventurière jolie, brillante, mais une aventurière. Tu aimais cette odeur de l'argent de New York, n'est-ce pas ?

— Je t'ai épousé parce que je t'aimais, Nick.

— Tu sais, je te respecterais si au moins tu étais honnête avec toi-même. »

Elle prit son sac à main et le mit devant elle comme pour se protéger. « Tu veux qu'on parle honnêtement ? demanda-t-elle. Alors sois honnête. Pourquoi *m'as-tu* épousée ? Parce que tu voulais un paillasson. Tu m'as épousée parce que tu voulais... non, tu avais besoin... de quelqu'un qui soit fou amoureux de toi au point d'en être aveugle, reconnaissant de tes moindres attentins jusqu'à se laisser piétiner. Et c'est ce que j'ai fait. Tout ce que tu souhaitais, je n'étais que trop heureuse de te le donner.

— Tu te trompes, Jane. Tu n'as jamais eu la moindre idée de ce que je souhaitais réellement. »

Un long silence s'établit. Ils s'affrontèrent pendant quelques minutes qui parurent interminables, le regard fixé sur l'autre en attendant de voir qui allait céder le premier. Il ne la laisserait pas s'en sortir comme ça. Ses yeux immenses, d'un bleu profond, ses cils épais, ressemblaient à ceux d'un mauvais portrait. Un regard ordinaire, d'un enfant misérable. Il continua à la fixer. Jane céda la première. Il le savait. Elle n'avait aucune classe, aucun courage. Elle lui tourna le dos, prit un rang de perles dans sa boîte à bijoux, le fourra dans son sac et sortit précipitamment de la chambre.

Nicholas la suivit dans le couloir. Ses talons claquaient sur l'escalier à vis qui menait au premier étage de leur duplex. « Mes parents veulent nous voir ce soir, pour prendre un verre et dîner ensemble. A sept heures chez ma mère. » Elle continua de descendre les marches. « Tu as entendu, nom d'un chien ? »

Elle s'arrêta sur l'avant-dernière marche et se tourna vers lui. « Je ne pourrai pas venir, dit-elle.

— Ecoute, je ne te demande plus grand-chose. Tu consacres tout ton temps à te réaliser et je l'accepte, très bien, réalise-toi, peu importe comment, mais tu sais fichtre bien que tu ne fais rien de si important que ça ne puisse attendre.

— Il se trouve, dit-elle, que j'enregistre le *David Susskind Show*. Mais, s'il te plaît, transmets mes amitiés à tes parents. Dis-leur que je suis heureuse... » Elle s'arrêta un instant. « Dis-leur que je suis heureuse que les choses se soient arrangées pour eux. »

« C'est terriblement à sens unique, dit Pamela. Je sais tant de choses sur toi. Non pas que je fasse de gros efforts. J'ai simplement une excellente mémoire.

— Que sais-tu de moi ? » lui demanda Nicholas.

Ils étaient amants depuis une semaine. Il ne s'agissit pas seulement de sexe, bien que cela jouât un grand rôle dans leurs rapports. Nicholas adorait ses démonstrations de tendresse. Elle poursuivait une conversation, roulée en boule sur ses cuisses, blottie contre lui ou en lui tenant la main et en suivant les veines de son bras avec son doigt. Il était assis sur la moquette grise élimée, le dos au mur, les genoux pliés pour servir de repose-tête à Pamela. Elle suivait le contour de sa main qu'il avait posée sur son ventre. Les doigts écartés, sa main était presque aussi large que son bassin.

« Je me rappelle sans doute tout ce que j'ai lu sur toi. Tu ne trouves pas ça épouvantable ? Que tu jouais au lacrosse à l'université, que tu aimes beaucoup la musique symphonique mais pas beaucoup l'opéra et que tu détestes l'origan. C'est vrai, ça ? »

Nicholas éclata de rire. « Oui. Mais je n'arrive pas à croire qu'on a écrit cela un jour. C'était dans quoi ?

—· Laisse-moi réfléchir. » Elle ferma les yeux, posa les mains sur la sienne et la serra plus fort sur son ventre.

« Ça t'aide à réfléchir ? » demanda-t-il. Il était excité mais tentait de le cacher. Il lui fallait combattre sa timidité pour la courtiser. Il ne pouvait pas la prendre sans préambule. Il avait essayé la première fois et elle en avait été affreusement troublée : elle lui disait, *s'il te plaît, non*, tout en tremblant malgré la chaleur qui régnait dans l'appartement sans air conditionné. Il l'approchait gentiment, lui embrassait les cheveux, les joues, presque comme une enfant, jusqu'à ce qu'elle commence à s'ouvrir tout doucement, s'enroulant autour de lui et le caressant ; ses mains devenaient alors comme deux petits animaux sauvages et passionnés qui couraient sur son corps. Au début, il devait la rassurer chaque fois. Tout va bien. Du calme, Pam. Chut, n'aie pas peur. Mais, lorsqu'elle s'ouvrait, elle voulait qu'il se laisse complètement aller. Qu'il lui dise des grossièretés. Dis-moi, avait-elle insisté la première fois. Dis-moi ce que tu sens. Gêné, il avait à peine pu lui dire ce qu'elle voulait entendre ; c'était comme de griffonner des grossièretés sur le mur d'une église. Cependant, plus il parlait, plus elle s'abandonnait, et lui aussi. Et maintenant il arrivait à peine à se contrôler en attendant qu'elle soit suffisamment excitée pour qu'il passe des mots doux aux obscénités. Il adorait cela. Chaque phrase ordurière les entraînait plus loin dans le plaisir.

Pourtant, elle avait la délicatesse d'une petite fille. « Ta main est si douce, dit-elle. Oh ! je sais où j'ai lu l'histoire de l'origan.
— Où ça ? »

Il sentait que quelque chose n'allait pas. Pamela était allongée, parfaitement immobile, mais elle repoussa alors sa main et s'assit en recroquevillant les jambes sur le côté. « C'était dans un magazine féminin. Dans un article sur ta femme et toi. » Elle baissa la tête puis la redressa pour le regarder. « Nicholas, je ne me sens pas à l'aise par rapport à cette situation.

— Je t'ai déjà dit, répondit-il, que notre mariage ne marche plus très bien depuis longtemps.

— Mais vous êtes mariés tout de même. Nicholas, je ne suis pas faite pour ce genre de situation. Je ne veux pas jouer les une-fois-par-semaine ou les une-fois-par-mois...

— Pam, arrête.

— Ça va se terminer, ça doit se terminer et je ne pourrai pas le supporter. Tu comprends ? J'aimerais prendre plus de recul, mais je n'y arrive pas. J'ai vingt-deux ans ; j'en ai passé vingt et un dans le New Jersey et cela ne m'a pas préparée à avoir des aventures avec des hommes du monde. Je regrette qu'on ait commencé un jour. C'était comme un rêve et je jouais sans doute le rôle du somnambule. Mais il faut que je me réveille. Ce n'est pas un bon genre de rêve. Je n'y ai pas de place. »

Il tendit la main vers elle, la serra contre lui, bien décidé à ne plus la laisser s'échapper. « Dans tous les articles que tu as lus sur moi, as-tu jamais découvert un mot qui insinuait que j'étais un homme à femmes ? » Elle resta un moment serrée contre lui sans bouger. Puis il sentit qu'elle secouait la tête. « Il ne s'agit pas d'une aventure, nous nous sommes compris ?

— Oui », murmura-t-elle contre sa poitrine, puis elle leva les yeux vers lui. « Mais je ne veux pas être une femme entretenue. » Elle fit la moue.

« Pamela, il n'y a aucune raison pour que tu manges du thon cinq soirs par semaine.

— Si, il y en a une. J'ai très peu d'argent. Cela n'a rien de honteux. Un jour, j'aurai mon doctorat. Je travaillerai. Et je ne mangerai plus jamais de thon. » Elle s'arrêta un instant. « Cela ressemble à *Autant en emporte le vent :* " Je n'aurai plus jamais faim. "

— Pamela, accorde-moi ce plaisir. Permets-moi d'être égoïste. Je n'aime pas m'asseoir par terre. Je n'aime pas les lits étroits et défoncés. En plus, je déteste le thon presque autant que l'origan. Alors s'il te plaît, laisse-moi chercher un appartement pour nous.

— Nicholas, je me sens si gênée.

— Tu n'as aucune raison d'être gênée », répliqua-t-il. Il prit son visage entre ses mains et l'approcha du sien. Elle rougit. Il mourait d'envie de lui refaire l'amour et il commença à l'embrasser sur les joues et le front. « Je veux être heureux avec toi, c'est tout. S'il te plaît, laisse-moi faire. »

27

Cobleigh dans le coma ? N.B.C. en tremble.

Gros titre de *Variety*.

La folie sexuelle ne dure que six mois. Tout du moins, c'est ce qu'affirmait un article que Jane avait lu. Les amants ne peuvent supporter plus de six mois d'enfer paradisiaque, de désirs insatiables et de lubricité. L'ego reprend ses droits pour échapper à sa propre mort ; et c'est le temps de la paix. La fièvre de la ·chair s'apaise et les amants s'éloignent. Ou la passion fait place à de simples rapports sexuels et le besoin irraisonné de se peloter et de hurler de plaisir se transforme en camaraderie.

Sa liaison durait depuis huit mois lorsque Jane lut cet article et elle sut que ce n'était pas juste. Son désir n'était pas seulement insatiable ; il se décuplait après chaque rencontre et il arriva donc un moment où rien dans sa vie ne pouvait la satisfaire en dehors de Judson Fullerton. Non seulement la satisfaire, mais même l'intéresser.

Le 10 mars 1979, le jour de son trente-neuvième anniversaire, elle s'assit à la table de ses beaux-parents entre ses filles et essaya de ne pas les entendre. Elle, réputée pour son rôle de mère et de femme d'intérieur, souhaitait que ses enfants soient parties. La brillante et véhémente Victoria, grande, sombre et bien bâtie, était à seize ans en première année à Brown. Et la tendre Elizabeth, petite et voluptueuse avec ses grands yeux et ses cheveux bouffants (une version britannique de sa grand-mère Sally) à quatorze ans passés, était en troisième année d'école préparatoire et ne tarissait pas d'éloges sur les innombrables vertus de son petit ami de seize ans. Ses filles la harcelaient : Maman, tu as lu mon exposé sur Congreve ? Maman, tu as été surprise de nous voir ? Maman, tu savais que Congreve avait eu une fille de la duchesse de Marlborough ? Maman, le saint-bernard de David, tu sais, elle s'appelle Snickerdoodle, elle attend des chiots et ce n'est même pas d'un saint-bernard. Il pense que c'est d'un labrador.

Jane fixait les petites flammes des bougies disposées dans les chandeliers en argent et apercevait à peine Nicholas, assis dans la pénombre de l'autre côté de la table. Elle ne voulait qu'une chose, être seule et penser à Judson.

Ils se voyaient deux ou trois fois par semaine. Le mercredi soir dans son studio de Manhattan et, en début de soirée, dans son bureau du Connecticut. Elle s'adaptait à l'emploi du temps de Judson sans se préoccuper de Nicholas. Je serai à New York aujourd'hui, mentait-elle. Je dois faire des recherches pour l'article du *Times*. Je crois que je resterai dormir là-bas. Nicholas se trouvait soit à Manhattan soit à l'est de Long Island où il travaillait sur le film qu'il devait tourner cet été-là, et il s'y donnait tant qu'il ne prêtait guère attention à ses mensonges. Plusieurs fois, le mercredi soir, il lui avait laissé des messages pour lui dire qu'il resterait passer la nuit à Long Island et elle en avait profité pour dormir auprès de Judson dans son divan-lit étroit et, le lendemain matin, elle avait ressenti les effets du manque de place et de leurs excès en matière de sexe. On est trop vieux pour ça, disait-elle. Mais il semblait qu'ils n'en avaient jamais assez. La veille, elle avait passé la soirée avec Judson dans le Connecticut.

« Maman, tu as déjà vu un montage de *The Way of the World ?* »

Jane sursauta. « Comment ? Oh non, Vicky. Juste *Love for Love.* »

La veille au soir, Judson l'avait installée, nue, sur le dessus en verre de son bureau et il s'était allongé par terre sous elle et lui avait fait adopter différentes positions. Mets-toi à plat ventre. Bon. Maintenant assieds-toi les jambes au bord de la table. Chaque fois qu'elle se sentait gênée et essayait de lui cacher une partie de son corps, Judson frappait sur la table en verre et lui disait : Arrête ça.

« Nicholas, proposa James. Portons un toast à Jane. »

Elle se rappela comme elle avait rougi. Elle s'était assise sur le bureau, les jambes aussi ouvertes que possible. Jane ferma les yeux. Elle voulait se souvenir avec précision comment Judson avait levé les yeux sur elle, l'avait observée et comment il avait suivi le contour de ses lèvres à travers la table en verre.

La chaise de Nicholas racla le tapis. Elle ouvrit les yeux et le vit se lever. « A Jane », commença Nicholas. Il s'arrêta un instant en essayant de trouver quelque chose à dire.

Après, elle s'était renversée sur la table. Le verre était si froid sous son dos. Et dur sous sa tête. Judson, debout devant le bureau, avait mis ses jambes autour de sa taille et l'avait pénétrée tout doucement.

« Ce n'est pas encore le grand cap, poursuivit Nicholas, mais trente-neuf ans cela mérite attention. » Il avait pris sa voix réservée aux Academy Awards : un ton fort et faussement heureux d'être présent en une telle occasion.

Judson était si gros et il s'était enfoncé si profondément en elle. Elle n'avait rien pour se raccrocher. Elle s'était accrochée au bord en verre.

« De notre part à nous, Jane... » Elle entraperçut la chemise de Nicholas derrière les lueurs des bougies. Il tenait son verre de vin juste devant lui. « Tous nos vœux. »

Judson était resté en elle près d'une demi-heure, se retirant et la pénétrant de nouveau. Elle regardait le bout rouge de son pénis se glisser en elle encore et encore.

Le silence se fit autour de la table. Nicholas avait terminé et se rasseyait. Elle leva son verre et s'inclina légèrement vers Nicholas. « Merci, dit-elle. A vous tous. » Mais Nicholas ne la regardait déjà plus. Il s'était remis à parler avec sa sœur Abby, la seule Cobleigh qui ait réalisé l'espoir que James avait mis en ses quatre fils : devenir avocat.

Judson. Alors qu'ils faisaient l'amour, il avait caressé son clitoris avec son doigt et elle avait eu orgasme après orgasme et, chaque fois qu'elle se contractait, elle l'attirait de plus en plus profondément en elle.

Embrasse-moi pour me dire au revoir, Judson, avait-elle dit. Il lui avait juste fait un baiser pour la forme, ce genre de baiser qu'un homme donne à sa femme quand il part au bureau. A mercredi, à cinq heures et demie, avait-il dit.

Il était pressé. Ils étaient restés encore plus longtemps que d'habitude. Sa femme avait invité ses parents à dîner.

Judson était marié depuis vingt-cinq ans. Tout ce que Jane savait d'elle c'est qu'elle se prénommait Virginia (on l'appelait Ginny), et qu'elle était une excellente nageuse. Elle faisait trois kilomètres tous les jours. Que fait-elle ? lui avait demandé Jane et il avait répondu : Elle nage. Il lui avait dit aussi qu'elle avait quarante-sept ans et qu'elle n'avait jamais pu avoir d'enfant.

Pourquoi n'en avez-vous jamais adopté ? lui avait demandé Jane. Il avait haussé les épaules. Cela s'était passé avant que Jane ne comprenne que Judson ne lui en dirait pas plus. Il lui parlait de travail : Ils veulent que tu fasses une allocution à la Middle Atlantic Phobia Conference. De travail et de sexe. Il l'avait raccompagnée à sa voiture et avait dit : la prochaine fois, pas de cul. On va juste dormir ensemble toute la nuit. D'accord ? Il ne voulait pas parler d'autre chose.

« La mère de David parle russe, disait Elizabeth.

— Vraiment ? murmura Jane.

— Le lit-elle ? demanda Victoria en se penchant devant Jane.

— Je ne sais pas, répondit Elizabeth.

— Tu ne lui as pas *demandé* ? » Victoria avait pris une voix crispée.

« Les filles, intervint Jane, je vous en prie. »

Judson ne voulait pas lui parler de Ginny. Etait-il heureux avec elle, lui avait-elle demandé, et il avait répondu : Jane, qu'est-ce que ça veut dire, ça ? Ça veut dire que je veux savoir où je me situe dans ta vie. Tu sais combien je tiens à toi, avait-il répliqué en lui donnant un de ses baisers voluptueux. Mais nous ne sommes pas encore prêts à envisager un changement ni l'un ni l'autre, non ? Mon Dieu, tu as une bouche merveilleuse.

Ils ne discutaient jamais vraiment. Et ils ne faisaient jamais rien d'autre ensemble, hormis l'amour. On ne peut pas aller prendre un verre ? avait-elle quémandé. Jane, tu es trop connue. Les gens te reconnaîtraient. Mais ils ne sauraient pas que nous..., avait-elle commencé. Jane, avait-il soupiré, arrête. Tu ne crois pas que cela me pèse aussi ? J'aurais dû suivre mon intuition, avait-elle répliqué. Sortir avec un psychiatre juif. J'aurais au moins pu faire la conversation et j'aurais eu droit à un sandwich au corned-beef. Si tu penses que je ne te donne pas ce dont tu as besoin, Jane... Non, avait-elle dit. J'aimerais simplement qu'on puisse aller ailleurs qu'à ton bureau et dans ton studio. Il ne lui avait pas répondu.

Il n'était pas si prudent que cela avec sa femme. Il disait à Jane qu'il devait être rentré pour sept heures et il restait avec elle dans son bureau jusqu'à huit heures et demie ou neuf heures en laissant son répondeur automatique branché. Elle n'aurait pu dire si Ginny était au courant ou pas. Un jour, Ginny avait appelé alors qu'ils se trouvaient dans son studio à Manhattan et il lui avait dit : Ginny, cela ne peut pas attendre ? Il avait patienté un moment en pianotant sur la table. Je te l'ai déjà dit, je veux profiter de ces instants de solitude. S'il te plaît, ne me rappelle plus ici. Ginny est-elle au courant ? lui avait-elle demandé une

fois. Il lui avait répondu qu'il ne trouvait pas opportun d'abord ·
ce genre de discussion. C'est une affaire entre toi et moi. Laisse-la
en dehors de tout cela. Elle n'y a pas sa place.

Il avait envie de parler de Nicholas, mais toujours dans un
contexte sexuel. Il t'a déjà fait ça ? lui demandait Judson. Il a
déjà essayé comme ça ? Il t'a déjà prise comme ça ? Elle est aussi
grosse que la mienne, sa queue ? Judson, je t'en prie, disait-elle.
Aussi grosse ? Non. Non, pas aussi grosse. Son record pour te
baiser, c'est combien de temps ? Tu n'as *jamais* joui avec lui ?
Non. Le plus grand symbole sexuel du monde ne t'a jamais fait
jouir ? Judson... Dis-le-moi. Non, répondait-elle, il ne m'a jamais
fait jouir. Toi seulement.

Judson parlait peu de lui. Il était né dans le Maine, près de la
frontière du Québec, et s'était débrouillé pour aller à l'université
et à l'école de médecine. Son père avait un magasin de spiri-
tueux. Il était gentil ? Pas particulièrement, avait répondu
Judson. Pourquoi es-tu si secret sur ton passé ? Je suis comme ça,
c'est tout. Jane, peut-être que je ne te conviens pas. Tu as peut-
être besoin de quelqu'un de plus ouvert. Non, non. Je me posais
simplement la question, c'est tout.

« James. » Winifred adressa un sourire rayonnant à son mari,
assis en face d'elle. « Tu ne trouves pas le nouveau bracelet de
Jane sublime ?

— Très joli », dit James.

Winifred se tourna vers Jane. « Nicholas vous en a fait la
surprise aujourd'hui ?

— Oui. » Elle sourit. Deux jours avant, Nicholas lui avait dit
d'aller chez Cartier et de choisir quelque chose pour son
anniversaire. Cela ne l'avait pas blessée. Elle avait opté pour un
bracelet en or, très fin, rehaussé de diamants et de saphirs.
Nicholas l'avait trouvé trop voyant. « Nick a vraiment un goût
merveilleux, non ? » lança Jane en levant le poignet. Nicholas
s'arrêta un instant de parler à sa sœur et fixa Jane. Elle prit son
verre de vin et le dégusta lentement, tout en fixant son attention
sur le cristal très travaillé.

Judson. Après leur première soirée, ils n'avaient jamais pris ne
serait-ce qu'un verre de vin ensemble. Un jour elle avait apporté
une bouteille chez lui. Il l'avait mise au frais et, après, ils
l'avaient oubliée.

Si tu ne veux pas parler de ton père, lui avait-elle dit, on
pourrait peut-être parler du mien ? Elle avait beaucoup pensé à
Richard ces temps derniers. Un homme pouvait-il faire un
enfant, le regarder grandir dans sa propre maison et ne rien
éprouver envers lui, pas l'ombre d'un sentiment ? Avoir un enfant

et ne pas lui écrire ni lui téléphoner pendant plus de dix-sept ans ? Etait-ce à cause de ce qu'elle lui avait laissé faire ? Les psychiatres avaient tort. Il valait mieux ne pas penser à certaines choses. Peut-être son père l'avait-il aimée. Peut-être l'avait-il trop aimée.

Alors comment avait-il pu laisser Dorothy la piétiner ? Une parole tendre précédait toujours ses méchancetés : Jane, ma chérie... Son père devait le savoir. Il avait dû sentir cette haine. C'était certain. Dorothy et lui étaient de mèche. Richard, elle a été si vilaine. Tu dois faire quelque chose. Allez, au premier.

Judson, écoute-moi, s'il te plaît. Mon père. Il faisait toutes sortes de choses. Quand j'étais au lycée, il avait l'habitude de venir dans mon lit...

Jane...

S'il te plaît. Et avant, quand j'étais plus jeune, il m'emmenait dans sa chambre et me déculottait...

Jane, arrête. Je ne suis plus ton psychiatre.

Judson, je le *sais*, mais je veux te dire...

Je t'ai donné les coordonnées d'excellents psychiatres qui...

Judson, s'il te plaît, *s'il te plaît.* Je n'ai personne à qui parler, à qui dire ça. Je n'en ai jamais dit un mot à personne et je continue à y penser et à me demander...

Jane, tu me mets dans une position très délicate...

Je voulais juste te parler. Pas comme un patient à un psychiatre, mais comme deux personnes. Tu ne comprends donc pas ? A qui d'autre puis-je parler ?

Tu sais à qui tu peux parler. Jane, arrête. Tu essaies de me manipuler. Tu le sais. Je suis la dernière personne à qui tu devrais parler de...

Judson !

... A moins que tu ne tentes d'attirer ton père dans notre lit.

Non ! Je te jure !

D'accord, alors parlons d'autre chose. Viens ici. Allez, du calme.

Tu ne tiens donc pas à moi ?

Bien sûr que si. Respire tout doucement, maintenant. Pas trop profondément. Voilà, c'est bien. Tu te sens mieux ?

Excuse-moi.

Ce n'est pas grave. Allons, calme-toi. Calme-toi. Va chercher un mouchoir. Il t'a forcée à avoir des rapports sexuels avec lui ?

Non.

T'a-t-il obligée à le sucer ?

Non. Rien de ce genre, mais il...

Ces choses arrivent plus fréquemment que tu ne pourrais

l'imaginer. Ça va mieux maintenant ? Alors, abandonnons le sujet.

« Maman ?

— Oui, quoi, Liz ?

— Tu vis la crise de la quarantaine ?

— Elizabeth ! intervint Winifred. Où as-tu entendu une absurdité pareille ?

— Maman est si calme, dit Elizabeth. Calme et dans les nuages. Et c'est son anniversaire. Ça arrive tout le temps. Entre trente-cinq et quarante ans. Vous pouvez demander à n'importe quel psychiatre. La mère de David en a un. Elle prenait trop de pilules pour maigrir et elle a dû aller à l'hôpital pour les recracher. Après elle allait mieux et elle s'est fait faire un lifting, mais ça ne se voit pas. »

Jane se tourna vers sa belle-mère et lui sourit. « Qui sait ? Je traverse peut-être une petit crise, dit-elle. Je pourrai sans doute m'en tirer avec une légère schizophrénie et en me faisant refaire le nez.

— Pas vous, Jane, répliqua Winifred en lui rendant son sourire. Vos épreuves appartiennent au passé. N'est-ce pas Nicholas ? »

Barbara Hayes, la productrice de « Talk », paraissait intimidante. Elle était presque aussi grande que Jane, mais beaucoup plus costaude bien qu'elle n'eût pas un pouce de graisse. Elle avait les cheveux noirs et le teint mat. Jane l'avait rencontrée quatre fois. Elle l'avait toujours vue dans des chemises d'homme avec une lavallière noire, des tailleurs à fines rayures et une grande montre d'homme en or de grand luxe. Ses cheveux étaient coupés très court. Son seul attribut féminin se résumait en des chaussures à hauts talons, une jupe droite fendue jusqu'à la moitié des cuisses, mais le muscle proéminent de son mollet en atténuait l'effet. Même Nicholas n'était pas musclé à ce point.

Cependant, bien qu'intimidante, elle était engageante. Une de ces personnes des coulisses du monde de la télévision et du cinéma, si incorrigiblement charmante et bien élevée qu'elle faisait croire à tout le monde que la légende qui faisait des gens du spectacle des êtres grossiers et ignorants n'était que ragots. « Regardez comment ils nous dévisagent », dit-elle à Jane en entrant dans le restaurant. Les hommes d'affaires les observaient. « Nous *sommes* grandes, mais ils nous fixent comme si nous étions la première vague de l'invasion des Amazones. » Elle avait souri. Elle semblait se servir de son sourire comme de son charme : lorsque c'était nécessaire. Jane se sentit soulagée que Barbara trouve nécessaire de lui faire du charme.

De toute évidence, Barbara était connue dans ce restaurant du centre où elles déjeunaient. Un simple doigt levé et les serveurs, dans leurs boléros moulants, s'étaient précipités pour leur proposer une seconde tournée et la carte. Elle sourit de nouveau à Jane. « Je suppose que vous vous demandez pourquoi je vous ai invitée à déjeuner. » Jane tenta de trouver une repartie. Elle n'y arriva pas. « Oui, dit-elle.

— Chaque fois que vous êtes passée dans l'émission, vous avez fait un tabac. Vous avez une nature. Vous avez tout pour faire de la télévision.

— Je me suis toujours demandé pour quoi j'étais faite.

— Eh bien, maintenant vous le savez. Ça va votre poisson ? Très bien. Permettez-moi d'aller droit au but. Gary Clifford va partir deux semaines en vacances. Nous aimerions que vous présentiez l'émission pendant une semaine. »

Jane la fixa. Barbara Hayes se préparait des petits sandwiches de saumon fumé écossais, qu'elle saupoudrait de câpres et d'oignons, et se comportait comme si elles avaient une conversation parfaitement normale.

« Moi, une semaine ? » Ce fut la seule chose que Jane trouva à dire.

« Oui. Nous avons Jerry Gallagher de *Today* pour la semaine suivante. Vous l'avez certainement vu. Celui avec les taches de rousseur. » Jane se souvenait de lui. Il avait l'air d'une poupée de ventriloque. « Pour vous parler franchement, poursuivit Barbara Hayes, nous sondons le terrain. » Jane hocha la tête. « Nous ne savons pas si nous pouvons imposer une femme pour cette tranche horaire. » Jane n'arrivait pas à trouver des questions un tant soit peu intelligentes à lui poser. Mais Barbara continuait à lui parler, comme si elle s'adressait à une femme évoluée et non à une femme au foyer qui portait trop de bijoux et qui ne pensait qu'à fuir la conversation et à aller aux toilettes. Jane avait quitté l'appartement précipitamment, elle regrettait de ne pas avoir pris le temps d'y aller. Elle se trémoussait sur sa chaise. Sa vessie était si gonflée qu'elle lui faisait mal. « Entre quatre et six, c'est une tranche horaire problématique. On a les femmes au foyer, celles qui travaillent et qui viennent juste de rentrer chez elles, mais aussi des hommes, bien qu'ils ne représentent que vingt-deux pour cent. On a toujours estimé que le présentateur devait être viril, amical, un peu sexy mais une personne de poids.

— Et Gary Clifford... »

Fort heureusement, elle n'eut pas à terminer sa phrase. Barbara pointa un doigt vers elle et lui dit : « Très précisément.

— Je vois », murmura Jane. Elle ne voyait rien du tout.

« Trop sexy, pas assez d'autorité. Et il manque de classe. Vous savez, tout change. Le public en a assez des vieux trucs qu'on lui ressert depuis toujours. L'auteur d'un énième livre de cuisine qui tient absolument à placer ses casseroles et qui fait tout un plat de sa sauce aux praires ou le coup de la jeune romancière qui a écrit un best-seller en allaitant ses triplés. " Talk " — l'émission — a besoin de discussions intéressantes.

— Donc, les deux semaines de vacances de Gary...

— Vous avez tout compris. » Jane se demanda ce qu'elle avait compris. Elles dureront peut-être deux semaines, ou peut-être *ad vitam aeternam*. Il est encore sous contrat pour cinq mois, on peut donc facilement acheter son départ. »

Elle avait compris. Elle pensa à Gary Clifford. Barbara avait raison. Il n'avait pas de classe. Mais il était charmant. Jane avait pitié de lui. Elle se demanda s'il savait que N.B.C. se préparait à l'assassiner. « Vous vous servez de moi comme d'un cobaye femelle ou...

— Jane, vous êtes dure. Vous m'acculez le dos au mur. » Barbara sourit. Jane sourit à son tour. Elle ne savait toujours pas où Barbara voulait en venir et si elle se montrait condescendante ou admirative : une femme de tête face à une autre. « Oui, on se sert de vous. Mais, en premier lieu, on vous teste pour ce que *vous* êtes. De toute évidence, on est impressionné. A chaque fois que vous êtes passée... enfin, vous savez bien. Vous êtes chaleureuse, sincère, vulnérable. Et brillante. Cultivée. Vous vous exprimez avec aisance.

— Merci. » Elle espérait pouvoir se souvenir de tous ces qualificatifs pour les répéter à Cecily. Vulnérable, cultivée.

« Je vous en prie. »

Brillante. Il fallait que ses propos soient brillants. Incisifs. « Dans quelle mesure votre proposition est-elle liée à mon mari ? » Jane prit un autre morceau de poisson.

« Votre mari joue un grand rôle dans cette affaire, dit Barbara. Il y a une certaine aura, une certaine classe, un je ne sais quoi attaché au nom de Cobleigh. Un facteur de visage connu, bien ancré. Une curiosité instinctive pour savoir à quoi vous ressemblez, ou plus exactement, pour savoir quel genre de femme aime Nicholas Cobleigh.

— Je vois.

— Mais, Jane, vous savez sûrement aussi qu'il y a des centaines de femmes, d'hommes célèbres dans cette ville. Vous les voyez dans " Talk "? Bien sûr que non. Votre mari est peut-être le tremplin, mais c'est vous qui allez faire le grand saut.

— Ou prendre le bouillon.

— Si on pensait cela, je ne vous l'aurais sûrement pas proposé. Mais, de notre point de vue, même si ça ne marche pas... » Les mots de Barbara se perdirent alors qu'elle prenait une nouvelle bouchée de toast au saumon.

« Vous auriez quand même une idée pour savoir si le public est prêt à accepter une présentatrice.

— Exactement.

— Vous voulez que je parle encore de mon agoraphobie ?

— Non. Les phobies, c'est terminé, dépassé. » Jane contempla le visage de Barbara. On aurait dit qu'elle ne discutait que d'une question de programmation. « On veut vous prendre parce que vous pouvez aborder un grand nombre de sujets. Et parce que vous posez les questions que toutes les femmes assises devant leur poste veulent poser. Vous ne craignez pas de monter en première ligne et de paraître stupide devant des spécialistes. On s'en est aperçu lorsque vous étiez avec ce professeur qui fait des études sur les femmes. Vous vous êtes lancée la tête la première, vous avez obtenu des réponses et vous avez démasqué son vrai visage.

— Une casse-pied prétentieuse qui jette un regard condescendant sur les femmes au foyer.

— C'est exact, répliqua Barbara. Alors, quelle est votre réaction ? Ça vous intéresse ?

— Je suis flattée. Et, bien sûr, intéressée, mais... » Elle ne savait pas comment dire qu'elle n'était absolument pas capable d'assumer ce poste. C'était un coup de chance inattendu. Elle avait été une invitée, non la présentatrice d'une émission. Il suffisait de la regarder en ce moment, elle ne trouvait absolument plus ses mots.

Barbara Hayes se pencha vers elle. Pendant un quart de seconde, elle parut peu sûre d'elle. « Mais quoi ? » demanda-t-elle. Elle posa sa fourchette au milieu de son assiette. Elle était franchement inquiète. « Je vous en prie, si vous voulez me poser des questions, allez-y. »

Jane posa le coude sur le bras de son fauteuil. Ils l'appréciaient. Barbara Hayes et N.B.C. pensaient qu'elle était chaleureuse et sincère. Qu'elle s'exprimait avec aisance. Tout son corps se détendit si vite que son coude faillit glisser du fauteuil. Elle s'assit bien droite et sourit à Barbara : « Non, aucune question. Le seul " mais ", c'est que vous devrez discuter des détails avec Murray King. C'est mon agent. »

Barbara lui adressa un sourire encore plus rayonnant. Eclatant de plaisir et de soulagement. « Bien *sûr*, Jane, ça va sans dire. »

N.B.C. proposa à Jane un contrat de cinq ans, avec la possibilité de le résilier toutes les treize semaines. Elle était payée deux mille cinq cents dollars par semaine. Au bout d'un mois, Murray King appela Barbara Hayes et, deux jours après, N.B.C. accepta de la payer trois mille dollars par semaine au-delà du palier des treize premières semaines.

Après cinq semaines, N.B.C. annonça à Jane qu'ils voulaient redécorer son bureau. Qu'est-ce qui lui plairait ? lui avaient-ils demandé. Elle avait envie de tons gris et pêche et de meubles Arts déco, mais elle était restée discrète. Quelque chose de discret et de féminin, avait-elle dit. D'agréable à l'œil.

Elle avait eu droit à du style Louis XVI à la place de l'Arts déco, à des murs rose pâle, des fauteuils recouverts de soie rose et des rideaux de soie vert clair retenus par d'énormes nœuds. Avec toutes ces fausses dorures, son bureau ressemblait au boudoir de la nouvelle favorite du roi à Versailles.

« Formidable l'émission, dit Barbara Hayes. Et tu as vu les derniers indices d'écoute ? » Jane acquiesça d'un geste. « Maintenant ils pensent que je suis un génie parce que je leur ai suggéré de te prendre. Ils m'offrent un nouveau bureau. »

Barbara prit un feutre dans la poche poitrine de sa veste et consulta son bloc-notes. « Bon. Alors demain et vendredi on fait : préjugés et antagonismes entre les femmes au foyer et celles qui veulent faire carrière. J'espère que ça va être bon parce que ça nous coûte une fortune de faire venir par avion à New York quatre anciennes élèves de ta classe de la Woodward High School en 1957.

— Ce sera bon.

— On aurait pu choisir l'Abraham High School de Brooklyn : Ça nous aurait juste coûté un taxi et le déjeuner.

— Mais pour tous les gens qui ne sont pas de Manhattan, ce sont tout de même des New-Yorkaises. Ces femmes seront cent fois plus convaincantes parce qu'elles n'ont pas de bagout et ne chercheront pas à être drôles. Pour ce genre de choses, je ne veux pas miser sur le style new-yorkais.

— C'est ton émission.

— C'est ton émission.

— C'est notre émission à toutes les deux et on peut les faire venir de l'Ohio par avion si l'indice d'écoute reste à ce niveau. » Barbara retira quelques papiers de son bloc.

« Autre chose ? demanda-t-elle.

— Non. C'est tout.

— Tu rentres dans le Connecticut ce soir ?

— Non. Je suis très fatiguée. Je vais rester à New York.

— A demain, dit Barbara. Repose-toi bien. »

Jane appuya les coudes sur la table et enfouit son visage dans ses mains. Elle n'allait pas se reposer. On était mercredi, sa soirée réservée à Judson.

Cinq émissions par semaine. Des déjeuners, des dîners, des notes à dicter, des réunions et des interviews. Un photographe de *TV Guide* était resté deux heures dans son bureau pour une séance photos. Elle était épuisée. Elle avait mal dans les jambes et les bras et elle avait l'impression qu'elle risquait d'éclater en larmes d'une seconde à l'autre comme une enfant surexcitée. Pour la première fois, elle ne brûlait pas d'envie de voir Judson. C'était la fatigue, pensait-elle. Elle voulait juste rentrer chez elle, prendre un bol de corn-flakes et se mettre au lit.

Son interphone sonna. Son interphone. « Le Dr Fullerton vous demande », dit sa secrétaire. Sa secrétaire.

« Merci », dit-elle et elle décrocha le téléphone. « Salut.

— Tu es en retard.

— J'avais une réunion avec la productrice.

— D'accord. Mais viens tout de suite.

— Judson...

— *Allez*, Jane. »

Nicholas paraissait aussi fatigué que Jane. Peut-être était-ce pour cela que, le lendemain matin, trop épuisés pour préserver leur intégrité territoriale chacun à un bout du matelas, ils se réveillèrent au milieu du lit dans les bras l'un de l'autre.

Entre veille et sommeil, dans un état de semi-inconscience, Nicholas respira profondément et l'attira contre lui ; Jane glissa le bras autour de lui et mit la main sous son dos. Vite, comme une photographie que l'on déchire en deux morceaux, ils se dégagèrent brusquement. Jane s'éclaircit la gorge, s'assit et s'étira. Nicholas mit son bras devant ses yeux comme pour se protéger de la lumière.

Même sans voir ses yeux, elle savait qu'il était fatigué. Bien qu'il passât ses journées à arpenter les plages de Long Island avec son directeur de la photographie, pour préparer son film dont le tournage débutait dans deux semaines, il était anormalement pâle.

« A quelle heure es-tu rentré hier soir ? » lui demanda-t-elle.

Par bonheur, elle était rentrée avant lui. Elle avait quitté Judson au bout d'une heure, trop épuisée et trop courbatue pour passer la nuit dans son lit étroit et il n'avait pas tenté de la dissuader. Elle croyait que Nicholas resterait dormir à Long Island. Sa secrétaire avait laissé un message à la sienne. Mais, peu après que Jane se fut endormie, il s'était glissé sous la couverture en murmurant : « C'est moi. » Une heure après, toujours en nage à l'idée de la catastrophe qu'elle avait évité de justesse, elle avait pris un double brandy pour se rendormir. Et si elle était restée chez Judson ?

« Je ne sais pas. A une heure ou deux heures. J'étais chez Ken à travailler sur le scénario.

— Je croyais que tu devais rester à Long Island ? »

Il retira son bras et le mit derrière sa tête sur l'oreiller. Des cernes gris soulignaient ses yeux. « Non. J'ai été obligé de revenir.

— Tu as l'air fatigué. » Il hocha la tête. Il avait les yeux fixés au plafond et non sur elle. « Vous avez un problème sur le scénario ?

— Le dialogue manquait de naturel dans deux scènes.

— Tu veux que je jette un coup d'œil ?

— Quoi ? » Son *quoi* jaillit de lui. Trop fort.

« Je disais : veux-tu que je jette un coup d'œil sur le scénario ? Je n'ai pas besoin d'être au bureau avant dix heures et demie.

— Non, ça va.

— Vous avez réglé le problème hier soir ? » Il la fixa. « Toi et Ken, vous avez arrangé cela hier soir ?

— Jane », dit Nicholas. Il se redressa lentement et s'appuya contre la tête de lit. Il attrapa l'oreiller derrière lui et le mit sur son ventre. Des deux mains, il le serra contre lui comme une énorme bouillotte. « Jane, répéta-t-il, il faut que nous mettions un terme à cette comédie.

— Quoi ? demanda-t-elle.

— La comédie du mariage. Jane, je ne peux plus le supporter. » Elle savait qu'il était trop tôt pour pleurer. Elle devait garder ses larmes en réserve. Mais elle ne put les retenir. « S'il te plaît, ne pleure pas, la supplia-t-il. Jane, je regrette tant que les choses en soient arrivées là.

— Nick. » Qu'allait-elle dire ? Ce n'était que physique. Purement sexuel. Je vais le quitter. Un sanglot d'une violence inouïe lui échappa. Un cri de protestation bouleversant. Je ne sais pas si je *peux* le quitter. A travers ses larmes, elle vit l'effroi qu'avait provoqué en lui ce râle. Il était pâle, terriblement pâle.

« S'il te plaît, écoute-moi. C'est la chose la plus difficile que j'aie jamais eu à dire. » Elle releva les jambes, les coinça contre elle et se cacha le visage dans ses genoux. « Jane, tu sais ce qui se passe. Tu as compris tous ces mensonges. » Nouveau sanglot. Celui-ci sortit comme un cri étouffé. « Je suis désolé. C'est la dernière chose au monde que je voudrais, de te faire du mal ainsi. Mais je ne peux plus continuer à vivre ainsi. Jane, ça me tue de te mentir, de te mentir toujours et encore.

— Me mentir », murmura-t-elle. Elle leva la tête. Ses yeux étaient posés sur elle, rougis, au bord des larmes. « Oh! Mon Dieu, Nick.

— Jane...

— Tu n'étais pas avec Ken hier soir ?

— Tu le *sais*. Je n'étais nulle part où je t'ai dit. Tu le sais. Quelque part au fond de ton cœur, tu le sais depuis le début. Nuit après nuit, mois après mois. Mon Dieu, continuer cette comédie. Tous les deux, comme des gens de quatre sous...

— Tu as quelqu'un d'autre ?

— Jane, ne dis pas cela. Tu le savais...

— Non !

— On n'a pas couché ensemble depuis *un an*, Jane. Un an. Je ne suis pas allé dans le Connecticut depuis des mois. La plupart du temps...

— Tu étais à Montauk.

— J'étais à New York. Nous avons un appartement.

— Qui ? Quel appartement ? » Ses yeux éperdus parcouraient leur appartement en tous sens.

« Pamela et moi.

— Pamela. » Son cœur lui faisait mal. Sa tête lui faisait mal. Ce n'était pas une crise. C'était pire. Cette fois-ci elle avait une raison de souffrir. « Qui est-ce ?

— Quelqu'un que j'ai rencontré l'été dernier quand je donnais des cours à l'université de New York. »

Jane repoussa la couverture et se rua hors du lit. Elle se précipita vers son dressing-room et arracha un peignoir d'un cintre. La manche était retournée et elle n'arrivait pas à l'enfiler. Elle continua à se débattre avec le peignoir. Nicholas s'approcha et le lui prit des mains. Il le remit sur le cintre. « Donne-le-moi, hurla-t-elle. Je vais prendre un café. Il faut que j'aille au bureau. » Il posa les mains sur ses épaules nues. Elles étaient chaudes et moites. « Ne me touche pas !

— Jane... » Elle voulut se dégager de son étreinte, mais ne put faire un pas de plus. « Jane, je t'aime toujours.

— Arrête !

— Ecoute-moi. Mais je l'aime aussi. Si ce n'était qu'un coup de cœur... mais elle a apporté quelque chose dans ma vie.

— Je ne veux pas entendre ça.

— J'ai besoin d'être avec elle. Je dois le faire. Je ne veux pas passer deux nuits avec elle pour être obligé de lui dire au revoir et rentrer à la maison en cachette à trois heures du matin. Ce n'est pas correct envers elle. Et ce n'est pas correct envers toi. Jane, il faut que je te dise cela. Je vais m'installer avec elle.

— Oh *non!*

— Jane, tu as l'appartement. Et la maison. Maintenant, tu penses que ça va être difficile, mais franchement, ça ne fera pas une grande différence. »

Elle le fixa. Le blanc de ses yeux était complètement rouge. « Tu as dit que tu allais vivre avec elle.

— Mais toi et moi on ne *vivait* pas vraiment ensemble. Et ce ne sera que pour un certain temps.

— Pour un certain temps? Deux semaines? Un an? Il faut que je barre ces jours-là sur mon agenda?

— J'ai besoin de temps pour être sûr.

— Etre sûr de *quoi?* Que tu l'aimes plus que moi, qu'elle convient pour jouer le rôle de la deuxième madame Nicholas Cobleigh? Ou que c'est meilleur pour ton image de marque de jouer l'autre moitié du couple idéal? » Elle se détourna, s'éloigna de lui et s'assit au bord du lit. Elle haletait. Elle essaya de se rappeler ce qu'il lui avait dit, mais elle n'y arriva pas.

« Où l'as-tu rencontrée? »

Elle commençait à respirer un peu plus lentement.

Nicholas vint s'asseoir à son tour et laissa un espace de trente centimètres entre eux.

« A l'université de New York, en juillet dernier.

— Qui est-ce?

— Elle était dans ma classe. Elle prépare son doctorat. En histoire du cinéma.

— Du cinéma. » Il lui fallut une minute avant de pouvoir parler de nouveau. « Le cinéma. *Bien sûr.* C'est l'idéal pour mettre Nicholas Cobleigh sur un piédestal. C'est parfait. Elle t'a déjà comparé à Eisenstein? » Elle jeta un coup d'œil vers lui. Il commençait à rougir. « Quel âge a-t-elle? » Elle l'entendit à peine. « Vingt-deux ans.

— Nick!

— Elle en aura vingt-trois le 7 août.

— Je lui enverrai une carte.

— Jane, arrête. Il se trouve qu'elle est...

— Tu vas avoir trente-neuf ans dans quelques semaines...

N'essaie pas de me faire taire. Tu vas avoir trente-neuf ans et puis quarante et tu es comme une femme. Toute ta vie est liée à ton physique et tu as si peur de vieillir que tu t'accroches à une petite fille pour reculer l'échéance. » Il posa sa main sur la sienne. « Ne me touche pas !

— Ce n'est pas une petite jeune.

— Qu'est-ce qu'elle est alors ? Elle a vingt-deux ans, elle va sur ses vingt-trois. Mais tu n'es pas tombé amoureux d'elle uniquement parce qu'elle est jeune et qu'elle t'aide à te bercer d'illusions en pensant que tu n'auras jamais quarante ans. *Non*. C'est un être merveilleux, si intelligent. Tu adores son esprit. »

Il rougit jusqu'aux oreilles. « Il se trouve qu'elle est brillante. Elle est sortie de Princeton avec une mention très bien.

— Ferme-la, espèce d'imbécile !

— Jane, je sais que ça te fait de la peine, mais je t'en prie...

— Tu me pries de quoi ? Je t'en prie, restons civilisés. Je t'en prie, asseyons-nous et discutons de Pamela. Oh ! Très bien. Raconte-moi tout sur elle. Parle-moi de votre petit nid d'amour. » Nicholas se frotta le front. « Je t'en prie, je suis si impatiente. Elle a accroché son diplôme au mur ? Et un poster de Charlie Chaplin dans *Les Temps modernes* ? Vous vous asseyez par terre, toi et ton prix d'excellence de vingt-deux ans, pour fumer du haschisch et discuter de l'art cinématographique ? » Elle avala sa salive trop bruyamment. « Où se trouve votre appartement ? Je t'ai posé une question. » Nicholas regardait droit devant lui. Elle colla sa bouche à son oreille. Avant qu'il ait pu se détourner, elle hurla : « Où est-il ?

— Ne fais pas cela ! » Il se massa l'oreille.

« Où est-ce ? Je veux savoir.

— Dans le bas de la Cinquième Avenue.

— Charmant. Charmante adresse. Combien de pièces ?

— Cinq.

— Charmant. Et modeste. La petite mademoiselle Prix d'excellence paie la moitié du loyer ?

— Non. Elle est issue d'une famille pauvre. Elle a fait toutes ses études avec une bourse.

— Tu aurais au moins pu varier un peu pour la deuxième fois. Ou cela fait-il partie du contrat Cobleigh ? Avancement immédiat, garantie en retour pour...

— Jane, je t'en prie, écoute-moi. Nous avons encore à parler. J'ai besoin de temps.

— Et tu essaies de l'acheter avec une fille de vingt-deux ans.

— J'ai besoin de temps avec elle. Elle va être mon assistante pour *Land's End*.

— Elle va t'assister dans quel sens ? Allongée sur le dos ?

— Jane, je t'en prie. » Sans s'en apercevoir, elle s'était arrêtée de pleurer. Au moment où elle sentit ses yeux secs la brûler, ses larmes recommencèrent à couler. « Je suis désolé, mais j'ai besoin d'être avec elle. Il le faut. Je le lui dois. Elle s'est montrée si compréhensive, si patiente.

— Une sainte. Pamela est une sainte. Tu ne peux pas repousser une sainte de vingt-deux ans.

— Jane, je sais ce que tu dois en penser de prime abord mais tu l'aimerais si tu la rencontrais.

— Je l'aimerais ? Je suis sûre que je l'adorerais. Et les filles aussi, d'ailleurs. Elles peuvent aller à Montauk et passer quelque temps avec toi et Pamela. Simplement, n'oublie pas de remettre ton pantalon avant de leur ouvrir la porte. Ce sera très amusant, surtout pour Vicky. Formidable d'avoir une amie qui a presque son âge.

— Pamela a six ans de plus, répliqua-t-il d'un ton las. Jane, la question d'âge n'a rien à voir là-dedans. Il s'agit de Pamela. Et de nous. Notre mariage a mal tourné. Tu le sais aussi bien que moi. Pendant toutes ces années, jusqu'à ce que je rencontre Pamela, je n'ai jamais... Je ne dis pas que je veux divorcer. Je ne sais pas ce que je veux.

— Et tu veux savoir ce que je veux, moi ? Je veux que tu tombes raide mort. »

Nicholas poursuivit comme si elle n'avait rien dit. « Je sais que tu commences une carrière et je ne veux pas te gêner. Je serai discret. Je te le promets. Personne n'a besoin d'être au courant. Si nous avons à paraître ensemble quelque part, on le fera jusqu'à ce que les choses soient décidées. Il n'y a aucune raison d'annoncer cela publiquement car *je* ne sais pas ce qui va arriver.

— Moi, je le sais. Tu vas passer l'été à Montauk à baiser Pamela.

— Ne parle pas comme ça.

— Pourquoi pas ?

— Parce que ce n'est pas ton style.

— Tu ne sais absolument pas qui je suis.

— Jane, on est mariés depuis dix-neuf ans. Je te connais mieux que n'importe qui au monde. C'est pour ça que c'est si terrible pour moi.

— Pauvre Nicky.

— Jane, je ne peux pas rejeter dix-huit ans de ma vie. Je l'aime. Je l'aime beaucoup. Mais tu fais tant partie de ma vie que je ne peux pas te dire au revoir.

— C'est ce que tu fais pourtant.

— Non. Pas encore. »

Elle glissa son pied nu et froid sur le tapis. « Et tu veux que j'attende jusqu'à ce que tu aies pris une décision ? Combien de temps devrai-je attendre, Nick ?

— Je ne sais pas. » Il se mit à pleurer. « Depuis deux semaines, je ne pense qu'à cela. Que tu vas passer l'été seule en sachant...

— En sachant que tu baises Pamela.

— Jane, je t'aime toujours. »

Elle se leva, s'avança jusqu'au milieu de la pièce, puis se retourna et revint vers lui. Elle se tint devant lui. Il avait la tête baissée et elle ne voyait que ses cheveux brillants. « Nick.

— Quoi ?

— Au moins, comme ça, j'aurai plus de temps avec Judson.

— Quoi ?

— Oh ! On a fait des tas d'autres choses ensemble. Oui, des tas. Tu veux que je t'en raconte quelques-unes ?

— Non ! Je ne te crois pas.

— Depuis juillet dernier. Comme Pamela et toi. C'est une coïncidence charmante, non ? On pourrait peut-être fêter nos anniversaires ensemble ?

— Jane !

— Peut-être pas. Judson et moi on fête les choses en tête à tête. Il fait cela à merveille, Nick. Il est merveilleux. Merveilleux au lit. Tu devrais voir ce qu'on fait. Des choses auxquelles tu n'as même jamais pensé.

— Non !

— Oh si ! Il est si bon au lit. Et je jouis avec lui. Encore et encore. Ça s'appelle des orgasmes multiples, Nick. Ce dont les femmes sont capables si on leur fait l'amour correctement. Et Judson sait comment faire l'amour correctement. Pas si correct que cela. Quand il se libère, il est incroyable.

— Arrête !

— Il adore me sucer. » Nicholas mit les mains sur ses oreilles. Jane l'attrapa par les poignets et tira sur ses mains. « Nous sommes honnêtes l'un envers l'autre. Tu m'as parlé de Pamela et maintenant je vais te parler de Judson. Elle a vingt-deux ans. Il en a cinquante et un. Elle est allée à Princeton, il est allé à Bates. Je ne crois pas qu'il ait eu une mention, mais...

— Ne parle pas ainsi.

— Il y a une chose chez lui qui mérite une mention. Elle est si grosse, Nick. Je pense que tu n'en as jamais vu une comme ça. Grosse et longue... Ne pleure pas. J'essaie juste de t'expliquer comment je me suis occupée pendant que tu étais si pris par Pamela. »

Elle crut qu'elle riait, mais elle s'aperçut alors que sa voix était étranglée par les sanglots. Elle étouffait et sa poitrine se soulevait.

« Jane », l'entendit-elle dire.

Elle retrouva enfin son souffle. Sa gorge la brûlait. « Ça va, murmura-t-elle. Ça va. » Elle essuya les larmes sur son visage. « Tu vois ? »

28

VOIX DE FEMME : Allô ? Allô ?

PRÉSENTATEUR : Oui. Je suis le révérend Joe et vous êtes à l'antenne.

VOIX DE FEMME : Révérend Joe, je m'interroge sur cette Jane Cobleigh. Je lisais l'Epître aux Ephésiens 5, 24, où l'on dit...

PRÉSENTATEUR : « Comme donc l'Eglise est soumise à Christ, que les femmes le soient aussi à leurs propres maris en toutes choses. »

VOIX DE FEMME : Oui, et peut-être que, si elle avait été une vraie épouse chrétienne, au lieu de jouer Madame Je-sais-tout à la télévision, si elle s'était tenue à ses côtés, le Seigneur ne l'aurait peut-être pas châtiée. Si elle avait été une bonne épouse...

PRÉSENTATEUR : La maison et les richesses sont l'héritage des pères : mais une épouse prudente est un don du Seigneur. Vous tous qui m'écoutez, vous pouvez citer chapitres et versets en vous inspirant de *celui-ci* en appelant le révérend Joe à...

« Calling for Christ », *K.M.T. Radio*
Arkadelphia, Arkansas.

Nicholas n'avait jamais été sensible au bruit. Il avait grandi à Manhattan et le bruit constant de la circulation dans Park Avenue ponctué par les coups de klaxon avait tout simplement fait partie de son environnement, tout comme le chahut de ses cinq frères et sœurs. Dans le Connecticut, le tapage des oiseaux à cinq heures du matin le réveillait à peine et, lorsque cela arrivait, il lui suffisait de se cacher sous la couverture pour se rendormir.

Mais dans sa nouvelle maison de Santa Barbara, le tumulte incessant du Pacifique qui se brisait contre les falaises le dérangeait. C'était l'endroit que Pamela et lui avaient choisi, l'endroit idéal pour se détendre. Cependant, après une semaine de réunions et de discussions à Los Angeles, il ne pouvait se détendre avec ce vacarme qui sévissait quinze mètres plus bas. Ce grondement qui déferlait l'angoissait ; les vagues lui soufflaient : Fais attention, quelque chose va arriver. Un mur entier de la grande chambre était en verre. Lorsqu'il le fixait, il ne voyait ni l'entrée de la maison ni la route, mais seulement les falaises et l'océan avec ce déferlement déchaîné qui démentait le calme trompeur des eaux bleues. Pamela s'allongeait sur le ventre et contemplait ce spectacle pendant des heures. Il s'était surpris à éviter la fenêtre. Cela lui avait presque fait comprendre la terreur que Jane avait éprouvée pendant ses années noires. Lorsqu'il regardait l'océan, il imaginait quelques castastrophes naturelles typiquement californiennes comme un éboulement ou un typhon et il voyait la maison se soulever de ses fondations et s'écraser sur les rochers à pic. Il se voyait s'empaler sur les rochers. Une impression horrible, impuissante. Le jeudi soir, dans la suite de leur hôtel à Los Angeles, il avait dit à Pamela : Restons ici pour le week-end. « Pourquoi ? » avait-elle demandé. « On a Santa Barbara et il faut que tu te détendes après toutes ces réunions. »

Des réunions interminables pour *Guillaume le Conquérant*. Les banquiers étaient encore plus nerveux que les responsables du studio et, au regard de leur agitation, le metteur en scène anglais plein d'entrain paraissait calme, quasiment somnambule. Ils investissaient trente-cinq millions de dollars dans ce film à grand spectacle sur un génie politique et militaire du XIe siècle que Nicholas Cobleigh et un scénariste excentrique qui se rasait la tête trouvaient fascinant. Lorsque les hommes d'argent serraient la main de Nicholas, cela durait trop longtemps. Ils étaient affolés. Comment ça marche ? demandaient-ils d'une voix haut perchée. Très bien, répondait-il en gardant sa voix grave. Tout se présente très bien, Arthur ? avait-il lancé au metteur en scène. Très bien, avait-il répondu d'une voix stridente. On était en avril 1980. Le tournage devait commencer dans moins de trois mois en Angleterre. Il était trop tard pour s'arrêter. Tout allait-il bien ? Il n'en savait rien.

Nicholas se tenait devant la porte du fond. Il préférait l'arrière de la maison. Une série de terrasses aménagées conduisait à un long tertre couvert de pelouse et, au bout, à une piscine d'un bleu éclatant. Il avait acheté cette maison au propriétaire d'un journal dont la femme était une décoratrice amateur.

Nicholas ne pouvait pas voir Pamela de la maison, mais il

entendait sa musique rock. La musique se perdait au loin et il ne percevait que les percussions et les voix du groupe. Même de près, les paroles lui semblaient inintelligibles, bien que Pamela avec sa mémoire d'éponge fût capable de les réciter mot pour mot.

Elle devait faire quelques longueurs de bassin. Puis elle irait dans le pavillon d'été tout au fond du jardin pour se protéger du soleil. Elle avait le teint si clair que, même pendant sa demi-heure de piscine, elle portait un tee-shirt pour se protéger le dos et les épaules.

Il scruta le pavillon d'été. Il ressemblait à une maison de poupée faite de treillis blancs. Après son bain, Pamela enlèverait son tee-shirt et son bas de maillot de bain, s'enroulerait dans un drap de bain pour rester au chaud et se pelotonnerait sur un banc en fer forgé pour écouter de la musique car elle savait que cela lui était intolérable. Il avait envie de la rejoindre, mais Murray devait arriver d'une minute à l'autre et, s'il entrait dans le pavillon d'été, il ne ressortirait pas assez vite. Il finirait sans doute par essayer de lui enlever sa serviette pour tenter de la câliner. Depuis deux ans bientôt, il savait que la timidité de Pamela n'était qu'un jeu, mais c'était un jeu qu'il voulait continuer à jouer.

Pour son vingt-quatrième anniversaire, il lui avait offert une bague avec une émeraude de cinq carats. Il l'avait glissée à son doigt un jour qu'elle était nue dans la salle de bains, le pied posé sur le rebord de la baignoire. « Tiens », lui avait-il dit. « Tu ne devrais pas te promener sans rien sur toi, tu risques d'attraper un rhume. »

Nicholas détourna les yeux du pavillon d'été et contempla le ciel. Il était d'un bleu somptueux, sans aucun nuage. Pour une raison quelconque, il pensa à Jane. Au cours de leur premier été dans le Connecticut, elle était restée des journées entières au soleil. De temps en temps, elle attrapait le flacon de lotion solaire, mais seulement pour en passer une nouvelle couche sur la peau plus claire des filles. A la fin de l'été, il avait un hâle doré ; celui de Jane était sombre et pulpeux comme si on l'avait coulée dans du bronze. Un matin, il avait mis son bras à côté du sien : le contraste était frappant. Tu trouves que je suis terriblement exotique ? lui avait-elle demandé. Ou simplement trop bronzée ? Terriblement exotique, lui avait-il répondu, et belle.

Le 10 mars, le jour du quarantième anniversaire de Jane, il avait quitté la réunion où il se trouvait, était entré dans le bureau de quelqu'un et avait tourné la télévision pour voir « Talk ». Elle était là avec un danseur de Broadway qui venait juste de dépasser la trentaine, une mère de famille de cinquante ans que son mari venait de quitter et un poète de quatre-vingts ans. Ils parlaient du fait de vieillir. Elle portait un chemisier blanc avec des manches bouffantes et son décolleté découvrait son cou et ses épaules au teint mat. Elle paraissait exotique. Ses cheveux étaient tirés en arrière d'un seul côté et elle portait d'énormes boucles d'oreilles en forme de cerceaux.

La semaine précédente, il avait passé des heures à se demander s'il devrait lui envoyer un cadeau. Quelque chose de simple, comme un livre. Ou un geste superbe et impersonnel comme une voiture de sport italienne. Il lui avait juste téléphoné et lui avait souhaité un bon anniversaire. Il s'était plus ou moins attendu qu'elle éclate en larmes. Il constata qu'elle se maîtrisait et lui demanda : « Est-ce que quelque chose te ferait plaisir pour ton anniversaire ? — Non, merci Nick, non rien. Mais je te remercie de m'avoir appelée. »

Pour l'instant, ils étaient toujours mari et femme, bien qu'il ne l'ait pas vue depuis des mois.

Ils n'avaient même pas consulté d'avocats, même s'ils savaient que cela allait bientôt arriver. Peu avant l'anniversaire de Jane, Pamela lui avait dit : « Tu sais, je vais avoir vingt-cinq ans en août prochain. » Elle s'était renversée sur son fauteuil, les mains sur le ventre, il avait compris qu'elle songeait à avoir un enfant. Pamela s'était montrée si compréhensive. Tu es un homme bon, fidèle, honorable. Tu ne peux pas rejeter... ça fait combien ? Dix-neuf ans de mariage. Et, même si cette situation ne crée pas un univers idéal pour moi, c'est la chose que j'admire le plus en toi, ta bonté fondamentale.

Il avait fini par lui dire : « Laisse-moi terminer William et, quand nous rentrerons à New York, je mettrai les choses en ordre. Tu comprends, Pamela ? » Elle avait acquiescé, si gentille, si petite, si calme, sans exiger d'autre garantie. Et il avait ajouté : « On annoncera publiquement la séparation et, dès que le divorce sera prononcé, on se mariera. » Elle s'était jetée à son cou et avait pleuré. « Je ne veux pas exercer de pression sur toi, Nicholas, tu le sais. Mais je veux avoir des enfants de toi et... » Sa voix s'était brisée. Il avait dit : « Je sais, je sais. »

La sonnette carillonna et, le temps qu'il arrive devant la maison, la bonne avait fait entrer Murray.

« Hé, Nicky, dit Murray, c'est fait. Ils vont te louer une maison dans un quartier très chic de Londres. Deux domestiques plus un chauffeur, plus un garde du corps, plus un entraîneur et ils comptent aménager toute une salle de gymnastique.

— Et une secrétaire ? » demanda Nicholas.

Murray fit pivoter son chapeau. « Tu l'as aussi. Tu veux emmener Florie ou tu préfères qu'elle reste à New York et qu'ils te prennent quelqu'un à Londres ?

— Il faut que Florie reste à New York. J'ai besoin d'elle là-bas. Tu veux boire quelque chose ? » Murray semblait content de poursuivre leur conversation dans le hall.

« Club soda ? »

Nicholas l'entraîna à travers le dédale de tapis, carrelages, planchers et sols en marbre jusqu'à un petit bar qui donnait sur l'arrière de la maison.

« Du citron vert ?

— Non merci. C'est parfait. Hé, Nicky, cette maison est vraiment fantastique. »

Nicholas, qui se versait un verre de vin, surprit le regard de Murray dans la glace. Murray baissa les yeux et s'affaira en faisant tourner son verre pour en supprimer les bulles. Depuis son arrivée la semaine précédente, Murray était une boule de nerfs pleine de tics. Ils pouvaient à peine rester ensemble sans que Murray ne mette sa serviette en morceaux ou s'escrime sur un trombone.

« Tu n'aimes pas cette maison, n'est-ce pas, Murray ?

— Quel genre de question est-ce là, Nick ? » Ils se parlaient en se regardant dans la glace.

« C'est une question directe. »

Murray vida son verre. Puis il tapa Nicholas sur l'épaule. « Tu ne peux pas te tourner pour que je puisse savoir où est ta gauche et où est ta droite. Ce n'est pas normal de parler à des miroirs. » Nicholas se tourna vers lui. « Maintenant, tu n'es plus à l'envers. » Murray s'arrêta un instant. « Si j'aime cette maison ? Pourquoi pas ? C'est une maison sublime. Quatre-vingt-dix-neuf pour cent de l'espèce humaine se prendrait à la gorge et tomberait par terre d'une attaque si quelqu'un leur proposait cette maison. » Murray sourit. Nicholas le regarda. « Nicky, pourquoi discute-t-on de ça ?

— Je t'ai posé une question et tu évites d'y répondre.

— Tu es de mauvaise humeur de nouveau.

— Je ne suis pas de mauvaise humeur. » Nicholas posa son verre de vin sur l'étagère la plus basse, jeta quelques glaçons dans un grand verre et se versa de la vodka. « C'est toi qui es tout le temps de mauvaise humeur. Depuis que tu es arrivé ici.

— Alors, si c'est moi qui suis de mauvaise humeur, pourquoi bois-tu de la vodka ?

— Parce que je me sens d'humeur à boire de la vodka. »

Cela leur arrivait de plus en plus souvent. Murray et Nicholas étaient comme un vieux couple : ils se chamaillaient pour un rien. Nicholas ne savait au juste pourquoi. La tension provoquée par un film de trente-cinq millions de dollars. Ou peut-être simplement pour échapper à une bataille plus sévère. Ils n'arrêtaient pas de se disputer.

« Alors, vas-y. Bois de la vodka. »

Nicholas se servit largement. La bouteille était au réfrigérateur et la vodka était douce et sirupeuse. « Je t'ai posé une question.

— Pour moi, oui. Je vivrais dans cette maison si j'étais le genre de personne à vivre en Californie. Quant au voisinage, je n'en suis pas si sûr. Je veux dire, ils ne feraient pas brûler une croix sur ma pelouse, mais ils ne m'offriraient pas non plus une soirée de bienvenue. Mais pour quelqu'un d'autre, c'est très beau.

— Et pour moi ?

— Pour toi, de toute évidence, c'est parfait. »

Nicholas posa violemment son verre sur une étagère. Des gouttes de vodka jaillirent et se reflétèrent dans la glace. « Explique-toi, Murray.

— Expliquer quoi ?

— Ce qui t'ennuie depuis six mois.

— Il n'y a rien qui m'ennuie depuis six mois.

— C'est des conneries.

— Ne me dis pas ce genre de choses, Nicky. Je ne te parle pas comme ça. » Nicholas regarda de l'autre côté de la pièce derrière les portes en verre. Les arbres et les fleurs plantés sur les terrasses lui cachaient la piscine. Seule une ligne blanche, le haut du pavillon d'été, était visible.

« Pour l'amour du ciel, Murray...

— Si tu veux parler à quelqu'un comme ça, tu prends un autre agent. Je le pense sincèrement, Nicky. Si tu dis conneries, moi je dis merde. J'ai eu un tas de merdes à cause de toi, et pas seulement depuis les six derniers mois. Depuis deux ans, si tu veux le savoir.

— Murray... »

Le costume et la cravate de Murray étaient si sombres. Sa tenue convenait mieux à un enterrement à New York qu'à l'heure de l'apéritif en Californie. Son expression aussi était sombre. Les coins de sa bouche retombaient. « Nicky, je t'aime comme mon propre fils. Tu le sais. Mais trop, c'est trop. Je suis trop vieux pour ça. Depuis toujours je travaille avec des comédiens. Depuis toujours je les ai vus foutre leur vie en l'air. D'accord, c'est triste à voir mais ça va avec le reste. Ce sont des artistes, des personnes émotives. Des gens leur baisent le cul et leur disent : Vas-y, continue, fais tout ce que tu veux. Alors ils le font... et ça arrive. Il arrive parfois que je sois obligé d'accepter une certaine dose de connerie. Les gens qui subissent de grandes tensions se conduisent... je ne sais pas... d'une façon très conne. Mais tu as toujours été différent, Nicky.

— Ce chapitre n'était pas nécessaire, Murray.

— Allons, je vais reprendre mon chapeau, s'il te plaît. »

La voix new-yorkaise de Murray se fit froide soudain. Nicholas en fut profondément blessé. Il en eut le souffle coupé. Comme s'il n'était qu'un gosse et qu'un type qui le dépassait de deux têtes venait de le plaquer au sol. « Murray, dit-il enfin, d'accord, je suis désolé. Je ne voulais pas t'envoyer sur les roses.

— Tout ce que je veux, c'est d'avoir mon mot à dire. Permets-moi de te dire une chose à ton sujet. Tu as toujours été un homme avant d'être un acteur. Un vrai homme. Avec une femme et... laisse-moi finir. Et des gosses et une maison à la campagne. Un type bien. Malgré ton milieu, tu étais vraiment sincère. Pas un snob. Pas un type du style " le monde entier m'appartient ". Tu n'étais pas une espèce de petit arriviste de quatre sous qui traîne ses guêtres en attendant de devenir célèbre pour pouvoir traiter les gens comme de la gnognote. Tu étais un homme bien.

— Et maintenant ?

— Tu es toujours un homme bien. Mais un homme malheureux.

— Murray, je savais que tu allais en arriver là. Mais ce n'est pas vrai.

— Tu es heureux ?

— Oui. Je sais que cela ne correspond pas aux espoirs que tu avais placés en moi, mais je suis heureux.

— C'est ça le bonheur, de vivre dans une maison trop luxueuse avec une gamine qui a presque l'âge d'être ta fille ? Ha ! ha ! ha ! Vas-y, continue. Dis-moi : " *Bien sûr*. Ça ne serait pas ça le bonheur : une maison avec des salles de bains grandes comme le Yankee Stadium et une petite chérie avec des cheveux roux qui ferait très bien en haut d'un gâteau de mariage ? " Mais tu n'es pas heureux, je le sais.

— Si je ne suis pas heureux, c'est parce que je suis triste que notre mariage en soit arrivé là. Que les choses aient mal tourné.

— Les choses n'ont pas mal tourné. Tu t'es heurté à une situation difficile...

— Si, Murray, ça a mal tourné. On s'est mariés trop jeunes et pour de mauvaises raisons. Notre mariage était voué à l'échec dès le départ. Elle avait besoin de quelqu'un de fort, et moi j'avais besoin de quelqu'un qui excite mon enthousiasme, qui m'arrache au chemin que ma famille avait tracé pour moi. A vingt, vingt et un ans, on était faits pour s'entendre. A quarante...

— Nicky, c'est des *conneries* tout ça. Vous vous aimiez.

— Je n'ai jamais dit le contraire. Mais les problèmes ont toujours existé. Elle a évolué et elle n'avait plus besoin de quelqu'un de fort. Et moi, j'ai besoin de paix maintenant. Je ne veux plus qu'on me pousse avec fougue.

— Et alors? Quel est le couple qui ne connaît pas de problèmes?

— Murray, ça n'a pas marché. C'est tout. Et j'en suis triste. Triste pour Jane et triste que les filles réagissent si violemment envers Pamela qu'elles ne... Oublions ça. Elles finiront par venir.

— Peut-être. » Murray s'éloigna de lui et se dirigea vers un divan composé de divers éléments qui formait un gros U. Il s'assit au milieu, à la base du U et s'y enfonça lentement et profondément. Nicholas le rejoignit et s'installa au bout du canapé. « Et peut-être ne viendront-elles pas. Y as-tu jamais pensé, Nicky? As-tu jamais songé que cette petite chérie...

— Ne l'appelle pas une petite chérie. C'est un être humain, gentil et sensible.

— Pardonne-moi. As-tu jamais pensé que cet être humain gentil et sensible pouvait gâcher pour de bon tes relations avec tes filles?

— Je crois qu'elles viendront.

— Et sinon? Que feras-tu? Tu feras une croix dessus et tu auras deux autres gosses avec la petite Pammy?

— Murray!

— Cette brillante petite chérie qui veut toujours parler de metteurs en scène français morts depuis longtemps et de fondu enchaîné vaut-elle la peine de rejeter une femme superbe et deux filles charmantes? En vaut-elle vraiment la peine? Cette petite personne sensible et érudite qui ne pense qu'à obtenir son doctorat te suit partout dans le monde en arborant des émeraudes et de minuscules manteaux de zibeline faits sur mesure. Et elle n'a pas mis les pieds dans une université depuis... Nicky! Je ne me tairai pas. Tu veux savoir quelque chose? Quand je suis descendu de ma voiture aujourd'hui, j'ai pensé qu'il y avait de fortes chances pour que j'aie perdu mon meilleur client et mon plus cher ami quand je repartirai. Et tu veux que je te dise autre chose? Même ça ne m'arrêtera pas.

— Murray, je n'étais pas seul en cause. Bon Dieu, tu sais très bien que Jane ne s'embêtait pas.

— Quoi? Avec cet abruti de psychiatre? Et alors?

— Et alors ? Je ne la rangerais pas dans la catégorie des femmes immorales. »

Murray s'efforça de se redresser. « Nicky, elle a eu tort. Elle a été stupide. Et toutes sortes de choses. Mais qu'est-ce que ça veut dire ? Elle a été si malheureuse pendant toutes ces années. Et ensuite, ce type a débarqué comme le Prince charmant et abracadabra ! Le charme est rompu, elle est reconnaissante, et tout ce qui s'ensuit. Ce n'était pas correct. Je suis de ton côté. C'était bête et sournois. Mais ce n'est pas Adolf Hitler, Nicky.

— Je le sais. Mais ce n'était pas un feu de paille. Je suis sûr qu'elle le voit toujours.

— Parce que tu n'es pas là. Parce qu'elle est dans le brouillard.

— Murray, les choses sont allées trop loin. Il n'y a plus rien à sauver.

— Nicky, vous deux ensemble. Aller vous voir dans cette maison, c'était comme d'être invité au jardin d'Eden. Quand elle faisait... »

Les deux hommes se levèrent d'un bond. Pamela se tenait devant les portes coulissantes en glace. Elle venait de frapper. Nicholas se précipita vers elle et la fit entrer. Elle se mit sur la pointe des pieds pour l'embrasser. « Bonjour, Murray, lança-t-elle.

— Bonjour, répondit Murray du canapé.

— La maison vous plaît ?

— Elle est vraiment extraordinaire. » Nicholas détourna les yeux de Murray et contempla Pamela. Elle s'était drapée dans une serviette à rayures bleues et vertes. Le drap de bain était si long qu'il pendait par terre et on aurait dit une enfant qui aurait revêtu la robe du soir, sans bretelle, de sa mère. Nicholas la prit par les épaules. Ses cheveux étaient encore humides et paraissaient d'un rouge orangé profond dans cette lumière tamisée. Il sentait le parfum fleuri de son shampooing. Tout en elle était féminin et délicat. Contrairement à Jane, Pamela ne dégageait jamais de simples odeurs de savon, de parfum ou de transpiration. La légère eau de toilette qu'elle portait faisait partie d'elle. Lorsqu'il la prenait dans ses bras, il tenait une brassée de fleurs.

Pamela se blottit contre lui. Un jour, elle lui avait dit qu'elle ne se sentait complète que lorsqu'il la tenait dans ses bras. Je ne dis pas ça dans un sens antiféministe. Je sais, lui avait-il répondu en la serrant contre lui. Elle faisait partie de lui et il le sentait dans son corps.

« Vous avez déjà vu le composite de *Land's End*, Murray ? » demanda Pamela. Pour toute réponse, Murray se contenta de secouer la tête. Un soupir étouffé échappa à Nicholas. Elle faisait tant d'efforts avec Murray, bien qu'elle sache combien il était proche de Jane, aussi bien comme agent que comme ami. « C'est son plus grand film en tant que metteur en scène. Je vous envie d'avoir vécu cette aventure. On y perçoit toute la chaleur que vous y avez mise avec Wyler mais on sent en plus la patte spéciale de Nicholas : très américaine, très humaine, mais sans tenir compte de la politesse.

— Ce sera charmant, répliqua Murray.

— Et son jeu est superbe.

— Ça vous rappelle quoi ? »

Nicholas se raidit. Murray tendait un hameçon à Pamela.

« Ça ne me rappelle personne. Nicholas est *sui generis*. Unique en son genre.

— Je sais ce que veut dire *sui generis*, Pamela. »

Nicholas ferma les yeux. Tout ce qu'il voulait, c'était sortir de cette maison. Bouger. Courir pendant des kilomètres.

« Oh! Murray, j'espère que vous n'avez pas cru que j'étais condescendante. Très sincèrement, j'ai cette détestable habitude de me conduire comme si je m'adressais à un étudiant de première année...

— Ce n'est pas grave, Pamela. Nicky, je serai à Los Angeles jusqu'à lundi. Si tu veux me voir, tu sais où me trouver. Pamela... » Il s'arrêta un instant.

« Oui, Murray ?

— Faites attention à vous.

— Je vous le promets. Merci d'être passé. Oh! Vous voulez rester dîner avec nous ? Cela ne pose aucun problème. Il suffit que la bonne fasse une tranche de saumon de plus. »

Murray la fixa. « Non, merci. Je ne voudrais surtout pas compliquer les choses pour votre bonne. » Il se tourna vers Nicholas. Il semblait vieux et soudain si apathique qu'il paraissait presque faible. Il n'arrivait pas à se lever du divan. Nicholas s'approcha de lui et l'aida. A l'instant même où il fut debout, Murray abandonna la main de Nicholas. « J'ai un gros travail de secrétariat qui m'attend à l'hôtel, dit Murray. De plus, je suis sûr que vous voulez être seuls tous les deux.

— Murray, répliqua Nicholas, reste, s'il te plaît.

— Je ne peux pas, Nick. Je suis fatigué. »

Le 2 juillet, le soir de son quarantième anniversaire, Nicholas rentra du studio situé aux environs de Londres où il avait fêté l'événement en buvant du champagne, une demi-bouteille de vodka et presque autant de vin, et faillit s'effondrer, ivre mort, devant la table de la salle à manger. Il savait qu'il était saoul. Cela ne l'ennuyait pas. C'était agréable. Il était très fatigué. Il entendit le majordome — qui venait juste d'apporter une chose qui devait suivre l'épouvantable soupe rose et glacée que Pamela avait commandée — suggérer à cette dernière qu'il pourrait peut-être aider Monsieur Cobleigh à regagner sa chambre. Pamela qui, de toute évidence, n'appréciait guère l'idée d'un dîner aux chandelles en solitaire, accepta. « Il a eu une journée si dure », l'entendit-il expliquer au valet.

Nicholas savait qu'on allait le mettre au lit, mais il fut pourtant stupéfait lorsque le majordome se pencha vers lui, l'attrapa par le poignet, glissa la tête sous le bras de Nicholas et le souleva de sa chaise. Nicholas tenta de se débattre, mais il finit par se laisser faire, et le valet le monta dans sa chambre et le mit au lit. Nicholas l'aimait bien. Le majordome lui retira non seulement ses chaussures mais aussi ses chaussettes et le couvrit d'un édredon. Nicholas sombra aussitôt dans un profond sommeil. Il en avait grand besoin. Il avait eu une journée difficile. Il avait eu un mois difficile. Au dernier moment, le studio s'était séparé de la covedette, une comédienne relativement peu connue,.et avait engagé une autre actrice pour jouer le rôle de Mathilda, la femme de *Guillaume le Conquérant*. L'actrice en question n'était autre que Laurel Blake. Ses avocats avaient reconnu que, par contrat, Nicholas pouvait donner son mot sur le nom de la covedette et, donc, contester le choix de Laurel Blake, mais ils lui avaient fait remarquer que la procédure serait plus longue que le tournage et, même si cela n'entraînait pas des frais trop importants, l'affaire risquait d'être, suivant leur propre terme, « complexe ».

Pamela venait au studio tous les jours et Laurel était accompagnée de son amant, qu'elle appelait son manager — un homme qui approchait de la trentaine et qui avait fait plusieurs films pornographiques. Cependant leur présence ne décourageait guère Laurel. Elle avait envoyé plusieurs mots non cachetés à Nicholas, se servant de la script comme de messager. Cela avait commencé sur un ton relativement innocent. *Tu te souviens de la Yougoslavie ? Tu te rappelles Paris ?* Mais, lorsqu'elle vit que ses avances restaient sans réponse, elle lui écrivit : *Tu te souviens du bon temps ? Tu veux y regoûter ?* Et cela avait fini par : *Tu te rappelles comme tu adorais sentir mon doigt dans ton cul ?*

Il la prit à part après une réunion pour discuter du script. « Je veux que ces mots cessent. »

Laurel sourit : « Tu connais la solution. »

Un jour, en fin d'après-midi, alors qu'ils étaient restés sur le plateau après une scène entre eux dont on avait fait presque vingt prises, Pamela s'approcha de lui et lui posa un linge frais et humide sur la nuque. Laurel la fixa, jaugeant le format miniature de Pamela, son jean, ses chaussures de tennis et son tee-shirt. Puis, d'une voix si forte que toute l'équipe en profita, Laurel lança : « Je vois que tu as trouvé ce que tu voulais depuis toujours : un boy. »

Tout le monde eut pitié de Pamela ce jour-là et ils abandonnèrent leur froideur habituelle pour se montrer gentils. Cependant, la plupart du temps, ils l'évitaient. Nicholas comprit qu'elle n'était pas à sa place au sein de l'équipe. Elle était aussi ignorante des gens de cinéma qu'érudite en matière de culture cinématographique. Elle était timide et, quand elle trouvait enfin le courage de parler, elle essayait de parler métier. « Vous connaissez bien l'œuvre de Gianni di Venanzo ? » avait-elle demandé au directeur de la photographie. Elle avait posé cette question pour tenter d'entamer une conversation et il l'avait prise comme une critique. « Quelles sont les personnes qui vous ont influencé le plus, d'après vous ? » avait-elle demandé au metteur en scène. « Ma mère et mon père », lui avait-il répondu. « Non, sincèrement, Arthur », avait-elle insisté. « Mon frère George. »

Ils l'évitaient et, dans la mesure où elle était presque toujours collée à lui, ils évitaient aussi Nicholas. De la façon la plus gentille. En tant que star, il obtenait tout ce qu'il demandait. Lorsqu'il traversait le studio, des sourires éclairaient les visages, des mains s'agitaient, de joyeux saluts l'accueillaient. Et, bien que d'habitude il goûtât volontiers la solitude, il avait beaucoup de moments creux. Pamela et lui restaient seuls, au studio dans sa loge composée de plusieurs pièces. Il lui faisait l'amour plus souvent qu'il ne l'aurait voulu. Il appelait ses agents de change et ses avocats plus souvent que nécessaire. Il était la vedette, le moteur de *Guillaume le Conquérant* mais il ne faisait pas partie de l'équipe. La camaraderie des autres tournages lui manquaient. La timidité de Pamela était si forte qu'elle l'entraînait dans son ombre.

Elle endurait difficilement les dîners officiels et les soirées habituelles organisées en l'honneur d'une vedette de passage. Personne, lui disait-elle, ne voulait parler sérieusement. Ni les romanciers, ni les hommes politiques, ni les professeurs d'université. Elle s'était approchée d'un des auteurs dramatiques les plus doués au monde simplement pour lui dire combien elle admirait son œuvre et il avait passé une heure à lui parler de son chausseur. Une heure sur les différentes qualités de cuir et sur les clients les plus célèbres de ce chausseur ; parmi eux, il avait mentionné le prince de Galles et Nicholas Cobleigh. Ils voulaient tous cancaner, disait-elle à Nicholas. Elle essayait d'avoir des conversations intelligentes et personne ne s'y intéressait. Lorsqu'ils tentaient de lui soutirer des renseignements sur lui ou de jouer les commères sur des gens qu'elle n'avait jamais rencontrés, elle devenait muette comme une carpe. Elle ne pouvait s'en empêcher. Elle n'était pas faite pour les cocktails, les bavardages superficiels ou les familiarités hypocrites.

Il regardait les hommes qui étaient assis à côté d'elle et qui essayaient de badiner avec Pamela. Ses réponses étaient terriblement laconiques ou atrocement interminables. Il observait les Anglais ; leurs yeux, qui étaient rarement le miroir de leur âme, brillaient presque de soulagement lorsqu'ils se tournaient vers leur autre voisine de table. Les femmes assises à côté de lui jetaient de rapides coup d'œil vers elle puis vers lui, tout en cachant à peine leur étonnement devant Pamela. Leur question silencieuse — mais qu'a-t-elle donc ? — était si évidente qu'elles auraient pu la crier.

Ce n'était pas qu'il fût gêné d'être lié à elle. Il souhaitait simplement qu'elle puisse s'amuser.

A une soirée, les hommes se levèrent après le deuxième plat et changèrent de voisins de table. Un homme, un lord quelque chose, était assis à côté de Pamela. Aux yeux de Nicholas, assis au bout de la table, il n'avait rien d'un aristocrate dans son costume mal coupé, d'un bleu trop brillant. Néanmoins, c'était un lord. Quelqu'un, comme aurait dit Jane, dont il faudrait parler à Rhodes. Pamela ne disait pas un mot. Elle était assise, droite comme un piquet, et picorait son pudding à la crème. Ses réponses à ses questions étaient hachées et Nicholas, de l'autre bout de la table, les percevait comme des *pépiements*. Comme un petit oiseau.

Jane se serait tournée vers son voisin et lui aurait dit : « Je n'ai jamais rencontré de lord jusqu'alors, nous n'en avons aucun dans l'Ohio. » Ou elle lui aurait demandé si *noblesse oblige* vraiment de nos jours ; ou s'il pouvait reconnaître un aristocrate au premier coup d'œil, ou encore s'il voudrait lui expliquer ce qu'était le parti libéral. Jane l'aurait amené à parler. A sourire. A admirer sa robe. Et, après la soirée, elle aurait continué comme s'ils étaient prêts à coucher ensemble. Nicholas pouvait presque l'entendre. « Mon Dieu, un lord ! Tu as vu ça ? J'étais assise là et j'ai soutenu toute une conversation avec un noble anglais. Sauf qu'il avait l'air d'un capo de la Mafia. Tu ne trouves pas ? Avec son costume et son visage de fouine. Mais il m'a appelée " ma chère ". Reconnais-le, Nick, tu es jaloux. Lord Je-ne-sais-quoi m'a appelée " ma chère ". Mais quel visage mesquin. Heureusement que le droit de cuissage n'existe plus. »

Dans la limousine qui les ramenait chez eux, dans Berkeley Square, Pamela dit : « Je suis heureuse que ce *soit* terminé. »

Il détestait cette maison. C'était un hôtel particulier, grand, gris et froid. Il y avait un concessionnaire de voitures de l'autre côté du parc et au bout de la rue, un restaurant arabe qui empestait. C'était comme de vivre dans un quartier pourri du West Side.

Il n'avait jamais aimé le West Side. Jane trouvait cela romantique. La vie de bohème. Très new-yorkais. Il s'en souvenait.

En Angleterre, Jane surgissait dans son esprit plus souvent que lorsqu'ils étaient tous deux aux Etats-Unis. Une présence intempestive et inopportune. Il lui en voulait souvent à cause de cela.

Parfois il pensait à elle et à Judson Fullerton. Il ne pouvait chasser de son imagination la description qu'elle lui avait faite du sexe de Fullerton, la façon dont elle en avait parlé. Nicholas le voyait comme un bélier. Il les imaginait au lit, Fullerton défonçant Jane et Jane frémissant de plaisir, vibrant orgasme après orgasme, chose qu'elle n'avait jamais faite avec lui. Il l'entendait hurler : Judson ! Judson ! Il en avait mal au ventre. Puis cela le rendait fou de colère.

Mais, parfois, ses incursions étaient plus agréables. Pamela lui avait dit : « Nicholas, je n'arrive pas à croire que dans un an ou deux je porterai ton enfant. » Il avait contemplé Pamela, nue, les yeux fixés sur lui, avec les os de ses hanches minuscules et saillants et son ventre creux. Il avait essayé de l'imaginer enceinte. La seule femme enceinte qui lui vint à l'esprit, ce fut Jane.

Jane, le ventre bien rebondi, enceinte de Victoria de six mois, grimpant les escaliers qui menaient à leur appartement avec eau froide. Etait-ce dans la 45e ou dans la 46e Rue ? Il ne s'en souvenait pas. Elle le savait sûrement. Grimpant ces marches avec lui après un dîner chez sa mère. Vas-y doucement, lui disait-il. Toutes les trois ou quatre marches, il lui tapotait les fesses pour l'encourager.

La ligne brune qui s'était dessinée au milieu de son ventre. La façon dont le bout de ses seins avait viré au brun aussi. Je ne peux pas supporter ça, disait-elle. Je suis une grosse vache. Non, tu es belle. Elle était faite pour avoir des enfants : des hanches larges, de gros seins, elle était faite pour être mère. Plus elle grossissait, plus il était fier. Il savait que c'était stupide, cependant Jane était une publicité ambulante de son exploit : Nicholas Cobleigh m'a fait ça! proclamait son ventre.

Il ne pouvait pas imaginer Pamela enceinte. Elle n'était pas faite pour cela. Elle le porterait mal. Comme une tumeur.

Deux jours avant son anniversaire, vers trois heures du matin, il s'était réveillé en pensant à Jane. Il s'était glissé hors du lit, avait jeté un coup d'œil vers Pamela qui dormait roulée en boule comme une enfant au milieu du lit et était descendu sur la pointe des pieds jusqu'à la bibliothèque. Il avait jeté un regard alentour, un peu troublé, puis avait décroché le téléphone. Il avait appelé l'appartement, puis la maison du Connecticut.

« Nick », avait dit Jane, « comment vas-tu ? C'est si étrange. Je pensais justement à toi. A la seconde même! A la période où tu répétais Roméo et... enfin peu importe. Raconte-moi, comment ça marche *Guillaume ?* »

Leur vieux truc de la transmission de pensée. Ça marchait tout le temps avant. Jane lui jurait qu'elle *savait* quand son avion atterrissait à l'aéroport John Fitzgerald Kennedy car tout son corps se détendait soudain; il était sain et sauf. Et il avait aussi un sixième sens lorsqu'il s'agissait de Jane. Lorsqu'elle donnait le sein à Elizabeth, il se réveillait et, encore tout ensommeillé, attrapait un de ses pull-overs et l'emportait dans la chambre d'enfant. Il en enveloppait Jane et elle disait : je n'arrive pas à y croire! C'est la chose la plus singulière qui soit. Trois secondes avant que tu n'entres, je me suis mise à trembler.

La plupart du temps, il aurait voulu la chasser de son esprit, même si ça le réconfortait de penser à elle. Tout comme autrefois. Quand les choses allaient mal lorsqu'il tournait en extérieurs, il songeait à elle et aux filles.

Les filles lui manquaient, mais généralement il les chassait de son esprit. Il supportait à peine de retrouver leurs visages et de découvrir comment elles le voyaient. Il était retourné à New York pour les fêtes de Noël et elles avaient refusé de venir à l'hôtel pour rester avec Pamela et lui. Venez juste passer quelques moments avec elle, les avait-il suppliées. Apprenez à la connaître. Victoria s'était montrée désagréable, Jane à la puissance trois. Je peux l'appeler maman ? lui avait-elle demandé. Elizabeth avait éclaté en larmes. Tu ne veux pas rester avec maman et nous ce soir ? Le lendemain, il avait abandonné Pamela pour deux heures dans leur chambre et était allé chez ses parents. Il avait plongé dans leurs yeux trop brillants, scintillant farouchement pour lui montrer ce qu'étaient les vacances d'une famille heureuse. Jane et les filles étaient là aussi. La famille. Joyeux Noël, Nick, lui avait dit Jane. Elle l'avait même embrassé

sur la joue. Puis elle s'était tournée vers les filles qui étaient
restées en arrière, renfrognées. Souhaitez joyeux Noël à votre
père. Allons !

Il se sentait déloyal, comme s'il trompait Pamela en laissant
Jane entrer si souvent dans son esprit.

Il essayait de penser à l'aspect négatif des choses. Toutes ces
années, Jane avait rendu leurs vies si pitoyables. Elle leur avait
tous fait partager sa prison. Elle en avait fait une belle prison ; il
le lui accordait, mais tout de même...

La façon dont elle s'était servie de lui.

Ses remarques sarcastiques. Son esprit si mal tourné. Ses
ressentiments. Sa colère.

Sa trahison. Ce n'était pas la même chose pour elle. Elle n'était
pas tentée, aiguillonnée, travaillée au corps tous les jours de sa
vie. Il était allongé au côté de Pamela et cherchait d'autres choses
négatives. L'inertie physique de Jane. Son grand corps qui s'était
amolli. Ses seins pendants. Ses hanches lourdes qui ballottaient
quand elle traversait la pièce. Son gros derrière flasque. Son
manque de tonus musculaire auquel aucun régime ne pourrait
jamais rien changer.

Il ne voulait pas penser à elle. Il songeait à elle uniquement
parce que les choses ne se passaient pas bien en Angleterre.
Laurel Blake. Sa solitude sur le plateau. Des coups de téléphone
hystériques de Los Angeles. Les séances épuisantes — cela
devenait de plus en plus dur — avec un nouveau professeur de
gymnastique. Vous voulez rester en forme, ou pas ? lui avait-il
demandé. Quand on vieillit, il faut travailler plus dur.

L'Angleterre, ce n'était pas amusant.

Il avait réalisé une chose le jour de son anniversaire. L'Angleterre était un pays étranger. Il ne pouvait pas allumer la
télévision pour regarder « Talk ». Il n'avait pas vu Jane depuis
un mois.

Lorsque Nicholas pensa à cela, il comprit à quel point elle lui
manquait.

29

VOIX D'HOMME : L'émission de « Talk » d'aujour-
d'hui a été enregistrée la semaine dernière, juste
avant le départ de Jane Cobleigh pour Londres.
Nous espérons...

Voix off sur le générique de « Talk »
N.B.C.

Cecily avait posé la question un mois avant : Pourquoi Nicholas n'avait-il pas demandé le divorce ?

Jane n'en savait rien et elle s'était interrogée là-dessus depuis
longtemps.

Elle avait dit à Cecily : Peut-être ne peut-il pas admettre
d'avoir échoué dans quelque chose. Peut-être ne veut-il pas
envenimer davantage ses rapports avec Vicky et Liz. Peut-être
n'est-il pas prêt à épouser Pamela et, s'il obtient le divorce, il se
sentira obligé de se marier ; peut-être que le fait de voir ses
parents retourner ensemble et être si heureux lui donne... je ne
sais pas... lui donne mal au cœur à l'idée d'une chose aussi
définitive qu'un divorce ; peut-être est-ce de l'inertie ; peut-être
est-il trop occupé pour s'imposer toutes les complications émo-
tionnelles et financières qu'un divorce impliquerait.

Ou peut-être t'aime-t-il toujours, avait dit Cecily.

En tout cas, elle savait que ce qu'elle éprouvait pour Judson
Fullerton, ce n'était pas de l'amour. Ce n'était même plus la
passion. Depuis un an, leurs rapports sexuels avaient changé. Il

n'y avait plus l'étincelle, l'effervescence de deux corps qui entrent en contact. Il ne restait plus que deux esprits. Leurs rapports sexuels étaient devenus un défi créatif qui n'avait plus grand-chose à voir avec la lubricité mais un rapport direct avec l'élaboration de scénarios compliqués destinés à stimuler leur désir.

« Il y en a trois qui te retiennent prisonnière, dit Judson. Trois gros Noirs. Tu veux te faire des Noirs ou pas ?

— Et si on essayait des Philippins ?

— Des Philippins ?

— Des Bosniens-Herzévogiens.

— Et maintenant, où es-tu ? demanda-t-il.

— Ici. » Ils se trouvaient dans la chambre d'amis de l'appartement de Jane. Elle ne l'avait jamais emmené dans la chambre qu'elle avait partagée avec Nicholas.

« Où *es*-tu ? Avec les trois Noirs ? »

Il se pencha et tira le drap jusqu'à sa taille. « Très bien, Jane. Il est évident que ce n'est pas ton jour.

— Sans doute pas.

— J'aurais simplement préféré que tu m'appelles. J'avais l'occasion de prendre un verre avec le chef du département et j'ai décliné son invitation pour être ici à sept heures. »

Elle prit sa montre sur la table de nuit. « Il est sept heures vingt. Si tu te dépêches, tu pourras encore trouver une petite place pour un gin fizz.

— D'accord », dit-il. Il se redressa et posa les pieds par terre, le dos à Jane. Il prit une chaussette tournée à l'envers et glissa sa main dedans. Puis il se tourna vers elle, le poing posé sur la hanche. « Tu es hostile. C'est évident. Tu veux en parler ?

— On sort ensemble depuis longtemps. »

Il hocha la tête et remit la chaussette à l'endroit. « Je vois.

— Non, absolument pas.

— On a eu cette discussion l'année dernière, juste avant le dernier week-end de juillet.

— Non.

— Si, Jane. Tu t'es montrée très directe. Tu m'as demandé si j'avais l'intention de quitter Ginny, et j'ai été aussi direct que toi. Je t'ai dit non. Et je t'ai expliqué pourquoi.

— Tu m'as dit qu'elle était fragile, émotionnellement parlant.

— Et c'est vrai.

— Ce n'est pas pour cela que tu restes avec elle.

— Je vois. Tu vas m'expliquer mon comportement maintenant. Tu es devenue une analyste amateur. Vas-y. Je suis à cent pour cent pour les éclaircissements.

— Non, c'est faux, mais je vais te le dire tout de même. Tu restes marié avec elle parce que tu as besoin de quelqu'un que tu puisses tromper. Quelqu'un qui se ronge le cœur tous les mercredis soir parce qu'elle sait que tu es à New York et que tu passes la nuit avec une autre. »

Les narines de Judson se dilatèrent. « Ce n'est pas digne de ton intelligence.

— Tu restes marié parce que tu as besoin de torturer quelqu'un.

— C'est ridicule.

— Quelqu'un qui est affreusement malheureux chaque fois que tu lui annonces que tu rentreras à six heures et que tu débarques sur le coup de neuf heures, les cheveux en bataille et la chemise débraillée. » Judson serra les lèvres. « Je vois bien comment tu me quittes pour retourner vers elle. Tu fourres ta cravate dans la poche de ta veste en en laissant pendre un bout.

— Tu as concocté toute une petite histoire, hein ?

— Non. Je te connais, c'est tout. Je sais que tu es l'homme le plus méticuleux qui soit et, si tu rentres chez toi comme si tu venais de sortir de ton lit, c'est uniquement parce que tu veux lui offrir ce spectacle. " Tu vois, Ginny ? Mais regarde ! Je viens juste de sortir du lit. " C'est déjà la moitié de l'excitation, non, Judson ? Elle pleure chaque fois ? Dis-moi, elle te supplie de me quitter ? Et vous finissez au lit ensemble après ?

— Arrête. » Il enfila ses deux chaussettes puis se leva. Il ramassa son caleçon et le tint par l'élastique comme la cape d'un toréador. Il la regardait. « Alors ? dit-il enfin.

— Alors quoi ?

— Tu as fini ta petite scène, ou je dois m'habiller et partir ?

— Habille-toi et va-t'en », dit-elle. Sa voix était si grave, si assurée. Son meilleur ton. Bonjour, ici Jane Cobleigh qui vous parle pour l'American Cancer Society. Salut. Aujourd'hui, dans « Talk », on va parler de l'adultère. Pourquoi trompe-t-on son conjoint ? Avant de rire, restez avec nous et écoutez.

Elle aurait dû trembler. Parler d'une voix chevrotante et perçante.

Après que Judson eut mis sa veste, il prit un peigne dans sa poche et se coiffa en un geste ostentatoire. Il s'approcha de la grande glace placée au-dessus de la coiffeuse et rajusta son nœud de cravate qui était déjà impeccable. Puis il revint vers le lit. « Je crois qu'on ne devrait pas se revoir jusqu'à la fin de la semaine », lança-t-il. Elle ne dit pas un mot. « Peut-être même pas la semaine prochaine », ajouta-t-il. Si elle avait attendu suffisamment longtemps, il aurait dit : Pas même la semaine suivante.

Pas avant la fête du Travail. Pas avant le jour de l'armistice. Pas avant le Thanksgiving.

« Judson, je crois que c'est fini.

— Quoi ? » lança-t-il. Il était si parfait dans son costume de lin blanc, sa chemise bleue et sa cravate en soie, bleue, blanche et orange. Parfaitement maître de lui, depuis le bout de ses chaussures impeccablement cirées jusqu'à ses cheveux parfaitement coiffés. Mais il n'arrêtait pas de cligner des yeux. Il battait des cils encore et encore, un tic affreux, comme s'il ne pouvait croire ce qu'il voyait.

Jane était allongée sur le drap. Elle ne se donna même pas la peine de se couvrir. « C'est fini, Judson.

— Comme ça ?

— Je ne connais pas d'autre moyen de mettre un terme aux choses.

— Tu as quelqu'un d'autre ?

— Non. »

Il clignait les yeux plus lentement, mais cela continuait. « Non ? Mais que prévois-tu côté sexuel alors ?

— Je ne crois pas que j'ai envie d'en discuter avec toi. »

Tout ce temps. Deux ou trois fois par semaine. Elle aurait pu au moins lui accorder quelques sanglots délicats. Mais ses yeux étaient secs et figés. C'était un moment étonnamment neutre. Des années. Elle sentait qu'elle lui devait une larme pour tout ce temps. Mais elle ne pouvait pas en sortir une seule. La seule chose qu'elle ressentait, c'était un sentiment de soulagement. Dans quelques instants il serait parti. Elle pourrait s'habiller et rentrer dans le Connecticut avant la nuit. Peut-être les canards sauvages qui s'arrêtaient au bord du bassin au début de l'été seraient-ils là — un brun et un blanc avec la tête au plumage bleu-vert irisé — et flotteraient-ils à la surface des eaux derrière la maison ? Un couple de canards sauvages qui volaient partout ensemble.

« Jane.

— Je suis désolée que ça n'ait pas marché, Judson. Mais ce n'était pas vraiment le but de l'opération, non ? » Il cligna les yeux. Elle pensa qu'il allait peut-être se mettre à pleurer. Mais non. Pas Judson. Il n'avait même pas l'air triste. Mais stupéfait. Contrarié. Il avait raté le cocktail avec le chef du département de psychatrie pour trois Noirs qui la retenaient prisonnière. Il allait sans doute aussi rentrer dans le Connecticut.

« Tu ne m'aimes pas ? » Une question froide, interrogatoire clinique.

« Non, je ne t'aime pas.

— Je vois. » Il récupéra sa monnaie, ses clefs et sa montre sur l'autre table de nuit. « Au revoir », dit-il en franchissant la porte.

Elle n'éprouvait même pas de tendresse pour lui.

« Eh bien, dit Rhodes, que vas-tu faire ?

— Je ne sais pas. »

Il était assis en face de Jane, mais la table était si petite qu'elle le voyait parfaitement. Il était toujours d'une beauté exceptionnelle, mais des rides comme dessinées au hasard soulignaient ses yeux — certaines étaient presque cachées par ses cils épais — et quelques mèches gris perle éclaircissaient ses cheveux bruns. Au début, elle avait été surprise de constater qu'il n'essayait pas de les masquer, mais elle avait alors compris que Rhodes savait que de s'opposer à la nature nuirait à sa beauté. De plus, c'était inutile ; la nature l'aimait et le traiterait toujours avec tendresse.

La table était ronde, couverte d'une nappe rose qui pendait jusqu'au sol et, dans un vase au centre, se trouvait une fleur jaune qui ressemblait à une constellation de minuscules étoiles. Leurs tasses de café et leurs verres de cognac étaient posés devant eux. Le restaurant était l'un des plus élégants de New York. Elle y emmenait ses invités les plus importants. « Madame Cobleigh ! Bonsoir ! » Le maître d'hôtel était toujours excité de la voir. Il prononçait toujours son nom en roucoulant et suffisamment fort pour que les clients installés près de l'entrée se retournent, la découvrent et murmurent : « C'est elle ! » Lorsqu'elle était entrée avec Rhodes, le coup d'œil habituel du maître d'hôtel s'était attardé sur lui et il avait esquissé une moue de surprise typiquement française : ce personnage n'était pas un invité quelconque de « Talk », celui-ci était incroyable, spécial, un... « Je vous présente mon frère, Louis », annonça-t-elle rapidement. « Ah, répliqua le maître d'hôtel. C'est un plaisir de vous accueillir, Monsieur. » Cette fois-ci, il le pensait sincèrement.

« Alors tu as quitté le psy pour de bon ? » lui demanda Rhodes. Elle acquiesça d'un signe. « Bon débarras, c'était un sale type.

— Rhodes...

— Il avait une tête de patate. Quand je vous ai vus dans " Talk " la première fois, je me suis dit : Mon Dieu, je vais avoir à me farcir M. Tête de patate pendant trois quarts d'heure deux fois par semaine. Des petits yeux de patate. Et après vous êtes sortis ensemble et...

— Il était fantastique au lit.

— Oh ! Arrête, petite dinde. " Au lit. " Petite Mademoiselle New York dans le vent. Tu sais combien cette liaison était d'une banalité pitoyable ? Tu sais combien de poires finissent au lit avec leur psy ? Au moins soixante pour cent.

— Arrête, Rhodes.

— Tu m'as invité à New York pour parler. Tu t'en souviens ?

— Tu devais de toute façon t'arrêter quelques jours avec Philip avant de partir pour l'Europe, et j'ai pensé que j'aimerais bien passer un moment seule avec mon frère. Mon frère qui m'aime bien, qui tient compte de mes sentiments. J'ai eu tort sans doute.

— Ne parle pas sur ce ton, Jane. » Il alluma une cigarette, souffla un épais nuage de fumée vers le plafond, puis tendit la main vers elle et tapota la sienne. « O.K. Pouce. Et maintenant, que veux-tu faire ? Je veux dire, pour le reste de ta vie ? » Elle haussa les épaules. Elle ne pouvait répondre. « Dis-le-moi. Je sais ce qu'il en est, de toute façon. »

Il laissa sa main sur la sienne. Elle avait toujours aimé Rhodes. Mais, en cet instant, c'était l'une des rares fois où l'amour l'embrasait, irradiait dans tout son être.

« Je t'aime, murmura-t-elle.

— Je sais, répliqua-t-il. Moi aussi, je t'aime. » Il laissa sa main encore un moment sur la sienne, puis la retira. « O.K., super-Jane, ajouta-t-il de sa voix habituelle de mariole, dis-moi ce que tu veux.

— Je veux être mariée à Nick jusqu'à la fin de mes jours.

— Pas de divorce ? » Elle secoua la tête. « Plus de cinq à sept avec des enfoirés ?

— Non. Juste Nick et c'est tout. » Elle n'avait pas choisi le bon endroit pour discuter de cela. Ils auraient dû rester dans l'appartement où elle aurait pu se laisser aller, se blottir contre Rhodes et pleurnicher. Elle prit une inspiration profonde, mais saccadée. « Mais bien sûr, poursuivit-elle calmement, ce n'est que ce que je veux. Ce n'est pas ce qu'il veut.

— Tu lui as demandé ?

— Non ! » Puis, sur un ton plus doux : « Excuse-moi. Non. Rhodes, il vit avec elle depuis deux ans. Il ne s'agit pas d'une passade avec une petite allumeuse. Ils sont inséparables. Au sens propre du mot. J'ai appris qu'elle était toujours collée à lui. »

Bien que leur séparation ne fût pas annoncée officiellement, elle s'était ébruitée. Les gens du milieu étaient au courant et ils adoraient en parler à Jane. Nous avons vu Nick l'autre soir. Avec *elle*. Vraiment ? répliquait-elle. Et alors, ils insistaient. Elle est minuscule. Prépubère, mais pas une nymphette. *Ennuyeuse*. Elle ne le lâche pas, au sens propre du terme. Ils examinaient Jane attentivement tout en parlant. Elle ne laissait rien voir de ses sentiments.

« Et Nick peut-il se détacher d'elle ? demanda Rhodes.

— J'imagine que non. » Elle passa le doigt sur le bord de sa tasse de café. « Depuis un mois à peu près... » Ses mots se perdirent dans le silence.

« Quoi ? Dis-le-moi. Tu t'arrêtes pour laisser passer une pub ?

— Rhodes, donne-moi juste une minute. D'accord ? » Elle souffla lentement. « Depuis deux mois, il m'a appelée plus souvent. Au début, la plupart du temps, il me téléphonait au sujet des filles pour m'amener à les convaincre de passer plus de temps avec Pamela et lui. Au début tout ce qu'il voulait c'était se disputer. Tu sais, des choses du genre : " Tu crois que c'est juste ? Tu ne crois pas que si elles étaient au courant pour toi et ce machin chose immoral... "

— Il l'appelle un machin chose ?

— Non, il l'appelle un fils de pute. Enfin, toujours est-il qu'il a appelé très souvent ces derniers temps. Tard le soir. Vers trois ou quatre heures du matin, heure de Londres. Il commence toujours par un sujet très officiel. Le comptable a-t-il envoyé le chèque pour le cours de Liz ? Comment vont les chevaux ? Il n'a pas mis les pieds dans le Connecticut depuis deux ans et il paie toujours quelqu'un pour s'occuper de ses chevaux. Mais après cela, il se met à parler.

— De quoi parle-t-il ?

— Du film. De *Guillaume le Conquérant*. Il me lit une page ou deux du scénario et il me demande ce que j'en pense. Ou il m'interroge sur " Talk " : quels sujets j'envisage ou comment était tel ou tel invité. Il me rappelle l'anniversaire d'Olivia ou me demande quel était le décorateur dans une pièce off Broadway qu'il a jouée en 1963. »

Rhodes tenait à la main son verre de cognac mais ne buvait pas. Il plongea les yeux dans son verre comme s'il pouvait y lire l'avenir comme dans des feuilles de thé. « On dirait une conversation de mari et femme, constata-t-il.

— Un peu. Mais ce ne sont certainement pas des je vous aime. C'est même dépourvu de toute chaleur. C'est très curieusement désinvolte.

— Il te parle d'elle ?

— Non. »

Rhodes regarda Jane. « Que veut dire cette drôle d'expression sur ton visage ? Tu lui as posé des questions sur elle ? Tu es une *telle* gourde, Jane. Je le pense sincèrement.

— Non. Une fois je lui ai dit : " Comment va Pamela ? " et il a répondu : " Très bien. " Mais je suppose que cela l'a contrarié car la conversation s'est pratiquement arrêtée là. Je ne sais pas. Je l'ai appelé hier soir pour son anniversaire. C'est elle qui a répondu et elle a dit qu'il avait eu une dure journée et qu'il s'était couché de bonne heure. » Jane regarda son frère. Il fixait de nouveau son verre. « Je la hais. Elle a une petite voix toute fluette comme une souris de Walt Disney. " Je dirai à Nicholas que vous avez appelé ", imita Jane en glapissant. Je ne comprendrai jamais comment il peut supporter d'entendre une chose pareille.

— Peut-être ne le supporte-t-il plus ? » Rhodes leva les yeux. Ils étaient si beaux. Comme les gens qui les voyaient ensemble le disaient. Pourtant les yeux de Rhodes avaient changé. Son regard était plus profond. Elle supposait que ses yeux avaient changé aussi. Rhodes la regarda en face. « Je pense qu'il t'envoie peut-être un signal. Tu ne crois pas ?

— Je ne sais pas.

— Il sait que tu as plaqué le Dr Patate ?

— Non. Mais c'est un sujet dont on n'a jamais vraiment parlé, en dehors du jour où je le lui ai appris.

— Très bien. Reprenons les choses depuis le début. Que vas-tu faire ? Tu vas essayer de le ramener à toi ?

— J'en ai bien peur.

— Pourquoi ?

— Il a Pamela. Et elle a vingt-quatre ou vingt-cinq ans.

— Oh ! Arrête ! C'est une conne. Et toi, tu es une superstar connue dans toute l'Amérique. Il y a une raison. Tu es vivante. Tu es réelle. Les gens réagissent à toi.

— Mais peut-être ne veut-il pas une personne si vivante. Peut-être veut-il une conne.

— Peut-être. Et peut-être veut-il une femme.

— Il peut l'avoir. »

Rhodes se pencha en avant et posa les coudes sur la table. Le soliflore vacilla. « Jane, Nicholas peut avoir qui il veut. La question, c'est qu'il a eu toutes les occasions de se débarrasser de toi et qu'il ne l'a pas fait. Et pourquoi, tout d'un coup, se réveille-t-il à trois heures du matin pour passer des coups de téléphone à l'autre bout de l'Atlantique ? Il a des insomnies ? Il ne veut pas réveiller la petite conne ? Il pourrait appeler n'importe qui. Il y a environ un million de gens qui seraient ravis d'entendre Nicholas Cobleigh à trois heures du matin ou à n'importe quelle heure. Crois-moi, il le sait. Alors, pourquoi te téléphone-t-il ? Je pose la question pour la forme. Ne te donne pas la peine d'y répondre.

— Que dois-je faire ?

— L'affronter. Dis-lui : " Nick, je t'aime toujours. Et toi, tu m'aimes encore ? "

— Tu crois qu'un homme et une femme se parlent ainsi ?

— C'est ainsi que se parlent des gens qui veulent couper court à des conneries de bavardages et arrêter de se conduire comme une petite morveuse de pute new-yorkaise. »

Un serveur, qui s'approchait de leur table avec un pot de café surprit les mots de Rhodes et s'éclipsa aussitôt. Il recula à petits pas prudents, comme dans un film qui se déroule à l'envers.

« Et s'il me dit qu'il aime Pamela ?

— Alors tu lui répondras : " Très bien, excuse-moi de t'avoir dérangé. Dis à ton avocat d'appeler le mien et vis ta vie. " Mais tu crois que c'est ce qu'il va dire ? »

Elle n'en savait vraiment rien. Parfois, il lui venait une image de leur rencontre, des rêves d'adolescente, il fallait le reconnaître. Elle se trouvait dans le Connecticut, s'apprêtait à partir pour New York, posait ses notes pour l'émission et son sac en bandoulière sur le siège du passager quand soudain une autre voiture débouchait de l'allée de gravier qui crissait sous les pneus. C'était la vieille Porsche grise de Nicholas. Il l'avait vendue depuis des années. Il sortait de la voiture d'un bond et se ruait vers elle : Jane, Jane. D'autres fois, elle imaginait Nicholas dans un salon lugubre bourré de meubles victoriens aux teintes sombres. Il tenait le combiné du téléphone loin de son oreille. Cela lui faisait mal de l'entendre. Sa déclaration d'amour le mettait mal à l'aise, le gênait et, au bout du compte il était triste pour elle.

« Rhodes, je ne veux pas être une de ces femmes désespérées qui voient mille significations dans n'importe quel " Comment vas-tu ? " Regarde les choses en face. Il vit avec elle. Ils ont acheté une maison à Santa Barbara et en décembre dernier, il cherchait un appartement à New York.

— Ça, c'est de l'immobilier. Et l'immobilier, ce n'est pas de l'amour.

— Et s'il dit non, je ne veux pas de toi, je ne t'aime pas. J'ai cessé de t'aimer depuis des années. S'il dit que ses coups de téléphone n'étaient pas des signes, qu'ils étaient juste amicaux. Il peut s'offrir le luxe d'être amical. Il n'en a plus rien à faire. Tu ne vois donc pas que je risque de passer pour une imbécile. Il aurait pitié de moi ! Il raccrocherait et irait tout raconter à Pamela et... »

Rhodes leva la main comme un agent de police pour arrêter la circulation. « Attends une seconde.

— Quoi ?

— Un coup de téléphone ? Il ne s'agit pas de bavarder. Réfléchis à ça. Tu ne voulais pas que je sois là, pour discuter, en face de toi ? Il me semble que si vous vous voyez...

— Et comment pourrais-je le voir ? Ils sont à Londres et ensuite ils vont partir en extérieurs jusqu'à la fin de l'automne. Il sera coincé pendant des mois.

— Vas-y, imbécile.

— Aller où ? A Londres ? Et comment je peux aller à Londres ? Je ne peux pas prendre l'avion. Rhodes, franchement, je n'ai jamais pris l'avion de ma vie. C'est l'une de mes dernières terreurs. Chaque fois que je pense à un avion qui décolle, mon cœur commence à...

— Laisse tomber.

— Oublions ça. Même si je pouvais y aller en bateau — et je ne voudrais pas non plus me retrouver au milieu de l'océan — que pourrais-je faire ? Aller sonner à sa porte ? Passer au studio ?

— Oui.

— Et dire quoi ? Excusez-moi, Pamela. J'aimerais parler quelques instants à mon mari. Et ensuite, je dirai à Nick : Je t'aime, je veux que tu reviennes. Laisse-la tomber. Je suis ta femme. Ça marchera parce qu'on s'est toujours aimés. Nous nous sommes toujours aimés plus que tout au monde.

— Oui, dit Rhodes. Ça paraît parfait.

— Oh ! Rhodes, et s'il dit non ?

— Cela ne vaut-il pas la peine de prendre le risque ? Et s'il dit oui ? »

Un huit. Huit points de terreur. Non. Neuf. Il n'y avait pas assez d'air dans l'avion. L'hôtesse n'arrêtait pas de sourire. Encore et toujours. A mille kilomètres de tout rivage, perdu au milieu de l'océan Atlantique, à une vitesse plus rapide que le mur du son, elle avait le sourire aux lèvres, même si dans un instant tous les passagers et elle allaient s'engloutir dans un trou d'air. Nous avons le regret de vous annoncer qu'il n'y a pas d'oxygène disponible sur ce vol. Immense, impeccable, les dents trop blanches, comme si elle les avait empruntées à une amie. Elle descendit le long de l'allée tout en gardant le sourire.

« Tout va bien, madame Cobleigh ? » Le sourire s'accentua. Il dévoilait même ses dents du fond maintenant. De toute évidence, elle avait vu « Talk ». Elle savait reconnaître une agoraphobe lorsqu'elle en voyait une.

« Tout va bien. » Un bruit de papier froissé que l'hôtesse au sourire figé n'entendit pas : le sac contre le mal de l'air tout prêt, coincé sous la cuisse gauche de Jane.

« Parfait. » L'hôtesse souriait pour elles deux. Un encouragement. Ou peut-être passait-elle une audition, dans l'espoir qu'une émission serait consacrée aux problèmes des membres d'équipage ou à la chirurgie esthétique en matière dentaire. Les critères de « Talk » lui échappaient. « Nous avons eu monsieur Cobleigh il y a un mois ou deux sur la ligne. »

A peine un peu d'air et il était trop froid. « Oh ! » Le sourire tremblota, déçu par cette réponse trop neutre. Jane ajouta précipitamment : « C'est charmant. » Le tremblement s'arrêta. Les lèvres, les dents et les gencives reprirent leur travail. « Il a commandé exactement le même vin que vous !

— Ah !... » Affronter la peur. Un huit. Pas d'air. Un peu d'air. Un sept. Un six ou un sept. Les yeux fixés droit sur le sourire. Il était rassurant maintenant. Aussi grand et éclatant que possible, ne rayonnant que pour elle. « C'est ce qui arrive après dix-neuf ans de mariage », dit Jane.

Il fait plus chaud à Londres aujourd'hui qu'à New York hier, mais dans la limousine il fait frais. Les riches sont immunisés contre les caprices du climat. Jane regarde par la fenêtre mais les verres teintés rendent tout flou. Seuls elle, le chauffeur et la voiture au tout premier plan sont réels.

L'odeur virile des sièges en cuir se mêle au parfum d'une rose rouge disposée dans une flasque en cristal attachée près de la fenêtre. Elle prend une glace dans son sac à main, bien qu'il y ait un miroir avec une lampe dans un petit meuble à côté du bar. Elle a l'air fatiguée. Cependant, elle n'a qu'un peu de fard à joues, un peu de mascara et un peu de rouge à lèvres. Nicholas ne l'a jamais aimée maquillée. Elle songe à enlever son rouge à lèvres. Ce sera tout gras s'il l'embrasse. Sans rouge, elle aura trop mauvaise mine. Elle fera trop vieille.

Ridicule. Il voudra d'elle ou pas et, qu'il se précipite vers elle ou ait un mouvement de recul, ce ne sera pas une question de rouge à lèvres. Elle pense qu'il voudra d'elle.

Deux nuits avant, il l'a appelée. Leur plus long coup de téléphone. Pour la première fois depuis leur séparation, il lui a parlé du passé.

Il a dit : Tu te souviens quand on s'est installés dans la maison et que j'ai repeint les volets ? Mes cheveux étaient pleins de peinture verte et toi tu faisais quelque chose... tu avais une traînée grise sur le bout du nez.

Je faisais briller le marteau en cuivre, a-t-elle précisé. Cet aigle qui a l'air stupide.

C'est exact. Je pensais à ça. Tu sais que c'est la dernière fois que j'ai été obligé de faire quelque chose. Je ne parle pas de mes obligations contractuelles ou de mes obligations envers les filles... ou envers toi. Je veux dire, c'est la dernière fois que j'ai eu un travail sans pouvoir le déléguer à autrui. Depuis lors, j'ai toujours eu des gens que j'ai engagés ou qui se portaient volontaires pour faire... enfin presque tout. Enfin je suis très pris, j'ai *besoin* qu'on fasse les choses pour moi.

Qu'y a-t-il?

Rien. Je pensais juste à ce jour-là. Allongés là-bas dans l'herbe. Tu t'en souviens?

Oui. Je m'en souviens.

C'était amusant, non?

Elle remit la glace dans son sac. S'il ne se rappelait qu'un moment pur et parfait de ce mariage aujourd'hui désagrégé, il ne se serait pas donné la peine de l'appeler à trois heures et demie du matin, heure de Greenwich. Leur couple n'est pas mort.

Ses mains sont posées sur ses genoux. Ses ongles sont nets, sans vernis. Naturels, comme il les aime. Depuis deux ans qu'ils sont séparés, elle porte toujours une alliance. Elle en a beaucoup : deux anneaux entrelacés en or jaune et blanc; une en platine; une autre en jade, une avec des diamants et des saphirs et une autre encore avec des diamants et des rubis. Des fines et des plus larges. Celle-ci est mince en or massif, c'est celle qu'ils ont achetée dans le Maryland une demi-heure avant de se marier. Elle est restée au fond de sa boîte à mouchoirs pendant des années. Elle la porte depuis moins de vingt-quatre heures.

Lorsqu'elle l'a vu pour la dernière fois, le jour de Noël, il ne portait pas la sienne. Mais elle est certaine qu'il l'a toujours. Il n'aura même pas à la chercher.

Jane prie : Faites que je ne me trompe pas. Mais elle croit que Nicholas l'aime.

La limousine ralentit. Ils sont loin du centre de Londres, quelque part dans la banlieue. Défiant la canicule, les branches des arbres se dressent vers le ciel. De l'autre côté de la rue apparaissent deux colonnes en granit. Sur l'une d'elles se trouve une grande plaque en cuivre : BLACK HEATH STUDIOS.

La limousine s'arrête. Le chauffeur se retourne. Nous sommes arrivés, madame. J'entre dans le studio?

Oui, répond-elle. Mais alors... attendez! Elle aperçoit une autre limousine, la même que la sienne, qui démarre sur la route entre les deux colonnes. Elle tend le cou pour voir le passager à l'intérieur de la voiture. Soudain, elle est sûre d'apercevoir une tête aux cheveux blonds.

Je descends ici.

Elle bondit de la voiture et fait signe vers l'autre limousine. Elle tourne à gauche, lentement, et s'engage dans la rue.

Nick! lance-t-elle. Nick!

La limousine commence à prendre de la vitesse. Elle traverse la rue en courant.

Nick! C'est moi!

Le dicton est vrai. Elle ne sait pas ce qui la heurte. Elle n'a jamais vu cette autre voiture. Tout ce qu'elle sait, c'est qu'elle ressent soudain une terrible douleur. Puis elle survole l'Angleterre et elle s'effondre dans la rue.

30

Eternel! Ecoute ma requête, prête l'oreille à mon cri, et ne soit point sourd à mes larmes. Car je *suis* voyageur devant toi, et étranger, comme tous mes pères.

Détourne-toi de moi, afin que je reprenne mes forces, avant que je m'en aille et que je ne sois *plus*.

Psaume 39.

Laurel Blake, qui jouait sa femme, Mathilda, lui disait : « Qu'est l'Angleterre pour nous, Guillaume ? Restez ici avec moi. » L'émotion étranglait sa voix. Ses cils noirs étaient mouillés de larmes. La caméra zooma sur lui pour prendre sa réaction et Nicholas, le noble Guillaume guerrier et fin politicien, plongea les yeux dans le regard débordant d'amour de Laurel avec une douleur si profonde qu'elle égalait presque la sienne.

« Coupez, annonça le metteur en scène. On la tire. »

Nicholas tourna le dos à Laurel et bâilla. Il avait à moitié levé la main pour la mettre devant sa bouche quand il aperçut Murray King qui se frayait un chemin et passait devant le perchiste. La main de Nicholas, la paume tournée vers l'intérieur, se figea au niveau de sa poitrine.

Il savait que Murray était à Londres, évidemment. Murray était arrivé deux semaines plus tôt avec une valise bourrée de scénarios et de deux costumes bleus. Cependant Murray, qui était resté l'agent de théâtre — heureux, enjoué et serein dans les coulisses — n'aimait pas les plateaux de cinéma. De toute évidence, il se sentait mal à l'aise au milieu des câbles et des caméras. Il n'était venu voir Nicholas qu'une seule fois sur un tournage, des années avant, et il avait lancé un regard furieux à l'ingénieur du son; aux électros, aux accessoiristes et au cameraman avec une rancœur étrangère à sa nature avenante comme si ces techniciens n'étaient engagés que pour détruire la carrière de son client. Murray ne mettait même jamais les pieds dans un studio s'il pouvait l'éviter. Les négociations compliquées avec les financiers et les producteurs avaient lieu au cours de déjeuners qui se prolongeaient jusqu'à l'heure du cocktail et finissaient par des dîners. Il était là, il se précipitait vers lui et il faillit trébucher sur un bout de chaterton recourbé.

« Murray ? » dit Nicholas.

Quelque chose n'allait vraiment pas. Murray avait un teint épouvantable, blême, qui virait presque au vert. Ses lunettes, complètement de travers, risquaient de glisser sur le côté de son visage. « Nicky », fut tout ce qu'il dit.

Nicholas avala sa salive puis s'éclaircit la gorge. Il était trop fatigué, buvait trop, les nerfs à fleur de peau. Une réaction exagérée était gênante, en fait. Il était si fatigué qu'un simple bonjour s'apparentait à l'annonce d'un cataclysme.

« Nicky. » Murray le prit par l'épaule. Nicholas se laissa entraîner loin du plateau. Il ne demanda même pas ce qui n'allait pas. C'était très grave : Murray l'escorta jusqu'en haut des escaliers sans lui permettre de se dégager de son étreinte. « Où est ta loge ? » demanda-t-il. Nicholas longea le couloir et essaya d'ouvrir la porte. Sa main, trempée de sueur, glissa sur la poignée. « Laisse-moi faire, Nicky. »

C'est très grave, mais faites que ce soit la moins horrible des possibilités. Son père... quelque chose avec son foie. Sérieux sans doute. A l'hôpital. Sa mère. Elle paraissait bien avant son départ. Mais peut-être son ancienne maladie. Sa mélancolie qui la dévorait...

« C'est Jane, Nicky. »

Non.

« Un accident. Elle a été heurtée par une voiture et projetée en l'air. Nicky, écoute-moi. Elle est à l'hôpital. »

Le silence était si pesant qu'il en devenait physique, comme l'atmosphère. « Grave ? demanda Nicholas.

— Oui. Très grave. Une blessure à la tête. Ils l'ont mise en service de réanimation...

— Où ? » Faites que ce soit à New York, pas dans le Connecticut. Des milliers de médecins, des équipements modernes d'un blanc éclatant.

« Nicky... »

Nicholas sortit comme un ouragan. Il se rua dans la salle de bains et claqua la porte derrière lui Il s'assit sur la cuvette des toilettes et posa la joue sur le lavabo en porcelaine.

Murray frappa à la porte. « Tu vas bien ?

— Oui.

— Nicky. » Nicholas se redressa péniblement, ouvrit le robinet d'eau froide et mit ses poignets sous l'eau. Jane faisait cela lorsque les filles rentraient tout en sueur et excitées d'avoir joué. La bonne eau fraîche. Laisse-la couler sur tes poignets, après tu te sentiras une tout autre personne. « Nicky, s'il te plaît. »

Nicholas ouvrit la porte. « Réserve-moi une place sur le premier avion, dit-il.

— Ecoute-moi, elle est...

— S'il n'y en a pas un qui décolle dans l'heure, fais-en affréter un.

— Elle est *ici*. A Londres.

— A *Londres* ?

— C'est arrivé il y a moins d'une heure, devant le studio.

— Non. Comment cela a-t-il pu arriver ? Ce doit être une erreur. Une autre Cobleigh.

— Il n'y a pas d'erreur.

— Mon Dieu, il faut que ce soit une erreur. Comment pourrait-elle être à Londres ?

— Nicky...

— Murray, écoute-moi. Elle n'a jamais pris un fichu avion de sa vie. Comment a-t-elle pu venir ici ? Elle ne peut sans doute même pas prendre le bateau. Allons, Murray, ce n'est pas elle.

— Si, Nicky. C'est Jane.

— Non.

— Si.

— Non ! »

Ils l'attendaient devant l'entrée du couloir des urgences : le triumvirat de l'hôpital — l'administrateur, le neurologue et le neurochirurgien — plus d'infirmières que nécessaire et toute la presse.

« Dehors ! » lança l'administrateur aux photographes. Il posa la main sur un objectif pointé sur Nicholas. « Vous n'êtes pas...

— Monsieur Cobleigh, je suis Alfred Sadgrove, le neurologue et voici...

— Où est-elle ? rugit Nicholas.

— Nicky. » Murray tenta de le calmer.

« Bon Dieu, où l'avez-vous emmenée ?

— Regarde-le ! s'exclama une infirmière.

— Il est plus petit que je ne croyais, répliqua une autre.

— ... le neurochirurgien, sir Anthony Bradley. Il va vous dire...

— Pour l'amour de Dieu, où est-elle ? » Il faisait si chaud dans ce couloir. Tous ces fronts rouges et en sueur qui brillaient devant lui.

« Vous voyez, monsieur Cobleigh... »

Le grondement de roues, le claquement de pas précipités interrompirent le médecin. Murray saisit Nicholas par le bras et le tira contre le mur pour laisser passer un malade couché sur un chariot. Ce n'était pas Jane. C'était un homme avec un gros ventre, la main et le bras enveloppés dans une serviette tachée de sang. « Attention ! » hurla l'infirmier qui poussait le chariot. L'épouse du malade se précipita à leur suite, courant pour rester à la hauteur de son mari. « Stanley, murmurait-elle. Stanley. » Elle ralentit le pas, se raidit et s'arrêta. Elle se figea devant Nicholas, les yeux écarquillés. Sa main, tel un pendule à l'envers, caressait inlassablement ses cheveux. Elle était si près de lui. Il se détourna et ferma violemment les yeux. Il les rouvrit un instant plus tard quand il sentit qu'elle s'éloignait. Elle courait vers la porte du service des urgences qui se refermait derrière son mari en hurlant : « Stanley ! »

L'un des trois personnages se trouvait à côté de lui. Le *sir*. Très grand. Nicholas leva les yeux vers lui. « On l'a mise en réanimation, monsieur Cobleigh. Vous pourrez la voir très bientôt. J'ai demandé qu'on passe son cerveau au scanner dès son arrivée à l'hôpital.

— Son cerveau », dit-il. Murray avait dit sa tête. « Pas son crâne ?

— Oh si ! Elle a une fracture du crâne du côté droit au niveau de l'os basilaire. Compliquée d'une blessure à l'oreille droite.

— Son cerveau ?

— Oui. Vous voyez, il s'agit d'une blessure assez grave. Apparemment elle a été heurtée, projetée en l'air et s'est écrasée au sol. Sa tête a heurtée la chaussée. Quand on nous l'a amenée ici, ses propos étaient dénués de toute cohérence.

— Si, elle a été heurtée par une voiture. » Qu'attendaient-ils d'elle, qu'elle leur fasse la conversation ? « L'accident a provoqué un choc, tenta d'expliquer Nicholas à son interlocuteur. Et si elle a une fracture du crâne... » Nicholas s'arrêta de parler. Le neurochirurgien le regardait par-dessus le bec d'aigle qui lui servait de nez.

« Monsieur Cobleigh, je crains que ce ne soit pas si simple. Votre femme souffre de contusions des deux côtés du cerveau. Le scanner ne révèle aucun caillot majeur pour le moment, mais nous devons l'examiner attentivement. »

Nicholas essaya de hocher la tête pour montrer qu'il comprenait. Il ne comprenait pas. « Pourquoi ? murmura-t-il.

— Il faut envisager l'éventualité d'un hématome crânien à retardement.

— Quoi ?

— Un caillot de sang. Pour l'instant elle a sombré dans un état de somnolence. On lui a posé un système de contrôle de pression intercrânienne pour être sûr...

— Et si la pression augmente ?

— Nous risquons de devoir l'opérer.

— Et il n'y aura plus de problème ? »

Le chirurgien observa Nicholas, cherchant son regard comme s'il était un admirateur en quête d'un signe qui lui garantirait d'obtenir un autographe. « Monsieur Cobleigh, dit-il timidement.

— Oui, souffla Nicholas.

— Nous ne le savons tout simplement pas. »

Ils attendaient l'ascenseur : les Anglais en un groupe serré, Nicholas et Murray derrière eux.

« Ecoute, Nicky, dit Murray, ce n'est peut-être pas si grave. On va peut-être arriver là-haut et elle aura un grand sourire et dira : " Hé, faites-moi sortir de là. "

— Murray, s'il te plaît, je n'ai pas envie de parler. »

Nicholas examinait le neurochirurgien. Il avait un visage noble, plus approprié à un piédestal qu'au bout d'un cou humain. Nicholas décida de vérifier s'il avait hérité de son titre ou si on lui avait conféré ; dans le premier cas, il ne le laisserait pas auprès de Jane.

« Nicky, on se fait peut-être des frayeurs pour rien. Je veux dire, on entend tout le temps des gens qui ont eu des fractures du crâne. Je me rappelle, ce n'était pas une fracture du crâne, mais quand même... Il y a des années, je représentais Harry Bluestone, le comédien. Celui qui faisait son monologue sur son frère Irving ? Un camion lui est passé sur le pied, et tu sais ce qui est arrivé ? Rien. »

Mon Dieu, doux Jésus, elle a l'air d'une marionnette. Un petit cercle de crâne rasé. Un petit morceau de métal implanté dedans.

« Le système de contrôle de pression », précisa l'un des Anglais.

Une marionnette. Un écheveau de fils de fer jaillissait du métal enfoncé dans son crâne. Un tuyau planté dans son bras. Un tube jaunâtre répugnant sortait de sa bouche.

Mon Dieu, faites qu'elle ne soit pas morte. Si immobile, si blanche. Elle n'a jamais été comme cela avant. Son teint doré avait disparu. Elle se confondait presque avec les draps. Mais elle respirait, elle respirait.

L'autre bras bandé contre la poitrine. Dans une position curieuse. Comme une aile de poulet.

« Simple fracture de l'humérus, dit l'un d'eux. Rien d'inquiétant. » Elles avaient toutes le même ton ces voix anglaises.

Elle était si raide, comme morte, ce qui était atroce, même si elle respirait. Anormal, parce que même dans le sommeil le plus profond, elle risquait de lancer un bras sur l'oreiller ou de s'allonger sur le côté et de relever les genoux. Elle n'a jamais été si avachie. Si raide, les doigts rigides comme collés à ses mains. Ses doigts se repliaient toujours dans son sommeil, comme ceux d'un bébé. Quand il glissait son doigt dans son poing relâché, ses doigts se refermaient sur lui. « Jane. »

Elle ne bougea pas.

« Jane. »

Il fixa sa main blanche, une couleur si curieuse pour elle. Et il y avait son alliance. Du vrai or ! leur avait assuré le bijoutier du Maryland. Du vrai. La sienne se trouvait dans la boîte avec ses boutons de manchettes. Il l'avait glissée sous la garniture de velours, pour ne pas la voir tous les jours.

Il regarda autour de lui. Murray était juste à ses côtés. « La mienne est dans la boîte de mes boutons de manchettes, dit-il.

— Heureusement, il n'y a aucune blessure au niveau des cervicales, déclara l'un des trois.

— Cependant, affirma un autre, vous comprendrez, monsieur Cobleigh, que notre diagnostic soit... circonspect. »

Ses pieds dépassaient du drap qui lui couvrait le ventre et les jambes. Il fit un pas de côté jusqu'au bout du lit et posa la main sur sa cheville. Pas chaude, mais pas froide.

« Naturellement, si vous souhaitez faire venir d'autres...

— Bien que vous ayez de la chance, vous savez. Nous disposons d'excellents équipements pour ce genre de blessure. Ce n'est pas le cas de tous les hôpitaux. Et, évidemment, la réputation de sir Anthony... »

Nicholas frotta son pouce sur sa cheville. Du velours. Sa peau

était toujours un vrai velours. Puis il tira le drap et le coinça sous
ses pieds.

« Monsieur Cobleigh, j'ai pris des dispositions pour que vous
puissiez vous servir de mon bureau tant que vous serez dans nos
locaux. Nous ne voulons absolument pas que vous soyez dérangé
davantage par les photographes.

— Murray, dit Nicholas, je veux mon alliance. »

Nicholas s'assit sur la chaise devant le bureau. Elle semblait
prévue pour quelqu'un qui avait un problème de dos car il se
sentit projeté en avant et contraint de se pencher sur la table.
Murray se tenait à côté de lui.

« Nicky, marmonna-t-il, tu es très sensible a!... bla bla bla
bla. »

Nicholas jeta un coup d'œil vers l'administrateur de l'hôpital,
de l'autre côté de la pièce. « Je vous suis très reconnaissant de me
laisser l'usage de votre bureau.

— Ce n'est rien, rien du tout, monsieur Cobleigh.

— Il est plus de neuf heures, dit Murray. Nous allons nous
absenter jusqu'à demain matin. Bien entendu, si un changement
survenait dans l'état de madame Cobleigh...

— *Bien sûr*, répliqua l'administrateur, nous vous appellerons
aussitôt. »

Nicholas se laissa encore guider par Murray, cette fois à
travers un autre couloir et une porte latérale où l'attendait un
taxi. Les journalistes surveillaient la limousine de Nicholas,
garée devant l'hôpital.

« Tu veux rentrer chez toi, Nicky ?

— Quoi ? » demanda Nicholas. Les mots lui échappaient.
Entre deux visites au service de réanimation, il avait passé
l'après-midi dans le bureau de l'administrateur, une pièce de la
taille d'un palace, avec des gravures représentant des scènes de
chasse qui faisaient des taches de couleur sur les murs jaunes.
Des chevaux et des chiens de meute sautaient par-dessus des
haies, le pelage des renards était zébré de rouge sang. Malgré le
haut plafond et les meubles imposants, la pièce semblait irréelle.
Un décor pour un film de série B qu'il était condamné à tourner.
Il s'était assis, paralysé, patient, en attendant qu'un metteur en
scène arrive pour lui dire ce qu'il devait faire. Il appuyait ses
doigts contre ses yeux. Ils paraissaient trop grands pour leurs
orbites comme après de trop nombreuses prises dans un éclairage très violent.

« Tu veux rentrer chez toi, Nicky ? Tu peux venir à l'hôtel avec moi. »

Il n'arrivait pas à réfléchir correctement. Il se cacha le visage dans ses mains et fut déconcerté par la masse de poils. Il avait oublié la barbe qu'il portait depuis trois mois et qu'il s'était laissé pousser pour *Guillaume le Conquérant*. Il posa ses mains sur ses genoux.

« A la maison, dit-il enfin. Les filles vont téléphoner quand elles arriveront à l'aéroport à New York. » Le taxi se faufilait dans les rues désertes comme s'il y avait un énorme embouteillage. « Tu as joint Rhodes ?

— Oui, enfin. D'abord, tu tombes sur le standardiste de Mykonos et tu lui expliques que tu veux parler à quelqu'un qui s'appelle Rhodes Heissenhuber. Ça te prend déjà trois quarts d'heure. Ensuite, il faut qu'il le trouve. Toujours est-il qu'ils prendront le premier avion pour regagner Athènes, et ensuite ils rejoindront directement Londres. Rhodes et son ami... qui est marié à ta cousine.

— Philip Gray. »

Pendant quelques minutes, environ une heure après avoir découvert Jane, un excès de vitalité avait saisi Nicholas. Il avait donné des ordres : contacte un — non deux — des meilleurs neurochirurgiens américains et demande leur de prendre le premier avion ; prends des renseignements sur ce sir Anthony Bradley ; fais affréter un avion pour aller chercher les filles au camp dans le Maine et les amener à l'aéroport John Fitzgerald Kennedy et réserve deux places sur le premier vol en partance pour Londres ; trouve Rhodes ; arrange-toi avec Arthur pour qu'on tourne les scènes sans moi. Ensuite, comme s'il avait fait quinze kilomètres de course à pied ou joué quatre sets de tennis, il avait sombré dans une espèce de léthargie. Il arrivait à peine à soulever les innombrables tasses de thé qu'on n'arrêtait pas de poser devant lui.

« Philip Gray, répéta Murray. Tu sais qu'il est dans la télévision par câble ?

— Oui.

— Mais on dit qu'il investit surtout dans des choses comme l'acier japonais ou les métaux précieux. » Murray avait éclaté en larmes lorsqu'il avait quitté le service de réanimation mais, après avoir repris figure, il s'était transformé en moulin à paroles comme si l'agression d'un bavardage incessant pouvait faire basculer la réalité et rétablir une vie où tout était normal. « De toute façon, Rhodes a dit qu'il viendrait directement à l'hôpital. Rhodes a dit qu'il téléphonerait de l'aéroport, mais, au cas où il y aurait une confusion, voilà le numéro de l'appartement de Gray. Il a un pied à terre ici. » Il fourra un rectangle de papier plié dans la poche de Nicholas. « Quoi d'autre ? se dit Murray à lui-même. Ah oui ! Les deux neurochirurgiens américains doivent atterrir d'une minute à l'autre. Ils se rendront directement de l'aéroport de Heathrow à l'hôpital et t'appelleront ensuite. Je les ai mis au Connaught, mais si tu veux, ils passeront chez toi pour te faire leur rapport. »

Le taxi s'arrêta à un feu rouge. Le chauffeur se retourna et regarda Nicholas droit dans les yeux. Le feu passa au vert. Le chauffeur continua de le fixer, une lueur de triomphe dans les yeux : un trappeur parti dans l'espoir de trouver un lapin et qui découvre une hermine à la place. Nicholas détourna la tête. Murray abandonna sa pose détendue adaptée à son bavardage. Soudain il s'assit très droit, serra les poings et claqua la vitre qui les séparait du chauffeur avec une violence qui surprit Nicholas presque autant que le conducteur. Le taxi accéléra vers Berkeley Square.

Lorsque Murray déposa Nicholas devant la maison, la porte s'ouvrit avant qu'il n'ait gravi la première marche. Il entra dans le hall sombre, s'attendant plus ou moins à ce que le majordome lui prenne son pardessus. Il soupira. On était en été. Il ne portait pas de manteau. Il était toujours en costume — un pantalon de coton et une veste en cuir — avec une blouse blanche de médecin que quelqu'un lui avait donnée lorsqu'il s'était mis à trembler. Il jeta un regard alentour mais ne vit pas le valet.

« Oh ! Nicholas ! »

Il baissa les yeux. Là, les bras grands ouverts, se trouvait Pamela.

« Nicholas, je suis affreusement désolée. » Ses bras entourèrent sa taille. « Un choc si atroce, si atroce. » Sa tête s'appuya contre sa poitrine. « Même après tout ce temps, tu dois quand même te sentir si... »

Il la repoussa. Ce ne fut pas facile. Ses bras fluets étaient forts. « Nicholas ! » Il se dirigea vers la bibliothèque et elle le suivit. « Je vais te préparer un verre. » Elle se précipita devant lui, et, à l'instant même où il s'assit, déposa un grand verre de vodka pure dans sa main. « Tiens, dit-elle. Prends ça et je t'en donnerai un autre. »

Elle resta en face de lui en attendant qu'il boive. Il regardait droit devant lui, il ne voyait donc que l'imprimé de son pyjama en soie, des croissants, des éclats de lune argentée sur fond de ténèbres, mais elle se trouvait si près de lui qu'il n'apercevait que l'espace entre ses hanches étroites et, ainsi, le motif n'avait rien de céleste, mais ressemblait à des rognures d'ongles géants. Il posa le verre sur le tapis.

Pamela s'agenouilla et le ramassa. « Tiens, prends-le. Tu es en état de choc. » Elle lui tendit le verre. Il ne le prit pas. « Nicholas, s'il te plaît. » Elle reposa le verre par terre et lui prit la main. « J'aimerais pouvoir tout effacer, dit-elle. Pour que tu n'aies pas à supporter cette souffrance. » Il contempla ses mains qui tenaient les siennes. Elle portait l'émeraude qu'il lui avait offerte comme une bague de fiançailles, à l'annulaire gauche. Elle occupait toute une phalange. « Oh ! Nicholas, murmura-t-elle, c'est si affreux. As-tu appelé les filles ? »

Il acquiesça d'un signe, regardant maintenant les croissants dessinés sur sa manche. Elle mit ses mains sous son menton, releva son visage et plongea ses yeux dans les siens. Elle se pencha et l'embrassa doucement sur le front puis sur la bouche. Ses cheveux lâchés semblaient des œillères posées de chaque côté de son visage.

« Pamela.

— Oui.

— Je suis désolé.

— Je t'en prie. Je comprends. Si tu n'étais pas bouleversé, je me demanderais quel genre d'homme tu es. C'est tout simplement...

— Je crois que tu vas devoir partir.

— Partir ?

— Je suis désolé. Je ne vois pas comment te le dire mieux que ça et je suis trop secoué pour...

— Les filles n'apprécieront sans doute pas ma présence. Je sais que tu as sans doute raison et, si tu le souhaites, j'irai à l'hôtel, mais, Nicholas, à long terme, je pense qu'il vaudrait mieux pour elles qu'elles s'adaptent aux réalités de la situation.

— Aux réalités, répéta-t-il.

— Je le pense sincèrement, Nicholas. » Elle prit de nouveau le verre. Cette fois-ci, il l'accepta. « Tu sais que je ne serai pas importune. Mais je crois que je serai une présence. Et aussi, d'un point de vue purement pratique, je pourrai t'aider. Tu as besoin de quelqu'un sur qui t'appuyer.

— Pamela, j'aimerais que tu quittes Londres.

— *Non.* » Elle s'agenouilla et posa ses bras sur ses genoux. « *Non*, Nicholas. » Il retira délicatement ses bras ; ainsi, elle ressemblait à une suppliante devant lui. « Ne sacrifie pas aux apparences, Nicholas. S'il te plaît. Je te promets que je ne ferai ni ne dirai rien qui...

— Ce n'est pas cela.

— Alors, pourquoi ne puis-je pas rester ? J'irai à l'hôtel, d'accord ? Mais il faut que je te dise une chose. Je sais parfaitement que tu subis une agression terrible, mais je trouve que tu me traites d'une façon très mesquine.

— Je le sais. Et j'en suis désolé. Mais je n'y peux rien.

— Murray ou ta secrétaire vont-ils s'occuper des réservations ?

— Ecoute-moi, Pamela. Les réservations, ce sera un billet d'avion. Il faut que tu rentres à New York, que tu retournes à l'université, que tu reprennes ta vie. Je sais que tu veux te remettre à ton travail pour préparer ton doctorat depuis longtemps...

— *Non.*

— S'il te plaît. Je sais combien c'est brutal et difficile, mais je ne peux pas m'y prendre autrement.

— Quand pourrai-je revenir ? »

Pour la première fois, il la regarda en face. « Pamela, dit Nicholas, je suis désolé, je ne veux pas que tu reviennes. C'est fini. Je m'occuperai de tout pour que tu puisses t'installer à New York et suivre tes cours et...

— *Non.*

— Si. Ecoute-moi. Essaie de comprendre. Depuis que nous sommes à Londres — et même avant — je n'ai pensé qu'à Jane. C'est ma femme. Je veux être avec elle. Ma place est auprès d'elle.

— C'est parce qu'elle a été blessée. Tu es sous le choc. Tu te sens coupable, responsable. Mais ce n'est pas vrai. Nicholas, je vais te dire une chose, à l'instant où elle ira mieux...

— Ma place est auprès d'elle. »

Pamela se leva. Il leva les yeux, elle paraissait avoir gonflé jusqu'à avoir atteint une taille adulte normale. « Ta place est auprès d'elle ? Elle ne sait même pas que tu es là. J'ai entendu la radio. Son état est sérieux. Elle est inconsciente. Elle a peut-être été atteinte au cerveau. Ils ne te l'ont pas dit ?

— Si.

— Et alors ?

— Ça n'a pas d'importance.

— Si. Cela en a. Tu me chasses. Je sais que cela peut paraître brutal, mais si elle meurt, ou si elle se transforme en légume ? Tu y as pensé ? Réponds-moi, Nicholas. Tu es très émotif pour l'instant, mais essaie de projeter cette situation dans l'avenir. Ne te laisse pas obscurcir l'esprit par des notions de galanterie moyenâgeuse. Reste à son chevet. Bien. Parfait. Je t'admirerai pour cela. Tout le monde t'admirera. Je comprends parfaitement que, pour l'instant, tu sois tenu d'adopter une certaine attitude officielle.

— Pamela, je suis désolé. Sincèrement désolé.

— Nicholas, *réfléchis* avant de parler. *S'il te plaît*. Qui auras-tu s'il lui arrive quelque chose ? » Les cheveux de Pamela étaient secs et se décollaient de sa tête comme dans un dessin d'enfant représentant une chevelure au crayon rouge. « Réfléchis. Tu sais que tu as besoin de moi.

— Je suis désolé. J'ai besoin de Jane.

— Très bien, alors. D'accord. Je m'en vais. Je suis blessée, profondément blessée, mais je comprends. Et quand tu voudras de moi... Ecoute-moi, Nicholas. Si quelque chose lui arrive...

— Non, Pamela.

— Ecoute, *s'il te plaît*. Je reviendrai.

— Non ! »

Elle serra sa main gauche sur sa poitrine. « Tu veux que je te rende la bague ?

— Non, elle est à toi. »

Une fois de plus, elle s'agenouilla devant lui. « Nicholas, essaie de comprendre. Tu crois que je suis égoïste de ne pas vouloir partir. Mais je pense à toi. Sérieusement, s'il arrive quelque chose, si elle... qui auras-tu ?

— Je n'aurai personne. »

« Papa. »

« Papa. »

Nicholas ne pouvait pas se rassasier de ses filles. Il ne les avait pas serrées dans ses bras depuis deux ans. Il était devant la porte de la minuscule chambre de Jane au service de réanimation et les tenait contre lui. A travers leurs robes d'été légères, il sentait leur chaleur, tout comme lorsqu'elles étaient enfants, avec leurs couches et leurs petits polos à pressions. Le bras nu d'Elizabeth avait la même texture que celui de Jane aussi doux qu'on puisse imaginer : du velours, du talc, de la mousse fraîche, une peau de bébé.

« On peut entrer ? demanda Victoria.

— Oui. Mais rappelez-vous ce que je vous ai dit à propos d'elle. Elle est blanche comme un linge et elle est toujours incons- ciente. » Victoria recula d'un pas. Son regard trahissait la surprise et la colère, comme s'il l'avait trompée en ne prévoyant rien de mieux que cela.

« Tu l'a vue ce matin ?

— Non. J'ai discuté avec le neurochirurgien anglais et les Américains dont je vous ai parlés. Ils font tout ce qui est en leur pouvoir. »

Elizabeth resta à côté de lui ; il glissa son bras sous le sien et caressa ses cheveux bruns et crépus. C'était une enfant affectueuse. Elle faisait encore des câlins à Jane à un âge où la plupart des filles se montrent toujours agressives envers leur mère. « J'ai peur, murmura-t-elle.

— Je sais. Allons, viens. Il tendit la main à Victoria et la ramena près de lui. On va entrer tous ensemble. »

Lorsque Victoria découvrit sa mère, elle en eut le souffle coupé et se raidit. Elizabeth se mit à sangloter, « Maman, maman ».

Jane était absolument immobile. Des fils et des tuyaux sortaient de son corps, comme des tentacules. Nicholas garda ses filles serrées contre lui pendant plusieurs minutes. Après deux ans, il aurait dû leur dire des paroles dignes d'un père, mais il ne trouvait pas un seul mot. Il se sentait presque aussi jeune qu'elles, et aussi terrifié. Il pensait j'ai quarante ans, mais il n'en tirait ni consolation ni énergie. Le mieux qu'il pût faire, c'était de jouer.

Il s'éloigna lentement des filles et se rapprocha de Jane. Elle paraissait assez vieille pour prendre les choses en main. Assez forte aussi. Même au repos, son nez et sa mâchoire dégageaient une vraie force. Si elle pouvait seulement ouvrir les yeux, chacun reprendrait sa place au sein de la famille. Il se sentirait revivre, redeviendrait l'homme qu'il était supposé être. Il prit sa main et l'embrassa, mais elle était complètement insensible, inconsciente de son baiser, et lourde. Sa peau dégageait une odeur de médicaments, comme si on l'avait stérilisée pendant la nuit. Il reposa sa main sur le lit. Il se souvint du parfum d'un savon français qu'elle adorait ; il y en avait une étagère pleine dans l'armoire à linge du Connecticut, tous enveloppés dans du papier gaufré et scellés avec de la cire rouge. Elle l'appelait mon savon anti-Cincinnati. Il aurait voulu lui laver la main à l'eau chaude avec ce savon rose et mousseux.

« Papa, demanda Victoria, c'est très grave ?

— Oui. C'est pourquoi je vous ai fait venir. »

Il tendit les mains vers ses filles, un geste juste, un geste de père. Victoria resta en arrière. Elizabeth vint vers lui. Ses épaules se soulevaient sous l'assaut de ses sanglots silencieux. « Mon bébé », murmura-t-il. Il faillit dire : Tout ira bien.

Puis il jeta un coup d'œil vers Victoria. Elle détourna la tête et fixa le flacon d'intraveineuse qui s'écoulait du tuyau dans le bras de Jane. Les joues de Victoria étaient brûlées et légèrement gonflées après une semaine passée comme entraîneur de tennis dans le camp où elle allait depuis qu'elle avait sept ans. Ses bras avec ses biceps athlétiques paraissaient trop musclés dans sa robe bleu pâle à manches bordées de festons.

« Viens ici, Vicky. » Il tendit les bras.

« Et *elle*? » demanda Victoria. Ses yeux, bleu vert comme les siens, cachés sous ses lourdes paupières, fixèrent son regard et le soutinrent.

« Elle ne peut pas nous entendre.

— Pas maman. *Elle*. Ta petite amie.

— Ne prends pas ce ton avec moi. » Il parlait d'une voix fluette, ses mots ressemblaient plus à une supplique qu'à un ordre. Il ne s'était pas conduit en père depuis deux ans. Maintenant, il n'en avait ni le ton ni les mots.

Cependant la voix de Victoria se radoucit légèrement. « Et elle? Je veux dire, elle n'était pas à la maison et...

— Elle est partie..

— Pour de bon?

— Oui. »

De mauvaise grâce, Victoria fit un pas vers ses bras tendus et le laissa la serrer aussi contre lui. « Tu en es sûr?

— Oui, Vicky. Ne me pose plus de question.

— Maman le sait?

— J'ai dit... non, pas encore. »

Elizabeth se pencha et les regarda tous deux. « Papa, peut-être que si tu lui disais...

— Liz, ma chérie, elle est inconsciente, elle ne peut pas nous entendre.

— Mon Dieu, Liz, regarde-la. Que veux-tu qu'il fasse? Lui taper sur l'épaule et...

— Ça suffit, Vicky », lança-t-il d'un ton cassant.

Elizabeth se dégagea de son étreinte. Elle se rua au bord du lit et agrippa les barreaux en fer, des barreaux de berceau pour adulte. « Maman », hurla-t-elle.

Les yeux de Jane auraient dû s'ouvrir, mais il n'y eut aucun changement, pas l'ombre d'un mouvement.

« Maman! Maman! » Ses mots, entrecoupés de sanglots, se répercutèrent dans la petite chambre.

« Liz. » Nicholas tenta de la tirer en arrière. « S'il te plaît, mon bébé, elle...

— *Maman!* »

Son cri le transperça comme une flèche jusqu'au fond de son ventre.

« Fais-la taire! » Victoria se mit à pleurer. « Oh! Papa, fais-la...

— *Maman!* »

La porte s'ouvrit brusquement. Les trois neurochirurgiens se tenaient devant eux. « Si vous voulez bien... », commença sir Anthony. Les filles se blottirent contre Nicholas, formant un triangle compact. « Si vous voulez bien, j'aimerais que vous attendiez dehors. Nous voudrions poursuivre notre travail. »

Nicholas se leva. Les neurochirurgiens entrèrent dans le bureau de l'administrateur en formation serrée, mais ensuite les deux Américains restèrent en retrait. Sir Anthony avait été délégué pour parler. Il n'eut pas un sourire rassurant. Pas même un hochement de tête. Il ne proposa pas : Voulez-vous que nous nous asseyions ? Il dit : « Monsieur Cobleigh.

— Oui », répliqua Nicholas. Victoria et Elizabeth se retirèrent ; elles préféraient entendre une version moins violente filtrée par leur père. Il demeura seul.

« Il y a tout lieu de s'inquiéter.

— Oui.

— Nous l'avons repassée au scanner.

— Je vois. » Il aurait voulu leur lancer : Vous ne pouviez pas me le dire ? Pourquoi nous avez-vous laissés attendre ici toute la matinée ? Vous ne savez donc pas tout ce qu'on a imaginé ? Mais il se contenta de demander : « Et qu'a montré le scanner ?

— Il y a un caillot dans le lobe temporal gauche. Nous le soupçonnions. Madame Cobleigh développait une faiblesse du côté droit à un rythme accéléré. Sa pression artérielle s'élevait et son rythme cardiaque se ralentissait. La pupille gauche commençait à se dilater. »

Il aurait dû poser une question intelligente. Il avait pensé à des tas de questions toute la matinée dans cet affreux bureau jaune, tout en tenant une conversation anodine avec ses filles, en passant des coups de fils à ses parents, ses frères, ses sœurs, en frottant ses paumes en sueur l'une contre l'autre et en attendant le retour des chirurgiens. Il avait tenté de cacher la panique qui croissait avec l'absence des médecins. Mais Nicholas ne put même pas poser une question dénuée d'intelligence. Il succombait à la terreur effroyable qui l'envahissait.

« La dilatation de la pupille prouve que la pression intercrânienne s'élève, continua sir Anthony. Et, effectivement, le système de contrôle a enregistré une nette progression.

— Je vois. » Il voulait juste s'asseoir.

« Vous avez des questions à poser, monsieur Cobleigh ?

— Que pouvez-vous faire ?

« — Ah ! Je voudrais pratiquer une crâniotomie. Cela permet d'évacuer un gros caillot de sang.

— Une opération ?

— Oui. Une opération. »

Nicholas se tourna vers les deux Américains. Ils l'avaient fixé sans arrêt. Ils approuvèrent le diagnostic d'un hochement de tête. Nicholas se sentit encore plus mal. « Quelles sont ses chances ? réussit-il à demander.

— Faibles, monsieur Cobleigh. Faibles seulement. »

Nicholas avait imaginé que Rhodes se ruerait dans le bureau de l'administrateur comme une idole de midinettes faisant sa première entrée : dramatique et fracassante. C'est pourquoi il bondit lorsque Rhodes s'assit à côté de lui sur le petit canapé et murmura : « Nick.

— Oh ! Rhodes. C'est bon... je suis heureux de te voir. » Nicholas voulut lui serrer la main, mais Rhodes le prit par les épaules et l'attira contre lui pour l'étreindre. Ils restèrent si longtemps ainsi que, dans toute autre situation, Nicholas se serait retiré, écœuré, mais dans cet instant il profita du réconfort de son beau-frère aussi longtemps que Rhodes le lui permit.

« Comment va-t-elle ? demanda enfin Rhodes, en laissant Nicholas se dégager.

— Ils l'ont transportée en chirurgie il y a une demi-heure environ. Il a dit que ses chances étaient faibles.

— Merde.

— Oncle Rhodes. »

Victoria et Elizabeth se tenaient devant Rhodes. Il se leva et les prit dans ses bras, chacune leur tour puis toutes deux ensemble. Nicholas aurait bien voulu se lever et se joindre à eux. Il n'avait jamais songé combien son beau-frère lui avait manqué depuis deux ans. Il leva les yeux vers lui et se rappela le plaisir qu'il avait à regarder Rhodes et Jane ensemble. Ils appelaient leurs bagarres amicales l'« Heure Heissenhuber », en prononçant le *h* de heure avec une joie puérile. Ils s'amusaient tant.

C'était cela dont il avait souffert. Depuis deux ans avec Pamela, il ne s'était jamais vraiment amusé.

Rhodes serra une dernière fois les filles dans ses bras puis les laissa partir. Il s'assit à côté de Nicholas. « Je suis désolé », dit-il doucement comme ils traversaient l'immense pièce pour regagner leurs places.

Nicholas lança un coup d'œil vers lui. Le blanc de ses yeux était marbré de rouge et, sous son bronzage, ses joues étaient en feu. Nicholas pensa qu'il n'avait pas arrêté de boire depuis qu'il avait reçu le coup de téléphone de Murray, dix-huit heures plus tôt. Il ne s'était certainement pas regardé dans une glace. Ses longs cheveux tombaient sur ses oreilles et sur ses yeux et ils étaient parsemés de grains de sable. Pas rasé, il ne paraissait pas désinvolte, mais négligé tout simplement. « Tu crois que l'opération durera combien de temps ? demanda-t-il.

— Trois heures, trois heures et demie, répondit Nicholas. Tu veux quelque chose ? Un verre ?

— Non. J'ai assez bu comme ça. Ça ne change rien, de toute façon. »

Ils restèrent assis en silence. Rhodes avait ses manches retroussées et il y avait du sable sur les poils de ses bras et sur la fine chaîne en or qu'il portait au poignet.

« Où est Philip ?

— A l'appartement. Il viendra plus tard. Il pensait qu'il valait mieux qu'on reste seuls un moment. Nick...

— Qu'y a-t-il ?

— C'est moi qui l'ai fait venir ici. Je l'y ai vraiment poussée. Elle voulait te parler, essayer de... enfin, tu comprends... réessayer. Elle voulait t'appeler et je l'en ai dissuadée. Je lui ai dit un tas de conneries, que c'était une chose qui devait se dire en face. Elle était si terrifiée à l'idée de prendre l'avion, mais elle a cédé car je lui ai fait comprendre que si elle ne venait pas, elle ne te reprendrait jamais. » Rhodes frotta ses doigts contre ses lèvres si violemment que Nicholas entendit le sifflement provoqué par son geste.

« Calme-toi », dit Nicholas. Il posa la main sur le bras de Rhodes. « Qu'a-t-elle dit ? S'il te plaît, dis-le-moi.

— Qu'elle t'aimait toujours. Qu'elle voulait essayer de te reprendre à la petite conne. » Rhodes redressa brusquement la tête. « Excuse-moi. Je suppose que je suis désolé. Je n'en sais rien.

— Ce n'est pas grave. Elle est repartie pour New York.

— Elle appartient au passé ?

— Quoi ? Oh oui ! Elle appartient au passé. Ce n'est pas ce que j'ai fait de mieux.

— Ce n'était pas non plus ce que Jane avait fait de mieux. Elle le savait.

— Elle t'a dit quelque chose à propos de lui ? lui demanda Nicholas.

— Le Grand Guérisseur ? Oui, bien sûr. Elle lui a dit d'aller se faire voir ailleurs il y a environ un mois. Mais pratiquement, c'était terminé depuis un moment. Simplement, elle était seule et il lui permettait au moins de se disputer avec quelqu'un. Elle a dit qu'elle avait déjà rencontré des cons plus amusants. »

Nicholas sourit. « Elle n'a pas dit cela. Ce mot est de toi.

— Elle a dit qu'il était ennuyeux. Ça revient au même. »

Nicholas jeta un coup d'œil dans la pièce. Les filles avaient abandonné leurs chaises et s'étaient assises par terre. Victoria était appuyée contre le mur, ses longues jambes étendues droit devant elle. Elizabeth était allongée à angle droit, la tête sur les genoux de sa sœur. Victoria, la moins affectueuse des créatures, qui avait caressé le manche de sa raquette de tennis avant de cajoler un cheval ou un chien, qui trouvait les livres beaucoup plus fascinants que les gens, était assise la main sur les genoux de sa jeune sœur et la caressait gentiment tandis que les yeux de Liz se fermaient.

Nicholas se tourna vers son beau-frère. « Je n'arrive pas à croire que j'ai foutu en l'air deux ans de ma vie, dit-il calmement.

— Vous l'avez fait tous les deux, répliqua Rhodes.

— J'espère simplement...

— Je sais.

— Une perte de temps stupide. Nous qui étions supposés être si intelligents, et regarde ce qu'on s'est fait à nous-mêmes.

— Je sais, répondit Rhodes. Un jour, j'étais dans le Connecticut. Tu étais en extérieurs quelque part et nous étions assis ensemble Jane, moi et Cecily Van Doorn. Jane était dans sa pire période de traumatisme et j'essayais de la convaincre de trouver quelqu'un pour l'aider et elle ne voulait rien entendre. Et, tout à coup, Cecily a levé les yeux, et tu sais ce qu'elle a dit ? " La vie est trop courte. " Je me souviens, je l'ai regardée et j'ai pensé. Elle est bien placée pour le savoir. Elle a vu ses deux maris crever sous ses yeux. Pourtant, sur le moment, je n'ai pas saisi. Je veux dire, oui, elle expliquait à Jane comme il était navrant de perdre toutes ces belles années enfermée dans sa propre prison. Mais elle parlait aussi de vulnérabilité. On est tous si fragiles.

— La nuit dernière, dit Nicholas, je suis resté avec les filles jusqu'à deux heures du matin. J'ai fini par les envoyer au lit et j'étais si épuisé que j'arrivais à peine à regagner ma chambre. Pourtant, tout d'un coup, j'étais parfaitement réveillé. J'ai eu cette évidence qui m'a sauté aux yeux... un vrai choc, une décharge électrique. J'ai compris qu'une partie de mon être avait toujours pensé que Jane et moi, on retournerait ensemble. Il le fallait, nous sommes faits l'un pour l'autre. Tu peux rire, mais je le crois sincèrement.

— Non, je ne vais pas rire, dit Rhodes. Ecoute, Nick, si vous n'étiez pas faits l'un pour l'autre, tu aurais épousé Mademoiselle

Parfaite, celle avec qui tu es sorti en premier. La seule raison qui fait que quelqu'un comme toi et quelqu'un comme ma sœur se retrouvent ensemble, c'est que c'était écrit. Le vieux coup de l'affaire du siècle. Un don des dieux. Ça arrive. Je sais.

— Je sais que tu le sais, répondit Nicholas. Mais j'ai fichu le cadeau en l'air.

— Tu l'as juste mis de côté pour quelque temps. Comme elle. Mais regarde sur qui vous êtes tombés tous les deux : Dr Cochon et la petite conne. C'était la façon des dieux de vous dire : " Espèce d'imbéciles qui bousillez tout. "

— Pamela était... je ne sais pas... une diversion. Elle n'a jamais été réelle à mes yeux. Tu te souviens de ce que je t'ai dit, que j'ai toujours su que je retournerai vers Jane ? Je crois que je pensais : Qu'est-ce que ça peut faire ? A la soirée de notre quarantième anniversaire, qui se rappellera ces quelques années où tout n'était pas rose ? Que représentent deux ou trois années moches dans toute une vie ? Comment peuvent-elles compter ? »

« Juste pour un moment », intervint le neurochirurgien.

Sa tête était enveloppée de bandages. Ses cheveux sombres et soyeux avaient disparu, seuls ses sourcils, deux accents noirs, rappelaient leur opulence.

Un jour, il avait saisi sa natte pour la mettre au-dessus de ses lèvres et lui avait demandé : Alors, je ressemble à Clark Gable ?

Sa peau était toujours affreusement blanche.

« Jane ! Jane ! »

Il n'espérait rien. Pourtant, ses yeux s'ouvrirent. Les siens étaient pleins de larmes. Elle le voyait, elle le reconnaissait.

« Je t'aime, dit-il. Jane, je t'aime plus que tout au monde.

— Nick. » Il l'entendait à peine. « T'aime.

— Je sais, dit-il. Je sais. »

Le neurochirurgien l'appela chez lui à minuit. « Il y a eu une oblitération de la conscience.

— Quoi ?

— Je crains que Madame Cobleigh ne soit dans le coma. Nous avons pratiqué un nouvel examen au scanner. Il n'y a plus aucun caillot, mais la pression intercrânienne a de nouveau monté. Les contusions sont plus que sérieuses. La tuméfaction est très prononcée. »

Il se força à demander : « Elle va vivre ?

— La situation semble critique. Evidemment, nous faisons

tout ce qui est en notre pouvoir et nous avons peut-être une chance de retourner la situation.

— Quelles sont les probabilités ? murmura Nicholas.

— Faibles, je le crains. »

Mon Dieu, je vous en prie. Ne la prenez pas.

Ils retournèrent dans le bureau jaune cette nuit-là et n'en partirent plus. Deux jours après l'opération, en fin d'après-midi, sir Anthony Bradley arriva et se tint dans l'embrasure de la porte. « Monsieur Cobleigh. »

Ils se levèrent tous.

« Les deux pupilles sont dilatées. Elle ne respire plus par elle-même.

— Qu'est-ce que ça veut dire ? » demanda Nicholas.

Mais il le savait. Il était inutile qu'il entende la réponse de sir Anthony. Il resta seul avec ses enfants et son beau-frère et il comprit dans son cœur que les mots de Cecily étaient justes.

La vie est trop courte.

Note de l'Auteur

J'ai demandé des conseils et des renseignements aux personnes citées ci-dessous. Toutes me les ont donnés en toute liberté et avec beaucoup de bonne volonté. Je voudrais les remercier et m'excuser si j'ai déformé les faits pour les adapter à mon roman.

Arnold C. Abramowitz, Eric Bregman, Robert Carras, Teresa Cavanaugh, John B. Comerford Jr., Frederick T. Davis, Mary M. Davis, Jonathan Dolger, David Dukes, Robert F. Ebin, Janet Fiske, Robert B. Fiske Jr., Mary FitzPatrick, Michael J. Frank, Phyllis Freeman, Lawrence Iason, Helen Isaacs, Morton Isaacs, Leonard S. Klein, Edward M. Lane, Susan Lawton, Josephine McGowan, Bonnie Mitchell, Catherine Morvillo, Otto G. Obermaier, Estelle Parsons, Frank Perry, Paul K. Rooney, James Rubin, Jeffrey M. Siger, Paul Tolins, Alfred F. Uhry, Herbert Weber, Stephen Wilson, Brian Winston, Jay Zises.

Certains membres du personnel des institutions suivantes m'ont beaucoup aidée : The Cincinnati Historical Society, the Cincinnati Public Library, the New York Public Library, et, tout spécialement, the Port Washington (New York) Public Library.

Mes amis Consuelo Baehr, Mary Rooney, Hilma Wolitzer et Susan Zises m'ont encouragée, m'ont fait de précieuses critiques et m'ont accordé beaucoup d'attention.

Gloria Safier, mon agent, et Larry Ashemead, mon éditeur, se sont montrés — comme d'habitude — perspicaces, patients et absolument merveilleux.

Et Elkan Abramowitz est toujours la meilleure personne au monde.